MIT

Taschenbibliothek der Weltliteratur

Aufbau-Verlag 1988

Hans Christian Andersen

Die Galoschen des Glücks

Märchen und Geschichten

Deutsch von Eva-Maria Blühm

Ausgewählt von Marlies Juhnke

Aus dem Dänischen übertragen
(unter Benutzung einer älteren deutschen Ausgabe)

1. Auflage 1988
Aufbau-Verlag Berlin und Weimar
Ausgabe mit Genehmigung der Dieterich'schen Verlagsbuchhandlung Leipzig
© Dieterich'sche Verlagsbuchhandlung Leipzig 1953 (deutsche Übersetzung)
Reihenentwurf Heinz Hellmis
Einbandgestaltung Regine Schmidt
Lichtsatz Karl-Marx-Werk, Graphischer Großbetrieb, Pößneck V 15/30
Druck und Binden III/9/1 Grafischer Großbetrieb Völkerfreundschaft Dresden
Printed in the German Democratic Republic
Lizenznummer 301. 120/210/88
Bestellnummer 613 644 8
00500

ISBN 3-351-00911-9

Das Feuerzeug

Auf der Landstraße kam ein Soldat dahermarschiert: Eins, zwei! Eins, zwei! Er hatte seinen Tornister auf dem Rücken und einen Säbel an der Seite, denn er war im Krieg gewesen und wollte nun nach Hause. Da begegnete er einer alten Hexe auf der Landstraße; sie sah sehr widerlich aus. Ihre Unterlippe hing ihr gerade bis auf die Brust hinab. Sie sagte: „Guten Abend, Soldat! Was hast du für einen feinen Säbel und großen Tornister! Du bist ein richtiger Soldat! Nun sollst du so viel Geld bekommen, wie du haben willst!"

„Ich danke dir, du alte Hexe!" sagte der Soldat.

„Siehst du den großen Baum dort?" sagte die Hexe und zeigte auf den Baum, der neben ihnen stand. „Er ist inwendig ganz hohl. Du mußt in den Gipfel hinaufklettern, dann siehst du ein Loch, da kannst du dich hinablassen und tief in den Baum gelangen! Ich werde dir einen Strick um den Leib binden, damit ich dich wieder heraufziehen kann, wenn du mich rufst."

„Was soll ich denn da unten im Baum?" fragte der Soldat.

„Geld holen!" sagte die Hexe. „Du mußt wissen, wenn du auf den Boden des Baumes kommst, dann bist du in einem großen Gang, in dem es ganz hell ist, denn da brennen Hunderte von Lampen. Dann siehst du drei Türen, du kannst sie öffnen, der Schlüssel steckt darin. Gehst du in die erste Kammer hinein, so siehst du mitten auf dem Fußboden eine große Kiste, auf der ein Hund sitzt; er hat ein Paar Augen, so groß wie ein Paar Teetassen, doch daran brauchst du dich nicht zu kehren! Ich gebe dir meine blaukarierte Schürze, die kannst du auf dem Fußboden ausbreiten; geh dann rasch hin und nimm den Hund, setze ihn auf meine Schürze, öffne die Kiste und nimm so viele Schillinge, wie du willst. Sie sind alle aus Kupfer. Willst du aber lieber Silber haben, so mußt du in das nächste Zimmer hineingehen. Aber da sitzt ein Hund, der hat ein Paar Augen, so groß wie ein Paar Mühlräder. Doch daran brauchst du dich nicht zu kehren, setze ihn auf meine Schürze und nimm von dem Geld! Willst du dagegen Gold haben, so kannst du es auch bekommen, und zwar so viel, wie du tragen magst, wenn du in die dritte Kammer hineingehst. Aber der Hund, der dort auf dem Geldkasten sitzt, hat zwei Augen, jedes so groß wie der Runde Turm*. Es ist ein richtiger Hund, das kannst du mir glauben. Aber daran brauchst du dich nicht zu kehren. Setze ihn nur auf meine Schürze, so tut er dir nichts, und nimm aus der Kiste so viel Gold, wie du willst!"

„Das wäre so übel nicht!" sagte der Soldat. „Aber was soll ich dir geben, du alte Hexe? Denn ich kann mir denken, daß du auch etwas haben willst!"

„Nein!" sagte die Hexe. „Nicht einen einzigen Schilling will ich haben! Für mich sollst du nur ein altes Feuerzeug nehmen, das meine Großmutter vergaß, als sie zuletzt unten war."

„Na, dann binde mir den Strick um den Leib!" sagte der Soldat.

„Hier ist er", sagte die Hexe, „und hier ist meine blaukarierte Schürze."

Da kletterte der Soldat auf den Baum hinauf, ließ sich in das Loch hinunterfallen und stand nun, wie die Hexe gesagt hatte, unten in dem großen Gang, wo die vielen hundert Lampen brannten.

Nun schloß er die erste Tür auf. Hu! Da saß der Hund mit den Augen, so groß wie Teetassen, und glotzte ihn an.

„Du bist ein netter Kerl!" sagte der Soldat, setzte ihn auf die Schürze der Hexe und nahm so viele Kupferschillinge, wie seine Tasche fassen konnte, schloß dann die Kiste, setzte den Hund wieder darauf und ging in das zweite Zimmer. Richtig! Da saß der Hund mit den Augen, so groß wie ein Paar Mühlräder.

„Du solltest mich lieber nicht so groß ansehen", sagte der Soldat. „Du bekommst sonst schlimme Augen!"

Und dann setzte er den Hund auf die Schürze der Hexe. Aber als er das viele Silbergeld in der Kiste sah, warf er all

* Gilt als ein Wahrzeichen im Stadtbild von Kopenhagen.

das Kupfergeld, das er hatte, fort und füllte die Tasche und seinen Tornister nur mit Silber. Nun ging er in die dritte Kammer. – Nein, das war gräßlich! Der Hund darin hatte wirklich zwei Augen, jeder so groß wie der Runde Turm, die drehten sich im Kopf genau wie Räder.

„Guten Abend!" sagte der Soldat und griff an die Mütze, denn einen solchen Hund hatte er vorher nie gesehen. Als er ihn aber etwas betrachtet hatte, dachte er, nun sei es genug, hob ihn auf den Fußboden und machte die Kiste auf. Gottbewahre! Was war da für eine Menge Gold! Er konnte dafür ganz Kopenhagen und die Zuckerferkel der Kuchenfrauen, alle Zinnsoldaten, Peitschen und Schaukelpferde in der ganzen Welt kaufen. Ja, das war wirklich Gold! Nun warf der Soldat alle Silberschillinge fort, mit denen er seine Tasche und seinen Tornister gefüllt hatte, und nahm dafür Gold; ja, alle Taschen, der Tornister, die Mütze und die Stiefel wurden gefüllt, so daß er kaum gehen konnte. Nun hatte er Geld! Den Hund setzte er auf die Kiste, schlug die Tür zu und rief dann durch den Baum hinauf: „Zieh mich nun hinauf, du alte Hexe!"

„Hast du auch das Feuerzeug?" fragte die Hexe.

„Wahrhaftig", sagte der Soldat, „das hätte ich ganz vergessen!" Und dann ging er und holte es. Die Hexe zog ihn herauf, und da stand er wieder auf der Landstraße, Taschen, Stiefel, Tornister und Mütze voll Gold.

„Was willst du nun mit dem Feuerzeug?" fragte der Soldat.

„Das geht dich nichts an!" sagte die Hexe. „Du hast ja Geld bekommen! Gib mir nur das Feuerzeug!"

„Schnickschnack!" sagte der Soldat. „Wirst du mir gleich sagen, was du damit machen willst, sonst ziehe ich meinen Säbel und schlage dir den Kopf ab!"

„Nein!" sagte die Hexe.

Sogleich schlug der Soldat ihr den Kopf ab. Da lag sie! Er aber band all sein Gold in ihre Schürze, nahm es wie ein Bündel auf seinen Rücken, steckte das Feuerzeug in die Tasche und ging geradewegs zur Stadt.

Das war eine prächtige Stadt! Und in dem prachtvollsten Wirtshaus kehrte er ein, verlangte die allerbesten Zimmer und seine Lieblingsspeisen; denn nun war er ja reich, da er so viel Geld hatte.

Dem Diener, der seine Stiefel putzen sollte, kam es freilich vor, als wären es lächerlich alte Stiefel für so einen reichen Herrn. Aber er hatte sich noch keine neuen gekauft; am nächsten Tag bekam er Stiefel, mit denen er sich sehen lassen konnte, und feine Kleider. Nun war der Soldat ein vornehmer Herr geworden, und die Leute erzählten ihm von all den Herrlichkeiten, die in ihrer Stadt wären, und von ihrem König, und welch niedliche Prinzessin seine Tochter sei.

„Wo kann man sie sehen?" fragte der Soldat.

„Man kann sie gar nicht zu sehen bekommen", sagten alle, „sie wohnt in einem großen Kupferschloß mit vielen Mauern und Türmen ringsherum! Niemand außer dem König darf bei ihr ein und aus gehen, denn es ist prophezeit, daß sie einen einfachen Soldaten heiraten wird, und das kann der König nicht dulden!"

‚Die möchte ich wohl sehen!' dachte der Soldat; aber dazu konnte er ja niemals Erlaubnis bekommen!

Nun lebte er lustig und in Freuden, besuchte das Theater, fuhr in des Königs Park und gab den Armen viel Geld, und das war hübsch von ihm; er wußte noch aus alten Tagen, wie schlimm es ist, nicht einen Schilling zu besitzen! Er war nun reich, hatte schöne Kleider und sehr viele Freunde, die alle sagten, er sei ein netter Kerl, ein richtiger Kavalier. Und das hatte der Soldat gern. Aber da er jeden Tag Geld ausgab und nie etwas einnahm, so hatte er zuletzt nicht mehr als zwei Schillinge übrig. Er mußte die schönen Zimmer verlassen, in denen er gewohnt hatte, und oben in einer winzig kleinen Kammer ganz dicht unter dem Dach wohnen, seine Stiefel selbst putzen und sie mit einer Stopfnadel zusammennähen, und keiner seiner Freunde kam zu ihm, denn es waren zu viele Treppen hinaufzusteigen.

Es war ein ganz dunkler Abend, und er konnte sich nicht einmal ein Licht kaufen. Aber da fiel ihm ein, daß ein kleines Endchen in dem Feuerzeug liege, das er aus dem hohlen Baum mitgenommen hatte, in den die Hexe ihm hinuntergeholfen. Er suchte das Feuerzeug und das Lichtendchen hervor; aber als er Feuer schlug und die Funken aus dem Feuerstein flogen, sprang die Tür auf, und der Hund, der Augen, so groß wie ein Paar Teetassen, hatte und den er unten im Baum gesehen, stand vor ihm und sagte: „Was befiehlt mein Herr?"

„Was ist das?" sagte der Soldat. „Das ist ja ein lustiges Feuerzeug, wenn ich so bekommen kann, was ich haben will! – Schaff mir etwas Geld!" sagte er zum Hund, und husch! war der Hund fort, husch! war er wieder da und hielt einen großen Beutel voll Schillinge in seiner Schnauze.

Nun wußte der Soldat, was für ein herrliches Feuerzeug das war. Schlug er einmal, so kam der Hund, der auf der Kiste mit Kupfergeld saß, schlug er zweimal, so kam der, welcher das Silbergeld hatte, und schlug er dreimal, so kam der, welcher das Gold bewachte. Da zog der Soldat wieder in die schönen Zimmer hinunter und trug von neuem gute Kleider, und alle seine Freunde erkannten ihn sogleich wieder und hielten große Stücke auf ihn.

Da dachte er einmal, es ist doch etwas Seltsames, daß man die Prinzessin nicht sehen darf. Sie soll sehr schön sein, sagen alle; aber was hilft das, wenn sie immer in dem großen Kupferschloß mit den vielen Türmen sitzen muß! – Kann ich sie denn gar nicht zu sehen bekommen! – Wo ist nur mein Feuerzeug? Und so schlug er Feuer, und husch! da kam der Hund mit den Augen, so groß wie Teetassen.

„Es ist freilich mitten in der Nacht", sagte der Soldat, „aber ich möchte herzlich gern die Prinzessin nur einen kleinen Augenblick sehen!"

Der Hund war sogleich aus der Tür, und ehe der Soldat sich's versah, kam er mit der Prinzessin zurück. Sie saß auf dem Rücken des Hundes und schlief und war so schön, daß ein jeder sehen konnte, es war eine wirkliche Prinzessin. Der Soldat konnte nicht anders, er mußte sie küssen, denn er war ein richtiger Soldat.

Darauf lief der Hund mit der Prinzessin wieder zurück. Doch als es Morgen wurde und der König und die Königin Tee tranken, sagte die Prinzessin, sie hätte in der Nacht einen wunderlichen Traum von einem Hund und einem Soldaten gehabt; sie wäre auf dem Hund geritten, und der Soldat hätte sie geküßt.

„Das wäre wirklich eine schöne Geschichte!" sagte die Königin.

Nun sollte in der nächsten Nacht eine der alten Hofdamen am Bett der Prinzessin wachen, um zu sehen, ob es wirklich ein Traum wäre oder was es sonst sein könnte.

Der Soldat sehnte sich so schrecklich danach, die schöne

Prinzessin wiederzusehen, und so kam der Hund in der Nacht, holte sie und lief, so schnell er konnte. Aber die alte Hofdame zog Wasserstiefel an und lief ebenso schnell hinterher. Als sie nun sah, daß sie in einem großen Haus verschwanden, dachte sie: ‚Nun weiß ich, wo es ist' und machte mit einem Stück Kreide ein großes Kreuz an die Tür. Dann ging sie nach Hause und legte sich schlafen, und der Hund kam auch mit der Prinzessin wieder. Aber als er sah, daß ein Kreuz an die Tür des Hauses gemacht war, wo der Soldat wohnte, nahm er auch ein Stück Kreide und machte Kreuze an alle Haustüren in der Stadt, und das war klug getan; denn nun konnte ja die Hofdame die richtige Tür nicht finden, da an allen Kreuze waren.

Frühmorgens kamen der König und die Königin, die alte Hofdame und alle Offiziere, um zu sehen, wo die Prinzessin gewesen war.

„Da ist es!" sagte der König, als er die erste Tür mit einem Kreuz daran sah.

„Nein, dort ist es, mein lieber Mann!" sagte die Königin, als sie die zweite Tür mit einem Kreuz sah.

„Aber da ist eins, und dort ist eins!" sagten alle; wohin sie blickten, war ein Kreuz an den Türen. Da begriffen sie wohl, daß ihnen das Suchen nichts helfen würde.

Die Königin war nun eine sehr kluge Frau, die mehr konnte als in einer Kutsche fahren. Sie nahm ihre große goldene Schere, schnitt ein großes Stück Seidenzeug in Stücke und nähte daraus einen kleinen, niedlichen Beutel; den füllte sie mit feiner Buchweizengrütze, band ihn der Prinzessin auf den Rücken, und als das getan war, schnitt sie ein kleines Loch in den Beutel, so daß die Grütze den ganzen Weg bestreuen konnte, den die Prinzessin nahm.

In der Nacht kam nun der Hund wieder, nahm die Prinzessin auf den Rücken und lief mit ihr zum Soldaten, der sie sehr liebhatte und gern ein Prinz gewesen wäre, um sie zur Frau zu bekommen.

Der Hund merkte gar nicht, wie die Grütze den Weg vom Schloß bis zu dem Fenster des Soldaten bestreute, wo er mit der Prinzessin die Mauer hinauflief. Am Morgen sahen der König und die Königin nun wohl, wo ihre Tochter gewesen war. Und sie nahmen den Soldaten und setzten ihn ins Gefängnis.

Da saß er nun. Hu, wie dunkel und langweilig war es dort! Und sie sagten zu ihm: „Morgen wirst du gehängt!" Das hörte sich nicht lustig an, und sein Feuerzeug hatte er im Gasthof vergessen. Am Morgen konnte er durch das Eisengitter vor dem kleinen Fenster sehen, wie das Volk aus der Stadt eilte, um ihn hängen zu sehen. Er hörte die Trommeln und sah die Soldaten marschieren. Alle Menschen liefen hinaus; darunter war auch ein Schusterjunge mit Schurzfell und Pantoffeln; der lief so im Galopp, daß ihm ein Pantoffel wegflog, und gerade gegen die Mauer, wo der Soldat saß und durch das Eisengitter hinausguckte.

„Ei, du Schusterjunge, du brauchst nicht solche Eile zu haben!" sagte der Soldat zu ihm. „Es geht doch nicht los, bevor ich nicht komme! Aber wenn du dahin läufst, wo ich gewohnt habe, und mir mein Feuerzeug holst, dann bekommst du vier Schillinge. Aber du mußt die Beine in die Hand nehmen!" Der Schusterjunge wollte gern die vier Schillinge haben und holte das Feuerzeug, gab es dem Soldaten, und – ja, nun werden wir hören!

Draußen vor der Stadt war ein großer Galgen gebaut, ringsherum standen die Soldaten und viele hunderttausend Menschen. Der König und die Königin saßen auf einem prächtigen Thron, den Richtern und dem ganzen Rat gegenüber.

Der Soldat stand schon oben auf der Leiter, aber als sie ihm den Strick um den Hals legen wollten, sagte er, daß man ja einem armen Sünder, bevor er seine Strafe erleide, immer einen unschuldigen Wunsch gewähre. Er möchte so gern eine Pfeife Tabak rauchen; es wäre ja die letzte Pfeife, die er in dieser Welt bekäme.

Da wollte nun der König nicht nein sagen, und so nahm der Soldat sein Feuerzeug und schlug Feuer, eins, zwei, drei! Und siehe, da standen alle drei Hunde: der mit den Augen, so groß wie Teetassen, der mit den Augen, so groß wie Mühlräder, und der mit Augen, so groß wie der Runde Turm.

„Helft mir nun, daß ich nicht gehängt werde", sagte der Soldat, und die Hunde fielen über die Richter und den ganzen Rat her, nahmen den einen bei den Beinen und den andern bei der Nase und warfen sie viele Klafter hoch in die Luft, so daß sie niederfielen und in lauter Stücke zersprangen.

„Ich will nicht!" sagte der König, aber der größte Hund

nahm ihn und auch die Königin und warf sie den andern nach; da erschraken die Soldaten, und alles Volk rief: „Lieber Soldat, du sollst unser König sein und die schöne Prinzessin haben!"

Dann setzten sie den Soldaten in des Königs Kutsche, alle drei Hunde tanzten voran und riefen: „Hurra!", die Knaben pfiffen auf den Fingern, und die Soldaten präsentierten das Gewehr. Die Prinzessin kam aus dem Kupferschloß und wurde Königin, und das gefiel ihr gut! Die Hochzeit währte acht Tage, und die Hunde saßen mit bei Tisch und machten große Augen.

Der kleine Klaus
und der große Klaus

In einem Dorf wohnten zwei Männer, die beide denselben Namen hatten. Alle beide hießen sie Klaus, aber der eine besaß vier Pferde und der andere nur ein einziges Pferd. Um sie jedoch voneinander unterscheiden zu können, nannte man den, der vier Pferde hatte, den großen Klaus und den, der nur ein einziges Pferd hatte, den kleinen Klaus. Nun werden wir hören, wie es den beiden erging, denn es ist eine wahre Geschichte!

Die ganze Woche hindurch mußte der kleine Klaus für den großen Klaus pflügen und ihm sein einziges Pferd leihen; dann half der große Klaus ihm wieder mit allen seinen vieren, aber nur einmal wöchentlich, und das war sonntags. Hussa! wie knallte der kleine Klaus mit seiner Peitsche über alle fünf Pferde; sie waren ja nun so gut wie sein für den einen Tag. Die Sonne schien so herrlich, und alle Glocken im Kirchturm läuteten zur Kirche; die Leute waren alle so geputzt und gingen mit dem Gesangbuch unter dem Arm, den Pastor predigen zu hören; und sie sahen den kleinen Klaus, der mit fünf Pferden pflügte; und er war so vergnügt, daß er wieder mit der Peitsche knallte und rief: „Hü, alle meine Pferde!"

„Das mußt du nicht sagen", meinte der große Klaus, „dir gehört ja nur ein Pferd!"

Aber als wieder einer vorbei zur Kirche ging, vergaß der

kleine Klaus, daß er es nicht sagen durfte, und rief: „Hü, alle meine Pferde!"

„Nun möchte ich dich doch bitten, das bleibenzulassen!" sagte der große Klaus; „denn sagst du es noch einmal, so schlage ich dein Pferd vor den Kopf, daß es auf der Stelle tot ist; dann ist es aus mit ihm!"

„Ich werde es ganz gewiß nicht mehr sagen!" versprach der kleine Klaus. Aber als dann Leute vorbeikamen und ihm guten Tag zunickten, wurde er so vergnügt und meinte, es sähe doch recht flott aus, daß er fünf Pferde habe, sein Feld zu pflügen; und er knallte mit der Peitsche und rief: „Hü, alle meine Pferde!"

„Ich werde deine Pferde hüen!" sagte der große Klaus, nahm eine Keule und schlug das einzige Pferd des kleinen Klaus vor den Kopf, so daß es umfiel und ganz tot war.

„Ach, nun habe ich gar kein Pferd mehr!" sagte der kleine Klaus und fing an zu weinen. Danach zog er dem Pferd die Haut ab und ließ sie gut im Wind trocknen, steckte sie dann in einen Sack, den er auf den Rücken nahm, und ging nach der Stadt, um seine Pferdehaut zu verkaufen.

Er hatte einen sehr weiten Weg vor sich und mußte durch einen großen, dunklen Wald. Da zog ein furchtbares Unwetter herauf, und er verirrte sich. Ehe er wieder auf den rechten Weg kam, war es Abend und allzu weit, um vor der Nacht zur Stadt oder wieder nach Hause zu gehen.

Dicht am Weg lag ein großer Bauernhof; die Fensterläden vor den Fenstern waren geschlossen, aber das Licht konnte doch oben hindurchscheinen. ,Dort werde ich wohl die Nacht über bleiben dürfen', dachte der kleine Klaus und ging hin, um anzuklopfen.

Die Bauersfrau machte auf, aber als sie hörte, was er wollte, sagte sie, er solle seiner Wege gehen; ihr Mann sei nicht zu Hause, und sie nehme keinen Fremden auf.

„Nun, so muß ich draußen liegenbleiben", sagte der kleine Klaus, und die Bauersfrau schlug ihm die Tür vor der Nase zu. Dicht daneben stand ein großer Heuschober, und zwischen ihm und dem Haus war ein kleiner Schuppen mit einem flachen Strohdach gebaut.

,Da oben kann ich liegen', dachte der kleine Klaus, als er das Dach sah, ,das ist ja ein herrliches Bett. Der Storch fliegt wohl nicht herunter und beißt mich in die Beine.' Denn es stand ein lebendiger Storch auf dem Dach, der dort sein Nest hatte.

Nun kroch der kleine Klaus auf den Schuppen hinauf, wo er sich drehte und wendete, um recht gut zu liegen. Die hölzernen Läden vor den Fenstern schlossen oben nicht, und so konnte er gerade in die Stube hineinblicken.

Da war ein großer Tisch gedeckt, mit Wein und Braten und einem herrlichen Fisch; die Bauersfrau und der Küster tafelten und sonst niemand weiter; sie schenkte ihm ein, und er fiel über den Fisch her, denn das war sein Leibgericht.

‚Wer doch etwas davon abbekommen könnte!‘ dachte der kleine Klaus und reckte den Kopf gegen das Fenster. Gott, welchen herrlichen Kuchen sah er drinnen stehen! Ja, das war ein Fest!

Nun hörte er einen auf der Landstraße auf das Haus zugeritten kommen; das war der Mann der Bauersfrau, der nach Hause kam.

Es war ein sehr guter Mann, aber er hatte die wunderliche Krankheit, daß er keinen Küster sehen konnte; kam ihm ein Küster vor die Augen, so wurde er ganz rasend. Darum war der Küster auch hineingegangen, um der Frau guten Tag zu sagen, denn er wußte, daß der Mann nicht zu Hause war; und die gute Frau setzte ihm deshalb das herrlichste Essen vor, das sie hatte. Als sie aber den Mann kommen hörten, erschraken sie sehr, und die Frau bat den Küster, in eine große leere Kiste hineinzukriechen, die hinten in der Ecke stand. Das tat er, denn er wußte ja, daß der arme Mann keinen Küster sehen konnte. Die Frau versteckte geschwind all das herrliche Essen und den Wein in ihrem Backofen; denn hätte der Mann das zu sehen bekommen, so hätte er sicher gefragt, was es zu bedeuten habe.

„Ach ja!“ seufzte der kleine Klaus oben auf dem Schuppen, als er all das Essen verschwinden sah.

„Ist jemand dort oben?“ fragte der Bauer und guckte zum kleinen Klaus hinauf. „Warum liegst du dort? Komm lieber mit in die Stube.“

Nun erzählte der kleine Klaus, wie er sich verirrt hatte, und bat, die Nacht über bleiben zu dürfen.

„Ja, gewiß“, sagte der Bauer, „aber wir müssen uns zuerst etwas stärken.“

Die Frau empfing beide sehr freundlich, deckte einen langen Tisch und gab ihnen eine große Schüssel voll Grütze.
Der Bauer war hungrig und aß mit richtigem Appetit, aber der kleine Klaus mußte immerzu an den herrlichen Braten, Fisch und Kuchen denken, den er im Ofen stehen wußte.
Unter den Tisch zu seinen Füßen hatte er den Sack mit der Pferdehaut gelegt, denn wir wissen ja, daß er nur ausgegangen war, um sie in der Stadt zu verkaufen. Die Grütze wollte ihm gar nicht schmecken, und da trat er auf seinen Sack, und die trockene Haut darin knarrte ganz laut.
„St!" sagte der kleine Klaus zu seinem Sack, trat aber gleichzeitig wieder drauf, da knarrte sie viel lauter als zuvor.
„Na, was hast du denn in deinem Sack?" fragte der Bauer nun.
„Oh, das ist ein Zauberer!" sagte der kleine Klaus. „Er sagt, wir sollen keine Grütze essen, er habe den ganzen Ofen voll Braten, Fisch und Kuchen gehext!"
„Was denn!" sagte der Bauer und machte schnell den Ofen auf, wo er all die herrlichen Speisen erblickte, welche die Frau dort versteckt hatte, die aber, wie er glaubte, der Zauberer im Sack für sie gehext hatte. Die Frau durfte nichts sagen, sondern setzte sogleich die Speisen auf den Tisch, und so aßen sie vom Fisch, vom Braten und vom Kuchen. Nun trat der kleine Klaus wieder auf seinen Sack, daß die Haut knarrte.
„Was sagt er jetzt?" fragte der Bauer.
„Er sagt", erwiderte der kleine Klaus, „daß er auch drei Flaschen Wein für uns gehext hat; sie stehen da in der Ecke beim Ofen!"
Nun mußte die Frau den Wein hervorholen, den sie versteckt hatte, und der Bauer trank und wurde sehr lustig. Einen solchen Zauberer, wie ihn der kleine Klaus im Sack trug, hätte er doch gar zu gern gehabt!
„Kann er auch den Teufel hervorhexen?" fragte der Bauer; „ich möchte ihn wohl sehen, denn nun bin ich lustig!"
„Ja", sagte der kleine Klaus, „mein Zauberer kann alles, was ich verlange. Nicht wahr, du?" fragte er und trat auf den Sack, daß es knarrte. „Hörst du, wie er ja sagt? Aber der Teufel sieht so häßlich aus, wir wollen ihn lieber nicht sehen!"
„Oh, mir ist gar nicht bange. Wie mag er wohl aussehen?"

„Ja, er wird ganz leibhaftig als ein Küster erscheinen!"

„Hu!" sagte der Bauer, „das ist häßlich! Ihr müßt wissen, ich mag keinen Küster sehen! Aber es tut nichts; ich weiß ja, daß es der Teufel ist; so werde ich mich wohl leichter dareinfinden! Nun habe ich Mut! Aber er darf mir nicht zu nahe kommen!"

„Nun, ich werde meinen Zauberer fragen", sagte der kleine Klaus, trat auf den Sack und hielt sein Ohr hin.

„Was sagt er?"

„Er sagt, Ihr könnt die Kiste aufmachen, die dort in der Ecke steht, dann werdet Ihr den Teufel sehen, wie er darin hockt; aber Ihr müßt den Deckel festhalten, daß er nicht entwischt."

„Wollt Ihr mir helfen, ihn zu halten?" bat der Bauer und ging zu der Kiste, wo die Frau den wirklichen Küster versteckt hatte, der darin saß und sich sehr fürchtete.

Der Bauer hob den Deckel ein wenig und guckte darunter.

„Hu!" schrie er und sprang zurück. „Ja, nun habe ich ihn gesehen; er sah ganz aus wie unser Küster. Nein, das war schrecklich!"

Darauf mußte getrunken werden, und so tranken sie noch bis in die tiefe Nacht hinein.

„Den Zauberer mußt du mir verkaufen", sagte der Bauer. „Verlange dafür, was du willst! Ja, ich gebe dir sogleich einen ganzen Scheffel Geld!"

„Nein, das kann ich nicht!" sagte der kleine Klaus. „Bedenke doch, wieviel Nutzen ich von diesem Zauberer haben kann!"

„Ach, ich möchte ihn schrecklich gern haben!" sagte der Bauer und fuhr fort zu bitten.

„Ja", sagte der kleine Klaus zuletzt; „da du so gut gewesen bist, mir diese Nacht Obdach zu geben, so mag es darum sein. Du sollst den Zauberer für einen Scheffel Geld haben, aber der Scheffel muß gehäuft voll sein."

„Das sollst du bekommen", sagte der Bauer. „Aber die Kiste dort mußt du mit dir nehmen; ich will sie nicht eine Stunde im Haus behalten; man kann nicht wissen, ob er noch darin sitzt."

Der kleine Klaus gab dem Bauern seinen Sack mit der trockenen Haut und bekam dafür einen ganzen Scheffel Geld, und zwar gehäuft gemessen. Der Bauer schenkte ihm sogar noch einen großen Schubkarren, um das Geld und die Kiste darauf wegzufahren.

„Leb wohl!" sagte der kleine Klaus, und so fuhr er mit seinem Geld und der großen Kiste, worin noch der Küster saß, davon.

Auf der andern Seite des Waldes war ein großer, tiefer Fluß; das Wasser floß so reißend, daß man kaum gegen den Strom schwimmen konnte; man hatte eine große neue Brücke darübergeschlagen, und der kleine Klaus hielt mitten darauf an und sagte ganz laut, damit der Küster in der Kiste es hören konnte: „Nein, was soll ich nur mit der dummen Kiste? Sie ist so schwer, als ob Steine darin wären! Ich werde nur müde davon, wenn ich sie weiter fahre; ich will sie deshalb in den Fluß werfen; schwimmt sie zu mir nach Hause, so ist es gut, und tut sie es nicht, so macht es auch nichts!"

Nun faßte er die Kiste mit der einen Hand an und hob sie ein wenig, gerade als ob er sie in das Wasser stürzen wollte.

„Nein, laß das sein!" rief der Küster in der Kiste. „Laß mich erst heraus!"

„Hu!" sagte der kleine Klaus und tat, als fürchte er sich. „Er sitzt noch darin! Da muß ich ihn geschwind in den Fluß werfen, damit er ertrinkt!"

„O nein, o nein!" rief der Küster. „Ich will dir einen ganzen Scheffel Geld geben, wenn du es nicht tust!"

„Ja, das ist etwas anderes!" sagte der kleine Klaus und machte die Kiste auf. Der Küster kroch schnell heraus, stieß die leere Kiste ins Wasser und ging zu seinem Haus, wo der kleine Klaus einen ganzen Scheffel Geld bekam; einen hatte er ja schon von dem Bauern bekommen, nun hatte er also seinen ganzen Schubkarren voll Geld.

„Sieh, das Pferd habe ich gut bezahlt bekommen!" sagte er zu sich selbst, als er nach Hause, in seine eigene Stube kam und alles Geld mitten auf den Fußboden auf einen großen Haufen schüttete. „Es wird den großen Klaus ärgern, wenn er erfährt, wie reich ich durch mein einziges Pferd geworden bin; aber ich will es ihm doch nicht so geradeheraus sagen!"

Nun schickte er einen Jungen zum großen Klaus, um sich ein Scheffelmaß zu leihen.

‚Was mag er wohl damit wollen?' dachte der große Klaus

und schmierte Teer unter den Boden, damit von dem, was gemessen würde, etwas hängenbliebe. Und so geschah es auch; denn als er das Scheffelmaß zurückbekam, hingen drei neue silberne Achtschillingstücke daran.

„Was ist das?" sagte der große Klaus und lief sogleich zu dem kleinen. „Wo hast du denn das viele Geld herbekommen?"

„Oh, das ist für meine Pferdehaut; ich habe sie gestern abend verkauft."

„Das ist wahrlich gut bezahlt!" sagte der große Klaus, lief geschwind nach Hause, nahm eine Axt, schlug seine vier Pferde vor den Kopf, zog ihnen die Haut ab und fuhr damit zur Stadt.

„Häute! Häute! Wer will Häute kaufen!" rief er durch die Straßen.

Alle Schuhmacher und Gerber kamen gelaufen und fragten, was er dafür haben wolle.

„Einen Scheffel Geld für jede", sagte der große Klaus.

„Bist du toll?" riefen alle. „Glaubst du, wir hätten das Geld scheffelweise?"

„Häute, Häute! Wer will Häute kaufen!" rief er wieder, aber all denen, die ihn fragten, was die Häute kosten sollten, antwortete er: „Einen Scheffel Geld."

„Er will uns zum Narren halten!" sagten alle, und da nahmen die Schuhmacher ihre Spannriemen und die Gerber ihre Schurzfelle und fingen an, auf den großen Klaus loszuprügeln.

„Häute, Häute!" äfften sie ihn nach; „ja, wir wollen dir die Haut gerben, daß sie grün und blau wird. Hinaus aus der Stadt mit ihm!" riefen sie, und der große Klaus mußte laufen, was er nur konnte, denn so war er noch nie durchgeprügelt worden.

„Na", sagte er, als er nach Hause kam, „das werde ich dem kleinen Klaus heimzahlen! Ich schlage ihn dafür tot!"

Jedoch zu Hause beim kleinen Klaus war die alte Großmutter gestorben. Sie war freilich recht böse und schlimm gegen ihn gewesen, aber er war doch ganz betrübt und nahm die tote Frau und legte sie in sein warmes Bett, um zu sehen, ob sie nicht ins Leben zurückkehre. Da sollte sie die ganze Nacht liegen; er selbst wollte in einem Winkel sitzen und auf einem Stuhl schlafen; das hatte er schon früher getan.

Als er nun in der Nacht dasaß, ging die Tür auf, und der große Klaus kam mit seiner Axt herein. Er wußte wohl, wo das Bett des kleinen Klaus stand, ging gerade darauf los und schlug dann die alte Großmutter vor den Kopf, denn er glaubte, es sei der kleine Klaus.

„Siehst du!" sagte er. „Nun sollst du mich nicht mehr zum besten haben!" Und dann ging er wieder nach Hause.

„Das ist doch ein böser, schlimmer Mann!" sagte der kleine Klaus. „Da wollte er mich totschlagen! Es war doch gut für die alte Großmutter, daß sie schon tot war, sonst hätte er ihr das Leben genommen!"

Nun zog er der alten Großmutter Sonntagskleider an, lieh sich von seinem Nachbarn ein Pferd, spannte es vor den Wagen und setzte die alte Großmutter auf den hintersten Sitz, daß sie nicht herausfallen konnte, wenn er fuhr, und so rollten sie davon durch den Wald.

Als die Sonne aufging, waren sie vor einem großen Krug; da hielt der kleine Klaus an und ging hinein, um sich zu stärken.

Der Wirt hatte sehr, sehr viel Geld; er war auch ein recht guter Mann, aber hitzig, als wären Pfeffer und Tabak in ihm.

„Guten Morgen!" sagte er zum kleinen Klaus. „Du hast dir ja heute beizeiten den Sonntagsstaat angezogen!"

„Ja", sagte der kleine Klaus, „ich will mit meiner alten Großmutter zur Stadt; sie sitzt da draußen auf dem Wagen, ich kann sie nicht in die Stube bekommen. Wollt Ihr ihr nicht ein Glas Met bringen? Aber Ihr müßt recht laut sprechen, denn sie kann nicht gut hören."

„Ja, das werde ich tun!" sagte der Wirt und schenkte ein großes Glas Met ein und brachte es zur toten Großmutter hinaus, die aufrecht in den Wagen gesetzt war.

„Hier ist ein Glas Met von Eurem Enkel!" sagte der Wirt. Aber die tote Frau erwiderte kein Wort, sondern saß ganz still.

„Hört Ihr nicht!" rief der Wirt, so laut er konnte; „hier ist ein Glas Met von Eurem Enkel!"

Noch einmal rief er dasselbe und dann noch einmal; da sie sich aber durchaus nicht von der Stelle rührte, wurde er zornig und warf ihr das Glas ins Gesicht, so daß ihr der Met gerade über die Nase lief und sie im Wagen nach hinten um-

fiel; denn sie war nur aufrecht hingesetzt und nicht festgebunden.

„Nanu!" rief der kleine Klaus, sprang zur Tür hinaus und
packte den Wirt an der Brust; „du hast meine Großmutter
erschlagen! Sieh nur, da ist ein großes Loch in ihrer Stirn!"

„Oh, das ist ein Unglück!" rief der Wirt und schlug die
Hände über dem Kopf zusammen. „Das kommt alles von
meiner Hitzigkeit! Lieber kleiner Klaus, ich will dir einen
ganzen Scheffel Geld geben und deine Großmutter begraben lassen, als wäre sie meine eigene; aber schweige nur
still, sonst schlagen sie mir den Kopf ab, und das ist so häßlich!"

So bekam der kleine Klaus einen ganzen Scheffel Geld, und
der Wirt begrub die alte Großmutter, als ob sie seine eigene
gewesen wäre.

Als nun der kleine Klaus wieder mit so viel Geld nach
Hause kam, schickte er sogleich seinen Jungen hinüber zum
großen Klaus, um ihn zu bitten, ob er ihm nicht ein Scheffelmaß leihen könnte.

„Was denn?" sagte der große Klaus. „Habe ich ihn nicht totgeschlagen? Da muß ich doch selbst nachsehen!" Und so
ging er selbst mit dem Scheffelmaß hinüber zum kleinen
Klaus.

„Nein, wo hast du nur all das Geld herbekommen?" fragte
er und riß die Augen weit auf, als er das sah, was noch hinzugekommen war.

„Meine Großmutter hast du erschlagen und nicht mich!"
sagte der kleine Klaus; „die habe ich nun verkauft und
einen Scheffel Geld dafür bekommen!"

„Das ist wahrlich gut bezahlt!" sagte der große Klaus und
eilte nach Hause, nahm eine Axt und schlug gleich seine
alte Großmutter tot, legte sie auf den Wagen, fuhr mit ihr
zur Stadt, wo der Apotheker wohnte, und fragte, ob er
einen toten Menschen kaufen wolle.

„Wer ist es, und wo habt Ihr ihn her?" fragte der Apotheker.

„Es ist meine Großmutter!" sagte der große Klaus. „Ich habe
sie totgeschlagen, um einen Scheffel Geld dafür zu bekommen!"

„Gott bewahre uns!" sagte der Apotheker. „Ihr redet irre!
Erzählt doch nicht so etwas, sonst könnt Ihr den Kopf verlieren!"

Und nun sagte er ihm genau, was für eine böse Tat er da begangen habe und was für ein schlechter Mensch er sei und daß er bestraft werden müsse. Da erschrak der große Klaus so sehr, daß er aus der Apotheke gerade in den Wagen sprang, auf die Pferde lospeitschte und nach Hause fuhr. Aber der Apotheker und alle Leute glaubten, er sei verrückt, und deshalb ließen sie ihn fahren, wohin er wollte.

„Das werde ich dir heimzahlen!" sagte der große Klaus, als er draußen auf der Landstraße war. „Ja, das werde ich dir heimzahlen, kleiner Klaus!" Und dann nahm er, sobald er nach Hause kam, den größten Sack, den er finden konnte, ging hinüber zum kleinen Klaus und sagte: „Nun hast du mich wieder zum Narren gehalten! Erst habe ich meine Pferde totgeschlagen, dann meine alte Großmutter! Das ist alles deine Schuld, aber du sollst mich nie mehr zum Narren halten!" Und er packte den kleinen Klaus um den Leib und steckte ihn in seinen Sack, nahm ihn so auf seinen Rükken und rief ihm zu: „Nun gehe ich zum Fluß und ertränke dich!"

Er hatte einen weiten Weg zu gehen, bevor er zu dem Fluß kam, und der kleine Klaus war nicht so leicht zu tragen. Der Weg ging dicht an der Kirche vorbei, die Orgel ertönte, und die Leute sangen so schön. Da setzte der große Klaus seinen Sack mit dem kleinen Klaus darin dicht bei der Kirchentür nieder und dachte, es könne wohl ganz gut sein, zuvor noch hineinzugehen und einen Choral zu hören. Der kleine Klaus konnte ja nicht herausschlüpfen, und alle Leute waren in der Kirche; so ging er denn hinein.

„Ach ja, ach ja!" seufzte der kleine Klaus im Sack und drehte und wendete sich; aber es war ihm nicht möglich, den Strick zu lösen. Da kam ein alter Viehtreiber daher, mit schneeweißem Haar und einem großen Stab in der Hand; er trieb eine ganze Herde Kühe und Stiere vor sich her, die stießen gegen den Sack, in dem der kleine Klaus saß, so daß er umfiel.

„Ach ja!" seufzte der kleine Klaus. „Ich bin noch so jung und soll schon ins Himmelreich!"

„Und ich Armer", sagte der Viehtreiber, „ich bin schon so alt und kann noch immer nicht hineinkommen!"

„Mach den Sack auf!" rief der kleine Klaus; „kriech statt meiner hinein, so kommst du gleich ins Himmelreich."

„Ja, das will ich herzlich gern", sagte der Viehtreiber und band den Sack auf, aus dem der kleine Klaus sogleich heraussprang.

„Willst du nun aber auch auf das Vieh achtgeben?" fragte der alte Mann und kroch nun in den Sack hinein; den band der kleine Klaus zu und ging dann mit allen Kühen und Stieren seines Weges.

Bald darauf kam der große Klaus aus der Kirche; er nahm wieder seinen Sack auf den Rücken, obgleich es ihm schien, als wäre er leichter geworden, denn der alte Viehtreiber war nur halb so schwer wie der kleine Klaus. „Wie ist er doch leicht geworden! Ja, das kommt wohl daher, daß ich einen Choral gehört habe!"

So ging er zum Fluß, wo er tief und breit war, warf den Sack mit dem alten Viehtreiber ins Wasser und rief ihm nach, denn er glaubte ja, daß es der kleine Klaus sei: „Siehst du! Nun wirst du mich nicht mehr zum Narren halten!"

Darauf ging er nach Hause; als er aber an die Stelle kam, wo die Wege sich kreuzten, begegnete er dem kleinen Klaus, der all sein Vieh dahertrieb.

„Was denn!" sagte der große Klaus. „Habe ich dich nicht ertränkt?"

„Ja!" sagte der kleine Klaus. „Du hast mich ja vor einer knappen halben Stunde in den Fluß geworfen!"

„Aber wo hast du all das herrliche Vieh herbekommen?" fragte der große Klaus.

„Das ist Seevieh!" sagte der kleine Klaus. „Ich will dir die ganze Geschichte erzählen und dir auch danken, daß du mich ertränkt hast, denn nun bin ich obenauf, bin richtig reich, das kannst du glauben! – Ich war so bange, als ich im Sack lag, und der Wind pfiff mir um die Ohren, als du mich von der Brücke hinunter in das kalte Wasser warfst. Ich sank sogleich zu Boden, aber ich stieß mich nicht, denn da unten wächst das schönste weiche Gras. Darauf fiel ich, und sogleich wurde der Sack geöffnet, und die lieblichste Jungfrau, mit schneeweißen Kleidern und mit einem grünen Kranz im nassen Haar, nahm mich bei der Hand und sagte: ,Bist du der kleine Klaus? Da hast du fürs erste etwas Vieh! Eine Meile Weg aufwärts steht noch eine ganze Herde, die ich dir schenken will!' – Nun sah ich, daß der Fluß eine große Landstraße für das Meervolk war. Unten auf dem

Grund gingen und fuhren sie vom Meer ins Land hinein, bis dahin, wo der Fluß endet. Da war es so schön mit all den Blumen und dem frischesten Gras. Die Fische, die im Wasser schwammen, huschten mir um die Ohren, gerade wie hier die Vögel in der Luft. Was gab es da für feine Leute, und was war da für Vieh, das auf Gräben und Wällen graste!"

„Aber warum bist du gleich wieder zu uns heraufgekommen?" fragte der große Klaus. „Das hätte ich nicht getan, wenn es so schön dort unten ist!"

„Ja", sagte der kleine Klaus, „das ist gerade klug von mir gehandelt. Du hast doch gehört, was ich dir erzählte: Die Seejungfrau sagte mir, eine Meile den Weg aufwärts – und mit dem Weg meint sie ja den Fluß, denn sie kann nirgends sonst hingehen – stehe noch eine ganze Herde Vieh für mich. Aber ich weiß, was der Fluß für Windungen macht, bald hier, bald dort, das ist ja ein weiter Umweg; nein, da hat man es kürzer, wenn man hier an Land steigt und querfeldein wieder zum Fluß treibt; dabei spare ich ja fast eine halbe Meile und komme geschwinder zu meinem Seevieh!"

„Oh, du bist ein glücklicher Mann!" sagte der große Klaus. „Glaubst du, daß ich auch Seevieh bekäme, wenn ich auf den Grund des Flusses gelangte?"

„Ja, das könnte ich mir denken", sagte der kleine Klaus. „Aber ich kann dich nicht im Sack bis zum Fluß tragen, du bist mir zu schwer! Willst du selbst dahin gehen und dann in den Sack kriechen, so werde ich dich mit dem größten Vergnügen hineinwerfen."

„Ich danke dir!" sagte der große Klaus. „Aber bekomme ich kein Seevieh, wenn ich unten bin, dann werde ich dich tüchtig verprügeln, das kannst du mir glauben!"

„O nein! Mach es nicht so schlimm!"

Und dann gingen sie zum Fluß. Als das Vieh, das durstig war, das Wasser sah, lief es, was es nur konnte, um zur Tränke zu kommen.

„Sieh, wie es sich sputet!" sagte der kleine Klaus. „Es will zurück auf den Grund!"

„Ja, hilf mir nun erst", sagte der große Klaus, „sonst bekommst du Prügel!" Und so kroch er in den großen Sack, der quer über dem Rücken eines der Stiere gelegen hatte.

„Lege einen Stein hinein, sonst habe ich Angst, daß ich nicht untersinke", sagte der große Klaus.

„Es geht schon", sagte der kleine Klaus, legte aber doch einen großen Stein in den Sack, knüpfte das Band fest zu, und dann stieß er dagegen. Plumps! da lag der große Klaus im Fluß und sank sogleich hinunter auf den Grund.

„Ich fürchte, er wird das Vieh nicht finden!" sagte der kleine Klaus und trieb dann das heim, das er hatte.

Die Prinzessin auf der Erbse

Es war einmal ein Prinz, der wollte eine Prinzessin heiraten; aber es sollte eine richtige Prinzessin sein. Da reiste er in der ganzen Welt umher, um eine solche zu finden, aber überall stand etwas im Wege. Prinzessinnen gab es genug, aber ob es richtige Prinzessinnen waren, dahinter konnte er nicht ganz kommen. Immer gab es etwas, was nicht in Ordnung war. Da kam er wieder nach Hause und war sehr betrübt, denn er wollte doch gar zu gern eine wirkliche Prinzessin haben.

Eines Abends gab es ein furchtbares Unwetter; es blitzte und donnerte, der Regen floß in Strömen, es war ganz schrecklich! Da klopfte es an das Stadttor, und der alte König ging hin, um aufzumachen.

Es war eine Prinzessin, die draußen stand. Aber, o Gott! wie sah sie aus vom Regen und dem bösen Wetter! Das Wasser lief ihr vom Haar und von den Kleidern herunter; es lief in die Schnäbel der Schuhe hinein und an den Hakken wieder heraus, und da sagte sie, sie sei eine wirkliche Prinzessin.

‚Nun, das werden wir schon herausbekommen!' dachte die alte Königin. Aber sie sagte nichts, ging in die Schlafkammer, nahm alle Betten ab und legte eine Erbse auf den Boden der Bettstelle, dann nahm sie zwanzig Matratzen und legte sie auf die Erbse und dann noch zwanzig Eiderdaunenbetten oben auf die Matratzen.

Darauf mußte nun die Prinzessin die ganze Nacht liegen. Am Morgen wurde sie gefragt, wie sie geschlafen hätte.

„Oh, schrecklich schlecht!" sagte die Prinzessin. „Ich habe fast die ganze Nacht kein Auge zugetan! Gott weiß, was da im Bett gewesen ist! Ich habe auf etwas Hartem gelegen, so daß ich braun und blau am ganzen Körper bin! Es ist entsetzlich!"

Nun sahen sie, daß sie eine richtige Prinzessin war, weil sie durch die zwanzig Matratzen und die zwanzig Eiderdaunenbetten hindurch die Erbse gespürt hatte. So empfindlich konnte niemand anders sein als eine wirkliche Prinzessin.

Da nahm der Prinz sie zur Frau, denn nun wußte er, daß er eine richtige Prinzessin hatte, und die Erbse kam in die Kunstkammer, wo sie noch zu sehen ist, wenn niemand sie gestohlen hat.

Seht, das ist eine wahre Geschichte.

Die Blumen
der kleinen Ida

„Meine armen Blumen sind ganz tot!" sagte die kleine Ida traurig.

„Wie schön waren sie gestern abend, und nun hängen alle Blätter welk herab! Warum tun sie das?" fragte sie den Studenten, der auf dem Sofa saß, denn sie mochte ihn sehr gern. Er wußte die allerschönsten Geschichten und schnitt so lustige Bilder aus, Herzen mit kleinen, tanzenden Damen darin, Blumen und große Schlösser, in denen man die Türen öffnen konnte; er war ein lustiger Student. „Warum sehen die Blumen heute so krank aus?" fragte sie wieder und zeigte ihm einen Strauß, der ganz welk war.

„Weißt du, was ihnen fehlt?" sagte der Student. „Die Blumen sind diese Nacht auf dem Ball gewesen, und darum lassen sie die Köpfe hängen."

„Aber die Blumen können ja nicht tanzen!" sagte die kleine Ida.

„Doch", sagte der Student, „wenn es dunkel wird und wir anderen schlafen, dann springen sie lustig herum; fast jede Nacht halten sie Ball."

„Können Kinder nicht mit auf diesen Ball gehen?"

„Ja", sagte der Student, „ganz kleine Gänseblümchen und Maiglöckchen."

„Wo tanzen die schönsten Blumen?" fragte die kleine Ida.

„Bist du nicht oft draußen vor dem Tor bei dem großen Schloß gewesen, wo der König im Sommer wohnt, wo der herrliche Garten mit den vielen Blumen ist? Du hast doch die Schwäne gesehen, die zu dir hinschwimmen, wenn du ihnen Brotkrumen geben willst. Da draußen ist richtiger Ball, das kannst du mir glauben!"

„Ich war gestern mit meiner Mutter draußen im Garten", sagte Ida, „aber die Bäume hatten alle Blätter verloren, und es waren gar keine Blumen mehr da. Wo sind sie? Im Sommer sah ich so viele!"

„Sie sind drinnen im Schloß", sagte der Student. „Weißt du, sobald der König und alle Hofleute in die Stadt ziehen, laufen die Blumen sogleich aus dem Garten auf das Schloß und sind lustig. Das solltest du sehen! Die beiden allerschönsten Rosen setzen sich auf den Thron, und dann sind sie König und Königin. Alle roten Hahnenkämme stellen sich zu beiden Seiten auf und verbeugen sich, das sind die Kammerjunker. Dann kommen alle niedlichen Blumen, und es ist großer Ball. Die blauen Veilchen stellen kleine Seekadetten vor, sie tanzen mit Hyazinthen und Krokussen, die sie Fräulein nennen. Die Tulpen und die großen gelben Lilien sind alte Damen, die passen auf, daß schön getanzt wird und daß es fein zugeht."

„Aber", fragte die kleine Ida, „ist denn niemand da, der den Blumen etwas zuleide tut, weil sie im Schloß des Königs tanzen?"

„Es gibt niemand, der richtig etwas davon weiß", sagte der Student. „Zuweilen kommt freilich in der Nacht der alte Schloßverwalter, der dort draußen aufpassen soll; er hat ein großes Schlüsselbund bei sich, aber sobald die Blumen die Schlüssel rasseln hören, sind sie ganz still, verstecken sich hinter den Gardinen und recken die Köpfe hervor. ,Ich rieche, daß Blumen hier sind', sagt der alte Schloßverwalter, aber er kann sie nicht sehen."

„Das ist lustig!" sagte die kleine Ida und klatschte in die Hände. „Aber könnte ich die Blumen auch nicht sehen?"

„Doch", sagte der Student, „denk nur daran, daß du durch das Fenster siehst, wenn du wieder hinauskommst, so wirst du sie schon bemerken. Das tat ich heute; da lag eine lange gelbe Osterglocke auf dem Sofa und streckte sich, das war eine Hofdame."

„Können auch die Blumen aus dem Botanischen Garten dahinkommen? Können sie den weiten Weg gehen?"

„Ja, gewiß", sagte der Student, „wenn sie wollen, dann können sie fliegen. Hast du nicht die schönen Schmetterlinge gesehen, die roten, gelben und weißen? Sie sehen fast aus wie Blumen, und das sind sie auch gewesen. Sie sind vom Stiel hoch in die Luft gesprungen und haben da mit den Blättern geschlagen, als wären es kleine Flügel, und dann flogen sie davon. Und weil sie sich gut aufführten, bekamen sie die Erlaubnis, auch bei Tage herumzufliegen, und brauchten nicht wieder zu Hause still auf dem Stiel zu sitzen; und so wurden die Blätter am Ende zu wirklichen Flügeln. Das hast du ja selbst gesehen. Es kann übrigens sein, daß die Blumen im Botanischen Garten niemals im Schloß des Königs gewesen sind oder nicht wissen, daß es dort des Nachts so lustig ist. Darum will ich dir etwas sagen: Er wird recht staunen, der Professor der Botanik, der hier nebenan wohnt; du kennst ihn doch wohl? Wenn du in seinen Garten kommst, mußt du einer der Blumen erzählen, daß draußen auf dem Schloß großer Ball ist. Sie sagt es allen anderen weiter, und dann fliegen sie fort. Kommt nun der Professor in den Garten hinaus, so ist nicht eine einzige Blume da, und er kann gar nicht verstehen, wo sie geblieben sind."

„Aber wie kann denn die eine Blume es den anderen erzählen? Die Blumen können ja nicht sprechen!"

„Das können sie freilich nicht", antwortete der Student, „aber dann machen sie Pantomimen. Hast du nicht oft gesehen, daß die Blumen, wenn es ein wenig weht, sich zunicken und all ihre grünen Blätter bewegen? Das ist für sie ebenso verständlich wie gesprochene Worte."

„Kann der Professor denn die Pantomimen verstehen?" fragte Ida.

„Ja, sicherlich. Er kam eines Morgens in seinen Garten und sah eine große Brennessel stehen, die mit ihren Blättern einer schönen roten Nelke Pantomimen machte. Sie sagte: ‚Du bist gar so niedlich, und ich bin dir von Herzen gut!' Aber so etwas kann der Professor nun gar nicht leiden, er schlug sogleich der Brennessel auf die Blätter, denn das sind ihre Finger. Aber da brannte er sich, und seit der Zeit wagt er es nicht, eine Brennessel anzurühren."

„Das ist lustig!" sagte die kleine Ida und lachte.

„Wie kann man einem Kind so etwas in den Kopf setzen!" sagte der langweilige Kanzleirat, der zu Besuch gekommen war und auf dem Sofa saß. Er konnte den Studenten nicht leiden und brummte immer, wenn er ihn die possierlichen, munteren Bilder ausschneiden sah, bald war es ein Mann, der an einem Galgen hing und ein Herz in der Hand hielt, denn es war ein Herzensdieb, bald eine alte Hexe, die auf einem Besen ritt und ihren Mann auf der Nase hatte. Das konnte der alte Kanzleirat nicht leiden, und dann sagte er, gerade wie jetzt: „Wie kann man einem Kind so etwas in den Kopf setzen! Das ist dumme Phantasie!"

Aber der kleinen Ida kam es doch recht lustig vor, was der Student von ihren Blumen erzählte, und sie dachte viel daran. Die Blumen ließen die Köpfe hängen, denn sie waren müde, da sie die ganze Nacht getanzt hatten; sie waren sicher krank. Da trug sie die Blumen zu ihrem anderen Spielzeug, das auf einem niedlichen, kleinen Tisch stand, und der ganze Schubkasten war voll schöner Sachen. Im Puppenbett lag ihre Puppe Sophie und schlief, aber die kleine Ida sagte zu ihr: „Du mußt wirklich aufstehen, Sophie, und heute nacht mit dem Schubkasten vorliebnehmen. Die armen Blumen sind krank, und da müssen sie in deinem Bett liegen; vielleicht werden sie dann wieder gesund!"

Und sogleich nahm sie die Puppe heraus, aber die sah verdrießlich aus und sagte nicht ein einziges Wort, denn sie war ärgerlich, daß sie nicht ihr Bett behalten konnte. Dann legte Ida die Blumen in das Puppenbett, zog die kleine Decke ganz über sie und sagte, nun sollten sie hübsch still liegen, dann wolle sie ihnen Tee kochen, damit sie wieder gesund würden und morgen aufstehen könnten. Sie zog die Gardinen dicht um das kleine Bett zusammen, damit die Sonne ihnen nicht in die Augen scheine.

Den ganzen Abend lang mußte sie immer daran denken, was ihr der Student erzählt hatte. Als sie nun selbst zu Bett gehen sollte, mußte sie zuerst hinter die Gardinen sehen, die vor den Fenstern hingen, wo die herrlichen Blumen ihrer Mutter standen, Hyazinthen und Tulpen, und da flüsterte sie ganz leise: „Ich weiß wohl, ihr geht diese Nacht auf den Ball!" Aber die Blumen taten, als ob sie nichts verstünden, und rührten nicht ein Blatt, aber die kleine Ida wußte doch, was sie wußte.

Als sie ins Bett gegangen war, lag sie lange wach und dachte daran, wie hübsch es sein müsse, die schönen Blumen draußen im Schloß des Königs tanzen zu sehen. ‚Ob meine Blumen wirklich dabeigewesen sind?' Aber dann schlief sie ein. In der Nacht erwachte sie wieder: sie hatte von den Blumen und dem Studenten geträumt, der Kanzleirat hatte ihn gescholten und ihm dann gesagt, er solle ihr nichts in den Kopf setzen. Es war still in der Schlafstube, wo Ida lag. Die Nachtlampe brannte auf dem Tisch, und Vater und Mutter schliefen.

„Ob meine Blumen wohl noch in Sophies Bett liegen?" sagte sie zu sich selbst. „Wie gern möchte ich es doch wissen!" Sie erhob sich ein bißchen und blickte zur Tür, die angelehnt war: drinnen lagen die Blumen und all ihr Spielzeug. Sie lauschte, und es war ihr, als würde in der Stube auf dem Klavier gespielt, aber ganz leise und so hübsch, wie sie es nie zuvor gehört hatte.

‚Nun tanzen gewiß alle Blumen drinnen!' dachte sie. ‚O Gott, wie gern möchte ich es doch sehen!' Aber sie wagte nicht aufzustehen, denn sonst weckte sie Vater und Mutter.

‚Wenn sie doch nur hereinkommen wollten', dachte sie. Aber die Blumen kamen nicht, und die Musik spielte weiter so hübsch. Da konnte sie es nicht mehr aushalten, denn es war gar zu schön. Sie kroch aus ihrem kleinen Bett heraus, ging ganz leise zur Tür und guckte in die Stube. Nein, wie lustig war das, was sie da zu sehen bekam!

Es brannte keine Nachtlampe drinnen, aber es war dennoch ganz hell. Der Mond schien durch das Fenster mitten auf den Fußboden; es war fast wie am Tage. Alle Hyazinthen und Tulpen standen in zwei langen Reihen im Zimmer; es waren gar keine mehr am Fenster, dort standen nur die leeren Töpfe. Auf dem Fußboden tanzten alle Blumen zierlich umeinander herum, bildeten eine richtige Kette und hielten einander bei den langen grünen Blättern, wenn sie sich herumschwenkten. Aber am Klavier saß eine große gelbe Lilie, die die kleine Ida im Sommer bestimmt gesehen hatte, denn sie erinnerte sich deutlich, daß der Student gesagt hatte: „Nein, wie gleicht sie Fräulein Line!" Aber damals wurde er von allen ausgelacht, doch nun schien es der kleinen Ida wirklich auch, als ob die lange gelbe Blume dem Fräulein gliche, und sie hatte auch dieselben Gebärden beim Spielen. Bald legte sie ihr längliches gelbes Gesicht auf die eine Seite, bald auf die andere und nickte im Takt zur herrlichen Musik. Niemand bemerkte die kleine Ida. Dann sah sie einen großen blauen Krokus mitten auf den Tisch hüpfen, wo das Spielzeug stand, gerade auf das Puppenbett zugehen und die Gardinen beiseite ziehen. Da lagen die kranken Blumen, aber sie erhoben sich sogleich und nickten den anderen zu, daß sie auch mittanzen wollten. Das alte Räuchermännchen, dem die Unterlippe abgebrochen war, stand auf und verneigte sich vor den hübschen Blumen, die durchaus nicht krank aussahen; sie sprangen hinunter zu den anderen und waren sehr vergnügt.

Da schien etwas vom Tisch zu fallen. Ida sah dorthin: es war die Fastnachtsrute, die heruntersprang, auch sie schien mit zu den Blumen zu gehören. Sie war ebenfalls sehr niedlich, und obendrauf saß eine kleine Wachspuppe, die gerade einen solchen breiten Hut auf dem Kopf hatte, wie ihn der Kanzleirat trug. Die Fastnachtsrute hüpfte auf ihren drei roten Stelzfüßen mitten unter die Blumen und stampfte ganz laut, denn sie tanzte Mazurka, und den Tanz konnten die anderen Blumen nicht, weil sie zu leicht waren und nicht so zu stampfen vermochten.

Auf einmal wurde die Wachspuppe auf der Fastnachtsrute groß und lang, wirbelte über die Papierblumen hinweg und rief ganz laut: „Wie kann man dem Kind so etwas in den Kopf setzen? Das ist dumme Phantasie!"

Und da glich die Wachspuppe ganz genau dem Kanzleirat mit dem breiten Hut, sah ebenso gelb und verdrießlich aus. Aber die Papierblumen schlugen ihn an die dünnen Beine, und da schrumpfte er wieder zusammen und wurde eine winzig kleine Wachspuppe. Das war so lustig anzusehen, daß die kleine Ida das Lachen nicht unterdrücken konnte. Die Fastnachtsrute tanzte weiter, und der Kanzleirat mußte mittanzen. Es half ihm nichts, er mochte sich nun groß und lang machen oder die kleine gelbe Wachspuppe mit dem großen schwarzen Hut bleiben. Da baten die anderen Blumen für ihn, besonders diejenigen, die im Puppenbett gelegen hatten, und dann ließ die Fastnachtsrute es sein. Im selben Augenblick klopfte es ganz laut drinnen im Schubkasten, wo Idas Puppe Sophie bei vielem anderem Spielzeug lag; der Räuchermann lief zur Tischkante, legte sich lang auf den Bauch und zog den Schubkasten ein wenig heraus. Da erhob sich Sophie und sah erstaunt ringsumher. „Hier ist wohl Ball?" sagte sie. „Warum hat mir das niemand gesagt?"

„Willst du mit mir tanzen?" fragte der Räuchermann.

„Ja, du bist mir der Rechte zum Tanzen!" sagte sie und kehrte ihm den Rücken zu. Dann setzte sie sich auf den Schubkasten und dachte, daß wohl eine der Blumen kommen und sie auffordern würde, aber es kam keine. Dann räusperte sie sich: „Hm, hm, hm!" Aber trotzdem kam keine. Der Räuchermann tanzte nun ganz allein, und das war gar nicht so schlecht.

Da nun keine der Blumen Sophie zu sehen schien, ließ sie sich vom Schubkasten auf den Fußboden herunterfallen, so daß es großen Lärm gab. Alle Blumen kamen zu ihr gelaufen und fragten, ob sie sich nicht weh getan habe, und sie waren alle sehr artig zu ihr, besonders die Blumen, die in ihrem Bett gelegen hatten. Aber sie hatte sich nicht weh getan, und Idas Blumen bedankten sich alle für das schöne Bett und waren ihr gut, nahmen sie in die Mitte, wo der Mond schien, und tanzten mit ihr, und alle andern Blumen bildeten einen Kreis um sie herum. Nun war Sophie vergnügt und sagte, sie könnten ihr Bett behalten, es machte ihr gar nichts aus, im Schubkasten zu liegen. Aber die Blumen sagten: „Wir danken dir herzlich, doch wir können nicht so lange leben! Morgen sind wir ganz tot. Aber sage der kleinen Ida, daß sie uns draußen im Garten, wo der Kanarienvogel liegt, begraben soll, dann wachsen wir im Sommer wieder empor und werden viel schöner!"

„Nein, ihr dürft nicht sterben!" sagte Sophie und küßte die Blumen. Da ging die Saaltür auf, und eine Menge herrlicher Blumen kam hereingetanzt. Ida konnte gar nicht begreifen, woher sie gekommen waren; das waren sicher alle Blumen vom Schloß des Königs. Voran gingen zwei herrliche Rosen, die hatten kleine Goldkronen auf, sie waren König und Königin. Dann kamen die niedlichsten Levkojen und Nelken, und die grüßen nach allen Seiten. Sie hatten Musik bei sich, große Mohnblumen und Päonien bliesen auf Erbsenschoten, so daß sie ganz rot im Gesicht wurden. Die blauen Glockenblumen und die kleinen weißen Schneeglöckchen klingelten, als ob sie Schellen hätten. Das war eine lustige Musik! Dann kamen viele andere Blumen und tanzten allesamt, die blauen Veilchen und die roten Tausendschönchen, die Gänseblümchen und die Maiglöckchen. Alle Blumen küßten einander, es war allerliebst anzusehen! Zuletzt sagten die Blumen einander gute Nacht. Dann schlich sich auch die kleine Ida in ihr Bett, wo sie von allem träumte, was sie gesehen hatte.

Als sie am nächsten Morgen aufstand, ging sie geschwind zum kleinen Tisch, um zu sehen, ob die Blumen noch da seien. Sie zog die Gardine von dem kleinen Bett zur Seite, ja, da lagen sie, aber sie waren ganz verwelkt, viel mehr als gestern. Sophie lag im Schubkasten, wo sie sie hingelegt hatte, sie war noch sehr verschlafen.

„Entsinnst du dich, was du mir sagen solltest?" fragte die kleine Ida. Aber Sophie sah ganz dumm aus und sagte nicht ein einziges Wort.

„Du bist gar nicht gut!" sagte Ida. „Und sie haben doch alle mit dir getanzt." Dann nahm sie eine kleine Papierschachtel, auf die niedliche Vögel gezeichnet waren, machte sie auf und legte die toten Blumen hinein. „Das soll euer schöner Sarg sein", sagte sie, „und wenn später die norwegischen Vettern hierherkommen, so sollen sie mir helfen, euch draußen im Garten zu begraben, damit ihr zum Sommer wieder wachsen und noch viel schöner werden könnt!"

Die norwegischen Vettern waren zwei muntere Knaben, sie hießen Jonas und Adolph. Ihr Vater hatte ihnen zwei neue Flitzbogen geschenkt, und die hatten sie bei sich, um sie Ida zu zeigen. Diese erzählte ihnen von den armen Blumen, die gestorben waren, und dann bekamen sie Erlaubnis, sie zu begraben. Beide Knaben gingen mit den Flitzbogen auf der Schulter voran, und die kleine Ida folgte mit den toten Blumen in der niedlichen Schachtel. Draußen im Garten wurde ein kleines Grab gegraben. Ida küßte zuerst die Blumen und legte sie dann mit der Schachtel in die Erde, und Adolph und Jonas schossen mit den Flitzbogen über das Grab, denn sie hatten weder Gewehre noch Kanonen.

Däumelinchen

Es war einmal eine Frau, die so gern ein winzig kleines Kind haben wollte, aber sie wußte gar nicht, woher sie es bekommen sollte. Da ging sie zu einer alten Hexe und sagte zu ihr: „Ich möchte so herzlich gern ein kleines Kind haben. Kannst du mir nicht sagen, woher ich das bekommen kann?"

„Oh, damit wollen wir schon fertig werden!" sagte die Hexe. „Da hast du ein Gerstenkorn. Das ist nicht von der Art wie die Gerstenkörner, die auf dem Feld des Bauern wachsen oder die die Hühner zu fressen bekommen. Lege es in einen Blumentopf, so wirst du etwas zu sehen bekommen!"

„Ich danke dir!" sagte die Frau und gab der Hexe zwölf Schillinge, ging dann heim, pflanzte das Gerstenkorn, und sogleich wuchs da eine herrliche, große Blume, die ganz wie eine Tulpe aussah; aber die Blätter schlossen sich dicht zusammen, gerade als ob sie noch in der Knospe wären.

„Das ist eine niedliche Blume!" sagte die Frau und küßte sie auf die hübschen roten und gelben Blätter, aber gerade in diesem Augenblick tat die Blume einen großen Knall und öffnete sich.

Es war eine wirkliche Tulpe, wie man nun sehen konnte, aber mitten in der Blume saß auf dem grünen Stuhl ein winzig kleines Mädchen, so fein und niedlich! Es war kaum einen halben Daumen hoch, und darum wurde es Däumelinchen genannt.

Eine niedliche lackierte Walnußschale bekam Däumelinchen zur Wiege, blaue Veilchenblätter waren ihre Matratzen und ein Rosenblatt ihr Deckbett. Da schlief sie des Nachts, aber am Tage spielte sie auf dem Tisch, wo die Frau einen Teller hingestellt und ringsum mit einem Kranz von Blumen belegt hatte, deren Stengel im Wasser standen; darin schwamm ein großes Tulpenblatt, und auf diesem konnte Däumelinchen sitzen und von der einen Seite des Tellers zur andern fahren, zum Rudern hatte sie zwei weiße Pferdehaare. Das sah wirklich wunderhübsch aus! Sie konnte auch singen, und so fein und niedlich, wie man es hier niemals gehört hatte.

Eines Nachts, als sie in ihrem hübschen Bett lag, kam eine häßliche Kröte durch das Fenster hereingehüpft, in dem eine Scheibe entzwei war. Die Kröte war sehr garstig, groß und naß; sie hüpfte gerade auf den Tisch, wo Däumelinchen lag und unter dem roten Rosenblatt schlief.

„Das wäre eine schöne Frau für meinen Sohn!" sagte die Kröte, und dann nahm sie die Walnußschale, worin Däumelinchen schlief, und hüpfte mit ihr durchs Fenster in den Garten hinunter.

Da floß ein großer, breiter Bach, aber das Ufer war sumpfig und morastig; hier wohnte die Kröte mit ihrem Sohn. Hu! der war häßlich und garstig und glich ganz seiner Mutter! „Koax, koax, brekkekekex!" Das war alles, was er sagen konnte, als er das niedliche kleine Mädchen in der Walnußschale sah.

„Sprich nicht so laut, denn sonst erwacht sie!" sagte die alte Kröte. „Sie könnte uns noch fortlaufen, denn sie ist so leicht wie ein Schwanenflaum! Wir wollen sie auf eins der breiten Seerosenblätter in den Bach setzen, das ist für sie, die so leicht und klein ist, gerade wie eine Insel! Da kann sie nicht davonlaufen, während wir die gute Stube unter dem Morast, wo ihr wohnen sollt, instand setzen."

Draußen in dem Bach wuchsen viele Seerosen mit den breiten grünen Blättern, die aussehen, als schwämmen sie oben auf dem Wasser. Das Blatt, das am weitesten draußen lag, war auch das allergrößte; da schwamm die alte Kröte hinaus und setzte die Walnußschale mit Däumelinchen darauf.

Die arme Kleine erwachte frühmorgens, und als sie sah, wo sie war, fing sie bitterlich an zu weinen, denn es war zu allen Seiten des großen grünen Blattes Wasser, sie konnte gar nicht ans Land kommen.

Die alte Kröte saß unten im Morast und putzte ihre Stube mit Schilf und gelben Wasserrosen aus, es sollte recht hübsch für die neue Schwiegertochter werden. Dann schwamm sie mit dem garstigen Sohn zum Blatt hinaus, wo Däumelinchen stand. Sie wollten ihr hübsches Bett holen, das in die Brautkammer gestellt werden sollte, bevor sie selbst dorthin kam. Die alte Kröte verneigte sich tief im Wasser vor ihr und sagte: „Hier siehst du meinen Sohn, er wird dein Mann sein, und ihr werdet ganz prächtig unten im Morast wohnen!"

„Koax, koax, brekkekekex!" war alles, was der Sohn sagen konnte.

Dann nahmen sie das niedliche kleine Bett und schwammen damit fort, aber Däumelinchen saß ganz allein auf dem grünen Blatt und weinte, denn sie wollte nicht bei der garstigen Kröte wohnen oder ihren häßlichen Sohn zum Mann haben. Die kleinen Fische, die unten im Wasser schwammen, hatten die Kröte wohl gesehen und auch gehört, was sie gesagt hatte, darum streckten sie die Köpfe hervor, sie wollten doch das kleine Mädchen sehen. Sobald sie es zu sehen bekamen, fanden sie es so niedlich, und es tat ihnen sehr leid, daß es zur garstigen Kröte hinunter sollte. Nein, das durfte niemals geschehen! Sie versammelten sich unten im Wasser rings um den grünen Stiel, der das Blatt hielt, auf dem Däumelinchen stand. Sie nagten mit den Zähnen den Stiel ab, und da schwamm das Blatt den Bach hinab und Däumelinchen davon, weit fort, wo die Kröte sie nicht erreichen konnte.

Däumelinchen segelte an vielen Orten vorbei, und die kleinen Vögel saßen in den Büschen, sahen sie und sangen: „Welch niedliche kleine Jungfrau!" Das Blatt schwamm mit ihr weiter und weiter fort, so reiste Däumelinchen außer Landes.

Ein reizender kleiner weißer Schmetterling umflatterte sie und ließ sich zuletzt auf das Blatt nieder, denn Däumelinchen gefiel ihm, und sie war so vergnügt, daß die Kröte sie nicht mehr erreichen konnte. Es war herrlich dort, wo sie fuhr; die Sonne schien auf das Wasser, und es glänzte wie das herrlichste Gold. Dann nahm sie ihren Gürtel und band das eine Ende um den Schmetterling, das andere Ende befestigte sie am Blatt; das glitt nun viel schneller davon und sie mit, denn sie stand ja darauf.

Da kam ein großer Maikäfer angeflogen, der erblickte sie und schlang augenblicklich seine Beine um ihren schlanken Leib und flog mit ihr auf den Baum. Das grüne Blatt schwamm den Bach hinab, und der Schmetterling flog mit, denn er war am Blatt festgebunden und konnte nicht davon loskommen.

Gott, wie war das arme Däumelinchen erschrocken, als der Maikäfer mit ihr auf den Baum flog, aber am allermeisten war sie doch über den schönen weißen Schmetterling betrübt, den sie an das Blatt festgebunden hatte; wenn er nun nicht loskommen könnte, müßte er ja verhungern. Aber darum kümmerte sich der Maikäfer gar nicht. Er setzte sich mit ihr auf das größte grüne Blatt des Baumes, gab ihr das Süße der Blumen zu essen und sagte, daß sie so niedlich sei, obgleich sie einem Maikäfer durchaus nicht gliche. Später kamen alle andern Maikäfer, die im Baum wohnten, und machten Besuch. Sie betrachteten Däumelinchen, und die Maikäferfräulein rümpften die Fühlhörner und sagten: „Sie hat doch nicht mehr als zwei Beine, das sieht erbärmlich aus!" – „Sie hat keine Fühlhörner!" sagten andere. „Sie ist so schlank in der Taille, pfui! Sie sieht wie ein Mensch aus! Wie häßlich sie ist!" sagten alle Maikäferdamen, und doch war Däumelinchen so niedlich. Das meinte auch der Maikäfer, der sie mitgenommen hatte. Aber als alle anderen sagten, sie sei häßlich, glaubte er es zuletzt auch und wollte sie nicht mehr haben; sie könne gehen, wohin sie wolle. Nun flogen sie mit ihr vom Baum und setzten sie auf ein Gänseblümchen. Da weinte sie, weil sie so häßlich sei, daß die Maikäfer sie nicht haben wollten, und doch war sie das Lieblichste, was man sich denken konnte, so fein und zart, wie das schönste Rosenblatt.

Den ganzen Sommer über lebte das arme Däumelinchen ganz allein in dem großen Wald. Sie flocht sich ein Bett aus Grashalmen und hängte es unter einem großen Sauerampferblatt auf, so war sie vor dem Regen geschützt. Sie pflückte das Süße der Blumen zur Speise und trank vom Tau, der jeden Morgen auf den Blättern lag. So vergingen Sommer und Herbst, aber nun kam der Winter, der kalte, lange Winter. Alle Vögel, die so schön für sie gesungen hatten, flogen davon. Bäume und Blumen verwelkten; das große Sauerampferblatt, unter dem sie gewohnt hatte, rollte sich zusammen, und es blieb nichts als ein gelber, verwelkter Stengel zurück, und sie fror schrecklich, denn ihre Kleider waren entzwei. Sie war selbst so fein und klein, das arme Däumelinchen: sie mußte erfrieren. Es begann zu schneien, und jede Schneeflocke, die auf sie fiel, war, als wenn man auf uns eine große Schaufel voll wirft; denn wir sind groß, und sie war nur einen Daumen lang. Da hüllte sie sich in ein dürres Blatt, aber das wollte nicht wärmen, sie zitterte vor Kälte.

Dicht vor dem Wald, in den sie gekommen war, lag ein großes Kornfeld, aber das Korn war seit langem abgeerntet, nur die nackten, trockenen Stoppeln ragten aus der gefrorenen Erde. Die waren für sie gerade wie ein ganzer Wald; oh, wie zitterte sie vor Kälte! Da kam sie vor die Tür der Feldmaus, die ein kleines Loch unter den Kornstoppeln hatte. Dort wohnte die Feldmaus warm und gut, hatte die ganze Stube voll Korn, eine herrliche Küche und Speisekammer. Das arme Däumelinchen stellte sich in die Tür, gerade wie ein armes Bettelmädchen, und bat um ein kleines Stück von einem Gerstenkorn, denn sie hatte seit zwei Tagen nicht das mindeste zu essen bekommen.

„Du arme Kleine!" sagte die Feldmaus, denn im Grunde war es eine gute alte Feldmaus, „komm herein in meine warme Stube und iß mit mir!"

Da ihr nun Däumelinchen gefiel, sagte sie: „Du kannst gern den Winter über bei mir bleiben, aber du mußt meine Stube fein sauberhalten und mir Geschichten erzählen, denn die liebe ich sehr." Und Däumelinchen tat, was die gute alte Feldmaus verlangte, und hatte es dafür außerordentlich gut.

„Nun bekommen wir bald Besuch!" sagte die Feldmaus, „mein Nachbar pflegt mich alle Tage zu besuchen. Er sitzt noch besser in seinen vier Wänden als ich, hat große Säle und trägt einen schönen, schwarzen Samtpelz! Wenn du den nur zum Mann bekommen könntest, so wärst du gut versorgt. Aber er kann nicht sehen. Du mußt ihm die niedlichsten Geschichten erzählen, die du weißt!"

Aber darum kümmerte sich Däumelinchen nicht, sie wollte den Nachbarn gar nicht haben, denn er war ja ein Maulwurf.

Er kam und stattete in seinem schwarzen Samtpelz Besuch ab. Er sei so reich und so gelehrt, sagte die Feldmaus. Seine Wohnung war auch über zwanzigmal größer als die der Feldmaus; und Gelehrsamkeit besaß er, aber die Sonne und die schönen Blumen mochte er gar nicht leiden; von denen sprach er schlecht, denn er hatte sie niemals gesehen. Däumelinchen mußte singen, und sie sang „Maikäfer, flieg!" und „Der Mönch geht auf den Anger". Da verliebte sich der Maulwurf in sie ihrer schönen Stimme wegen, aber er sagte nichts, er war ein besonnener Mann.

Er hatte sich vor kurzem einen langen Gang durch die Erde von seinem bis zu ihrem Haus gegraben, darin durften die Feldmaus und Däumelinchen spazierengehen, wenn sie wollten. Aber er bat sie, sich nicht vor dem toten Vogel zu fürchten, der in dem Gang lag. Es war ein ganzer Vogel mit Federn und Schnabel, der sicher erst kürzlich, als der Winter kam, gestorben war und nun begraben lag, gerade wo der Maulwurf seinen Gang gemacht hatte.

Der Maulwurf nahm ein Stück faules Holz ins Maul, denn das schimmert im Dunkeln wie Feuer, und er ging dann voran und leuchtete ihnen in dem langen, finstern Gang. Als sie dahin kamen, wo der tote Vogel lag, stemmte der Maulwurf seine breite Nase gegen die Decke und stieß die Erde auf, so daß ein großes Loch entstand, durch welches das Licht hinunterscheinen konnte. Mitten auf dem Fußboden lag eine tote Schwalbe, die schönen Flügel fest an die Seiten gedrückt, die Füße und den Kopf unter die Federn gezogen; der arme Vogel war sicher vor Kälte gestorben. Das tat Däumelinchen so leid, sie hatte alle kleinen Vögel so gern, denn sie hatten ihr ja den ganzen Sommer so schön vorgesungen und gezwitschert. Der Maulwurf aber stieß ihn mit seinen kurzen Beinen an und sagte: „Nun pfeift er nicht mehr! Es muß doch erbärmlich sein, als kleiner Vogel geboren zu werden! Gott sei Dank, daß keins von meinen Kindern das wird; ein solcher Vogel hat ja nichts außer seinem Quivit und muß im Winter verhungern!"

„Ja, das mögt Ihr als vernünftiger Mann wohl sagen", sprach die Feldmaus. „Was hat der Vogel für all sein Quivit, wenn der Winter kommt? Er muß hungern und frieren. Doch das soll wohl gar vornehm sein!"

Däumelinchen sagte nichts, als aber die beiden andern dem Vogel den Rücken wandten, neigte sie sich herab, schob die Federn zur Seite, die den Kopf bedeckten, und küßte ihn auf die geschlossenen Augen.

‚Vielleicht war er es, der mir im Sommer so hübsch vorgesungen hat', dachte sie. ‚Wieviel Freude hat er mir gemacht, der liebe, schöne Vogel!'

Der Maulwurf stopfte nun das Loch zu, durch das der Tag hereinschien, und begleitete dann die Damen nach Hause. Aber des Nachts konnte Däumelinchen gar nicht schlafen, sie stand aus ihrem Bett auf und flocht aus Heu einen großen schönen Teppich. Den trug sie in den Gang, breitete ihn über den toten Vogel aus und legte weiche Baumwolle, die sie in der Stube der Feldmaus gefunden hatte, um den Vogel, damit er in der kalten Erde warm liegen möge.

„Lebe wohl, du schöner kleiner Vogel!" sagte sie. „Lebe wohl und hab Dank für deinen herrlichen Gesang im Sommer, als alle Bäume grün waren und die Sonne warm auf uns herabschien!"

Dann legte sie ihren Kopf an die Brust des Vogels, erschrak aber sogleich, denn es war gerade, als ob drinnen etwas klopfte. Poch, poch! Das war das Herz des Vogels. Der Vogel war nicht tot, er lag nur betäubt da, war nun erwärmt worden und kam wieder zum Leben.

Im Herbst fliegen alle Schwalben fort, zu den warmen Ländern, aber wenn sich eine verspätet, dann friert sie so, daß sie wie tot niederstürzt und liegenbleibt, wohin sie fällt; der kalte Schnee bedeckt sie.

Däumelinchen zitterte ordentlich, so erschrocken war sie, denn der Vogel war ja groß, sehr groß gegen sie, die nur einen Daumen lang war. Aber sie faßte doch Mut, legte die Baumwolle dichter um die arme Schwalbe, holte ein Krauseminzeblatt, das sie selbst als Deckbett gehabt hatte, und legte es dem Vogel auf den Kopf.

In der nächsten Nacht schlich sie sich wieder zu ihm, und da war er lebendig, aber so matt, daß er nur einen kleinen Augenblick seine Augen öffnen und Däumelinchen ansehen konnte, die mit einem Stück faulem Holz in der Hand vor ihm stand, denn eine andere Laterne hatte sie nicht.

„Ich danke dir, du niedliches kleines Kind!" sagte die kranke Schwalbe zu ihr. „Ich bin so herrlich erwärmt worden! Bald bekomme ich meine Kräfte wieder und kann dann draußen in dem warmen Sonnenschein herumfliegen!"

„Oh!" sagte sie, „es ist kalt draußen, es schneit und friert! Bleib nur in deinem warmen Bett, ich werde dich schon pflegen!"

Dann brachte sie der Schwalbe Wasser in einem Blumenblatt, und sie trank und erzählte ihr, wie sie sich den einen Flügel an einem Dornenbusch gerissen habe und darum nicht so schnell fliegen könne wie die anderen Schwalben, die fort, weit fort in die warmen Länder geflogen seien. Sie sei zuletzt auf die Erde gefallen, aber an mehr konnte sie sich nicht erinnern und wußte gar nicht, wie sie hierherge- kommen war.

Den ganzen Winter blieb sie nun da unten, und Däumelin- chen pflegte sie und hatte sie sehr lieb; weder der Maulwurf noch die Feldmaus erfuhren etwas davon, denn sie moch- ten ja die arme Schwalbe nicht leiden.

Sobald das Frühjahr kam und die Sonne die Erde erwärmte, sagte die Schwalbe Däumelinchen Lebewohl, und sie öff- nete das Loch, das der Maulwurf oben gemacht hatte. Die Sonne schien so herrlich zu ihnen herein, und die Schwalbe fragte, ob sie mitkommen wolle, sie könne auf ihrem Rük- ken sitzen; sie wollten weit in den grünen Wald hineinflie- gen. Aber Däumelinchen wußte, daß es die alte Feldmaus betrüben würde, wenn sie sie verließe.

„Nein, ich kann nicht!" sagte Däumelinchen.

„Lebe wohl, lebe wohl, du gutes niedliches Mädchen", sagte die Schwalbe und flog hinaus in den Sonnenschein. Däu- melinchen sah ihr nach, und große Tränen traten ihr in die Augen, denn sie hatte die arme Schwalbe so lieb.

„Quivit, quivit!" sang der Vogel und flog in den grünen Wald.

Däumelinchen war sehr betrübt. Sie bekam gar keine Er- laubnis, in den warmen Sonnenschein hinauszugehen. Das Korn, das auf dem Feld über dem Haus der Feldmaus gesät war, wuchs auch hoch empor; das war ein ganz dichter Wald für das arme kleine Mädchen, das ja nur einen Dau- men lang war.

„Nun mußt du im Sommer an deiner Aussteuer nähen!" sagte die Feldmaus zu ihr, denn der Nachbar, der langwei- lige Maulwurf in dem schwarzen Samtpelz, hatte um sie an- gehalten. „Du mußt Wolle und Leinen haben! Es darf an nichts fehlen, wenn du die Frau des Maulwurfs wirst!"

Däumelinchen mußte die Spindel drehen, und die Feld- maus mietete vier Spinnen, die Tag und Nacht für sie spin- nen und weben sollten. Jeden Abend machte der Maulwurf seinen Besuch und sprach dann immer davon, daß die Sonne, die ja die Erde jetzt fest wie einen Stein brenne, nicht mehr so warm scheinen würde, wenn der Sommer zu Ende ging. Ja, wenn der Sommer vorbei sei, dann wolle er mit Däumelinchen Hochzeit halten. Aber sie war gar nicht froh, denn sie mochte den langweiligen Maulwurf nicht leiden.

Jeden Morgen, wenn die Sonne aufging, und jeden Abend, wenn sie unterging, schlich sie sich zur Tür hinaus, und wenn dann der Wind in die Kornähren fuhr, so daß sie den blauen Himmel sehen konnte, dachte sie daran, wie hell und schön es hier draußen sei, und wünschte sehnlichst, die liebe Schwalbe wiederzusehen. Aber sie kam niemals wieder, sie war gewiß weit fort in den schönen grünen Wald geflogen.

Als es nun Herbst wurde, hatte Däumelinchen ihre ganze Aussteuer fertig.

„In vier Wochen sollst du Hochzeit halten!" sagte die Feldmaus zu ihr. Aber Däumelinchen weinte und sagte, sie wolle den langweiligen Maulwurf nicht haben.

„Schnickschnack!" sagte die Feldmaus. „Sei nicht widerspenstig, denn sonst werde ich dich mit meinen weißen Zähnen beißen! Du bekommst doch einen schönen Mann! Die Königin selbst hat nicht solch einen schwarzen Samtpelz! Er hat Küche und Keller voll. Danke Gott dafür!"

Nun sollte die Hochzeit sein. Der Maulwurf war schon gekommen, um Däumelinchen zu holen, sie sollte mit ihm tief unter der Erde wohnen und niemals in die warme Sonne kommen, denn die mochte er nicht leiden. Das arme Kind war so betrübt; sie sollte nun der schönen Sonne Lebewohl sagen, die sie doch bei der Feldmaus von der Tür aus sehen durfte.

„Lebe wohl, du helle Sonne!" sagte Däumelinchen, streckte die Arme hoch empor und entfernte sich auch ein wenig von dem Haus der Feldmaus, denn nun war das Korn geerntet, und hier standen nur die trocknen Stoppeln.

„Lebe wohl, lebe wohl!" sagte sie und schlang ihre Arme um eine kleine rote Blume, die dort stand. „Grüß die kleine Schwalbe von mir, wenn du sie zu sehen bekommst!"

„Quivit, quivit!" ertönte es plötzlich über ihrem Kopf. Sie sah empor; es war die kleine Schwalbe, die gerade vorbeikam. Als sie Däumelinchen sah, freute sie sich sehr. Diese erzählte ihr, wie ungern sie den garstigen Maulwurf zum Mann haben wolle und daß sie dann tief unter der Erde wohnen solle, wo niemals die Sonne scheine. Sie konnte dabei die Tränen nicht zurückhalten.

„Nun kommt der kalte Winter", sagte die kleine Schwalbe, „ich fliege weit fort in die warmen Länder. Willst du mit mir kommen? Du kannst auf meinem Rücken sitzen. Binde dich nur mit deinem Gürtel fest, dann fliegen wir von dem häßlichen Maulwurf und seiner dunklen Stube fort, weit fort, über die Berge, zu den warmen Ländern, wo die Sonne schöner scheint als hier, wo es immer Sommer ist und wo es herrliche Blumen gibt. Fliege nur mit mir, du liebes kleines Däumelinchen, die du mein Leben gerettet hast, als ich erfroren in dem dunklen Erdkeller lag!"

„Ja, ich werde mit dir ziehen!" sagte Däumelinchen, setzte sich auf des Vogels Rücken, mit den Füßen auf seine entfalteten Schwingen, und band ihren Gürtel an einer der stärksten Federn fest, und dann flog die Schwalbe hoch in die Luft, über Wald und See, über die großen Berge, wo immer Schnee liegt. Und Däumelinchen fror in der kalten Luft, aber dann verkroch sie sich unter die warmen Federn des Vogels und steckte nur den kleinen Kopf heraus, um all die Schönheiten unter sich zu sehen.

So kamen sie in die warmen Länder. Dort schien die Sonne viel heller als hier, der Himmel war zweimal so hoch, und in Gräben und Hecken wuchsen die schönsten grünen und blauen Weintrauben. In den Wäldern hingen Zitronen und Apfelsinen, es duftete von Myrten und Krauseminze, und auf den Landstraßen liefen die niedlichsten Kinder und spielten mit großen bunten Schmetterlingen.

Aber die Schwalbe flog noch weiter, und es wurde schöner und schöner. Unter den herrlichsten grünen Bäumen, an dem blauen See stand ein leuchtendweißes Marmorschloß aus alten Zeiten! Weinreben rankten sich an den hohen Säulen empor; ganz oben waren viele Schwalbennester, und in einem von ihnen wohnte die Schwalbe, die Däumelinchen trug.

„Hier ist mein Haus!" sagte die Schwalbe. „Aber willst du dir nun selbst eine der prächtigen Blumen aussuchen, die dort unten wachsen, dann werde ich dich dort hineinsetzen, und du wirst es so gut haben, wie du es nur wünschst!"

„Das ist herrlich!" sagte Däumelinchen und klatschte in die kleinen Hände.

Dort lag eine große weiße Marmorsäule, die zu Boden gefallen und in drei Stücke gesprungen war, aber zwischen diesen wuchsen die schönsten weißen Blumen. Die Schwalbe flog mit Däumelinchen hinunter und setzte sie auf eins der breiten Blätter. Aber wie erstaunte sie! Da saß mitten in der Blume ein kleiner Mann, so weiß und durchsichtig, als wäre er aus Glas. Die niedlichste Goldkrone trug er auf dem Kopf und die herrlichsten klaren Flügel an den Schultern, er war selbst nicht größer als Däumelinchen. Es war der Engel der Blume. In jeder Blume wohnt so ein kleiner Mann oder eine Frau, aber dieser war der König über alle.

„Gott, wie ist er schön!" flüsterte Däumelinchen der Schwalbe zu. Der kleine Prinz erschrak sehr über die Schwalbe, denn sie war ja gegen ihn, der so klein und fein war, ein richtiger Riesenvogel. Aber als er Däumelinchen sah, wurde er sehr froh; sie war das allerschönste Mädchen, das er je gesehen hatte. Deshalb nahm er seine Goldkrone vom Haupt und setzte sie ihr auf, fragte, wie sie heiße und ob sie seine Frau werden wolle, dann solle sie Königin über alle Blumen sein! Ja, das war wahrlich ein anderer Mann als der Sohn der Kröte und der Maulwurf mit dem schwarzen Samtpelz. Sie sagte deshalb ja zu dem herrlichen Prinzen. Und aus jeder Blume kam eine Dame oder ein Herr, so niedlich, daß es eine Lust war. Jeder brachte Däumelinchen ein Geschenk, aber das Beste von allem waren ein Paar schöne Flügel von einer großen weißen Fliege, die an Däumelinchens Rücken geheftet wurden, und nun konnte sie auch von Blume zu Blume fliegen. Das war eine Freude, und die kleine Schwalbe saß oben in ihrem Nest und sang für sie, so gut sie konnte, aber in ihrem Herzen war sie doch betrübt, denn sie hatte Däumelinchen so lieb und wollte, sie hätte sich nie von ihr getrennt.

„Du sollst nicht Däumelinchen heißen!" sagte der Blumenengel zu ihr. „Das ist ein häßlicher Name, und du bist so schön. Wir wollen dich Maja nennen."

„Lebe wohl, lebe wohl!" sagte die kleine Schwalbe und flog wieder aus den warmen Ländern fort, weit fort nach Dänemark zurück. Dort hatte sie ein kleines Nest über dem Fenster, wo der Mann wohnt, der Märchen erzählen kann. Ihm sang sie ihr „Quivit, quivit" vor. Daher wissen wir die ganze Geschichte.

Der Reisekamerad

Der arme Johannes war tief betrübt, denn sein Vater war sehr krank und konnte nicht genesen. Außer den beiden war niemand in dem kleinen Zimmer. Die Lampe auf dem Tisch war dem Erlöschen nahe, und es war sehr spät am Abend.

„Du warst ein guter Sohn, Johannes!" sagte der kranke Vater. „Der liebe Gott wird dir schon in der Welt forthelfen!" Er sah ihn mit ernsten, milden Augen an, holte tief Atem und starb; es war, als ob er schliefe. Johannes weinte, nun hatte er niemanden in der weiten Welt, weder Vater noch Mutter, weder Schwester noch Bruder. Der arme Johannes! Er lag vor dem Bett auf den Knien, küßte des toten Vaters Hand und weinte viele bittere Tränen, aber zuletzt schlossen sich seine Augen, und er schlief ein, mit dem Kopf auf dem harten Bettpfosten.

Da träumte er einen seltsamen Traum. Er sah, wie Sonne und Mond sich vor ihm neigten, und er sah seinen Vater wieder frisch und gesund und hörte ihn lachen, wie er immer lachte, wenn er recht froh war. Ein schönes Mädchen mit einer goldenen Krone auf dem langen, schönen Haar reichte ihm die Hand, und sein Vater sagte: ‚Siehst du, was für eine Braut du bekommen hast? Sie ist die Schönste in der ganzen Welt.'

Da erwachte er, und alles Schöne war fort. Sein Vater lag tot und kalt im Bett, es war niemand bei ihnen. Der arme Johannes!

In der folgenden Woche wurde der Tote begraben; Johannes ging dicht hinter dem Sarg und konnte nun den guten Vater nicht mehr sehen, der ihn so sehr geliebt hatte. Er hörte, wie sie die Erde auf den Sarg hinunterwarfen, und sah noch seine letzte Ecke; aber nach der nächsten Schaufel Erde, die hinabgeworfen wurde, war auch die fort, da war es, als wolle sein Herz zerspringen, so betrübt war er. Ringsherum sangen sie einen Choral, es klang so schön, und Johannes traten die Tränen in die Augen; er weinte, und das tat ihm in seiner Trauer wohl. Die Sonne schien herrlich auf die grünen Bäume, als wollte sie sagen: ‚Du darfst nicht mehr betrübt sein, Johannes! Siehst du, wie schön der Himmel ist? Dort oben ist nun dein Vater und bittet den lieben Gott, daß es dir allezeit wohl ergehen möge!'

„Ich will immer gut sein", sagte Johannes, „dann komme ich auch in den Himmel zu meinem Vater. Und was wird das für eine Freude werden, wenn wir einander wiedersehen! Wieviel werde ich ihm dann erzählen können, und er wird mir so viele Dinge zeigen, mir die Herrlichkeit des Himmels erklären, wie er mich hier auf Erden belehrte. Oh, was für eine Freude wird das werden!"

Johannes stellte sich das so deutlich vor, daß er dabei lächelte, während die Tränen ihm noch über die Wangen liefen. Die kleinen Vögel saßen oben in den Kastanienbäumen und zwitscherten: „Quivit, quivit!" Sie waren so vergnügt, obwohl sie mit bei dem Begräbnis gewesen waren, aber sie wußten wohl, daß der tote Mann nun im Himmel war, Flügel hatte, viel schöner und größer als die ihrigen, daß er nun glücklich war, weil er hier auf Erden gut gewesen, und darüber waren sie vergnügt. Johannes sah, wie sie von den grünen Bäumen weit in die Welt hinausflogen, und da bekam er solche Lust mitzufliegen. Aber zuerst schnitzte er ein großes Holzkreuz, um es auf seines Vaters Grab zu setzen, und als er es am Abend dahin brachte, war das Grab mit Sand und Blumen geschmückt. Das hatten fremde Leute getan, denn sie hatten alle den lieben Vater gern, der nun tot war.

Früh am nächsten Morgen packte Johannes sein kleines Bündel zusammen und verwahrte in seinem Gürtel sein ganzes Erbteil, das fünfzig Taler und ein paar Silberschillinge betrug; damit wollte er in die Welt hinauswandern. Aber zuerst ging er auf den Kirchhof zum Grab seines Vaters, betete ein Vaterunser und sagte: „Lebe wohl! Ich will immer ein guter Mensch sein, und so darfst du wohl den lieben Gott bitten, daß es mir gut ergehen möge!"

Draußen auf dem Feld, wo Johannes dahinschritt, standen alle Blumen so frisch und schön in dem warmen Sonnenschein, und sie nickten im Wind, als wollten sie sagen: ,Willkommen im Grünen! Ist es nicht schön hier?'

Aber Johannes wandte sich noch einmal zurück, um die alte Kirche zu sehen, in der er als kleines Kind getauft worden und wohin er jeden Sonntag mit seinem alten Vater zum Gottesdienst gegangen war und seinen Choral gesungen hatte. Da sah er hoch oben in einer der Öffnungen des Turmes den Kirchenkobold mit seiner kleinen roten, spitzen Mütze stehen, er beschattete sein Gesicht mit dem Arm, weil ihm sonst die Sonne in die Augen schien. Johannes nickte ihm ein Lebewohl zu, und der kleine Kobold schwenkte seine rote Mütze, legte die Hand auf das Herz und warf ihm viele Kußhändchen zu, um zu zeigen, wie gut er es mit ihm meine und daß er ihm eine recht glückliche Reise wünsche.

Johannes dachte daran, wieviel Schönes er nun in der großen prächtigen Welt zu sehen bekommen würde, und ging weiter und weiter fort, so weit, wie er früher nie gewesen war. Er kannte weder die Städte, durch die er kam, noch die Menschen, denen er begegnete. Nun war er weit draußen in der Fremde.

Die erste Nacht mußte er sich in einem Heuschober auf dem Feld schlafen legen, ein anderes Bett hatte er nicht. Aber das sei gerade hübsch, meinte er, der König könne es nicht besser haben. Das ganze Feld mit dem Bach, der Heuschober und dann der blaue Himmel darüber, das war gewiß eine schöne Schlafkammer. Das grüne Gras mit den kleinen roten und weißen Blumen war der Teppich, die Fliederbüsche und die wilden Rosenhecken waren Blumensträuße, und als Waschbecken hatte er den ganzen Bach mit dem klaren, frischen Wasser, wo das Schilf sich neigte und ihm guten Abend und guten Morgen sagte. Der Mond war eine richtige große Nachtlampe, hoch oben unter der blauen Decke, und er setzte die Gardinen nicht in Brand. Johannes konnte ganz ruhig schlafen, und er tat es auch und erwachte erst wieder, als die Sonne aufging und alle kleinen Vögel ringsumher sangen: „Guten Morgen! Guten Morgen! Bist du noch nicht auf?"

Die Glocken läuteten zur Kirche: es war Sonntag. Die Leute gingen hin, um den Pfarrer zu hören, und Johannes folgte ihnen, sang einen Choral und hörte Gottes Worte. Es war ihm, als wäre er in seiner eigenen Kirche, in der er getauft worden war und wo er mit seinem Vater Choräle gesungen hatte.

Draußen auf dem Kirchhof waren viele Gräber, und auf einigen wuchs hohes Gras. Da dachte er an das Grab seines Vaters, das bald ebenso aussehen würde wie diese, weil er es nicht jäten und schmücken konnte. Er setzte sich also nieder und riß das Gras aus, richtete die Holzkreuze auf, die umgefallen waren, und legte die Kränze, die der Wind von den Gräbern fortgerissen hatte, wieder auf ihren Platz, während er dachte: ‚Vielleicht tut jemand dasselbe am Grab meines Vaters, da ich es nicht tun kann!'

Vor der Kirchhofstür stand ein alter Bettler und stützte sich auf seine Krücke. Johannes gab ihm die Silberschillinge, die er hatte, und ging dann glücklich und vergnügt weiter in die weite Welt hinaus.

Gegen Abend gab es ein schreckliches Unwetter. Johannes eilte, unter Dach und Fach zu kommen, aber es wurde bald finstere Nacht; da erreichte er endlich eine kleine Kirche, die einsam auf einem Hügel lag. Die Tür stand zum Glück angelehnt, und er schlüpfte hinein, hier wollte er bleiben, bis sich das Unwetter gelegt hatte.

„Hier will ich mich in einen Winkel setzen!" sagte er. „Ich bin ganz müde und habe es wohl nötig, ein bißchen auszuruhen." Dann setzte er sich nieder, faltete seine Hände und betete sein Abendgebet. Und ehe er es wußte, schlief und träumte er, während es draußen blitzte und donnerte.

Als er wieder erwachte, war es tiefe Nacht, das böse Wetter war vorübergezogen, und der Mond schien durch die Fenster zu ihm herein. Mitten in der Kirche stand ein offener Sarg mit einem toten Mann darin, der noch nicht begraben war. Johannes war durchaus nicht furchtsam, denn er hatte ein gutes Gewissen, und er wußte wohl, daß die Toten niemandem etwas zuleide tun. Es sind lebendige schlechte Menschen, die Böses tun. Zwei solche lebendige schlimme Leute standen dicht bei dem toten Mann, der hier in der Kirche beigesetzt war, bevor er beerdigt wurde. Ihm wollten sie Böses antun, ihn nicht in seinem Sarg liegenlassen, sondern ihn vor die Kirchentür werfen, den armen toten Mann!

„Warum wollt ihr das tun?" fragte Johannes. „Das ist böse und schlimm, laßt ihn in Jesu Namen ruhen!"

„Ach, Schnickschnack!" sagten die beiden häßlichen Menschen. „Er hat uns genarrt! Er schuldet uns Geld, das konnte er nicht bezahlen, und nun ist er obendrein tot, nun bekommen wir nicht einen Schilling! Darum wollen wir uns rächen, er soll wie ein Hund draußen vor der Kirchentür liegen!"

„Ich habe nicht mehr als fünfzig Taler!" sagte Johannes. „Das ist mein ganzes Erbteil, aber das will ich euch gern geben, wenn ihr mir ehrlich versprechen wollt, den armen toten Mann in Ruhe zu lassen. Ich werde schon durchkommen ohne das Geld, ich habe gesunde, starke Glieder, und der liebe Gott wird mir allezeit helfen."

„Ja", sagten die häßlichen Menschen, „wenn du seine Schulden bezahlen willst, wollen wir ihm wirklich nichts tun, darauf kannst du dich verlassen!" Und dann nahmen sie das Geld, das er ihnen gab, lachten lauthals über seine Gutmütigkeit und gingen ihres Weges. Er aber legte die Leiche wieder im Sarg zurecht und faltete deren Hände, nahm Abschied und ging dann durch den großen Wald zufrieden weiter.

Ringsumher, wo der Mond durch die Bäume schien, sah er die niedlichen kleinen Elfen lustig spielen. Sie ließen sich nicht stören; sie wußten wohl, daß er ein guter, unschuldiger Mensch sei, und es sind nur die bösen Leute, welche die Elfen nicht sehen dürfen. Einige von ihnen waren nicht größer als ein Finger und hatten ihr langes blondes Haar mit Goldkämmen aufgesteckt. Je zwei schaukelten auf den großen Tautropfen, die auf den Blättern und dem hohen Gras lagen. Zuweilen rollte der Tropfen davon, dann fielen sie zwischen die langen Grashalme nieder, und das gab ein Gelächter und Lärmen unter den anderen kleinen Wichten. Es war ungeheuer lustig! Sie sangen, und Johannes erkannte ganz deutlich die hübschen Lieder, die er als kleiner Knabe gelernt hatte. Große bunte Spinnen mit Silberkronen auf dem Kopf mußten von der einen Hecke zur andern lange Hängebrücken und Paläste spinnen, die wie schimmerndes Glas im Mondschein aussahen, wenn der feine Tau daraufiel. So währte es fort, bis die Sonne aufging. Die kleinen Elfen krochen dann in die Blumenknospen, und der Wind erfaßte ihre Brücken und Schlösser, die als Spinngewebe durch die Luft flogen.

Johannes war nun aus dem Wald herausgekommen, als eine laute Mannesstimme hinter ihm rief: „Holla, Kamerad, wohin geht die Reise?"

„In die weite Welt hinaus!" sagte er. „Ich habe weder Vater noch Mutter, bin ein armer Bursche, aber der liebe Gott wird mir wohl helfen!"

„Ich will auch in die weite Welt hinaus", sagte der fremde Mann. „Wollen wir beide einander Gesellschaft leisten?" „Jawohl", sagte Johannes, und so gingen sie miteinander. Bald gewannen sie sich recht lieb, denn sie waren beide gute Menschen. Aber Johannes merkte wohl, daß der Fremde viel klüger war als er. Der war fast in der ganzen Welt herumgekommen und wußte von allem möglichen zu erzählen.

Die Sonne stand schon hoch, als sie sich unter einen großen Baum setzten, um zu frühstücken, und zur selben Zeit kam eine alte Frau daher. Oh, sie war sehr alt und ging ganz krumm, stützte sich auf einen Krückstock und trug auf dem Rücken ein Bündel Brennholz, das sie sich im Wald gesammelt hatte. Ihre Schürze war aufgebunden, und Johannes sah, daß drei große Ruten von Farnkraut und Weidenkätzchen daraus hervorsahen. Als sie ganz nahe bei ihnen war, glitt sie mit einem Fuß aus, fiel und tat einen lauten Schrei, denn sie hatte sich das Bein gebrochen, die arme alte Frau.

Johannes meinte sogleich, sie müßten die alte Frau nach Hause tragen, wo sie wohnte, aber der Fremde machte sein Ränzel auf, nahm eine Büchse hervor und sagte, daß er hier eine Salbe habe, welche sogleich ihr Bein wieder gesund und kräftig machen werde, so daß sie selbst nach Hause gehen könne, als ob sie sich nie das Bein gebrochen hätte. Aber dafür verlangte er auch, daß sie ihm die drei Ruten schenke, die sie in ihrer Schürze habe.

„Das wäre gut bezahlt!" sagte die Alte und nickte ganz wunderlich mit dem Kopf. Sie wollte die Ruten nicht gern hergeben, aber es war auch nicht angenehm, mit gebrochenem Bein dazuliegen. So gab sie ihm denn die Ruten, und sowie er nur die Salbe auf das Bein gerieben hatte, erhob sich auch die alte Mutter und ging viel besser als zuvor. Solches konnte die Salbe bewirken, aber sie war auch nicht in der Apotheke zu haben.

„Was willst du mit den Ruten?" fragte Johannes nun seinen Reisekameraden.

„Das sind drei feine Kräuterbesen", sagte er, „die liebe ich sehr, denn ich bin ein närrischer Kauz!"

Dann gingen sie noch ein gutes Stück.

„Sieh, wie der Himmel sich bezieht!" sagte Johannes und zeigte geradeaus. „Da sind schrecklich dicke Wolken!"

„Nein", sagte der Reisekamerad, „das sind keine Wolken, das sind die Berge, die herrlichen großen Berge, wo man hinauf über die Wolken und in die frische Luft gelangt! Glaube mir, das ist herrlich! Morgen sind wir sicher so weit gekommen."

Es war aber nicht so nahe, wie es aussah. Sie hatten einen ganzen Tag zu gehen, bevor sie die Berge erreichten, wo die schwarzen Wälder bis zum Himmel wuchsen und wo es Felsen gab, so groß wie eine ganze Stadt. Da hinüber mochte es wohl ein gewaltiger Marsch werden, aber darum gingen Johannes und sein Reisekamerad auch in ein Wirtshaus, um sich gut auszuruhen und Kräfte für den morgigen Marsch zu sammeln.

Unten in der großen Schenkstube des Wirtshauses waren viele Menschen versammelt, denn dort war ein Mann, der Puppenkomödie spielte. Er hatte soeben sein kleines Theater aufgestellt, und die Leute saßen ringsherum, um die Komödie zu sehen. Aber ganz vorn hatte ein alter dicker Schlächter den allerbesten Platz besetzt. Sein großer Bullenbeißer – hu! der sah sehr bissig aus – saß an seiner Seite und machte wie alle anderen große Augen.

Nun begann die Komödie, und es war eine feine Komödie mit einem König und einer Königin. Die saßen auf dem schönsten Thron, hatten goldene Kronen auf den Köpfen und lange Schleppen an den Kleidern, denn sie konnten sich das leisten. Die niedlichsten Holzpuppen mit Glasaugen und großen Schnurrbärten standen an allen Türen und machten sie auf und zu, damit frische Luft in das Zimmer kommen konnte. Es war wirklich eine niedliche Komödie, und sie war gar nicht traurig. Aber gerade als die Königin aufstand und über den Fußboden ging, machte der große Bullenbeißer – Gott mag wissen, was er sich dachte –, weil der dicke Schlächter ihn nicht hielt, einen Sprung mitten hinein in das Theater und packte die Königin um ihren schlanken Leib, daß es knick, knack! machte. Es war ganz schrecklich!

Der arme Mann, der die ganze Komödie aufführte, war sehr erschrocken und betrübt über seine Königin, denn es war die allerniedlichste Puppe, die er hatte; und nun hatte ihr der eklige Bullenbeißer den Kopf abgerissen.

Aber als die Leute später fortgingen, sagte der Fremde, der

mit Johannes gekommen war, daß er sie schon wieder instand setzen werde. Dann nahm er seine Büchse hervor und rieb die Puppe mit der Salbe ein, mit der er der alten Frau geholfen, als sie das Bein gebrochen hatte. Sowie die Puppe eingerieben war, war sie wieder ganz, ja sie konnte sogar alle ihre Glieder selbst bewegen, und man brauchte gar nicht mehr an der Schnur zu ziehen. Die Puppe war wie ein lebendiger Mensch, sie konnte nur nicht sprechen. Der Mann, der das kleine Puppentheater hatte, war sehr froh; nun brauchte er diese Puppe gar nicht mehr zu halten, die konnte ja von selbst tanzen. Das konnte keine der anderen.

Als es dann Nacht wurde und alle Leute im Wirtshaus zu Bett gegangen waren, hörte man jemand so schrecklich tief und so anhaltend seufzen, daß alle aufstanden, um zu sehen, wer es wäre. Der Mann, der Komödie gespielt hatte, ging zu seinem kleinen Theater hin, denn dort seufzte jemand. Alle Holzpuppen lagen durcheinander, der König und alle Trabanten, und die waren es, die so jämmerlich seufzten und mit ihren großen Glasaugen stierten, denn sie wollten so gern ein wenig eingerieben werden wie die Königin, damit sie sich auch von selbst bewegen könnten. Die Königin warf sich sogleich auf die Knie und reichte ihre prächtige Krone empor und bat: „Nimm sie nur, aber reibe meinen Gemahl und meine Hofleute ein!" Da mußte der arme Mann, dem das Theater und alle Puppen gehörten, weinen, denn es tat ihm wirklich ihretwegen sehr leid. Er versprach sogleich dem Reisekameraden, ihm alles Geld zu geben, das er am nächsten Abend für seine Komödie einnehmen würde, wenn er nur vier oder fünf von seinen niedlichsten Puppen einreiben wolle. Aber der Reisekamerad sagte, daß er gar nichts anderes verlange als den großen Säbel, den jener an seiner Seite habe. Und als er den bekam, rieb er sechs Puppen ein, die gleich so niedlich tanzten, daß alle Mädchen, die lebendigen Menschenmädchen, die es sahen, mittanzten. Der Kutscher und das Küchenmädchen tanzten, der Diener und das Stubenmädchen, alle Fremden und die Feuerschaufel und die Feuerzange, aber diese beiden fielen um, als sie die ersten Sprünge machten – Ja, das war eine lustige Nacht!

Am nächsten Morgen ging Johannes mit seinem Reisekameraden von ihnen fort auf die hohen Berge und durch die

51

großen Tannenwälder. Sie kamen so hoch hinauf, daß die Kirchtürme tief unter ihnen zuletzt wie kleine rote Beeren in all dem Grünen aussahen. Sie konnten sehr weit sehen, viele, viele Meilen weit, wo sie niemals gewesen waren. So viel Schönes von der herrlichen Welt hatte Johannes noch nie auf einmal gesehen! Und die Sonne schien warm durch die frische, blaue Luft, er hörte auch zwischen den Bergen die Jäger das Waldhorn so schön und lieblich blasen, daß ihm vor Freude die Tränen in die Augen traten und er nicht unterlassen konnte auszurufen: „Du guter, lieber Gott! Ich möchte dich küssen, weil du so gut gegen uns alle bist und uns all die Herrlichkeit, die es in der Welt gibt, geschenkt hast!"

Der Reisekamerad stand auch mit gefalteten Händen da und sah über den Wald und die Städte in den warmen Sonnenschein. Zur gleichen Zeit ertönte es wunderbar lieblich über ihren Köpfen, und sie blickten in die Höhe: ein großer weißer Schwan schwebte in der Luft; er war so schön und sang, wie sie nie zuvor einen Vogel hatten singen hören! Aber der Gesang wurde schwächer und schwächer, der Schwan neigte seinen Kopf und sank langsam zu ihren Füßen nieder, wo er tot liegenblieb, der schöne Vogel.

„Zwei so herrliche Flügel", sagte der Reisekamerad, „so weiß und groß, wie sie dieser Vogel hat, sind Geldes wert, die will ich mit mir nehmen! Siehst du nun, wie gut es war, daß ich einen Säbel bekam?" Und so hieb er mit einem Schlag dem toten Schwan beide Flügel ab, die er behalten wollte.

Sie reisten nun viele, viele Meilen weit über die Berge, bis sie zuletzt eine große Stadt vor sich sahen, mit Hunderten von Türmen, die wie Silber im Sonnenschein glänzten. Mitten in der Stadt war ein prächtiges Marmorschloß, mit purem Gold gedeckt, und hier wohnte der König.

Johannes und der Reisekamerad wollten nicht sogleich in die Stadt gehen, sondern sie blieben im Wirtshaus vor der Stadt, damit sie sich putzen konnten, denn sie wollten fein aussehen, wenn sie auf die Straße kämen. Der Wirt erzählte ihnen, daß der König ein sehr guter Mann sei, der niemals einem Menschen etwas zuleide tue, weder noch so. Aber seine Tochter – ja, Gott bewahre uns –, die sei eine schlimme Prinzessin. Schönheit besaß sie genug, keine konnte so hübsch und lieblich sein wie sie. Aber was half das? Sie war eine schlimme, böse Hexe, die schuld daran hatte, daß viele herrliche Prinzen ihr Leben lassen mußten. Allen Menschen hatte sie die Erlaubnis erteilt, um sie zu freien. Ein jeder konnte kommen, er mochte Prinz oder Bettler sein, das war ihr gleich. Er sollte nur drei Dinge raten, um die sie ihn befragte. Konnte er das, so wollte sie sich mit ihm vermählen, und er sollte König über das ganze Land sein, wenn ihr Vater stürbe. Konnte er aber die drei Dinge nicht raten, so ließ sie ihn aufhängen oder ihm den Kopf abschlagen, so schlimm und böse war die liebliche Prinzessin! Ihr Vater, der alte König, war sehr betrübt darüber, aber er konnte ihr nicht verbieten, so böse zu sein, denn er hatte einmal gesagt, er wolle niemals etwas mit ihren Liebhabern zu tun haben, sie könne selbst tun, was sie wolle. Jedesmal, wenn ein Prinz kam und raten sollte, um die Prinzessin zu bekommen, konnte er es nicht, und dann wurde er gehängt oder geköpft. Sie hatten ihn ja beizeiten gewarnt, er hätte das Freien unterlassen können. Der alte König war so betrübt über all die Trauer und das Elend, daß er einen ganzen Tag des Jahres mit all seinen Soldaten auf den Knien lag und betete, die Prinzessin möge gut werden; aber das wollte sie durchaus nicht. Die alten Frauen, die Branntwein tranken, färbten ihn ganz schwarz, bevor sie ihn tranken, so trauerten sie. Und mehr konnten sie doch nicht tun!

„Die garstige Prinzessin!" sagte Johannes. „Sie sollte wirklich die Rute bekommen, das würde ihr guttun. Wäre ich nur der alte König, sie sollte schon gegerbt werden!"

Da hörten sie das Volk draußen hurra rufen. Die Prinzessin kam vorbei, und sie war wirklich so schön, daß alle Leute vergaßen, wie böse sie war, darum riefen sie hurra. Zwölf schöne Jungfrauen, alle in weißseidenen Kleidern und mit einer goldenen Tulpe in der Hand, ritten auf kohlrabenschwarzen Pferden an ihrer Seite. Die Prinzessin selbst hatte ein schneeweißes Pferd, mit Diamanten und Rubinen geschmückt, ihr Reitkleid war aus purem Gold, und die Peitsche, die sie in der Hand hatte, sah aus, als wäre sie ein Sonnenstrahl. Die goldene Krone auf dem Kopf war wie ein kleiner Stern vom Himmel, und der Mantel war aus mehr als tausend schönen Schmetterlingsflügeln zusammengenäht. Dennoch war sie viel schöner als alle ihre Kleider.

Als Johannes sie zu sehen bekam, wurde er so rot im Gesicht wie ein Blutstropfen und konnte kaum ein einziges Wort sagen. Die Prinzessin sah ja ganz genauso aus wie das schöne Mädchen mit der goldenen Krone, von der er in der Nacht geträumt hatte, als sein Vater gestorben war. Er fand sie so schön, daß er nicht anders konnte, als sie recht zu lieben. Es stimmte gewiß nicht, daß sie eine böse Hexe sei, die die Leute hängen oder köpfen ließe, wenn sie nicht raten könnten, was sie von ihnen verlangte. „Ein jeder hat die Erlaubnis, um sie zu freien, sogar der ärmste Bettler. Ich will wirklich ins Schloß hinaufgehen, denn ich kann es nicht lassen!"

Sie sagten alle, er solle es nicht tun, es werde ihm bestimmt ergehen wie all den anderen. Der Reisekamerad riet ihm auch davon ab, aber Johannes meinte, es werde schon gut gehen. Er bürstete seine Schuhe und seinen Rock, wusch sein Gesicht und seine Hände, kämmte sein hübsches blondes Haar und ging dann allein in die Stadt und zum Schloß hinauf.

„Herein!" sagte der alte König, als Johannes an die Tür klopfte. Johannes öffnete, und der alte König, im Schlafrock und in gestickten Pantoffeln, kam ihm entgegen; die goldene Krone hatte er auf dem Kopf, das Zepter in der einen Hand und den Reichsapfel in der anderen.

„Warte ein bißchen!" sagte er und nahm den Apfel unter den Arm, um Johannes die Hand reichen zu können. Aber sowie er erfuhr, daß er ein Freier sei, fing er so an zu weinen, daß Zepter und Apfel auf den Fußboden fielen und er die Augen mit seinem Schlafrock trocknen mußte. Der arme alte König.

„Laß es sein!" sagte er. „Es ergeht dir schlecht wie all den andern. Na, du wirst sehen!" Dann führte er ihn hinaus in den Lustgarten der Prinzessin. Da sah es schrecklich aus! In jedem Baum hingen drei, vier Königssöhne, die um die Prinzessin gefreit hatten, aber die Dinge, die sie ihnen aufgab, nicht hatten raten können. Bei jedem Windstoß klapperten alle Gerippe, so daß die kleinen Vögel erschraken und sich nie in den Garten wagten. Alle Blumen waren an Menschenknochen aufgebunden, und in den Blumentöpfen standen Totenköpfe und grinsten. Das war für eine Prinzessin freilich ein sonderbarer Garten.

„Hier siehst du es!" sagte der alte König. „Es wird dir ebenso ergehen wie allen anderen, die du hier siehst. Laß es darum lieber sein. Du machst mich wirklich unglücklich, denn ich nehme mir das sehr zu Herzen!".

Johannes küßte dem guten, alten König die Hand und sagte, es würde schon gut gehen, denn er hätte die schöne Prinzessin sehr lieb.

Da kam die Prinzessin selbst mit allen ihren Damen in den Schloßhof geritten, sie gingen darum zu ihr hinaus und sagten ihr guten Tag. Sie war wunderschön, reichte Johannes die Hand, und er hatte sie noch lieber als zuvor. Sie konnte gewiß keine schlimme, böse Hexe sein, wie alle Leute von ihr sagten. Dann gingen sie hinauf in den Saal, und die kleinen Pagen präsentierten ihnen Eingemachtes und Pfeffernüsse. Aber der alte König war so betrübt, daß er gar nichts essen konnte, und die Pfeffernüsse waren ihm auch zu hart.

Es wurde nun bestimmt, daß Johannes am nächsten Morgen wieder auf das Schloß kommen sollte; dann würden die Richter und der ganze Rat versammelt sein und hören, wie es mit dem Raten gehe. Würde er dabei gut abschneiden, so sollte er dann noch zweimal kommen, aber es hatte noch nie jemand das erstemal richtig geraten, und dann mußte er das Leben verlieren.

Johannes war gar nicht bekümmert darum, wie es ihm ergehen würde. Er war vielmehr vergnügt, dachte nur an die schöne Prinzessin und glaubte ganz gewiß, der liebe Gott werde ihm schon helfen, aber wie, das wußte er nicht und wollte auch lieber nicht daran denken. Er tanzte auf der Landstraße dahin, als er zu dem Wirtshaus ging, wo der Reisekamerad auf ihn wartete.

Johannes konnte nicht genug erzählen, wie artig die Prinzessin gegen ihn gewesen und wie schön sie sei. Er sehnte sich schon sehr nach dem nächsten Tag, wo er in das Schloß kommen sollte, um sein Glück im Raten zu versuchen!

Aber der Reisekamerad schüttelte den Kopf und war ganz betrübt. „Ich bin dir so gut!" sagte er. „Wir hätten noch lange beisammen sein können, und nun soll ich dich schon verlieren! Du armer, lieber Johannes! Ich möchte weinen, aber ich will an dem letzten Abend, den wir vielleicht beisammen sind, deine Freude nicht stören. Wir wollen lustig sein, recht lustig! Morgen, wenn du fort bist, kann ich ungestört weinen."

Alle Leute in der Stadt hatten sogleich erfahren, daß ein neuer Freier der Prinzessin angekommen war, und darum herrschte große Betrübnis. Das Schauspielhaus blieb geschlossen, alle Kuchenfrauen banden schwarzen Flor um ihre Zuckerferkel, der König und die Priester lagen in der Kirche auf den Knien. Sie waren so betrübt, denn es konnte Johannes ja nicht besser ergehen, als es allen anderen Freiern ergangen war.

Gegen Abend bereitete der Reisekamerad eine große Bowle voll Punsch und sagte zu Johannes, sie wollten nun recht lustig sein und auf das Wohl der Prinzessin trinken. Als aber Johannes zwei Gläser getrunken hatte, wurde er so schläfrig, daß es ihm unmöglich war, die Augen offenzuhalten; er sank in tiefen Schlaf. Der Reisekamerad hob ihn ganz sanft vom Stuhl und legte ihn in das Bett, und als es dunkle Nacht wurde, nahm er die beiden großen Flügel, die er dem Schwan abgehauen hatte, und band sie an seinen Schultern fest. Die größte Rute, die er von der alten Frau mit dem gebrochenen Bein erhalten hatte, steckte er in seine Tasche, öffnete das Fenster und flog so über die Stadt zum Schloß, wo er sich in einen Winkel unter das Fenster setzte, das in die Schlafstube der Prinzessin führte.

Es war still in der ganzen Stadt. Nun schlug die Uhr drei Viertel vor zwölf, das Fenster ging auf, und die Prinzessin flog in einem langen weißen Mantel und mit langen schwarzen Flügeln über die Stadt hinaus zu einem großen Berg. Aber der Reisekamerad machte sich unsichtbar, so daß sie ihn nicht sehen konnte, flog hinterher und peitschte die Prinzessin mit seiner Rute, so daß richtig Blut kam, wohin er schlug. Hu, das war eine Fahrt durch die Luft! Der Wind erfaßte ihren Mantel, der sich nach allen Seiten ausbreitete, gerade wie ein großes Schiffssegel, und der Mond schien hindurch.

„Wie es hagelt! Wie es hagelt!" sagte die Prinzessin bei jedem Schlag, den sie von der Rute bekam, und das geschah ihr schon recht. Endlich kam sie zum Berg und klopfte an. Es rollte wie Donner, als der Berg sich öffnete und die Prinzessin hineinging. Der Reisekamerad folgte ihr, denn niemand konnte ihn sehen, er war unsichtbar. Sie gingen durch einen großen, langen Gang, wo die Wände wunderbar glitzerten, denn über tausend glühende Spinnen liefen an der Mauer auf und ab und leuchtete wie Feuer. Dann kamen sie in einen großen Saal, von Silber und Gold erbaut. Blumen, so groß wie Sonnenblumen, rote und blaue, glänzten an den Wänden, aber niemand konnte sie pflücken, denn ihre Stiele waren häßliche, giftige Schlangen, und die Blumen waren Feuer, das ihnen aus dem Rachen flammte. Die ganze Decke war mit leuchtenden Johanniswürmchen und himmelblauen Fledermäusen bedeckt, die mit den dünnen Flügeln schlugen. Es sah ganz wunderlich aus! Mitten auf dem Fußboden war ein Thron, der von vier Pferdegerippen getragen wurde, welche Zaumzeug aus roten Feuerspinnen hatten; der Thron selbst war aus milchweißem Glas, und die Kissen waren kleine schwarze Mäuse, die einander in den Schwanz bissen. Darüber war ein Dach von rosenroten Spinnweben mit den niedlichsten kleinen grünen Fliegen besetzt, die wie Edelsteine glänzten. Mitten auf dem Thron saß ein alter Zauberer, mit einer Krone auf dem häßlichen Kopf und einem Zepter in der Hand. Er küßte die Prinzessin auf die Stirn, ließ sie sich an seiner Seite auf den kostbaren Thron setzen, und dann begann die Musik. Große schwarze Heuschrecken spielten Mundharmonika, und die Eule schlug sich selbst auf den Leib, denn sie hatte keine Trommel. Das war ein seltsames Konzert. Kleine schwarze Kobolde mit einem Irrlicht auf der Mütze tanzten im Saale herum. Niemand aber konnte den Reisekameraden sehen; er hatte sich hinter den Thron gestellt und hörte und sah alles. Die Hofleute, die nun auch hereinkamen, waren sehr fein und vornehm! Aber wer richtig sehen konnte, merkte wohl, wie es um sie stand. Sie waren nichts anderes als Besenstiele mit Kohlköpfen darauf, in die der Zauberer Leben gehext und denen er gestickte Kleider gegeben hatte. Aber das war ja einerlei, sie wurden doch nur zum Prunk gebraucht.

Nachdem erst etwas getanzt worden war, erzählte die Prinzessin dem Zauberer, daß sie einen neuen Freier bekommen habe, und fragte darum, woran sie wohl denken solle, um ihn am nächsten Morgen danach zu fragen, wenn er nach dem Schloß käme.

„Höre", sagte der Zauberer, „das will ich dir sagen! Du mußt etwas recht Leichtes nehmen, denn darauf kommt er gar nicht. Denk an einen deiner Schuhe. Das rät er nicht. Laß ihm den Kopf abschlagen, doch vergiß nicht, wenn du morgen nacht wiederkommst, mir seine Augen mitzubringen, denn die will ich essen!"

Die Prinzessin verneigte sich ganz tief und sagte, sie würde die Augen nicht vergessen. Der Zauberer öffnete nun den Berg, und sie flog wieder zurück, aber der Reisekamerad folgte ihr und prügelte sie wieder so heftig mit der Rute, daß sie ganz tief über das starke Hagelwetter seufzte und sich beeilte, so schnell sie konnte, wieder durch das Fenster in ihre Schlafstube zu gelangen. Der Reisekamerad aber flog zum Wirtshaus zurück, wo Johannes noch schlief, löste seine Flügel ab und legte sich dann auch auf das Bett, denn er konnte wohl müde sein.

Es war früh am Morgen, als Johannes erwachte. Der Reisekamerad stand auch auf und erzählte, daß er diese Nacht einen ganz seltsamen Traum von der Prinzessin und ihrem Schuh gehabt habe, und bat ihn, deshalb unbedingt zu fragen, ob die Prinzessin nicht an ihren Schuh gedacht hätte. Denn das war es ja, was er von dem Zauberer im Berge gehört hatte, aber er wollte Johannes davon nichts erzählen, sondern bat ihn, nur zu fragen, ob sie an ihren Schuh gedacht hätte.

„Ich kann ebensogut dieses wie etwas anderes fragen!" sagte Johannes. „Vielleicht ist das ganz richtig, was du geträumt hast, denn ich glaube immer, daß der liebe Gott mir schon helfen wird. Aber ich will dir doch Lebewohl sagen, denn rate ich falsch, so bekomme ich dich nie mehr zu sehen."

Dann küßten sie einander, und Johannes ging in die Stadt und auf das Schloß. Der ganze Saal war voller Menschen; die Richter saßen in ihren Lehnstühlen und hatten Eiderdaunenkissen hinter den Köpfen, denn sie hatten soviel zu denken. Der alte König stand auf und trocknete seine Augen mit einem weißen Taschentuch. Nun trat die Prinzessin herein. Sie war noch schöner als gestern und grüßte alle sehr liebreich; aber Johannes gab sie die Hand und sagte: „Guten Morgen, du!"

Nun sollte Johannes raten, woran sie gedacht habe. Gott, wie sah sie ihn freundlich an! Aber sowie sie ihn das eine

Wort *Schuh* aussprechen hörte, wurde sie kreideweiß im Gesicht und zitterte am ganzen Körper. Aber das konnte ihr nichts helfen, denn er hatte richtig geraten.

Potztausend! wie wurde der alte König froh, er schoß Kobolz, daß es eine Lust war. Und alle Leute klatschten in die Hände, ihm und Johannes zu Ehren, der das erstemal richtig geraten hatte.

Der Reisekamerad freute sich auch, als er erfuhr, wie gut es abgelaufen war. Aber Johannes faltete die Hände und dankte dem lieben Gott, der ihm gewiß die beiden anderen Male auch helfen würde. Am nächsten Tag sollte schon wieder geraten werden.

Der Abend verging ebenso wie der gestrige. Als Johannes schlief, flog der Reisekamerad hinter der Prinzessin her zum Berg und prügelte sie noch stärker als das vorige Mal; denn nun hatte er zwei Ruten genommen. Niemand bekam ihn zu sehen, und er hörte alles. Die Prinzessin wollte an ihren Handschuh denken, und das erzählte er Johannes wieder, als ob es ein Traum sei. Johannes konnte daher richtig raten, und es herrschte große Freude auf dem Schloß. Der ganze Hof schoß Kobolz, so wie sie es das erstemal vom König gesehen hatten. Aber die Prinzessin lag auf dem Sofa und wollte nicht ein einziges Wort sagen. Nun kam es darauf an, ob Johannes das drittemal richtig raten konnte. Glückte es, so sollte er ja die schöne Prinzessin haben und nach dem Tode des alten Königs das ganze Reich erben. Riet er falsch, so sollte er sein Leben verlieren, und der Zauberer würde seine schönen blauen Augen essen.

Den Abend vorher ging Johannes zeitig zu Bett, betete sein Abendgebet und schlief dann ganz ruhig. Aber der Reisekamerad band seine Flügel an den Rücken, schnallte den Säbel an seine Seite, nahm alle drei Ruten mit und flog so zum Schloß.

Es war stockfinstere Nacht. Es stürmte so, daß die Dachziegel von den Häusern flogen und die Bäume im Garten, wo die Gerippe hingen, sich wie Schilf vor dem Winde bogen. Es blitzte jeden Augenblick, und der Donner rollte, als ob es nur ein einziger Schlag sei, der die ganze Nacht währte. Nun ging das Fenster auf, und die Prinzessin flog heraus. Sie war so bleich wie der Tod, aber sie lachte über das böse Wetter und meinte, es sei noch nicht arg genug. Ihr weißer

Mantel wirbelte in der Luft umher, gerade wie ein großes Schiffssegel, aber der Reisekamerad peitschte sie mit seinen drei Ruten, daß das Blut auf die Erde tropfte und sie zuletzt kaum weiterfliegen konnte. Endlich kam sie doch zum Berg.

„Es hagelt und stürmt", sagte sie, „noch nie bin ich in solchem Wetter draußen gewesen."

„Man kann auch des Guten zuviel bekommen!" sagte der Zauberer. Nun erzählte sie ihm, daß Johannes auch das zweitemal richtig geraten habe; werde er das auch morgen tun, so habe er gewonnen, und sie könne nie mehr zum Berg kommen, werde nie mehr solche Zauberkünste wie früher machen können, darum sei sie ganz betrübt.

„Er soll es nicht erraten können!" sagte der Zauberer. „Ich werde schon etwas finden, woran er nie gedacht hat, oder er müßte ein größerer Zauberer sein als ich. Aber nun wollen wir lustig sein!" Und dann nahm er die Prinzessin bei der Hand, und sie tanzten mit all den kleinen Kobolden und Irrlichtern herum, die in dem Zimmer waren. Die roten Spinnen sprangen an den Wänden ebenso lustig auf und nieder, es sah aus, als ob die Feuerblumen funkelten. Die Eule schlug auf die Trommel, die Heimchen pfiffen, und die schwarzen Heuschrecken bliesen die Mundharmonika. Es war ein lustiger Ball!

Als sie nun lange genug getanzt hatten, mußte die Prinzessin nach Hause, sonst hätte sie im Schloß vermißt werden können. Der Zauberer sagte, daß er sie noch begleiten wolle, da seien sie doch unterwegs noch beisammen.

Dann flogen sie in dem bösen Wetter davon, und der Reisekamerad schlug seine drei Ruten auf ihrem Rücken entzwei. Noch niemals war der Zauberer in solchem Hagelwetter ausgewesen. Draußen vor dem Schloß sagte er der Prinzessin Lebewohl und flüsterte ihr dabei zu: „Denk an meinen Kopf!" Aber der Reisekamerad hörte es wohl, und gerade in dem Augenblick, als die Prinzessin durch das Fenster in ihre Schlafkammer schlüpfte und der Zauberer wieder umkehren wollte, ergriff er ihn an seinem langen schwarzen Bart und hieb mit dem Säbel seinen garstigen Zaubererkopf bei den Schultern ab, so daß der Zauberer ihn nicht einmal selbst zu sehen bekam. Den Körper warf er hinaus in den See zu den Fischen, den Kopf aber tauchte er nur in das Wasser und band ihn dann in sein seidenes Taschentuch, nahm ihn mit zum Wirtshaus und legte sich dann schlafen.

Am nächsten Morgen gab er Johannes das Taschentuch und sagte ihm dabei, daß er es nicht lösen dürfe, bevor die Prinzessin fragte, woran sie gedacht habe.

Es waren so viele Menschen in dem großen Saal auf dem Schloß, daß sie so dicht standen wie Radieschen, die in ein Bündel zusammengebunden sind. Der Rat saß auf seinen Stühlen mit den weichen Kopfkissen, und der alte König hatte neue Kleider an, die goldene Krone und das Zepter waren poliert, das sah sehr feierlich aus. Aber die Prinzessin war ganz bleich und hatte ein kohlschwarzes Kleid an, als sollte sie zum Begräbnis gehen.

„Woran habe ich gedacht?" fragte sie Johannes. Und sogleich band er das Taschentuch auf und war selbst ganz erschrocken, als er den häßlichen Zaubererkopf sah. Es schauderte alle Menschen, denn es war schrecklich anzusehen; aber die Prinzessin saß da wie versteinert und konnte nicht ein einziges Wort sagen. Endlich erhob sie sich und reichte Johannes die Hand, denn er hatte ja richtig geraten. Sie sah weder auf den einen noch auf den anderen, sondern sie seufzte ganz tief: „Nun bist du mein Herr! Diesen Abend wollen wir Hochzeit halten."

„Das gefällt mir!" sagte der alte König. „So wollen wir es haben!" Alle Leute riefen hurra, die Wachtparade machte Musik in den Straßen, die Glocken läuteten, und die Kuchenfrauen nahmen den schwarzen Flor von ihren Zuckerferkeln, denn nun herrschte große Freude. Drei ganze gebratene Ochsen, mit Enten und Hühnern gefüllt, wurden mitten auf den Markt gesetzt, und jeder konnte sich ein Stück abschneiden. In den Springbrunnen sprudelte der schönste Wein, und kaufte man eine Schillingsbrezel beim Bäcker, so bekam man sechs große Wecken als Zugabe, und zwar Wecken mit Rosinen darin.

Am Abend war die ganze Stadt erleuchtet, die Soldaten schossen mit Kanonen, die Knaben mit Knallerbsen, und es wurde gegessen und getrunken, angestoßen und gesprungen oben im Schloß. Alle vornehmen Herren und schönen Fräulein tanzten miteinander; man konnte in weiter Ferne hören, wie sie sangen:

„Hier sind viele hübsche Mädchen,
Die gern tanzen rundherum,
Drehen sich wie Spinnenrädchen;
Hübsches Mädchen, schwenk dich um.
Tanz und springe immerzu,
Bis die Sohle fällt vom Schuh."

Aber die Prinzessin war ja noch eine Hexe und mochte Johannes gar nicht leiden. Das fiel dem Reisekameraden ein, und darum gab er Johannes drei Federn aus den Schwanenflügeln und eine kleine Flasche mit einigen Tropfen darin und sagte ihm dann, daß er ein großes Faß mit Wasser vor das Brautbett der Prinzessin setzen lassen solle, und wenn die Prinzessin hineinsteigen wolle, solle er ihr einen kleinen Stoß geben, so daß sie in das Wasser falle, wo er sie dreimal untertauchen müsse, nachdem er vorher die Federn und die Tropfen hineingeschüttet habe; dann werde sie ihre Zauberei verlieren und ihn recht liebhaben.

Johannes tat alles, was der Reisekamerad ihm geraten hatte. Die Prinzessin schrie laut auf, als er sie unter das Wasser tauchte, und zappelte als ein großer schwarzer Schwan mit funkelnden Augen unter seinen Händen. Als sie das zweitemal wieder aus dem Wasser auftauchte, war der Schwan weiß, bis auf einen schwarzen Ring um den Hals. Johannes betete fromm zum lieben Gott und ließ das Wasser das drittemal über dem Vogel zusammenschlagen, und im selben Augenblick wurde dieser in die schönste Prinzessin verwandelt. Sie war noch schöner als zuvor und dankte ihm mit Tränen in ihren herrlichen Augen, daß er sie von dem Zauber erlöst habe.

Am nächsten Morgen kam der alte König mit seinem ganzen Hofstaat, da gab es ein Gratulieren bis weit in den Tag hinein. Zuallerletzt kam der Reisekamerad; er hatte seinen Stock in der Hand und das Ränzel auf dem Rükken. Johannes küßte ihn viele Male und sagte, er dürfe nicht fortreisen, er solle bei ihm bleiben, denn er sei ja die Ursache seines Glücks. Aber der Reisekamerad schüttelte den Kopf und sagte mild und freundlich: „Nein, nun ist meine Zeit um. Ich habe nur meine Schuld bezahlt. Erinnerst du dich des toten Mannes, dem die bösen Men-

schen Übles tun wollten? Du hast alles gegeben, was du
besaßest, damit er Ruhe in seinem Grab finden konnte.
Der Tote bin ich!"
Im selben Augenblick war er verschwunden.
Die Hochzeit währte nun einen ganzen Monat. Johannes
und die Prinzessin liebten einander innig, und der alte König erlebte viele vergnügte Tage und ließ ihre kleinen Kinder auf seinen Knien reiten und mit seinem Zepter spielen.
Johannes aber wurde König über das ganze Land.

Die kleine Seejungfrau

Weit draußen im Meer ist das Wasser so blau wie die
Blätter der schönsten Kornblume und so klar wie das rein-
ste Glas. Aber es ist sehr tief, tiefer, als irgendein Ankertau
reicht. Viele Kirchtürme müßten aufeinandergestellt werden, um vom Grund bis über das Wasser zu reichen. Dort
unten wohnt das Meervolk.
Nun muß man aber nicht glauben, daß da nur der nackte
weiße Sandboden sei, nein, da wachsen die sonderbarsten
Bäume und Pflanzen, die so geschmeidig in Stiel und Blättern sind, daß sie sich bei der geringsten Bewegung des
Wassers rühren, gerade als ob sie lebten. Alle Fische, kleine
und große, schlüpfen zwischen den Zweigen hindurch, wie
hier oben in der Luft die Vögel. An der allertiefsten Stelle
liegt des Meerkönigs Schloß. Die Mauern sind aus Korallen
und die langen, spitzen Fenster aus allerklarstem Bernstein,
aber das Dach ist aus Muschelschalen, die sich öffnen und
schließen, je nachdem, wie das Wasser strömt. Es sieht herrlich aus, denn in jeder liegen strahlende Perlen, eine einzige davon würde in der Krone einer Königin ein großer
Schmuck sein.
Der Meerkönig dort unten war seit vielen Jahren Witwer,
und seine alte Mutter führte ihm den Haushalt. Sie war eine
kluge Frau, aber stolz auf ihren Adel, deshalb trug sie zwölf
Austern am Schwanz, die anderen Vornehmen durften nur
sechs tragen. Sonst verdiente sie großes Lob, besonders
weil sie die kleinen Meerprinzessinnen, ihre Enkelinnen,
sehr liebhatte. Es waren sechs schöne Kinder, aber die

Jüngste war die Schönste von allen. Ihre Haut war so rein und fein wie ein Rosenblatt, ihre Augen so blau wie die tiefste See, aber wie alle anderen hatte sie keine Füße; der Körper endete in einem Fischschwanz.

Den ganzen Tag konnten sie unten im Schloß spielen, in den großen Sälen, wo lebendige Blumen aus den Wänden hervorwuchsen. Die großen Bernsteinfenster wurden geöffnet, und dann schwammen die Fische zu ihnen hinein, ebenso wie bei uns die Schwalben hereinfliegen, wenn wir die Fenster öffnen; doch die Fische schwammen gerade zu den kleinen Prinzessinnen hin, fraßen aus ihren Händen und ließen sich streicheln.

Draußen vor dem Schloß war ein großer Garten mit feuerroten und dunkelblauen Bäumen. Die Früchte strahlten wie Gold und die Blumen wie brennendes Feuer, da sie immerzu Stiel und Blätter bewegten. Die Erde selbst war der feinste Sand, aber blau wie die Schwefelflamme. Über allem dort unten lag ein eigentümlicher blauer Schimmer; man hätte eher glauben mögen, daß man hoch oben in der Luft stehe und nur Himmel über und unter sich sehe, als daß man auf dem Grund des Meeres sei. Bei Windstille konnte man die Sonne erblicken, sie erschien wie eine Purpurblume, deren Kelch alles Licht ausströmte.

Jede der kleinen Prinzessinnen hatte ihren kleinen Fleck im Garten, wo sie graben und pflanzen konnte, wie es ihr gefiel. Die eine gab ihrem Blumenfleck die Gestalt eines Walfisches, einer anderen gefiel es besser, daß der ihre wie eine kleine Seejungfrau aussah; aber die Jüngste machte den ihren so rund wie die Sonne und hatte nur Blumen, die rot wie die Sonne schienen. Sie war ein seltsames Kind, still und nachdenklich, und wenn die anderen Schwestern sich mit den wunderlichsten Sachen schmückten, die sie von gestrandeten Schiffen bekommen hatten, wollte sie außer den rosenroten Blumen, die der Sonne dort oben glichen, nur eine hübsche Marmorstatue haben. Das war ein schöner Knabe, aus weißem, klarem Stein gehauen, der bei einem Schiffbruch auf den Meeresgrund gekommen war. Sie pflanzte bei der Statue eine rosenrote Trauerweide; die wuchs herrlich und ließ ihre frischen Zweige über die Statue zum blauen Sandboden fallen, wo der Schatten violett erschien und sich wie die Zweige bewegte. Es sah aus, als ob Spitze und Wurzeln miteinander spielten, als wollten sie sich küssen.

Es gab keine größere Freude für sie, als von der Menschenwelt dort oben zu hören. Die alte Großmutter mußte alles erzählen, was sie von Schiffen und Städten, Menschen und Tieren wußte. Am wunderbarsten erschien es ihr, daß oben auf der Erde die Blumen dufteten, denn das taten sie auf dem Meeresgrund nicht, und daß die Wälder grün waren und daß die Fische, die man dort zwischen den Bäumen sah, so laut und herrlich singen konnten, daß es eine Lust war. Die Großmutter nannte die kleinen Vögel Fische, denn sonst konnten die Kinder das nicht verstehen, da sie noch keinen Vogel gesehen hatten.

„Wenn ihr euer fünfzehntes Jahr vollendet habt", sagte die Großmutter, „dann sollt ihr die Erlaubnis bekommen, aus dem Meer emporzutauchen, im Mondschein auf den Klippen zu sitzen und die großen Schiffe zu sehen, die vorbeisegeln. Wälder und Städte werdet ihr dann erblikken!"

Im kommenden Jahr wurde die eine der Schwestern fünfzehn Jahre alt, aber die andern – ja, eine war immer ein Jahr jünger als die andere, die jüngste von ihnen brauchte also noch volle fünf Jahre, bevor sie vom Meeresgrund auftauchen und sehen durfte, wie es bei uns aussieht. Aber die eine versprach der anderen zu erzählen, was sie gesehen und was sie am ersten Tag am schönsten gefunden habe, denn die Großmutter erzählte ihnen nicht genug; da war so vieles, was sie wissen wollten.

Keine war so sehnsuchtsvoll wie die Jüngste, gerade sie, die noch die längste Zeit zu warten hatte und die so still und nachdenklich war. Manche Nacht stand sie am offenen Fenster und sah durch das dunkelblaue Wasser empor, wo die Fische mit ihren Flossen und Schwänzen plätscherten. Mond und Sterne konnte sie sehen; freilich schienen diese ganz bleich, aber durch das Wasser sahen sie viel größer aus als für unsere Augen. Glitt dann etwas wie eine schwarze Wolke unter ihnen dahin, so wußte sie, daß es entweder ein Walfisch war, der über ihr schwamm, oder auch ein Schiff mit vielen Menschen; die dachten sicher nicht daran, daß eine liebliche kleine Seejungfrau unten stand und ihre weißen Hände gegen den Kiel emporstreckte.

Nun war die älteste Prinzessin fünfzehn Jahre alt und durfte über die Meeresoberfläche emporsteigen.

Als sie zurückkehrte, hatte sie hundert Dinge zu erzählen, aber das Schönste sei, sagte sie, im Mondschein auf einer Sandbank in der ruhigen See zu liegen und nahebei die Küste mit der großen Stadt zu betrachten, wo die Lichter wie hundert Sterne blinkten, die Musik und den Lärm und das Geräusch von Wagen und Menschen zu hören, die vielen Kirchtürme und Turmspitzen zu sehen und das Läuten der Glocken zu hören. Gerade weil sie nicht dorthin kommen konnte, sehnte sie sich nach alledem am allermeisten.

Oh, wie horchte die jüngste Schwester auf, und wenn sie dann am Abend am offenen Fenster stand und durch das dunkelblaue Wasser emporblickte, dachte sie an die große Stadt mit all dem Lärm und Geräusch, und dann glaubte sie, die Kirchenglocken bis zu sich in die Tiefe läuten zu hören.

Im folgenden Jahr bekam die zweite Schwester die Erlaubnis, aus dem Wasser emporzusteigen und zu schwimmen, wohin sie wollte. Sie tauchte auf, gerade als die Sonne unterging, und dieser Anblick, fand sie, sei das Schönste. Der ganze Himmel habe wie Gold ausgesehen, sagte sie, und die Wolken – ja, deren Schönheit konnte sie nicht genug beschreiben! Rot und violett waren sie über ihr dahingesegelt, aber weit schneller noch flog wie ein langer weißer Schleier ein Schwarm wilder Schwäne über das Wasser hin, wo die Sonne stand. Sie schwamm ihr entgegen, aber die Sonne sank, und der Rosenschimmer auf der Meeresfläche und den Wolken erlosch.

Im Jahr darauf kam die dritte Schwester nach oben. Sie war die Vorwitzigste von allen, darum schwamm sie einen breiten Fluß aufwärts, der in das Meer mündete. Herrliche grüne Hügel mit Weinranken erblickte sie, Schlösser und Burgen guckten aus prächtigen Wäldern hervor, sie hörte, wie alle Vögel sangen, und die Sonne schien so warm, daß sie oft unter das Wasser tauchen mußte, um ihr brennendes Gesicht zu kühlen. In einer kleinen Bucht traf sie einen ganzen Schwarm kleiner Menschenkinder. Ganz nackt liefen sie herum und planschten im Wasser. Sie wollte mit ihnen spielen, aber die Kinder liefen erschrocken davon, und es kam ein kleines schwarzes Tier, das war ein Hund – aber sie hatte nie zuvor einen Hund gesehen –, der bellte sie so schrecklich an, daß sie ängstlich wurde und wieder die offene See aufsuchte. Aber niemals konnte sie die prächtigen Wälder, die grünen Hügel und die niedlichen Kinder vergessen, die im Wasser schwimmen konnten, obgleich sie keinen Fischschwanz hatten.

Die vierte Schwester war nicht so vorwitzig, sie blieb draußen im wilden Meer und erzählte, daß es gerade dort am schönsten sei. Man sehe ringsumher viele Meilen weit, und der Himmel stehe wie eine große Glasglocke darüber. Schiffe hatte sie gesehen, aber nur in weiter Ferne; die sahen wie Strandmöwen aus, und die lustigen Delphine hatten Purzelbäume geschossen, und die großen Walfische hatten aus ihren Nasenlöchern Wasser gespritzt, so daß es ringsumher ausgesehen hatte wie Hunderte von Springbrunnen.

Nun kam die Reihe an die fünfte Schwester. Ihr Geburtstag war gerade im Winter, und deshalb sah sie, was die anderen das erstemal nicht gesehen hatten. Die See sah ganz grün aus, und ringsumher schwammen große Eisberge; jeder sah wie eine Perle aus und war doch viel größer als die Kirchtürme, welche die Menschen bauen. Sie zeigten sich in den wunderlichsten Gestalten und glänzten wie Diamanten. Das Mädchen hatte sich auf einen der allergrößten gesetzt, und alle Segler kreuzten erschrocken dort herum, wo sie saß und ihr langes Haar im Wind flattern ließ. Aber gegen Abend wurde der Himmel mit Wolken überzogen, es blitzte und donnerte, während die schwarze See die großen Eisblöcke hoch emporhob und sie im roten Blitz leuchten ließ. Auf allen Schiffen raffte man die Segel; da war eine Angst und ein Grauen. Aber sie saß ruhig auf ihrem schwimmenden Eisberg und sah den blauen Blitzstrahl im Zickzack in die schimmernde See fahren.

Sobald eine der Schwestern das erstemal über das Wasser emporkam, war sie entzückt über das Neue und Schöne, was sie erblickte; aber da sie nun als erwachsene Mädchen die Erlaubnis hatten, hinaufzusteigen, wann sie wollten, wurde es ihnen gleichgültig. Sie sehnten sich wieder heim, und nach Verlauf eines Monats sagten sie, daß es unten bei ihnen am allerschönsten sei, da sei man so hübsch zu Hause.

In mancher Abendstunde stiegen die fünf Schwestern Arm

in Arm in einer Reihe über das Wasser hinauf. Herrliche Stimmen hatten sie, schöner als irgendein Mensch. Und wenn dann ein Sturm heraufzog, so daß sie vermuten konnten, es würden Schiffe untergehen, schwammen sie den Schiffen voran und sangen so lieblich, wie schön es auf dem Meeresgrund sei, und baten die Seeleute, sich nicht zu fürchten, dort hinunterzukommen. Aber die konnten die Worte nicht verstehen und glaubten, es sei der Sturm; und auch die Herrlichkeit dort unten konnten sie nicht sehen, denn wenn das Schiff sank, ertranken die Menschen und kamen nur als Tote zu des Meerkönigs Schloß.

Wenn die Schwestern des Abends Arm in Arm durch das Wasser hinaufstiegen, dann stand die kleinste Schwester ganz allein und sah ihnen nach, und es war ihr, als ob sie weinen müßte, aber die Seejungfrau hat keine Tränen, und darum leidet sie viel mehr.

„Ach, wäre ich doch fünfzehn Jahre alt!" sagte sie. „Ich weiß, daß ich sie recht liebhaben werde, die Welt dort oben und die Menschen, die darauf wohnen."

Endlich war sie fünfzehn Jahre alt.

„Sieh, nun bist du flügge", sagte die Großmutter, die alte Königswitwe. „Komm nun, laß mich dich schmücken wie deine anderen Schwestern!" Und sie setzte ihr einen Kranz weißer Lilien auf das Haar, aber jedes Blütenblatt war die Hälfte einer Perle, und die Alte ließ acht große Austern sich am Fischschwanz der Prinzessin festklemmen, um ihren hohen Rang zu zeigen.

„Das tut so weh!" sagte die kleine Seejungfrau.

„Ja, für seine Schönheit muß man leiden!" sagte die Alte. Oh, sie hätte so gern diese ganze Pracht abschütteln und den schweren Kranz ablegen mögen; ihre roten Blumen im Garten kleideten sie viel besser, aber sie durfte es nun nicht ändern. „Lebt wohl!" sagte sie und stieg so leicht und klar wie eine Blase durch das Wasser hinauf.

Die Sonne war gerade untergegangen, als sie den Kopf über das Wasser erhob; aber alle Wolken glänzten noch wie Rosen und Gold, und inmitten der blaßroten Luft strahlte der Abendstern so hell und schön; die Luft war mild und frisch und das Meer ganz ruhig. Da lag ein großes Schiff mit drei Masten, ein einziges Segel war nur aufgezogen, denn nicht ein Lüftchen rührte sich; und ringsumher im Tauwerk und auf den Rahen saßen Matrosen. Da war Musik und Gesang; und als der Abend dunkelte, wurden Hunderte von bunten Lichtern angezündet, die sahen aus, als ob die Flaggen aller Nationen in der Luft wehten. Die kleine Seejungfrau schwamm gerade zum Kajütenfenster, und jedesmal, wenn das Wasser sie emporhob, konnte sie durch die spiegelblanken Fensterscheiben hineinsehen, wo so viele geputzte Menschen standen. Aber der Schönste war doch der junge Prinz mit den großen schwarzen Augen, er war gewiß nicht älter als sechzehn Jahre; es war sein Geburtstag, und deshalb herrschte all diese Pracht. Die Matrosen tanzten auf dem Deck, und als der junge Prinz hinaustrat, stiegen über hundert Raketen in die Luft. Sie leuchteten wie der helle Tag, so daß die kleine Seejungfrau sehr erschrak und unter das Wasser tauchte; aber sie streckte bald den Kopf wieder hervor, und da war es, als ob alle Sterne des Himmels zu ihr herunterfielen. Niemals hatte sie solch ein Feuerwerk gesehen! Große Sonnen sprühten, prächtige Feuerfische flogen in die blaue Luft, und alles spiegelte sich in der klaren, stillen See. Auf dem Schiff selbst war es so hell, daß jedes kleine Tau zu erkennen war und erst recht die Menschen. O wie schön war doch der junge Prinz! Und er drückte den Leuten die Hand und lächelte, während die Musik in der herrlichen Nacht erklang.

Es wurde spät, aber die kleine Seejungfrau konnte ihre Augen nicht von dem Schiff und dem schönen Prinzen wenden. Die bunten Lichter wurden gelöscht, Raketen stiegen nicht mehr in die Höhe, es ertönten auch keine Kanonenschüsse mehr; aber tief unten im Meer summte und brummte es. Inzwischen saß die kleine Seejungfrau auf dem Wasser und schaukelte auf und nieder, so daß sie in die Kajüte hineinsehen konnte. Aber das Schiff nahm stärkere Fahrt, ein Segel nach dem andern breitete sich aus; nun gingen die Wogen höher, große Wolken zogen auf, es blitzte in der Ferne. Oh, es würde ein schreckliches Wetter geben! Darum zogen die Matrosen die Segel ein. Das große Schiff schaukelte in fliegender Fahrt auf der wilden See. Das Wasser erhob sich wie große, schwarze Berge, die über die Masten rollen wollten, aber das Schiff tauchte wie ein Schwan zwischen den hohen Wogen nieder und ließ sich wieder auf die hochgetürmten Wasser heben. Der kleinen Seejungfrau schien es gerade eine lustige Fahrt zu sein, aber so erschien es den Seeleuten nicht; das Schiff knackte und krachte, die dicken Planken bogen sich bei den starken Stößen, die See stürzte in das Schiff hinein, der Mast brach mittendurch, gerade als ob er ein Rohr wäre, und das Schiff legte sich auf die Seite, während das Wasser hineindrang. Nun sah die kleine Seejungfrau, daß sie in Gefahr waren; sie mußte sich selbst vor Planken und Stücken vom Schiff, die auf dem Wasser trieben, in acht nehmen. Einen Augenblick war es so stockfinster, daß sie nicht das mindeste erblicken konnte, aber wenn es dann blitzte, wurde es wieder so hell, daß sie alle auf dem Schiff erkannte; jeder tummelte sich, so gut er konnte. Vor allem suchte sie den jungen Prinzen, und sie sah ihn, als das Schiff zerbrach, in das tiefe Meer versinken. Da wurde sie gleich sehr vergnügt, denn nun kam er zu ihr hinunter. Aber dann dachte sie daran, daß die Menschen nicht im Wasser leben können und daß er nicht anders als tot zum Schloß ihres Vaters kommen konnte. Nein, sterben durfte er nicht; darum schwamm sie zwischen Balken und Planken, die auf der See trieben, und vergaß völlig, daß sie dabei hätte zerdrückt werden können. Sie tauchte tief unter das Wasser und stieg wieder zwischen den Wogen empor und gelangte endlich zu dem jungen Prinzen, der kaum noch länger in der stürmischen See schwimmen konnte. Seine Arme und Beine begannen zu ermatten, die schönen Augen schlossen sich. Er hätte sterben müssen, wäre die kleine Seejungfrau nicht hinzugekommen. Sie hielt seinen Kopf über das Wasser und ließ sich dann mit ihm von den Wogen treiben, wohin sie wollten.

Am Morgen war das böse Wetter vorüber, von dem Schiff war kein Span mehr zu sehen, die Sonne stieg so rot und glänzend aus dem Wasser, es war, als ob die Wangen des Prinzen dadurch Leben erhielten, aber seine Augen blieben geschlossen. Die Seejungfrau küßte seine hohe, schöne Stirn und strich sein nasses Haar zurück. Es schien ihr, als gleiche er der Marmorstatue in ihrem kleinen Garten; sie küßte ihn wieder und wünschte, daß er doch leben möge.

Nun sah sie vor sich das feste Land, hohe blaue Berge, auf deren Gipfel der weiße Schnee glänzte, als wären es Schwäne. Unten an der Küste waren herrliche grüne Wälder, und davor lag eine Kirche oder ein Kloster, das wußte sie nicht recht, aber ein Gebäude war es. Zitronen- und Apfelsinenbäume wuchsen im Garten, und vor dem Tor standen hohe Palmen. Die See bildete hier, wo es ganz still, aber sehr tief war, eine kleine Bucht, gerade bis zu den Klippen, wo weißer feiner Sand angespült war; hierhin schwamm sie mit dem schönen Prinzen, legte ihn in den Sand, sorgte aber besonders dafür, daß der Kopf im warmen Sonnenschein lag.

Nun läuteten die Glocken in dem großen, weißen Gebäude, und es kamen viele junge Mädchen durch den Garten. Da schwamm die kleine Seejungfrau weiter hinaus hinter einige hohe Steine, die aus dem Wasser emporragten, legte Seeschaum auf ihr Haar und ihre Brust, so daß niemand ihr kleines Gesicht sehen konnte, und dann paßte sie auf, wer zu dem armen Prinzen kommen würde.

Es währte nicht lange, da kam ein junges Mädchen, es schien sehr zu erschrecken, aber nur einen Augenblick, dann holte es mehrere Menschen, und die Seejungfrau sah, daß der Prinz zum Leben zurückkehrte und daß er alle ringsherum anlächelte. Aber zu ihr hinaus lächelte er nicht; er wußte ja auch nicht, daß sie ihn gerettet hatte. Sie war so betrübt, und als er in das große Gebäude hineingeführt wurde, tauchte sie traurig unter das Wasser und kehrte zum Schloß ihres Vaters zurück.

Immer war sie still und nachdenklich gewesen, aber nun wurde sie es noch weit mehr. Die Schwestern fragten sie, was sie das erstemal dort oben gesehen habe, aber sie erzählte nichts.

Manchen Abend und Morgen stieg sie zu jener Stelle hinauf, wo sie den Prinzen verlassen hatte. Sie sah, wie die Früchte des Gartens reiften und abgepflückt wurden; sie sah, wie der Schnee auf den hohen Bergen schmolz. Aber den Prinzen erblickte sie nicht, und deshalb kehrte sie immer betrübter heim. Da war es ihr einziger Trost, in ihrem kleinen Garten zu sitzen und die Arme um die schöne Marmorstatue zu schlingen, die dem Prinzen glich, aber ihre Blumen pflegte sie nicht, sie wuchsen wie in einer Wildnis über die Wege und flochten ihre langen Stiele und Blätter in die Zweige der Bäume, so daß es dort ganz dunkel war.

Zuletzt konnte sie es nicht länger aushalten und sagte es

einer ihrer Schwestern; und da erfuhren es gleich alle andern, aber niemand sonst als diese und ein paar andere Seejungfrauen, die es keinem weitersagten, außer ihren nächsten Freundinnen. Eine von ihnen wußte, wer der Prinz war; sie hatte auch das Fest auf dem Schiff gesehen und wußte, woher er war und wo sein Königreich lag.

„Komm, kleine Schwester!" sagten die anderen Prinzessinnen, und Arm in Arm stiegen sie in einer langen Reihe aus dem Meer empor, wo sie das Schloß des Prinzen wußten.

Das war aus einer hellgelben, glänzenden Steinart gebaut, mit großen Marmortreppen, deren eine gerade in das Meer hinunterführte. Prächtige, vergoldete Kuppeln erhoben sich über dem Dach, und zwischen den Säulen, die um das ganze Gebäude herumgingen, standen Marmorbilder, die aussahen, als lebten sie. Durch das klare Glas der hohen Fenster sah man in die prächtigsten Säle hinein, wo kostbare Seidengardinen und Teppiche aufgehängt und alle Wände mit großen Gemälden geschmückt waren, so daß es ein wahres Vergnügen war, sie anzusehen. Mitten in dem größten Saal plätscherte ein großer Springbrunnen. Seine Strahlen reichten hoch hinauf bis zur Glaskuppel in der Decke, durch welche die Sonne auf das Wasser und die schönen Pflanzen schien, die in dem großen Bassin wuchsen.

Nun wußte sie, wo er wohnte, und dort war sie manchen Abend und manche Nacht auf dem Wasser. Sie schwamm viel näher an das Land, als eine der anderen es gewagt hatte, ja sie ging den schmalen Kanal ganz hinauf bis unter den prächtigen Marmoraltan, der einen langen Schatten über das Wasser warf. Hier saß sie und sah den jungen Prinzen an, der glaubte, er sei ganz allein im hellen Mondschein.

Sie sah ihn manchen Abend bei Musik in seinem prächtigen Boot segeln, auf dem Flaggen wehten. Sie guckte durch das grüne Schilf, und wenn der Wind ihren langen silberweißen Schleier ergriff und jemand ihn sah, so glaubte er, es sei ein Schwan, der die Flügel ausbreitete.

Sie hörte in mancher Nacht die Fischer, die mit Fackeln auf dem Meer waren, so viel Gutes von dem jungen Prinzen erzählen. Es freute sie, daß sie sein Leben gerettet hatte, als er halbtot auf den Wogen umhertrieb; und sie dachte daran,

wie sicher sein Kopf an ihrer Brust geruht und wie innig sie
ihn da geküßt hatte. Er aber wußte nichts davon und
konnte nicht einmal von ihr träumen.

Mehr und mehr begann sie die Menschen zu lieben, mehr
und mehr wünschte sie, zu ihnen aufsteigen zu können,
diese Welt schien ihr weit größer zu sein als die ihre. Sie
konnten ja auf Schiffen über das Meer fliegen, auf die hohen Berge, hoch über die Wolken steigen; und die Länder,
die sie besaßen, erstreckten sich mit Wäldern und Feldern
weiter, als ihre Blicke reichten. Da war so vieles, was sie
gern wissen wollte, aber die Schwestern konnten ihr auf all
das keine Antwort geben, darum fragte sie die alte Großmutter, und die kannte die höhere Welt recht gut, die sie
sehr richtig die Länder über dem Meer nannte.

„Wenn die Menschen nicht ertrinken", fragte die kleine
Seejungfrau, „können sie dann ewig leben? Sterben sie
nicht wie wir hier unten im Meer?"

„Doch", sagte die Alte, „sie müssen auch sterben, und ihre
Lebenszeit ist sogar noch kürzer als unsere. Wir können
dreihundert Jahre alt werden, aber wenn wir dann nicht
mehr sind, so werden wir nur in Schaum auf dem Wasser
verwandelt, haben nicht einmal ein Grab unter unseren Lieben. Wir haben keine unsterbliche Seele, wir werden nie
wieder lebendig; wir sind wie das grüne Schilf; ist es einmal
durchschnitten, so kann es nicht wieder grünen! Die Menschen dagegen haben eine Seele, die ewig lebt, nachdem
der Körper zu Erde geworden ist; sie steigt durch die klare
Luft empor, hinauf zu all den glänzenden Sternen. So wie
wir aus dem Meer auftauchen und die Länder der Menschen sehen, so steigen sie zu unbekannten herrlichen Stätten auf, die wir niemals zu sehen bekommen."

„Warum haben wir keine unsterbliche Seele?" fragte die
kleine Seejungfrau betrübt. „Ich wollte all meine Hunderte
von Jahren, die ich zu leben habe, dafür geben, um nur
einen Tag ein Mensch zu sein und später Anteil an der
himmlischen Welt zu haben."

„Daran darfst du nicht denken!" sagte die Alte. „Wir sind
viel glücklicher und haben es besser als die Menschen dort
oben!"

„Ich werde also sterben und als Schaum auf dem Meer treiben, nicht die Musik der Wogen hören, nicht die schönen

Blumen und die rote Sonne sehen? Kann ich denn gar nichts tun, um eine unsterbliche Seele zu gewinnen?"

„Nein!" sagte die Alte. „Nur, wenn ein Mensch dich so lieben würde, daß du ihm mehr als Vater und Mutter wärest, wenn er mit all seinem Denken und all seiner Liebe an dir hinge und den Priester seine rechte Hand in deine legen ließe, mit dem Gelöbnis der Treue hier und in alle Ewigkeit, dann strömte seine Seele in deinen Körper über, und auch du erhieltest Anteil am Glück der Menschen. Er gäbe dir eine Seele und behielte doch seine eigene. Aber das kann niemals geschehen! Was hier im Meer gerade schön ist, dein Fischschwanz, das finden sie dort auf der Erde häßlich, sie verstehen es eben nicht besser; man muß dort zwei plumpe Stümpfe haben, die sie Beine nennen, um schön zu sein!"

Da seufzte die kleine Seejungfrau und sah betrübt auf ihren Fischschwanz.

„Wir wollen vergnügt sein", sagte die Alte, „hüpfen und springen wollen wir in den dreihundert Jahren, die wir zu leben haben; das ist wahrlich eine gute Zeit. Später kann man sich um so zufriedener in seinem Grab ausruhen. Heute abend werden wir Hofball feiern!"

Das war auch eine Pracht, wie man sie nie auf Erden sieht. Wände und Decke des großen Tanzsaales waren aus dickem, aber klarem Glas. Mehrere hundert kolossale Muschelschalen, rosenrote und grasgrüne, standen zu jeder Seite aufgereiht und trugen ein blaubrennendes Feuer, das den ganzen Saal erhellte und durch die Wände schien, so daß die See draußen ganz beleuchtet war. Man konnte all die unzähligen Fische sehen, große und kleine, die gegen die Glasmauer schwammen; bei einigen glänzten die Schuppen purpurrot, bei anderen erschienen sie wie Silber und Gold. Mitten durch den Saal floß ein breiter Strom, und darauf tanzten die Meermänner und Meerfrauen zu ihrem eigenen lieblichen Gesang. So schöne Stimmen haben die Menschen auf der Erde nicht. Die kleine Seejungfrau sang am schönsten von allen, und sie klatschten ihr Beifall; und einen Augenblick fühlte sie Freude im Herzen, denn sie wußte, daß sie die schönste Stimme von allen auf der Erde und im Meer hatte! Aber bald dachte sie wieder an die Welt über sich; sie konnte den hübschen Prinzen und ihren Schmerz,

74

daß sie keine unsterbliche Seele hatte wie er, nicht vergessen. Darum schlich sie sich aus dem Schloß ihres Vaters hinaus, und während drinnen Gesang und Frohsinn war, saß sie betrübt in ihrem kleinen Garten. Da hörte sie ein Waldhorn durch das Wasser klingen und dachte: ‚Nun segelt er sicher dort oben, er, den ich lieber habe als Vater und Mutter, er, an dem meine Gedanken hängen und in dessen Hand ich das Glück meines Lebens legen möchte. Alles will ich wagen, um ihn und eine unsterbliche Seele zu gewinnen! Während meine Schwestern dort im Schloß meines Vaters tanzen, will ich zur Meerhexe gehen, vor der ich immer Angst gehabt habe; aber sie kann vielleicht raten und helfen!'

Nun ging die kleine Seejungfrau von ihrem Garten zu den tosenden Strudeln, hinter denen die Hexe wohnte. Den Weg war sie früher nie gegangen; dort wuchsen keine Blumen, kein Seegras, nur der nackte, graue Sandboden erstreckte sich bis zu den Strudeln hin, wo das Wasser gleich brausenden Mühlrädern herumwirbelte und alles, was es zu fassen bekam, mit sich hinunter in die Tiefe riß. Mitten durch diese zermalmenden Wirbel mußte sie gehen, um in den Bereich der Meerhexe zu kommen; und der Weg führte eine lange Strecke über heißbrodelnden Schlamm, den die Hexe ihr Torfmoor nannte. Dahinter lag ihr Haus, mitten in einem seltsamen Wald. Alle Bäume und Büsche waren Polypen, halb Tier und halb Pflanze; sie sahen aus wie hundertköpfige Schlangen, die aus der Erde hervorwuchsen. Alle Zweige waren lange schleimige Arme, mit Fingern wie geschmeidige Würmer; und sie bewegten sich Glied für Glied von der Wurzel bis zur äußersten Spitze. Alles, was sie im Meer ergreifen konnten, umschlangen sie fest und ließen es niemals mehr los. Die kleine Seejungfrau blieb ganz erschrocken davor stehen, ihr Herz klopfte vor Angst, und fast wäre sie umgekehrt; aber dann dachte sie an den Prinzen und an die Seele der Menschen, und nun faßte sie Mut. Ihr langes, flatterndes Haar band sie fest um den Kopf, damit die Polypen sie nicht daran ergreifen sollten, beide Hände legte sie über der Brust zusammen und flog davon, wie der Fisch durch das Wasser fliegen kann, zwischen den häßlichen Polypen hindurch, die ihre geschmeidigen Arme und Finger hinter ihr herstreckten. Sie sah, wie jeder von ihnen das, was er ergriffen hatte, mit Hunderten von kleinen Armen wie mit starken Eisenbanden festhielt, Menschen, die im Meer umgekommen und in die Tiefe gesunken waren, guckten als weiße Gerippe aus den Armen der Polypen hervor. Schiffsruder und Kisten hielten sie fest, auch Skelette von Landtieren und ein Meerweibchen, das sie gefangen und erdrosselt hatten; das war für sie fast das Schrecklichste.

Nun kam sie zu einem großen sumpfigen Platz im Wald, wo sich große Wasserschlangen wälzten und ihren häßlichen weißgelben Bauch zeigten. Mitten auf dem Platz war ein Haus aus weißen Knochen gestrandeter Menschen errichtet: da saß die Meerhexe und ließ eine Kröte aus ihrem Mund fressen, gerade wie die Menschen einen kleinen Kanarienvogel Zucker fressen lassen. Die häßlichen fetten Wasserschlangen nannte sie ihre kleinen Küchlein und ließ sie sich auf ihrer großen, schwammigen Brust wälzen.

„Ich weiß schon, was du willst!" sagte die Meerhexe. „Es ist zwar dumm von dir, doch sollst du deinen Willen haben, aber er wird dich ins Unglück bringen, meine schöne Prinzessin. Du willst gern deinen Fischschwanz los sein und statt dessen zwei Stümpfe wie die Menschen zum Gehen haben, damit sich der junge Prinz in dich verlieben kann und du ihn und eine unsterbliche Seele bekommst!" Dabei lachte die Hexe so laut und widerlich, daß die Kröte und die Schlangen auf die Erde fielen und sich dort wälzten. „Du kommst gerade zur rechten Zeit", sagte die Hexe. „Morgen, wenn die Sonne aufgeht, könnte ich dir erst wieder in einem Jahr helfen. Ich werde dir einen Trank bereiten, mit dem mußt du, bevor die Sonne aufgeht, an Land schwimmen, dich dort ans Ufer setzen und ihn trinken, dann teilt sich dein Schwanz und schrumpft zu dem zusammen, was die Menschen niedliche Beine nennen, aber es tut weh, es ist, als ob ein scharfes Schwert dich durchdringt. Alle, die dich sehen, werden sagen, du seiest das schönste Menschenkind, das sie gesehen hätten. Du behältst deinen schwebenden Gang, keine Tänzerin kann sich so leicht bewegen wie du, aber jeder Schritt, den du machst, ist, als ob du auf scharfe Messer trätest, als ob dein Blut fließen müßte. Willst du all dieses leiden, so werde ich dir helfen!"

„Ja!" sagte die kleine Seejungfrau mit bebender Stimme und gedachte des Prinzen und der unsterblichen Seele.

„Aber bedenke", sagte die Hexe, „hast du erst menschliche Gestalt bekommen, so kannst du niemals wieder eine Seejungfrau werden! Du kannst niemals wieder durch das Wasser zu deinen Schwestern und zum Schloß deines Vaters hinuntersteigen. Und gewinnst du die Liebe des Prinzen nicht, so daß er um dich Vater und Mutter vergißt, an dir mit allen Gedanken hängt und den Priester eure Hände ineinanderlegen läßt, daß ihr Mann und Frau werdet, so bekommst du keine unsterbliche Seele! Am ersten Morgen, nachdem er eine andere geheiratet hat, wird dein Herz brechen, und du wirst zum Schaum auf dem Wasser."

„Ich will es", sagte die kleine Seejungfrau und war bleich wie der Tod.

„Aber du mußt mich auch bezahlen!" sagte die Hexe, „und es ist nicht wenig, was ich verlange. Du hast die schönste Stimme von allen auf dem Meeresgrund; damit glaubst du wohl, ihn bezaubern zu können, aber diese Stimme mußt du mir geben. Das Beste, was du besitzt, will ich für meinen kostbaren Trank haben! Mein eigen Blut muß ich dir ja darin geben, damit der Trank scharf werde wie ein zweischneidiges Schwert!"

„Aber wenn du meine Stimme nimmst", sagte die kleine Seejungfrau, „was behalte ich da?"

„Deine schöne Gestalt", sagte die Hexe, „deinen schwebenden Gang und deine sprechenden Augen; damit kannst du schon ein Menschenherz betören. Na, hast du den Mut verloren? Streck deine kleine Zunge heraus, dann schneide ich sie als Bezahlung ab, und du bekommst den kräftigen Trank!"

„Es geschehe!" sagte die kleine Seejungfrau, und die Hexe setzte ihren Kessel auf, um den Zaubertrank zu kochen. „Reinlichkeit ist eine gute Sache", sagte sie und scheuerte den Kessel mit den Schlangen aus, die sie zusammengeknotet hatte; dann ritzte sie sich selbst in die Brust und ließ ihr schwarzes Blut hineintröpfeln. Der Dampf bildete die wunderlichsten Gestalten, daß einem angst und bange werden mußte. Jeden Augenblick warf die Hexe neue Sachen in den Kessel, und als er recht kochte, war es, als ob ein Krokodil weinte. Endlich war der Trank fertig, er sah wie das klarste Wasser aus!

„Da hast du ihn!" sagte die Hexe und schnitt der kleinen Seejungfrau die Zunge ab. Nun war sie stumm und konnte weder singen noch sprechen.

„Sollten die Polypen dich ergreifen, wenn du durch meinen Wald zurückgehst", sagte die Hexe, „so wirf nur einen einzigen Tropfen dieses Trankes auf sie, dann zerspringen ihre Arme und Finger in tausend Stücke!" Aber das brauchte die kleine Seejungfrau nicht zu tun. Die Polypen zogen sich erschrocken vor ihr zurück, da sie den glänzenden Trank erblickten, der in ihrer Hand leuchtete, als sei es ein funkelnder Stern. So kam sie schnell durch den Wald, das Moor und die brausenden Strudel.

Sie konnte das Schloß ihres Vaters sehen. Die Fackeln waren in dem großen Tanzsaal erloschen, sie schliefen sicher alle, aber sie wagte doch nicht, zu ihnen zu gehen, wo sie nun stumm war und sie für immer verlassen wollte. Es war, als würde ihr Herz vor Trauer zerspringen. Sie schlich in den Garten, nahm eine Blume von jedem Blumenbeet ihrer Schwestern, warf dem Schloß Tausende von Kußhändchen zu und stieg durch die dunkelblaue See hinauf.

Die Sonne war noch nicht aufgegangen, als sie des Prinzen Schloß erblickte und die prächtige Marmortreppe bestieg. Der Mond schien herrlich klar. Die kleine Seejungfrau trank den brennenden, scharfen Trunk, und es war, als ginge ein zweischneidiges Schwert durch ihren feinen Körper; sie wurde dabei ohnmächtig und lag da wie tot. Als die Sonne über die See schien, erwachte sie und fühlte einen schneidenden Schmerz. Aber gerade vor ihr stand der schöne junge Prinz, er heftete seine kohlschwarzen Augen auf sie, so daß sie die ihren niederschlug und sah, daß ihr Fischschwanz fort war und sie die niedlichsten kleinen weißen Beine hatte, die nur ein Mädchen haben kann. Aber sie war ganz nackt, deshalb hüllte sie sich in ihr starkes, langes Haar.

Der Prinz fragte, wer sie sei und wie sie dahin gekommen wäre, und sie sah ihn sanft und doch so betrübt mit ihren dunkelblauen Augen an, sprechen konnte sie ja nicht. Da nahm er sie bei der Hand und führte sie in das Schloß. Jeder Schritt, den sie tat, war, als trete sie auf spitze Nadeln und scharfe Messer, wie die Hexe ihr vorausgesagt hatte, aber das ertrug sie gern. An der Hand des Prinzen schritt sie so leicht einher wie eine Seifenblase, und er und alle Leute wunderten sich über ihren anmutigen, schwebenden Gang.

Sie bekam nun kostbare Kleider aus Seide und Musselin. Im Schloß war sie die Schönste von allen, aber sie war stumm, konnte weder singen noch sprechen. Herrliche Sklavinnen, in Seide und Gold gekleidet, traten auf und sangen vor dem Prinzen und seinen königlichen Eltern. Eine sang schöner als alle anderen, und der Prinz klatschte in die Hände und lächelte ihr zu. Da wurde die kleine Seejungfrau betrübt, sie wußte, daß sie selbst viel schöner gesungen hatte, und dachte: ‚Oh, wenn er nur wüßte, daß ich, um bei ihm zu sein, meine Stimme für alle Ewigkeit hingegeben habe!‘

Nun tanzten die Sklavinnen anmutige, schwebende Tänze zur herrlichsten Musik. Da erhob die kleine Seejungfrau ihre schönen weißen Arme, hob sich auf die Fußspitzen und schwebte über den Fußboden, tanzte, wie noch keine andere getanzt hatte; bei jeder Bewegung wurde ihre Schönheit noch sichtbarer, und ihre Augen sprachen tiefer zum Herzen als der Gesang der Sklavinnen.

Alle waren entzückt davon, besonders der Prinz, der sie sein kleines Findelkind nannte; und sie tanzte mehr und mehr, obwohl es jedesmal, wenn ihr Fuß die Erde berührte, war, als ob sie auf scharfe Messer träte. Der Prinz sagte, daß sie immer bei ihm bleiben solle, und sie erhielt die Erlaubnis, vor seiner Tür auf einem Samtkissen zu schlafen.

Er ließ ihr eine Männertracht machen, damit sie ihn zu Pferde begleiten könne. Sie ritten durch die duftenden Wälder, wo die grünen Zweige ihre Schultern berührten und die kleinen Vögel hinter den frischen Blättern sangen. Sie kletterte mit dem Prinzen auf die hohen Berge hinauf, und obgleich ihre zarten Füße bluteten, so daß die anderen es sehen konnten, lachte sie doch darüber und folgte ihm, bis sie die Wolken unter sich segeln sahen, als wären sie ein Schwarm Vögel, der nach fremden Ländern zog.

Zu Hause, im Schloß des Prinzen, ging sie, wenn nachts die andern schliefen, auf die breite Marmortreppe hinaus, und es kühlte ihre brennenden Füße, im kalten Seewasser zu stehen, und dann gedachte sie derer dort unten in der Tiefe.

Eines Nachts kamen ihre Schwestern Arm in Arm. Sie sangen so traurig, während sie durch das Wasser schwammen. Sie winkte ihnen, und sie erkannten sie und erzählten, wie sehr sie sie alle betrübt habe. Seitdem besuchten sie sie in jeder Nacht, und einmal sah sie weit draußen ihre alte Großmutter, die schon viele Jahre nicht mehr über der Meeresfläche gewesen war, und den Meerkönig mit seiner Krone auf dem Kopf; sie streckten die Hände nach ihr aus, wagten sich aber nicht so dicht ans Land wie die Schwestern.

Tag für Tag wurde sie dem Prinzen lieber; er liebte sie, wie man ein gutes, liebes Kind liebt. Aber sie zu seiner Königin zu machen, das kam ihm gar nicht in den Sinn; und seine Frau mußte sie werden, sonst bekam sie keine unsterbliche Seele und mußte an seinem Hochzeitsmorgen zu Schaum auf dem Meer werden.

‚Liebst du mich nicht am meisten von allen?' schienen die Augen der kleinen Seejungfrau zu fragen, wenn er sie in seine Arme nahm und ihre schöne Stirn küßte.

„Ja, du bist mir die liebste", sagte der Prinz, „denn du hast das beste Herz von allen. Du bist mir am meisten ergeben, und du gleichst einem jungen Mädchen, das ich einmal sah und niemals wiederfinde. Ich bin mit einem Schiff gestrandet. Die Wellen warfen mich bei einem heiligen Tempel an Land, wo mehrere junge Mädchen den Dienst verrichteten, die jüngste dort fand mich am Ufer und rettete mein Leben, ich sah sie nur zweimal. Sie wäre die einzige, die ich in dieser Welt lieben könnte, aber du gleichst ihr und du verdrängst fast ihr Bild aus meiner Seele; sie gehört dem heiligen Tempel an, und darum hat mein gutes Glück dich mir gesandt. Niemals wollen wir uns trennen!" – ‚Ach, er weiß nicht, daß ich sein Leben gerettet habe!' dachte die kleine Seejungfrau. ‚Ich habe ihn über das Meer zum Wald getragen, wo der Tempel steht; ich saß hinter dem Schaum und hielt nach Menschen Ausschau. Ich sah das schöne Mädchen, das er lieber hat als mich!' Und die Seejungfrau seufzte tief, weinen konnte sie nicht. ‚Das Mädchen gehört dem heiligen Tempel an, hat er gesagt. Sie kommt nie in die Welt hinaus, sie begegnen sich nicht wieder, ich bin bei ihm, sehe ihn jeden Tag, ich will ihn pflegen, lieben, ihm mein Leben opfern!'

Aber nun sollte der Prinz heiraten und die schöne Tochter des Nachbarkönigs zur Frau bekommen, erzählte man, darum rüste er ein so prächtiges Schiff aus. Der Prinz verreist, um die Länder des Nachbarkönigs zu besichtigen, hieß es, aber es geschieht nur, um die Tochter des Nachbarkönigs zu sehen. Ein großes Gefolge solle ihn begleiten. Die kleine Seejungfrau schüttelte den Kopf und lächelte; sie kannte die Gedanken des Prinzen viel besser als alle anderen. „Ich muß verreisen!" hatte er zu ihr gesagt. „Ich muß mir die schöne Prinzessin ansehen, meine Eltern verlangen es, aber sie würden mich nicht zwingen, sie als meine Braut heimzuführen. Ich kann sie nicht lieben! Sie gleicht nicht dem schönen Mädchen im Tempel, dem du gleichst. Sollte ich einst eine Braut wählen, so würdest du es eher sein, mein stummes Findelkind mit den sprechenden Augen!" Und er küßte ihren roten Mund, spielte mit ihrem langen Haar und legte seinen Kopf an ihr Herz, so daß es von Menschenglück und einer unsterblichen Seele träumte.

„Du fürchtest doch nicht das Meer, mein stummes Kind?" sagte er, als sie auf dem prächtigen Schiff standen, das ihn nach den Ländern des Nachbarkönigs führen sollte. Er erzählte ihr vom Sturm und von der Windstille, von seltsamen Fischen in der Tiefe und von dem, was die Taucher dort gesehen hätten; und sie lächelte bei seiner Erzählung, sie wußte ja besser als irgendein anderer, was auf dem Meeresgrund vorging.

In der mondhellen Nacht, als alle schliefen bis auf den Steuermann, der am Ruder stand, saß sie an der Reling des Schiffes und sah durch das klare Wasser hinunter. Sie glaubte das Schloß ihres Vaters zu erblicken; hoch oben stand die alte Großmutter mit der Silberkrone auf dem Kopf und sah durch die reißende Strömung zum Kiel des Schiffes empor. Da kamen ihre Schwestern über das Wasser, schauten sie traurig an und rangen ihre weißen Hände. Sie winkte ihnen, lächelte und wollte erzählen, daß sie herrlich und in Freuden lebe; aber der Schiffsjunge näherte sich ihr, und die Schwestern tauchten unter, so daß er glaubte, das Weiße, was er gesehen, sei Schaum auf dem Meer gewesen.

Am nächsten Morgen segelte das Schiff in den Hafen der prächtigen Stadt des Nachbarkönigs. Alle Kirchenglocken läuteten, und von den hohen Türmen wurden Posaunen geblasen, während die Soldaten mit wehenden Fahnen und blitzenden Bajonetten dastanden. An jedem Tag gab es ein Fest. Bälle und Gesellschaften folgten einander, aber die Prinzessin war noch nicht da. Sie werde weit fort in einem heiligen Tempel erzogen, sagten sie, dort lerne sie alle königlichen Tugenden. Endlich traf sie ein.

Die kleine Seejungfrau war begierig, ihre Schönheit zu sehen, und sie mußte sie anerkennen, eine lieblichere Gestalt hatte sie noch nie gesehen. Die Haut war so fein und zart, und hinter den langen, dunklen Augenwimpern lächelten ein Paar schwarzblaue, treue Augen.

„Du bist es", sagte der Prinz, „du, die mich gerettet hat, als ich wie ein Toter an der Küste lag!" Und er drückte seine errötende Braut an seine Brust. „Oh, ich bin allzu glücklich!" sagte er zur kleinen Seejungfrau. „Das Beste, was ich niemals erhoffen durfte, ist mir erfüllt worden. Du wirst dich über mein Glück freuen, denn du meinst es von allen am besten mit mir!" Und die kleine Seejungfrau küßte seine Hand, und ihr schien, als zerspringe ihr Herz. Sein Hochzeitsmorgen würde ihr ja den Tod bringen und sie in Schaum auf dem Meer verwandeln.

Alle Kirchenglocken läuteten, die Herolde ritten in den Straßen umher und verkündeten die Verlobung. Auf allen Altären brannte duftendes Öl in kostbaren Silberlampen. Die Priester schwangen die Rauchfässer, und Braut und Bräutigam reichten einander die Hand und erhielten den Segen des Bischofs. Die kleine Seejungfrau war in Seide und Gold gekleidet und hielt die Schleppe der Braut, aber ihre Ohren hörten nicht die festliche Musik, ihre Augen sahen nicht die heilige Zeremonie, sie dachte an ihre Todesnacht und an all das, was sie in dieser Welt verloren hatte.

Noch am selben Abend gingen die Braut und der Bräutigam an Bord des Schiffes. Die Kanonen donnerten, alle Flaggen wehten, und mitten auf dem Schiff war ein königliches Zelt aus Gold und Purpur und mit den schönsten Kissen errichtet, da sollte das Brautpaar in der kühlen, stillen Nacht schlafen.

Die Segel schwellten im Wind, und das Schiff glitt leicht und ohne große Bewegung über die klare See dahin.

Als es dunkelte, wurden bunte Lampen angezündet, und die Seeleute tanzten lustige Tänze auf dem Deck. Die kleine Seejungfrau mußte daran denken, wie sie das erstemal aus dem Meer auftauchte und die gleiche Pracht und Freude sah; und sie wirbelte mit im Tanz, schwebte, wie die Schwalbe schwebt, wenn sie verfolgt wird; und alle jubelten ihr vor Bewunderung zu, nie hatte sie so herrlich getanzt. Es schnitt wie scharfe Messer in die zarten Füße, aber sie fühlte es nicht, es schnitt ihr noch schmerzlicher ins Herz. Sie wußte, es war der letzte Abend, an dem sie ihn sah, für den sie ihre Verwandten und ihre Heimat verlassen, ihre schöne Stimme hingegeben und täglich unendliche Qualen gelitten hatte, ohne daß er es mit einem Gedanken ahnte. Es war die letzte Nacht, in der sie dieselbe Luft einatmete wie er, das tiefe Meer und den sternenblauen Himmel sah. Eine ewige Nacht ohne Gedanken und Traum harrte ihrer, die keine Seele hatte und sie nicht gewinnen konnte. Und alles war Freude und Heiterkeit auf dem Schiff bis weit über Mitternacht; sie lachte und tanzte mit Todesgedanken im Herzen. Der Prinz küßte seine schöne Braut, und sie spielte mit seinem schwarzen Haar, und Arm in Arm gingen sie zur Ruhe in das prächtige Zelt.

Es wurde still und ruhig auf dem Schiff, nur der Steuermann stand am Ruder, die kleine Seejungfrau legte ihre weißen Arme auf die Reling und blickte gen Osten nach der Morgenröte; der erste Sonnenstrahl, wußte sie, würde sie töten. Da sah sie ihre Schwestern aus dem Meer aufsteigen; sie waren bleich wie sie, ihre langen, schönen Haare wehten nicht mehr im Wind, sie waren abgeschnitten.

„Wir haben sie der Hexe gegeben, damit sie Hilfe bringe und du diese Nacht nicht sterben mußt! Sie hat uns ein Messer gegeben, hier ist es! Siehst du, wie scharf es ist? Bevor die Sonne aufgeht, mußt du es dem Prinzen ins Herz stechen, und wenn sein warmes Blut deine Füße bespritzt, dann wachsen sie zu einem Fischschwanz zusammen, und du wirst wieder eine Seejungfrau, kannst zu uns ins Wasser hinabsteigen und lebst deine dreihundert Jahre, bevor du zum toten, salzigen Seeschaum wirst. Beeile dich! Er oder du, einer muß sterben, bevor die Sonne aufgeht! Unsere alte

Großmutter trauert so, daß ihr weißes Haar ausgefallen ist wie das unsrige unter der Schere der Hexe. Töte den Prinzen und komm zurück! Beeile dich! Siehst du den roten Streifen am Himmel? In wenigen Minuten steigt die Sonne auf, und dann mußt du sterben!" Und sie stießen einen seltsam tiefen Seufzer aus und versanken in den Wogen.

Die kleine Seejungfrau zog den Purpurteppich vom Zelt und sah die schöne Braut mit ihrem Kopf an der Brust des Prinzen ruhen, und sie beugte sich nieder, küßte ihn auf seine schöne Stirn, sah zum Himmel auf, wo die Morgenröte mehr und mehr leuchtete, sah auf das scharfe Messer und heftete die Augen wieder auf den Prinzen, der im Traum seine Braut beim Namen nannte. Nur sie war in seinen Gedanken, und das Messer zitterte in der Hand der Seejungfrau. Aber da warf sie es weit hinaus in die Wogen; sie leuchteten rot, wo es hinfiel, es sah aus, als quollen Blutstropfen aus dem Wasser. Noch einmal sah sie mit halbgebrochenem Blick auf den Prinzen, stürzte sich vom Schiff in das Meer und fühlte, wie ihr Körper sich in Schaum auflöste.

Nun stieg die Sonne aus dem Meer, die Strahlen fielen so mild und warm auf den todeskalten Meeresschaum, und die kleine Seejungfrau fühlte nichts vom Tod. Sie sah die helle Sonne, und über ihr schwebten Hunderte von durchsichtigen, herrlichen Geschöpfen. Sie konnte durch sie hindurch die weißen Segel des Schiffes und die roten Wolken des Himmels sehen; ihre Stimmen waren Melodie, aber so geisterhaft, daß kein menschliches Ohr sie hören, kein irdisches Auge sie sehen konnte; ohne Schwingen schwebten sie durch ihre eigene Leichtigkeit durch die Luft. Die kleine Seejungfrau sah, daß sie einen Körper hatte wie diese, der sich mehr und mehr aus dem Schaum erhob.

„Wohin komme ich?" fragte sie, und ihre Stimme klang wie die der andern Wesen, so geisterhaft, daß keine irdische Musik sie wiedergeben kann.

„Zu den Töchtern der Luft!" antworteten die andern. „Die Seejungfrau hat keine unsterbliche Seele und kann sie niemals erhalten, wenn sie nicht die Liebe eines Menschen gewinnt, von einer fremden Macht hängt ihr ewiges Dasein ab. Die Töchter der Luft haben auch keine unsterbliche Seele, aber sie können sich selbst durch gute Taten eine unsterbliche Seele schaffen. Wir fliegen zu den warmen Ländern, wo die schwüle Pestluft die Menschen tötet, dort fächeln wir Kühlung. Wir verbreiten den Duft der Blumen durch die Luft und senden Erquickung und Heilung. Wenn wir uns dreihundert Jahre lang bemüht haben, alles Gute zu tun, das wir vollbringen können, dann erhalten wir eine unsterbliche Seele und nehmen teil am ewigen Glück der Menschen. Du arme kleine Seejungfrau hast mit ganzem Herzen nach demselben gestrebt wie wir. Du hast gelitten und geduldet, hast dich zur Welt der Luftgeister erhoben und kannst dir nun selbst durch gute Werke nach drei Jahrhunderten eine unsterbliche Seele erringen."

Und die kleine Seejungfrau erhob ihre hellen Arme zu Gottes Sonne, und zum erstenmal fühlte sie Tränen. Auf dem Schiff war wieder Lärm und Leben, sie sah den Prinzen mit seiner schönen Braut nach ihr suchen, wehmütig sahen sie auf den wogenden Schaum, als ob sie wüßten, daß sie sich in die Wogen gestürzt hatte. Unsichtbar küßte sie die Stirn der Braut, lächelte dem Prinzen zu und stieg mit den anderen Kindern der Luft zu der rosenroten Wolke, die die Luft durchsegelte.

„Nach dreihundert Jahren schweben wir so in das Reich Gottes hinein!"

„Auch früher können wir dahin kommen!" flüsterte eine Tochter der Luft. „Unsichtbar schweben wir in die Häuser der Menschen, wo Kinder sind, und für jeden Tag, an dem wir ein gutes Kind finden, das seinen Eltern Freude macht und deren Liebe verdient, verkürzt Gott unsere Prüfungszeit. Das Kind weiß nicht, wann wir durch die Stube fliegen, und wenn wir vor Freude darüber lächeln, so wird ein Jahr von den dreihundert abgerechnet. Sehen wir aber ein unartiges und böses Kind, so müssen wir Tränen der Trauer weinen, und jede Träne legt unserer Prüfungszeit einen Tag zu!"

Des Kaisers neue Kleider

Vor vielen Jahren lebte ein Kaiser, der so ungeheuer viel auf hübsche, neue Kleider hielt, daß er all sein Geld dafür ausgab, um recht geputzt zu sein. Er kümmerte sich nicht um seine Soldaten, kümmerte sich nicht um das Theater und machte sich nichts daraus, in den Wald zu fahren, außer um seine neuen Kleider zu zeigen. Er hatte einen Rock für jede Stunde des Tages, und wie man sonst von einem König sagt, er ist im Rat, so sagte man hier immer: „Der Kaiser ist in der Kleiderkammer!"

In der großen Stadt, in der er wohnte, ging es sehr munter zu. Jeden Tag kamen viele Fremde, eines Tages kamen auch zwei Betrüger. Sie gaben sich für Weber aus und sagten, sie könnten den schönsten Stoff weben, der sich denken ließe. Nicht allein Farben und Muster wären ungewöhnlich schön, sondern die Kleider, die aus dem Stoff genäht würden, besäßen auch die wunderbare Eigenschaft, daß sie jedem Menschen unsichtbar wären, der nicht für sein Amt tauge oder unverzeihlich dumm sei.

‚Das wären ja prächtige Kleider', dachte der Kaiser. ‚Wenn ich die anhätte, könnte ich ja dahinterkommen, welche Männer in meinem Reich zu dem Amt, das sie haben, nicht taugen; ich könnte die Klugen von den Dummen unterscheiden! Ja, der Stoff muß sogleich für mich gewebt werden!' Und er gab den beiden Betrügern viel Handgeld, damit sie ihre Arbeit beginnen mögen.

Sie stellten auch zwei Webstühle auf und taten, als ob sie arbeiteten; aber sie hatten nicht das geringste auf dem Stuhl. Frischweg verlangten sie die feinste Seide und das prächtigste Gold, das steckten sie in ihre eigene Tasche und arbeiteten an den leeren Stühlen bis spät in die Nacht.

‚Nun möchte ich doch wissen, wie weit sie mit dem Stoff sind!' dachte der Kaiser. Aber es war ihm ordentlich beklommen zumute bei dem Gedanken, daß ihn nicht sehen könnte, wer dumm war oder schlecht zu seinem Amt paßte. Nun glaubte er zwar, daß er für sich selbst nichts zu fürchten brauche, aber er wollte doch erst einen andern schicken, um zu sehen, wie es damit stünde. Alle Menschen in der ganzen Stadt wußten, welche wunderbare Kraft der Stoff hatte, und alle waren begierig zu sehen, wie schlecht oder dumm ihr Nachbar sei.

‚Ich will meinen alten, ehrlichen Minister zu den Webern senden!' dachte der Kaiser. ‚Er kann am besten sehen, wie der Stoff sich ausnimmt, denn er hat Verstand, und keiner versieht sein Amt besser als er!'

Nun ging der alte gute Minister in den Saal, wo die zwei Betrüger saßen und an den leeren Webstühlen arbeiteten. ‚Gott behüte uns!' dachte der alte Minister und riß die Augen auf, ‚ich kann ja nichts erblicken!' Aber das sagte er nicht.

Beide Betrüger baten ihn, gefälligst näher zu treten, und fragten, ob es nicht ein hübsches Muster und schöne Farben seien. Dabei zeigten sie auf den leeren Webstuhl, und der arme alte Minister fuhr fort, die Augen aufzureißen; aber er konnte nichts sehen, denn es war nichts da. ‚Herrgott!' dachte er, ‚sollte ich dumm sein? Das habe ich nie geglaubt, und das darf kein Mensch wissen! Sollte ich nicht zu meinem Amt taugen? Nein, es geht nicht an, daß ich erzähle, ich könnte den Stoff nicht sehen!'

„Nun, Sie sagen nichts dazu?" fragte der eine, der da webte.

„Oh, es ist hübsch! Ganz allerliebst!" antwortete der alte Minister und sah durch seine Brille. „Dieses Muster und diese Farben! Ja, ich werde dem Kaiser sagen, daß es mir sehr gefällt."

„Nun, das freut uns!" sagten beide Weber, und darauf nannten sie die Farben mit Namen und erklärten das seltsame Muster. Der alte Minister paßte gut auf, damit er dasselbe sagen könnte, wenn er zum Kaiser zurückkäme, und das tat er auch.

Nun verlangten die Betrüger mehr Geld, mehr Seide und mehr Gold, das sie zum Weben brauchen wollten. Sie steckten alles in ihre eigenen Taschen, auf den Webstuhl kam kein Faden, aber sie fuhren fort, wie bisher an dem leeren Webstuhl zu arbeiten.

Der Kaiser sandte bald wieder einen anderen ehrlichen Staatsmann hin, um zu sehen, wie es mit dem Weben stünde und ob der Stoff bald fertig sei. Es ging ihm ebenso wie dem Minister; er schaute und schaute, weil aber außer dem leeren Webstuhl nichts da war, konnte er nichts erblikken.

„Ist das nicht ein hübsches Stück Stoff?" fragten die beiden Betrüger und zeigten und erklärten das prächtige Muster, das gar nicht da war.

‚Dumm bin ich nicht!' dachte der Mann. ‚Ist es also mein gutes Amt, zu dem ich nicht tauge? Das wäre wohl seltsam, aber man darf es sich nicht merken lassen!' Und so lobte er den Stoff, den er nicht sah, und versicherte ihnen seine Freude über die schönen Farben und das herrliche Muster. „Ja, es ist ganz allerliebst!" sagte er zum Kaiser.

Alle Menschen in der Stadt sprachen von dem prächtigen Stoff.

Nun wollte der Kaiser ihn selber sehen, während er noch auf dem Webstuhl war. Mit einer ganzen Schar auserwählter Männer, unter ihnen auch die beiden ehrlichen Staatsmänner, die schon früher dort gewesen waren, ging er zu den beiden listigen Betrügern hin, die nun aus Leibeskräften webten, aber ohne Faser oder Faden.

„Ist das nicht prächtig?" sagten die beiden alten Staatsmänner, die schon einmal dagewesen waren. „Sehen Eure Majestät, welches Muster, welche Farben!" Und dann zeigten sie auf den leeren Webstuhl, denn sie glaubten, daß die andern den Stoff gewiß sehen könnten.

‚Was!' dachte der Kaiser. ‚Ich sehe gar nichts! Das ist ja schrecklich! Bin ich dumm? Tauge ich nicht dazu, Kaiser zu sein? Das wäre das Schrecklichste, was mir begegnen könnte!' – „Oh, es ist sehr hübsch!" sagte er. „Es hat meinen allerhöchsten Beifall!" Und er nickte zufrieden und betrachtete den leeren Webstuhl, denn er wollte nicht sagen, daß er nichts sehen könne. Das ganze Gefolge, das er bei sich hatte, schaute und schaute und bekam nicht mehr heraus als alle andern; aber sie sagten wie der Kaiser: „Oh, das ist sehr hübsch!" Und sie rieten ihm, diese neuen prächtigen Kleider das erstemal bei der großen Prozession, die bevorstand, zu tragen.

„Herrlich, wundervoll, exzellent!" ging es von Mund zu Mund; man war allerseits innig erfreut darüber, und der Kaiser verlieh den Betrügern ein Ritterkreuz, im Knopfloch zu tragen, und den Titel: Kaiserliche Hofweber.

Die ganze Nacht vor dem Morgen, an dem die Prozession stattfinden sollte, saßen die Betrüger auf und hatten über sechzehn Lichter angezündet. Die Leute konnten sehen, daß sie stark beschäftigt waren, des Kaisers neue Kleider fertigzumachen. Sie taten, als ob sie den Stoff vom Webstuhl nähmen, sie schnitten mit großen Scheren in die Luft, sie nähten mit Nähnadeln ohne Faden und sagten zuletzt: „Nun sind die Kleider fertig!"

Der Kaiser kam mit seinen vornehmsten Kavalieren selbst dahin, und beide Betrüger hoben einen Arm, gerade als ob sie etwas hielten, und sagten: „Seht, hier sind die Beinkleider! Hier ist der Rock! Hier der Mantel!" und so weiter. „Es ist so leicht wie Spinnweben, man sollte glauben, man habe nichts auf dem Leib; aber das ist gerade der Vorzug dabei!"

„Ja!" sagten alle Kavaliere, aber sie konnten nichts sehen, denn es war nichts da.

„Belieben Eure kaiserliche Majestät jetzt Ihre Kleider allergnädigst auszuziehen", sagten die Betrüger, „so wollen wir Ihnen die neuen anziehen, hier vor dem großen Spiegel!"

Der Kaiser legte alle seine Kleider ab, und die Betrüger taten so, als ob sie ihm jedes Stück der neuen Kleider anzögen. Sie faßten ihn um den Leib und taten, als bänden sie etwas fest, das war die Schleppe; der Kaiser drehte und wendete sich vor dem Spiegel.

„Ei, wie gut das kleidet! Wie herrlich das sitzt!" sagten alle. „Welches Muster, welche Farben! Das ist eine kostbare Tracht!"

„Draußen stehen sie mit dem Thronhimmel, der über Eurer Majestät in der Prozession getragen werden soll", meldete der Oberzeremonienmeister.

„Ja, ich bin fertig!" sagte der Kaiser. „Sitzt es nicht gut?" Und dann wandte er sich nochmals vor dem Spiegel, denn es sollte scheinen, als ob er seinen Putz recht betrachte.

Die Kammerherren, die die Schleppe tragen sollten, griffen mit den Händen nach dem Fußboden, gerade als ob sie die Schleppe aufhöben. Sie gingen und taten, als ob sie etwas in der Luft hielten; sie wagten nicht, es sich merken zu lassen, daß sie nichts sehen konnten.

So ging der Kaiser in der Prozession unter dem prächtigen Thronhimmel, und alle Menschen auf der Straße und in den Fenstern riefen: „Gott, wie sind des Kaisers neue Kleider unvergleichlich; welch herrliche Schleppe hat er am Rock, wie schön das sitzt!" Keiner wollte es sich merken lassen, daß er nichts sah, denn dann hätte er ja nicht zu seinem

Amt getaugt oder wäre sehr dumm gewesen. Keine von des Kaisers Kleidern hatten solches Glück gebracht wie diese.

„Aber er hat ja nichts an!" sagte ein kleines Kind.

„Herrgott, hört die Stimme der Unschuld!" sagte der Vater, und der eine flüsterte dem anderen zu, was das Kind gesagt hatte.

„Er hat nichts an, dort ist ein kleines Kind, das sagt, er hat nichts an!"

„Aber er hat ja nichts an!" rief zuletzt das ganze Volk. Und der Kaiser bekam eine Gänsehaut, denn es schien ihm, sie hätten recht, aber er dachte bei sich: ‚Nun muß ich die Prozession aushalten.' Und so hielt er sich noch stolzer, und die Kammerherren gingen und trugen die Schleppe, die gar nicht da war.

Die Galoschen des Glücks

1. Ein Anfang

In einem Haus der Österstraße in Kopenhagen, nicht weit vom Königsneumarkt, hatte man große Gesellschaft; die muß man ab und zu haben, dann ist es abgemacht, und man wird wieder eingeladen. Die eine Hälfte der Gesellschaft saß schon an den Spieltischen, und die andere Hälfte wartete darauf, was bei dem „Was wollen wir denn nun anfangen?" der Hausfrau herauskommen würde. Soweit war man, und die Unterhaltung ging so gut sie konnte. Unter anderem kam die Rede auch auf das Mittelalter, einige hielten es für weit besser als unsere Zeit. Ja, Justizrat Knap verteidigte diese Meinung so eifrig, daß die Hausfrau ihm sogleich beistimmte, und beide eiferten nun gegen Örsteds Worte im Almanach über alte und neue Zeiten, worin unserem Zeitalter im wesentlichen der Vorzug gegeben wird. Der Justizrat sah die Zeit des Dänenkönigs Hans als die herrlichste und allerglücklichste an.

So schwätzte man für und wider und ließ sich nur einen Augenblick unterbrechen durch die Zeitung, die gerade kam, aber nichts enthielt, was lesenswert war. Unterdessen wollen wir in das Vorzimmer gehen, wo die Mäntel, Stöcke, Regenschirme und Galoschen Platz hatten. Hier saßen zwei Mädchen, ein junges und ein altes, man konnte glauben, sie seien gekommen, um ihre Herrschaft, das eine oder andere alte Fräulein, die eine oder andere Witwe nach Hause zu geleiten. Sah man sie aber etwas genauer an, so begriff man bald, daß sie keine gewöhnlichen Dienstmädchen waren, dazu waren ihre Hände zu fein, ihre Haltung und ganze Bewegung zu königlich, und die Kleider hatten auch einen ganz eigenen kühnen Schnitt. Es waren zwei Feen. Die Jüngere war zwar nicht das Glück selbst, aber ein Kammermädchen einer seiner Kammerjungfern, die die geringeren Gaben des Glücks austragen. Die Ältere sah sehr ernst aus, es war die Sorge. Sie besorgt ihre Geschäfte immer selbst, in höchsteigener Person, dann weiß sie, daß sie gut ausgeführt werden.

Sie erzählten einander, wo sie an diesem Tag gewesen waren; das Kammermädchen von der Kammerjungfer des Glücks hatte nur einige unbedeutende Geschäfte erledigt, sie hatte, wie sie sagte, einen neuen Hut vor dem Regenguß errettet, einem ehrlichen Mann einen Gruß von einer vornehmen Null verschafft und ähnliches, aber was ihr noch übrigblieb, war etwas ganz Ungewöhnliches.

„Ich muß dir erzählen", sagte sie, „daß heute mein Geburtstag ist, und ihm zu Ehren sind mir ein Paar Galoschen anvertraut, die ich der Menschheit bringen soll. Diese Galoschen haben die Eigenschaft, daß jeder, der sie anzieht, augenblicklich an die Stelle und in die Zeit versetzt wird, wo er am liebsten sein will; ein jeder Wunsch in Hinsicht auf Zeit oder Ort wird sogleich erfüllt und so der Mensch endlich einmal glücklich hienieden!"

„Ja, das glaubst du vielleicht!" sagte die Sorge. „Er wird sehr unglücklich und segnet den Augenblick, wo er von den Galoschen wieder befreit wird!"

„Wo denkst du hin?" sagte die andere. „Nun stelle ich sie an die Tür, einer greift fehl und wird der Glückliche!" Seht, das war die Unterhaltung.

2. Wie es dem Justizrat erging

Es war spät; Justizrat Knap, in die Zeit des Königs Hans vertieft, wollte heimkehren, und nun war es ihm beschieden, daß er anstatt seiner Galoschen die des Glücks anzog und nun auf die Österstraße hinaustrat. Aber er war durch die Zauberkraft der Galoschen in die Zeit des Königs Hans zurückversetzt, und darum setzte er den Fuß gerade in den Schlamm und Morast der Straße, weil es zu jener Zeit noch kein Steinpflaster gab.

„Es ist ja schrecklich, wie schmutzig es hier ist!“ sagte der Justizrat. „Der ganze Bürgersteig ist fort, und alle Laternen sind ausgelöscht!“

Der Mond stand noch nicht hoch genug, und es war überdies ziemlich dunstig, so daß alles ringsumher in der Dunkelheit verschwamm. An der nächsten Ecke hing indessen eine Laterne vor einem Madonnenbild, aber die Beleuchtung war so gut wie keine, er bemerkte sie erst, als er gerade darunter stand und seine Augen auf das gemalte Bild mit der Mutter und dem Kind fielen.

‚Das ist wohl‘, dachte er, ‚ein Kunstkabinett, wo man vergessen hat, das Schild hereinzunehmen.‘

Ein paar Menschen in der Tracht der Zeit gingen an ihm vorbei.

‚Wie sehen die denn aus! Die kommen wohl von einer Maskerade?‘

Plötzlich ertönten Trommeln und Pfeifen, Fackeln leuchteten hell. Der Justizrat blieb stehen und sah nun einen sonderbaren Zug ankommen. Zuallererst ging ein ganzer Trupp Trommelschläger, die ihre Instrumente recht artig handhabten; ihnen folgten Trabanten mit Bogen und Armbrüsten. Der Vornehmste im Zug war ein geistlicher Herr. Erstaunt fragte der Justizrat, was das zu bedeuten habe und wer der Mann sei.

„Das ist der Bischof von Seeland!“

„Mein Gott, was fällt dem Bischof ein?“ seufzte der Justizrat und schüttelte den Kopf. Der Bischof konnte es doch unmöglich sein! Darüber grübelnd und ohne zur Rechten oder Linken zu sehen, ging der Justizrat durch die Österstraße und über den Höjbroplatz. Die Brücke zum Schloßplatz war nicht zu finden, er sah undeutlich das flache Ufer eines Baches und stieß hier endlich auf zwei Männer, die in einem Boot saßen.

„Will der Herr nach dem Holm übergesetzt werden?" fragten sie.

„Nach dem Holm hinüber?" sagte der Justizrat, der ja nicht wußte, in welchem Zeitalter er wanderte. „Ich will nach Christianshavn in die kleine Marktstraße!"

Die Männer sahen ihn an.

„Sagt mir nur, wo die Brücke ist!" sagte er. „Es ist schändlich, daß hier keine Laternen angezündet sind, auch ist ein Schmutz, als ginge man in einem Sumpf!" Je länger er mit den Bootsleuten sprach, desto unverständlicher waren sie ihm.

„Ich verstehe euer Bornholmisch nicht!" sagte er zuletzt zornig und kehrte ihnen den Rücken. Die Brücke konnte er nicht finden, ein Geländer war auch nicht da. „Es ist ein Skandal, wie es hier aussieht!" sagte er. Nie hatte er sein Zeitalter elender gefunden als an diesem Abend. ‚Ich glaube, ich werde eine Droschke nehmen', dachte er. Aber wo waren die Droschken? Keine war zu sehen. ‚Ich werde zum Königsneumarkt zurückgehen müssen, dort halten wohl Wagen, sonst komme ich nie nach Christianshavn.'

Nun ging er zur Österstraße und war fast hindurchgekommen, als der Mond hervorkam.

„Mein Gott, was ist das für ein Gerüst, das man hier errichtet hat!" rief er aus, als er das Östertor sah, welches zu jener Zeit am Ende der Österstraße stand.

Endlich fand er doch eine Pforte, und durch sie kam er auf unseren Neumarkt hinaus; aber das war ein großer Wiesengrund, einzelne Büsche ragten hervor, und quer durch die Wiese ging ein breiter Kanal oder Strom. Einige erbärmliche Holzbuden für halländische Schiffer, nach denen der Ort den Namen Hallandaas hatte, lagen auf dem jenseitigen Ufer.

„Entweder sehe ich eine Fata Morgana, wie man das nennt, oder ich bin betrunken!" jammerte der Justizrat. „Was ist das nur? Was ist das nur?"

Er kehrte wieder um, in dem festen Glauben, daß er krank sei. Als er in die Straße zurückkam, betrachtete er die Häuser etwas genauer, die meisten waren aus Fachwerk, und viele hatten nur ein Strohdach.

„Nein, mir ist gar nicht wohl!" seufzte er. „Und ich habe doch nur ein Glas Punsch getrunken! Aber ich kann ihn nicht vertragen, und es war auch ganz und gar verkehrt, uns Punsch und warmen Lachs zu geben; das werde ich der Frau Agentin auch sagen! Ob ich wohl wieder zurückkehre und sage, wie mir zumute ist? Aber das sieht so lächerlich aus, und wer weiß, ob sie noch auf sind."

Er suchte nach dem Haus, aber es war nicht zu finden. „Es ist doch schrecklich, ich kann die Österstraße nicht wiedererkennen! Nicht ein Laden ist da; alte, elende, baufällige Hütten sehe ich, als ob ich in Roskilde oder Ringstedt wäre. Ach, ich bin krank! Es nützt nichts, sich zu genieren. Aber wo in aller Welt ist das Haus des Agenten! Es ist nicht mehr dasselbe, aber dort drinnen sind noch Leute auf; ach, ich bin sicher krank!"

Nun stieß er auf eine halboffene Tür, wo das Licht durch eine Spalte hinausfiel. Es war eine Herberge jener Zeit, eine Art von Bierhaus. Die Stube hatte das Aussehen einer holsteinischen Diele, eine Anzahl Leute, Schiffer, Kopenhagener Bürger und ein paar Gelehrte, saßen hier ins Gespräch vertieft bei ihren Krügen und beachteten den Eintretenden nur wenig.

„Entschuldigung", sagte der Justizrat zur Wirtin, die ihm entgegenkam, „mir ist sehr schlecht geworden, wollen Sie mir nicht eine Droschke nach Christianshavn hinaus beschaffen?"

Die Frau sah ihn an und schüttelte den Kopf; darauf redete sie ihn in deutscher Sprache an. Der Justizrat nahm an, daß sie nicht Dänisch könne, und brachte darum seinen Wunsch auf deutsch vor; dieses wie auch seine Kleidung bestärkte die Frau darin, daß er ein Ausländer sei. Daß er sich nicht gut befinde, begriff sie bald und brachte ihm deshalb einen Krug Wasser, freilich etwas brackig, denn es war aus dem Brunnen geschöpft.

Der Justizrat stützte seinen Kopf in die Hand, holte tief Atem und grübelte über alles Seltsame rings um ihn her. „Ist das ‚Der Tag' von heute abend?" fragte er, nur um etwas zu sagen, als er die Frau ein Stück Papier fortlegen sah.

Sie verstand nicht, was er meinte, reichte ihm aber das Blatt; es war ein Holzschnitt, welcher eine Lufterscheinung zeigte, die in der Stadt Köln gesehen worden war.

„Das ist sehr alt!" sagte der Justizrat und wurde ganz aufgeräumt durch die Begegnung mit so einem alten Stück. „Wie sind Sie denn zu diesem seltenen Blatt gekommen? Das ist sehr interessant, obgleich das Ganze eine Fabel ist! Man erklärt solche Lufterscheinungen durch Nordlichter, die man gesehen hat, vermutlich entstehen sie durch Elektrizität!"

Die ihm zunächst saßen und seine Rede hörten, sahen ihn verwundert an, und einer von ihnen erhob sich, nahm ehrerbietig den Hut ab und sagte mit der ernsthaftesten Miene: „Ihr seid gewiß ein höchst gelehrter Mann, Monsieur!"

„O nein!" antwortete der Justizrat; „ich kann nur von dem einen und andern mitsprechen, wie man es ja können muß!"

„Modestia ist eine schöne Tugend!" sagte der Mann. „Übrigens muß ich zu Eurer Rede sagen: Mihi secus videtur; doch suspendiere ich hier gern mein Judicium!"

„Darf ich wohl fragen, mit wem ich das Vergnügen habe zu sprechen?" fragte der Justizrat.

„Ich bin Baccalaureus der Heiligen Schrift", sagte er.

Diese Antwort genügte dem Justizrat; der Titel entsprach hier der Tracht. Das ist gewiß ein alter Dorfschulmeister, dachte er, ein seltsamer Kauz, wie man sie noch oben in Jütland treffen kann.

„Hier ist zwar kein locus docendi", begann der Mann, „doch bitte ich, Ihr wollt Euch bemühen zu sprechen! Ihr seid gewiß in den Alten sehr belesen?"

„Allerdings", antwortete der Justizrat, „ich lese gern alte nützliche Schriften, habe aber auch die neueren recht gern, nur die ‚Alltagsgeschichten' nicht, von denen wir in der Wirklichkeit genug haben!"

„Alltagsgeschichten?" fragte unser Baccalaureus.

„Ja, ich meine die neuen Romane, die es jetzt gibt."

„Oh", lächelte der Mann, „sie enthalten doch viel Geist und werden bei Hofe gelesen. Der König liebt besonders den Roman von Herrn Iffven und Gaudian, welcher vom König Artus und seinen Rittern der Tafelrunde handelt. Er hat mit seinen hohen Herren darüber gescherzt."

„Ja, den habe ich noch nicht gelesen", sagte der Justizrat, „das muß ein ganz neuer sein, den Heiberg herausgegeben hat!"

„Nein", erwiderte der Mann, „er ist nicht bei Heiberg, sondern bei Gotfred von Ghemen herausgekommen!"

„So, ist das der Verfasser?" sagte der Justizrat. „Das ist ein sehr alter Name; so hieß ja wohl der erste Buchdrucker, der in Dänemark gewesen ist?"

„Ja, das ist unser erster Buchdrucker!" sagte der Mann. Soweit ging es ganz gut. Nun sprach einer der braven Bürgersleute von der schweren Pestilenz, die vor ein paar Jahren geherrscht hatte, und meinte die im Jahre 1484. Der Justizrat nahm an, daß es die Cholera sei, von der die Rede war, und so ging die Unterhaltung recht gut. Der Freibeuterkrieg von 1490 lag so nahe, daß er berührt werden mußte. Die englischen Freibeuter hätten Schiffe von der Reede genommen, sagten sie, und der Justizrat, der sich in die Begebenheiten von 1801 recht eingelebt hatte, stimmte vortrefflich gegen die Engländer mit ein. Das übrige Gespräch dagegen ging nicht so gut, jeden Augenblick wurde daraus von beiden Seiten ein Leichenbitterton. Der gute Baccalaureus war gar zu unwissend, und die einfachsten Äußerungen des Justizrats klangen ihm wiederum zu kühn und zu phantastisch. Sie sahen einander an, und wurde es gar zu arg, dann sprach der Baccalaureus Latein, weil er glaubte, so besser verstanden zu werden, aber es half doch nichts.

„Wie geht es Euch nun?" fragte die Wirtin und zog den Justizrat am Ärmel. Nun kehrte seine Besinnung zurück, denn während er sprach, hatte er alles ganz vergessen, was vorausgegangen war.

„Mein Gott, wo bin ich?" sagte er, und es schwindelte ihm, als er daran dachte.

„Claret wollen wir trinken! Met und Bremer Bier!" rief einer der Gäste. „Und Ihr sollt mittrinken!"

Zwei Mädchen kamen herein; die eine trug eine zweifarbige Haube.* Sie schenkten ein und verneigten sich, dem Justizrat rieselte es eiskalt den Rücken hinab. „Was ist das nur? Was ist das nur?" sagte er, aber er mußte mit ihnen trinken, und sie bemächtigten sich ganz artig des guten Mannes. Er war verzweifelt, und als einer sagte, daß er betrunken sei, zweifelte er durchaus nicht an dem Wort des

---

* Nach König Hans' Gesetz mußten Frauen von zweideutigem Ruf solche Hauben tragen.

Mannes, sondern bat nur, ihm eine Droschke zu verschaffen. Nun glaubten sie, er spräche moskowitisch.

Nie war er in so roher und gemeiner Gesellschaft gewesen. „Man sollte glauben, das Land wäre zum Heidentum zurückgekehrt!" meinte er. „Das ist der schrecklichste Augenblick in meinem Leben!" Aber da kam ihm der Gedanke, sich unter den Tisch zu bücken und dann zur Tür zu kriechen und möglichst zu entwischen, aber als er beim Ausgang war, merkten die andern, was er vorhatte. Sie ergriffen ihn bei den Füßen, und zu seinem Glück gingen die Galoschen ab, und damit löste sich der ganze Zauber.

Der Justizrat sah ganz deutlich vor sich eine helle Laterne brennen, und dahinter stand ein großes Haus. Er kannte es und auch die Nachbargrundstücke, es war die Österstraße, so wie wir sie alle kennen. Er lag mit den Füßen gegen ein Tor, und gerade gegenüber saß der Wächter und schlief.

„Du mein Schöpfer, habe ich hier auf der Straße gelegen und geträumt!" sagte er. „Ja, das ist die Österstraße! Wie prächtig hell und bunt! Es ist doch schrecklich, wie das Glas Punsch auf mich gewirkt haben muß!"

Zwei Minuten später saß er in einer Droschke, die ihn nach Christianshavn fuhr. Er gedachte der Angst und Not, die er ausgestanden, und pries von Herzen die glückliche Wirklichkeit, unsere Zeit, die mit allen ihren Mängeln doch weit besser ist als die, in der er vor kurzem weilte. Und seht, das war von dem Justizrat vernünftig.

3. Die Abenteuer des Wächters

„Da liegen ja wahrhaftig ein Paar Galoschen!" sagte der Wächter. „Die gehören sicher dem Leutnant, der dort oben wohnt. Sie liegen gerade an der Tür!"

Gern hätte der ehrliche Mann geklingelt und sie abgeliefert, denn oben war noch Licht, aber er wollte die anderen Leute im Haus nicht wecken, und darum ließ er es sein.

„Es muß recht warm sein, ein Paar solcher Dinger anzuhaben!" sagte er. „Sie sind so weich im Leder." Sie paßten ihm gut. „Wie ist es doch komisch in der Welt! Nun könnte er sich in sein warmes Bett legen, mal sehen, ob er es tut! Da geht er im Zimmer auf und ab! Das ist ein glücklicher

Mensch! Er hat weder Frau noch Kinder, jeden Abend ist er in Gesellschaft. Oh, wäre ich doch er, ja, dann wäre ich ein glücklicher Mann!"

Als er den Wunsch aussprach, wirkten die Galoschen, die er angezogen hatte; der Wächter nahm vollkommen Person und Gedanken des Leutnants an. Da stand er oben im Zimmer und hielt zwischen den Fingern ein kleines, rosenrotes Papier, worauf ein Gedicht stand, ein Gedicht des Herrn Leutnants selbst. Denn wer wäre in seinem Leben nicht einmal in der Stimmung zu dichten gewesen, und schreibt man erst den Gedanken nieder, so hat man auch den Vers. Hier stand geschrieben:

Oh, wär ich reich!

„Oh, wär ich reich!", so wünscht ich mir schon oft,
Als ich, kaum ellengroß, auf viel gehofft.
Oh, wär ich reich, so würd ich Offizier,
Mit Säbel, Uniform und Bandelier.
Die Zeit kam auch, und ich ward Offizier;
Doch nun und nimmer ward ich reich, ich Armer;
   Hilf mir, Erbarmer!

Einst saß ich abends lebensfroh und jung,
Ein kleines Mädchen küßte meinen Mund,
Denn ich war reich an Märchenpoesie,
An Gold dagegen, ach! so arm wie nie.
Das Kind nur wollte diese Poesie;
Da war ich reich, doch nicht an Gold, ich Armer;
   Du weißt's, Erbarmer!

„Oh, wär ich reich!", so tönt zu Gott mein Flehn.
Das Kind hab ich zur Jungfrau reifen sehn;
Sie ist so klug, so hübsch, so seelengut;
Oh, wüßte sie, was mir im Herzen ruht:
Das große Märchen – wäre sie mir gut!
Doch bin zum Schweigen ich verdammt, ich Armer;
   Du willst's, Erbarmer!

Oh, wär ich reich an Trost und Ruhe hier,
Dann käme all mein Leid nicht aufs Papier.
Verstehst du mich, du, der ich mich geweiht,

So lies dies Blatt aus meiner Jugendzeit,
Ein dunkles Märchen, dunkler Nacht geweiht.
Nur finstre Zukunft seh ich; ach, ich Armer!
    Dich segne der Erbarmer!

Ja, solche Verse schreibt man, wenn man verliebt ist, aber
ein besonnener Mann läßt sie nicht drucken. Leutnant,
Liebe, Armut, das ist ein Dreieck oder ebensogut die Hälfte
von dem zerbrochenen Würfel des Glücks. Das fühlte der
Leutnant recht lebendig, und er legte den Kopf an den Fen-
sterrahmen und seufzte tief.
„Der arme Wächter draußen auf der Straße ist viel glücklicher als ich! Er kennt nicht, was ich Mangel nenne! Er hat
ein Heim, Frau und Kinder, die mit ihm weinen, wenn er
traurig ist, sich mit ihm freuen, wenn er fröhlich ist. Oh, ich
wäre glücklicher, als ich bin, könnte ich mich in ihn verwandeln, denn er ist glücklicher als ich!"
Im selben Augenblick war der Wächter wieder Wächter,
denn durch die Galoschen des Glücks war er der Leutnant
geworden; aber wie wir sahen, war er da noch viel weniger
zufrieden und wollte am liebsten wieder sein, was er eigentlich war. Also war der Wächter wieder Wächter.
„Das war ein häßlicher Traum", sagte er, „aber komisch war
es. Es war mir, als ob ich der Leutnant dort oben sei, und
das war durchaus kein Vergnügen. Mir fehlten die Frau und
die Buben, die mich am liebsten halbtot küssen wollen!"
Er saß wieder da und nickte, der Traum wollte ihm nicht
recht aus dem Sinn; die Galoschen hatte er noch an den Füßen. Eine Sternschnuppe fiel vom Himmel.
„Da ging sie hin!" sagte er. „Trotzdem sind dort genug! Ich
hätte wohl Lust, die Dinger etwas näher anzusehen, besonders den Mond, denn der gleitet einem nicht so leicht aus den
Händen. Wenn wir sterben, sagte der Student, für den meine
Frau wäscht, fliegen wir von dem einen zu dem andern. Das
ist eine Lüge, könnte aber ganz hübsch sein. Ich möchte doch
wohl einen kleinen Sprung dahinauf machen, der Körper
könnte dann hier auf der Treppe liegenbleiben!"
Seht, es gibt nun gewisse Dinge in der Welt, die auszusprechen man sehr vorsichtig sein muß, aber noch vorsichtiger
muß man sein, wenn man die Galoschen des Glücks an den
Füßen hat. Hört nur, wie es dem Wächter erging.

Was uns Menschen betrifft, so kennen wir fast alle die Geschwindigkeit durch Dampfbeförderung; wir haben sie entweder auf Eisenbahnen oder mit Schiffen über das Meer erprobt. Doch dieser Flug ist wie die Wanderung des Faultiers oder der Marsch der Schnecke gegenüber der Geschwindigkeit, die das Licht hat. Das fliegt neunzigmillionenmal schneller als der beste Wettläufer, und doch ist die Elektrizität noch schneller. Der Tod ist ein elektrischer Stoß, den wir in das Herz bekommen, auf den Flügeln der Elektrizität fliegt die befreite Seele. Acht Minuten und wenige Sekunden braucht das Sonnenlicht für eine Reise von mehr als zwanzig Millionen Meilen, mit der Schnellpost der Elektrizität braucht die Seele noch weniger Minuten, um denselben Flug zu machen. Die Entfernung zwischen den Weltkörpern ist für sie nicht größer als für uns zwischen den Häusern unserer Freunde in ein und derselben Stadt, selbst wenn diese ziemlich nahe beieinander liegen. Indessen kostet dieser elektrische Herzensstoß uns hier unten den Gebrauch des Körpers, falls wir nicht gerade wie der Wächter die Galoschen des Glücks anhaben.

In wenigen Sekunden hatte der Wächter die zweiundfünfzigtausend Meilen bis zum Mond zurückgelegt; dieser ist, wie man weiß, aus einem viel leichteren Stoff geschaffen als unsere Erde und weich wie frischgefallener Schnee, wie wir sagen würden. Der Wächter befand sich auf einem der unzählig vielen Ringberge, die wir aus Doktor Mädlers großer Mondkarte kennen. Und die kennst du doch? Inwendig ging der Ringberg ganz steil in einen Kessel hinab, ungefähr eine halbe dänische Meile. Dort unten lag eine Stadt, die aussah wie Eiweiß in einem Glas Wasser, genauso weich und genauso mit Türmen und Kuppeln und segelförmigen Altanen, durchsichtig und schwankend in der dünnen Luft. Unsere Erde schwebte wie eine große, dunkelrote Kugel über seinem Kopf.

Dort gab es so viele Geschöpfe, und alle waren gewiß das, was wir Menschen nennen würden, aber sie sahen ganz anders aus als wir. Sie hatten auch eine Sprache, aber es kann ja niemand verlangen, daß die Seele des Wächters sie verstehen sollte; trotzdem konnte sie es.

Die Seele des Wächters verstand die Sprache der Mondbewohner sehr gut. Sie disputierten über unsere Erde und bezweifelten, daß sie bewohnt sei. Die Luft müßte dort zu dick sein, als daß ein vernünftiges Mondgeschöpf in ihr leben könnte. Sie hielten den Mond allein für bewohnt, er sei der eigentliche Weltkörper, wo die alten Weltbewohner lebten.

Aber wir gehen wieder in die Österstraße hinab und sehen da, wie es dem Körper des Wächters ergeht.

Leblos saß er auf der Treppe. Der Morgenstern war ihm aus der Hand gefallen, und die Augen sahen zum Mond hinauf und suchten die ehrliche Seele, die dort oben umherging.

„Was ist die Uhr, Wächter?" fragte ein Vorübergehender. Wer aber nicht antwortete, war der Wächter. Da kniff der Mann ihn ganz sacht in die Nase, und nun verlor er das Gleichgewicht. Da lag der Körper, so lang er war, der Mensch war ja tot. Da kam über den, der gekniffen hatte, ein großes Erschrecken; der Wächter war tot und blieb tot; es wurde gemeldet und es wurde besprochen, und in der Morgenstunde trug man den Körper zum Hospital.

Das konnte nun ein ganz hübscher Spaß für die Seele werden, falls sie zurückkehrte und aller Wahrscheinlichkeit nach den Körper in der Österstraße suchen, aber nicht finden würde. Vermutlich würde sie dann erst auf die Polizei, später zum Anzeigenkontor laufen, damit er von dort aus unter den verlorengegangenen Sachen gesucht werde, und zuletzt zum Hospital hinauslaufen. Doch wir können uns damit trösten, daß die Seele am klügsten ist, wenn sie auf eigene Faust handelt, der Körper macht sie nur dumm.

Wie gesagt, der Körper des Wächters kam ins Hospital, wurde dort in den Waschraum gebracht, und das erste, was man hier tat, war natürlich, ihm die Galoschen auszuziehen, und da mußte die Seele zurück; sie nahm die Richtung schnurstracks auf den Körper zu, und auf einmal kam wieder Leben in den Mann. Er versicherte, daß es die schrecklichste Nacht seines Lebens gewesen sei; nicht für zwei Taler wolle er solche Empfindungen wieder haben; aber nun war es ja überstanden.

Am selben Tag wurde er wieder entlassen, aber die Galoschen blieben im Hospital.

4. Ein Hauptmoment – Eine Deklamationsnummer
Eine höchst ungewöhnliche Reise

Jeder Kopenhagener weiß, wie der Eingang zum Frederikshospital in Kopenhagen aussieht, aber da vermutlich auch einige Nichtkopenhagener diese Geschichte lesen, müssen wir eine kurze Beschreibung geben.

Das Hospital ist von der Straße durch ein ziemlich hohes Gitter getrennt, dessen dicke Eisenstäbe so weit auseinanderstehen, daß, wie man erzählt, sich sehr dünne Kandidaten hindurchgeklemmt und draußen kleine Besuche gemacht haben sollen. Der Teil des Körpers, der am schwierigsten hinauszubefördern war, war der Kopf; hier, wie oft in der Welt, waren also die kleinen Köpfe die glücklichsten. Dies wird als Einleitung genug sein.

Einer der jungen Volontäre, von dem man nur in körperlicher Hinsicht sagen konnte, daß er einen großen Kopf habe, hatte diesen Abend gerade Wache, der Regen strömte herab; doch ungeachtet dieser beiden Hindernisse mußte er hinaus. Nur eine Viertelstunde, das war ja nichts, was man dem Pförtner anvertrauen müsse, meinte er, wenn man durch die Eisenstangen schlüpfen könne. Da lagen die Galoschen, die der Wächter vergessen hatte; es fiel ihm nicht im mindesten ein, daß es die des Glücks wären, sie konnten in diesem Wetter recht gute Dienste leisten. Er zog sie an, und nun kam es darauf an, ob er sich hindurchklemmen konnte; er hatte es bisher noch nie versucht. Da stand er nun.

„Wollte Gott, ich hätte den Kopf draußen!" sagte er, und sofort, obwohl der sehr dick und groß war, glitt er leicht und glücklich hindurch. Das mußten die Galoschen verstehen, aber nun sollte auch der Körper hinaus, das ging nicht.

„Oh, ich bin zu dick!" sagte er. „Der Kopf, dachte ich, sei das schlimmste! Ich komme nicht hindurch."

Nun wollte er rasch den Kopf zurückziehen, aber das ging auch nicht. Den Hals konnte er bequem bewegen, aber das war auch alles. Das erste Gefühl war, daß er ärgerlich wurde, das zweite, daß seine Laune unter Null sank. Die Galoschen des Glücks hatten ihn in diese schreckliche Lage gebracht, und unglücklicherweise fiel es ihm nicht ein, sich frei zu wünschen, nein, er handelte nur und kam nicht von der Stelle. Der Regen strömte herab, nicht ein Mensch war auf

der Straße zu erblicken. Die Torglocke konnte er nicht erreichen, wie sollte er nur loskommen? Er sah voraus, daß er hier
bis zur Morgenstunde stehen könne, dann mußte man nach
einem Schlosser senden, damit die Eisenstäbe zerfeilt würden. Aber das geht nicht so geschwind, das ganze Waisenhaus
gcgenüber würde auf die Beine kommen, das ganze Matrosenviertel herbeilaufen, um ihn am Pranger zu sehen, das
würde einen Auflauf geben, ganz anders als bei der Riesen-
agave im vorigen Jahr. „Hu! Das Blut steigt mir zu Kopfe, ich
muß verrückt werden! Ja, ich werde verrückt! Oh, wäre ich
doch wieder los, dann ginge es wohl vorüber!"
Seht, das hätte er etwas eher sagen sollen. Augenblicklich, sowie der Gedanke ausgesprochen war, hatte er den Kopf frei
und stürzte nun ins Haus, ganz verstört durch den Schreck,
den ihm die Galoschen des Glücks eingejagt hatten.
Hiermit dürfen wir nicht glauben, daß das Ganze vorbei
wäre, nein, es wird noch ärger.
Die Nacht verging und der folgende Tag auch, es wurde
nicht nach den Galoschen geschickt.
Am Abend sollte eine Vorstellung in einem kleinen Theater
in der Kannikegasse gegeben werden. Das Haus war ge-
pfropft voll. Bei den Deklamationsnummern wurde ein neues
Gedicht gegeben. Wir wollen es hören. Der Titel war:

Tantes Brille
Die Klugheit meiner Tante ist bekannt,
In alten Zeiten wäre sie gewiß verbrannt.
Was auch geschieht, sie weiß es, mehr noch gar,
Sie sieht geradezu ins nächste Jahr,
Ja in das kommende Jahrzehnt voraus,
Doch will sie niemals richtig mit der Sprache raus.
Und was wird wohl im nächsten Jahr geschehen?
Merkwürdiges? Ja, ich möchte gerne sehen
Mein eignes Schicksal, wie es Kunst, Land und Reich
     ergeht,
Vergeblich habe ich sie darum angefleht.
Ich ließ nicht nach, fuhr fort zu fragen,
Erst war sie still, dann kamen Klagen.
Das schlug ich alles in den Wind,
Bin ich ja doch ihr Lieblingskind!

„Dies eine Mal geschehe nun dein Wille",
So fing sie an und gab mir ihre Brille.
„Nun stellst du dich auf einen menschenvollen Platz;
Mit meiner Brille, glaub mir, hast du einen Schatz:
Du siehst mit ihr auch in dem dichtesten Gedränge
Wie auf dem Tisch als Kartenspiel die ganze
   Menschenmenge.
Aus diesen Karten sagst du allen sogleich wahr,
Was da geschieht und kommt im nächsten Jahr!"

Ich dankte ihr und lief davon und wollte sehen
Und überlegte mir, wohin denn nun die meisten
   Menschen gehen.
Nach Langelinie, wo Erkältung droht?
Zur Österstraße? Bah, der Gassenkot!
Doch ins Theater? Das wär ein wahrer Segen,
Die Abendunterhaltung kommt mir just gelegen –
Da bin ich nun! Für den, der mich nicht kannte,
Stell ich mich vor, und dies die Brille meiner Tante,
Die ich, gestatten Sie, benutze, nur um zu sehen,
Ob Sie ein Kartenspiel sind – doch sollen Sie nicht
   gehen! –
Und ob ich prophezeien kann, was uns die Zeit wird
   schenken.
Ihr Schweigen will ich als ein Ja mir denken,
Zum Danke werden Sie nun eingeweiht
Und nehmen teil an der Gemeinsamkeit.
Ich werde Ihnen, mir, Land und Reich wahrsagen!
Nun wollen wir sehn und die Karten fragen.
(Und dann setzte er die Brille auf.)
Ja, richtig, nein, da muß ich lachen!
Oh, könnte ich Sie nur auch sehend machen!
Wie ungeheuer viele Herren kann ich hier gewahren
Und Herzdamen auch in ganzen Scharen.
Das Schwarze da, ja, das ist Kreuz und Pik.
– Nun habe ich gleich den richtigen Überblick! –
Pikdame seh ich, die mit Herz und Hand
Karobuben sich heftig hat zugewandt.
Oh, dieser Anblick macht mich toll!
Von Geld auch ist das Haus sehr voll
Und Fremden aus den fernsten Fernen.

.Das aber wollten wir nicht kennenlernen.
Die Stände? Wollen sehn! – Was ist zu gewahren –
Doch das soll man später aus den Zeitungen
    erfahren!
Wenn ich nun plaudere, dann schade ich ihnen
Und lasse lieber im Kuchen die Rosinen.
Das Theater nun? – Jede Neuheit? Der Geschmack?
    Der Ton?
Ich will's mir nicht verderben mit der Direktion.
Und meine eigne Zukunft? Ja, wissen Sie, die eigne
    Sache
Liegt unserm Herzen ganz besonders nahe!
Ich sehe! – Ich kann nicht sagen, was ich sehe,
Sie aber sollen hören, wann es auch geschehe.
Wer ist der Glücklichste wohl von uns allen?
Der Glücklichste? Schwer soll mir dieser Fund nicht
    fallen!
Das ist doch – nein, das kann so leicht genieren,
Ja, manch einem mag noch Trauriges passieren!
Wer lebt am längsten? Das läßt sich finden!
Nein, dergleichen darf man noch weniger verkünden!
Soll ich wahrsagen von – ? Nicht! – Von – ? Nicht! –
    Von – ? Nicht!
Von – ? Ja, am Ende weiß ich es selber nicht;
Ich bin geniert, wie leicht kann man einen Menschen
    kränken!
Nein, ich will doch sehen, was Sie glauben, meinen,
    denken,
Was ich durch meiner Weissagung ganze Kraft Ihnen
    werde schenken.
Sie glauben? Nein, wie bitte? Kann ich recht
    verstehen?
Sie glauben, es wird mit Nichts zu Ende gehen,
Sie glauben gewiß, es wird nichts weiter als Kling
    und Klang.
Da schweige ich, verehrteste Vereinung,
Ich schulde Ihnen – Ihre eigene Meinung!

Das Gedicht wurde hervorragend aufgesagt, und der Dekla-
mator hatte großen Erfolg. Unter den Zuschauern befand
sich der Volontär aus dem Hospital, der sein Abenteuer der

vorhergehenden Nacht vergessen zu haben schien. Die Galoschen hatte er an, denn niemand hatte sie abgeholt, und da es auf der Straße schmutzig war, konnten sie ihm ja gute Dienste leisten.

Das Gedicht gefiel ihm. Die Idee beschäftigte ihn sehr, er hätte gern eine solche Brille gehabt. Wenn man sie richtig gebrauchte, konnte man den Leuten vielleicht ins Herz sehen. Das wäre eigentlich noch interessanter, meinte er, als zu sehen, was im nächsten Jahr geschehen würde, denn das erführe man doch, das andere dagegen nie. „Ich denke mir nun die ganze Reihe von Herren und Damen auf der ersten Bank – könnte man ihnen in die Brust sehen, ja, da müßte so eine Öffnung, eine Art von Laden sein, wie würden meine Augen im Laden umherschweifen! Bei jener Dame dort würde ich sicher eine große Modehandlung finden, bei dieser da ist der Laden leer, doch könnte eine Reinigung ihm nicht schaden. Aber würde es auch solide Läden geben? Ach ja!" seufzte er. „Ich kenne einen, in dem ist alles solide, aber darin ist schon ein Ladendiener, das ist das einzige Übel am ganzen Laden! Aus dem einen und dem andern würde es rufen: ‚Bitte, treten Sie gefälligst näher!' Ja, könnte ich nur wie ein hübscher kleiner Gedanke hineingehen und durch die Herzen schlüpfen!"

Seht, das genügte den Galoschen. Der ganze Volontär schrumpfte zusammen, und es begann eine höchst ungewöhnliche Reise mitten durch die Herzen der Zuschauer in der vordersten Reihe. Das erste Herz, durch das er kam, gehörte einer Dame, doch glaubte er augenblicklich, im orthopädischen Institut zu sein, wie man das Haus nennt, wo der Doktor Menschenauswüchse fortnimmt und die Leute wieder gerade macht; dort war er in dem Zimmer, wo die Gipsabgüsse der verwachsenen Glieder an den Wänden hängen. Doch der Unterschied war der, daß sie im Institut entfernt wurden, wenn der Patient hineinkam, aber hier im Herzen waren sie geformt und aufbewahrt, nachdem die guten Leute es verlassen hatten. Es waren Abgüsse von Freundinnen, deren körperliche und geistige Fehler hier aufbewahrt wurden.

Schnell war er in einem der anderen weiblichen Herzen, aber dieses erschien ihm wie eine große, heilige Kirche; die weiße Taube der Unschuld flatterte über dem Hochaltar.

Wie gern wäre er auf die Knie gesunken, aber er mußte fort, in das nächste Herz, er hörte noch die Orgeltöne, und er selbst kam sich vor, als wäre er ein neuer und besserer Mensch geworden. Er fühlte sich nicht unwürdig, das nächste Heiligtum zu betreten, das ihm eine ärmliche Dachkammer mit einer kranken Mutter zeigte. Aber durch das offene Fenster strahlte Gottes warme Sonne, herrliche Rosen nickten von dem kleinen Holzkasten auf dem Dach, und zwei himmelblaue Vögel sangen von kindlicher Freude, während die kranke Mutter Segen für die Tochter erflehte.

Nun kroch er auf Händen und Füßen durch einen überfüllten Schlächterladen, es war Fleisch und nur Fleisch, was ihm begegnete. Das war das Herz eines reichen, respektablen Mannes, dessen Name sicher im Adreßbuch steht.

Nun war er in dem Herzen seiner Gemahlin, das war ein alter, verfallener Taubenschlag. Das Porträt des Mannes wurde als Wetterhahn benutzt; dieser stand in Verbindung mit den Türen, und sie gingen auf und zu, sowie der Mann sich drehte.

Darauf kam er in ein Spiegelkabinett, wie das, das wir auf dem Schloß Rosenborg haben, aber die Spiegel vergrößerten in einem unglaublichen Grad. Mitten auf dem Fußboden saß, wie ein Dalai-Lama, das unbedeutende Ich der Person, erstaunt, seine eigene Größe zu sehen.

Hierauf glaubte er sich in einer engen Nadelbüchse voll spitzer Nadeln. ‚Das ist gewiß das Herz einer alten unverheirateten Jungfer!‘ mußte er denken, aber das war nicht der Fall, es war ein ganz junger Militär mit mehreren Orden, just eben ein Mann von Geist und Herz, wie man sagt.

Ganz betäubt kam der bejammernswerte Volontär aus dem letzten Herzen der Reihe; er vermochte seine Gedanken nicht zu ordnen, sondern meinte, daß es seine allzu starke Phantasie sei, die mit ihm durchgegangen war.

„Mein Gott", seufzte er, „ich habe gewiß Anlage, verrückt zu werden! Hier drinnen ist es auch unverzeihlich heiß; das Blut steigt mir zu Kopf!" Und nun erinnerte er sich der großen Begebenheit des vorangegangenen Abends, wie sein Kopf zwischen den Eisenstäben des Hospitals festgesessen hatte. „Da habe ich es gewiß bekommen!" meinte er. „Ich muß beizeiten etwas tun. Ein russisches Bad könnte recht gut sein. Läge ich nur erst auf dem höchsten Brett!"

Und da lag er auf dem obersten Brett im Dampfbad, aber er lag da mit allen Kleidern, mit Stiefeln und Galoschen; die heißen Wassertropfen von der Decke fielen ihm in das Gesicht.

„Hu!" schrie er und sprang herab, um ein Sturzbad zu nehmen. Der Aufwärter stieß auch einen lauten Schrei aus, als er den angekleideten Menschen darin erblickte.

Der Volontär hatte indes so viel Fassung, daß er ihm zuflüsterte: „Es gilt eine Wette!" Aber das erste, was er tat, als er sein eigenes Zimmer erreichte, war, daß er sich ein großes spanisches Fliegenpflaster in den Nacken und eins auf den Rücken legte, damit es die Verrücktheit herausziehen könne.

Am nächsten Morgen hatte er einen blutigen Rücken, das war es, was er durch die Galoschen des Glücks gewonnen hatte.

5. Die Verwandlung des Kopisten

Der Wächter, den wir gewiß noch nicht vergessen haben, gedachte inzwischen der Galoschen, die er gefunden und mit ins Hospital genommen hatte. Er holte sie ab, aber da weder der Leutnant noch irgendein anderer in der Straße sie zu kennen glaubte, wurden sie auf der Polizei abgeliefert.

„Er sieht aus, als wären es meine eigenen Galoschen", sagte einer der Herren Kopisten, als er den Fund betrachtete und an die Seite der seinigen stellte. „Es gehört mehr als ein Schuhmacherauge dazu, um sie voneinander unterscheiden zu können!"

„Herr Kopist!" sagte ein Bedienter, der mit einigen Papieren hereintrat.

Der Kopist wandte sich um und sprach mit dem Mann, aber als das geschehen war und er wieder die Galoschen ansah, war er in großer Ungewißheit darüber, ob die zur Linken oder die zur Rechten ihm gehörten.

‚Es müssen die sein, die naß sind!' dachte er, aber das war gerade falsch gedacht, denn das waren die des Glücks; aber warum sollte nicht auch die Polizei sich irren können? Er zog sie an, nahm einige Papiere in die Tasche, andere unter den Arm, zu Hause sollten sie durchgelesen und abgeschrieben werden; aber nun war es gerade Sonntagvormittag und das Wetter gut. ‚Eine Tour nach Frederiksberg könnte ich wohl vertragen‘, dachte er, und so ging er dorthin.

Es konnte keinen stilleren und solideren Menschen geben als diesen jungen Mann, wir gönnen ihm diesen kleinen Spaziergang. Er wird nach dem vielen Sitzen gewiß sehr wohltuend für ihn sein. Anfangs ging er, ohne an irgend etwas zu denken, darum hatten die Galoschen keine Gelegenheit, ihre Zauberkraft zu zeigen.

In der Allee begegnete er einem Bekannten, einem jüngeren Dichter, der ihm erzählte, daß er am nächsten Tag seine Sommerreise beginnen würde.

„Wollen Sie schon wieder fort?" sagte der Kopist. „Sie sind doch ein glücklicher, freier Mensch. Sie können fliegen, wohin Sie wollen, wir andern haben eine Kette am Fuß!"

„Aber sie sitzt fest am Brotbaum!" antwortete der Dichter. „Sie brauchen nicht für den morgigen Tag zu sorgen, und werden Sie alt, so bekommen Sie Pension!"

„Sie haben es doch am besten", sagte der Kopist. „Dasitzen und dichten, das ist doch ein Vergnügen! Die ganze Welt sagt Ihnen Angenehmes, und dann sind Sie Ihr eigener Herr. Ja, Sie sollten es nur probieren, im Gericht bei den trivialen Sachen zu sitzen."

Der Dichter schüttelte den Kopf, der Kopist schüttelte auch den Kopf; jeder blieb bei seiner Meinung, und dann trennten sie sich.

‚Sie sind ein eigenes Volk, diese Poeten!‘ dachte der Kopist. ‚Ich möchte wohl probieren, in eine solche Natur zu schlüpfen, selbst ein Poet zu werden. Ich bin gewiß, daß ich nicht solche Jammerverse schreiben würde wie die andern! – Das ist ein rechter Frühlingstag für einen Dichter! Die Luft ist so ungewöhnlich klar, die Wolken sind so schön, und das Grüne duftet so prächtig. Ja, viele Jahre lang habe ich es nicht so gefühlt wie in diesem Augenblick.‘

Wir merken schon, daß er ein Dichter geworden ist; freilich fiel es nicht ins Auge, denn es ist eine törichte Vorstellung, sich einen Dichter anders als andere Menschen zu denken; es können unter diesen viel poetischere Naturen sein, als manche großen, anerkannten Dichter es sind. Der Unterschied ist nur der, daß der Dichter ein besseres geistiges Gedächtnis hat, er kann die Idee und das Gefühl festhalten, bis sie klar und deutlich in das Wort übergegangen sind, das können die anderen nicht. Aber der Übergang von einer Alltagsnatur zu einer begabten ist immer ein Übergang, und den hatte der Kopist nun gemacht.

„Der herrliche Duft!" sagte er. „Wie erinnert er mich an die Veilchen bei Tante Lone! Ja, das war damals, als ich ein kleiner Knabe war. Mein Gott, daran habe ich seit langer Zeit nicht mehr gedacht! Das gute alte Mädchen! Sie wohnte dort hinter der Börse. Immer hatte sie einen Zweig oder ein paar grüne Schößlinge im Wasser, der Winter mochte so streng sein, wie er wollte. Die Veilchen dufteten, während ich die erwärmten Kupferschillinge gegen die gefrorene Fensterscheibe legte und Gucklöcher machte. Das war eine hübsche Perspektive. Draußen im Kanal lagen die Schiffe eingefroren und von der ganzen Mannschaft verlassen; eine schreiende Krähe war die einzige Bemannung. Wenn dann die Frühlingslüfte wehten, wurde es lebendig; unter Gesang und Hurraruf sägte man das Eis entzwei, die Schiffe wurden geteert und getakelt, dann fuhren sie nach fremden Landen. Ich bin hiergeblieben und muß immer hierbleiben, immer auf der Polizei sitzen und sehen, wie die andern Pässe für Auslandsreisen bekommen. Das ist mein Los! O ja!" seufzte er tief. Dann hielt er plötzlich inne. „Mein Gott, wie ist mir denn! So habe ich früher nie gedacht oder gefühlt. Das muß die Frühlingsluft sein. Das ist so beängstigend wie angenehm!" Er griff in die Tasche nach seinen Papieren. „Diese werden mich auf andere Gedanken bringen!" sagte er und ließ die Augen über das erste Blatt hingleiten. „Frau Sigbrith, Originaltragödie in fünf Akten", las er. „Was ist das? Und das ist ja meine eigene Hand. Habe ich diese Tragödie geschrieben? ‚Die Intrige auf dem Wall oder Der Bußtag, Vaudeville.' – Aber wo habe ich das herbekommen? Man muß es mir in die Tasche gesteckt haben, hier ist ein Brief!" Ja, der war von der Theaterdirektion; die Stücke waren verworfen, und der Brief war durchaus nicht höflich abgefaßt. „Hm! Hm!" sagte der Kopist und setzte sich auf eine Bank; seine Gedanken waren so lebendig, sein Herz so weich. Unwillkürlich ergriff er eine der nächsten Blumen, es war eine einfache kleine Gänseblume. Was uns die Botaniker erst durch viele Vorlesungen sagen, verkündete sie in einer Minute. Sie erzählte die Mythe von ihrer Geburt, sie erzählte von der Kraft des Sonnenlichtes, die die feinen Blätter ausbreitete und sie zum Duften zwang. Da gedachte er der Kämpfe des Lebens, die gleichfalls Gefühle in unserer Brust erwecken. Luft und Licht sind die Liebhaber der Blume, aber das Licht ist der Günstling. Zum Licht wandte sie sich; wenn es verschwand, so rollte sie ihre Blätter zusammen und schlief in der Umarmung der Luft ein. „Das Licht ist es, was mich schmückt!" sagte die Blume. „Aber die Luft läßt dich atmen!" flüsterte die Dichterstimme.

Dicht dabei stand ein Knabe und schlug mit seinem Stock in einen morastigen Graben, die Wassertropfen spritzten zu den grünen Zweigen auf, und der Kopist gedachte der Millionen unsichtbarer Tierchen, die in dem Tropfen in die Höhe geschleudert wurden, was nach ihrer Größe für sie ebenso war, wie es für uns sein würde, hoch über die Wolken gewirbelt zu werden. Als der Kopist daran dachte und an die ganze Veränderung, die mit ihm vorgegangen war, lächelte er. „Ich schlafe und träume! Merkwürdig ist es, wie natürlich man träumen und doch wissen kann, daß es nur ein Traum ist. Möchte ich mich doch morgen seiner entsinnen können, wenn ich erwache. Ich scheine ganz ungewöhnlich aufgelegt zu sein! Ich habe einen klaren Blick für alles, fühle mich so aufgeweckt, aber ich bin sicher, wenn ich morgen etwas davon behalten habe, ist es dummes Zeug, das habe ich schon früher erlebt! Es geht mit allem Klugen und Prächtigen, das man im Traum hört und sagt, wie mit dem Gold der Unterirdischen; wenn man es bekommt, ist es reich und herrlich, aber bei Tage besehen, sind es nur Steine und vertrocknete Blätter. Ach!" seufzte er ganz wehmütig und sah auf die singenden Vögel, die so fröhlich von Zweig zu Zweig hüpften. „Die haben es viel besser als ich! Fliegen, das ist eine herrliche Kunst! Glücklich, wer damit geboren ist! Ja, könnte ich mich in etwas verwandeln, dann sollte es in eine solche kleine Lerche sein!"

Im selben Augenblick zogen sich Rockschöße und Ärmel zu Flügeln zusammen, die Kleider wurden zu Federn und die Galoschen zu Krallen, er merkte es sehr gut und lachte innerlich: ‚So, nun kann ich doch sehen, daß ich träume! Aber so närrisch habe ich es früher nie getan!'

Und er flog in die grünen Zweige hinauf und sang; aber es war keine Poesie im Gesang, denn die Dichternatur war fort. Die Galoschen konnten wie jeder, der etwas gründlich machen will, nur eine Sache auf einmal tun. Er wollte Dichter sein, das wurde er. Nun wollte er ein kleiner Vogel sein, aber als er dieses wurde, verlor er die vorige Eigentümlichkeit.

„Das ist lustig!" sagte er. „Am Tage sitze ich auf der Polizei unter den solidesten Aktenstücken, in der Nacht kann ich träumen, als Lerche im Frederiksberger Park zu fliegen. Es könnte wahrlich eine ganze Volkskomödie davon geschrieben werden!"

Nun flog er in das Gras nieder, drehte den Kopf nach allen Seiten und schlug mit dem Schnabel auf die geschmeidigen Grashalme, die im Verhältnis zu seiner gegenwärtigen Größe ihm so groß wie die Palmenzweige Nordafrikas erschienen.

Es war nur ein Augenblick, dann wurde es kohlschwarze Nacht um ihn. Ein, wie ihm schien, ungeheurer Gegenstand wurde über ihn geworfen, es war eine große Mütze, die ein Knabe aus dem Matrosenviertel über den Vogel warf. Eine Hand langte hinein und ergriff den Kopisten an Rücken und Flügel, so daß er piepste. Im ersten Schreck rief er laut: „Du unverschämter Balg! Ich bin Kopist auf der Polizei!" Aber das klang dem Knaben wie ein Piep-piep! Er schlug dem Vogel auf den Schnabel und wanderte davon.

In der Allee begegnete er zwei Schulknaben der gebildeten Klasse, das heißt, als Menschen betrachtet, als Geister waren sie in der niedrigsten Klasse der Schule. Diese kauften den Vogel für acht Schillinge, und so kam der Kopist nach Kopenhagen zu einer Familie in der Gothersstraße.

„Es ist gut, daß ich träume", sagte der Kopist, „sonst könnte mich noch die Wut packen! Zuerst war ich Poet, nun eine Lerche! Ja, das war sicher die Poetennatur, die mich zu diesem kleinen Tier machte! Es ist doch eine jämmerliche Sa-

che, besonders wenn man ein paar Knaben in die Hände
fällt. Ich möchte wohl wissen, wie das abläuft!"

Die Knaben brachten ihn in eine sehr elegante Stube, eine
dicke lächelnde Dame empfing sie. Aber sie war durchaus
nicht erfreut darüber, daß der einfache Feldvogel, wie sie
die Lerche nannte, mit hereinkam. Nur für heute wollte sie
es sich gefallen lassen, und sie mußten den Vogel in das
leere Bauer setzen, das am Fenster stand. „Das wird vielleicht dem Papchen Freude machen!" fügte sie hinzu und
lächelte einem großen, grünen Papagei zu, der sich vornehm in seinem Ring in dem prächtigen Messingbauer
schaukelte. „Es ist Papchens Geburtstag", sagte sie einfältig,
„darum will der kleine Feldvogel gratulieren!"

Papchen antwortete nicht ein einziges Wort, sondern
schaukelte vornehm hin und her, dagegen fing ein hübscher
Kanarienvogel, der im letzten Sommer aus seinem warmen,
duftenden Vaterland hierhergebracht worden war, laut zu
singen an.

„Schreihals!" sagte die Dame und warf ein weißes Taschentuch über das Bauer.

„Piep-piep!" seufzte er. „Das ist ein schreckliches Schnee-
wetter!" Und mit diesem Seufzer verstummte er.

Der Kopist oder, wie die Dame sagte, der Feldvogel kam in
ein kleines Bauer, dicht neben dem Kanarienvogel, nicht
weit vom Papagei. Die einzige menschliche Tirade, die Papchen herplappern konnte und die oft recht komisch klang,
war die: „Nein, laßt uns nun Menschen sein!" Alles übrige,
was er schrie, war ebenso unverständlich wie das Zwitschern des Kanarienvogels, nur nicht für den Kopisten, der
nun selbst ein Vogel war; er verstand seine Kameraden sehr
gut.

„Ich flog unter der grünen Palme und dem blühenden Man-
delbaum!" sang der Kanarienvogel. „Ich flog mit meinen
Brüdern und Schwestern über die prächtigen Blumen und
über den spiegelklaren See, wo die Pflanzen auf dem Boden
nickten. Ich sah auch viele schöne Papageien, die die lustig-
sten Geschichten erzählten, so lange und so viele!"

„Das waren wilde Vögel", antwortete der Papagei, „die hatten keine Bildung. Nein, laßt uns nun Menschen sein!"

„Warum lachst du nicht? Wenn die Dame und alle Fremden
darüber lachen können, so kannst du es auch. Es ist ein gro-

ßer Fehler, das Ergötzliche nicht goutieren zu können. Nein, laßt uns nun Menschen sein!"

„Oh, entsinnst du dich der hübschen Mädchen, die unter dem ausgespannten Zelt bei den blühenden Bäumen tanzten? Entsinnst du dich der süßen Früchte und des kühlenden Saftes in den wildwachsenden Kräutern?"

„O ja", sagte der Papagei, „aber hier habe ich es weit besser! Ich habe gutes Essen und intime Behandlung; ich weiß, ich bin ein guter Kopf, und mehr verlange ich nicht. Laßt uns nun Menschen sein! Du bist eine Dichterseele, wie sie es nennen. Ich habe gründliche Kenntnisse und Witz, du hast Genie, aber keine Besonnenheit, du steigst in diese hohen Naturtöne hinauf, und deshalb wirst du zugedeckt. Das bietet man mir nicht, nein, denn ich habe sie etwas mehr gekostet! Ich imponiere mit meinem Schnabel und kann ‚Witz! Witz! Witz!' zwitschern. Nein, laßt uns nun Menschen sein!"

„Oh, mein warmes, blühendes Vaterland!" sang der Kanarienvogel. „Ich will von deinen dunkelgrünen Bäumen und deinen stillen Meeresbuchten singen, wo die Zweige die klare Wasserfläche küssen, singen von dem Jubel all meiner schimmernden Brüder und Schwestern, wo ‚der Wüste Pflanzenquellen'* wachsen!"

„Laß doch diese Klagetöne!" sagte der Papagei. „Sing etwas, worüber man lachen kann! Gelächter ist das Zeichen des höchsten geistigen Standpunktes. Sieh, ob ein Hund oder ein Pferd lacht! Nein, weinen können sie, aber lachen – das ist allein den Menschen gegeben. Ho, ho, ho!" lachte Papchen und fügte seinen Witz „Laßt uns nun Menschen sein!" hinzu.

„Du kleiner, grauer dänischer Vogel", sagte der Kanarienvogel, „du bist auch ein Gefangener geworden! Es ist gewiß kalt in deinen Wäldern, aber da ist doch Freiheit. Flieg hinaus! Man hat vergessen, dich einzuschließen, das oberste Fenster steht auf. Fliege, fliege!"

Und das tat der Kopist, husch, war er aus dem Bauer heraus; im selben Augenblick knarrte die halbgeöffnete Tür zum nächsten Zimmer, und geschmeidig, mit grünen funkelnden Augen, schlich sich die Hauskatze herein und machte Jagd auf ihn. Der Kanarienvogel flatterte im Bauer,

* Gemeint sind Kakteen.

der Papagei schlug mit den Flügeln und rief: „Laßt uns nun
Menschen sein!" Der Kopist fühlte den tödlichsten Schreck
und flog durch das Fenster, über die Häuser und Straßen
davon; zuletzt mußte er ausruhen.

Das gegenüberliegende Haus hatte etwas Heimisches. Ein
Fenster stand auf; er flog hinein, es war sein eigenes Zimmer; er setzte sich auf den Tisch.

„Laßt uns nun Menschen sein!" sprach er unwillkürlich dem
Papagei nach, und im selben Augenblick war er der Kopist,
aber er saß auf dem Tisch.

„Gott bewahre mich!" sagte er. „Wie bin ich hier heraufgekommen und so eingeschlafen! Das war auch ein unruhiger
Traum, den ich da hatte. Dummes Zeug war die ganze Geschichte."

6. Das Beste, was die Galoschen brachten

Am folgenden Tag, in der frühen Morgenstunde, als
der Kopist noch im Bett lag, klopfte es an seine Tür. Es war
sein Nachbar in derselben Etage, ein Student, der Pfarrer
werden wollte; er trat herein.

„Leih mir deine Galoschen", sagte er, „es ist so naß im Garten, aber die Sonne scheint herrlich. Ich möchte wohl eine
Pfeife dort unten rauchen."

Er zog die Galoschen an, und bald war er unten im Garten,
der einen Pflaumen- und einen Birnbaum besaß. Selbst ein
so kleiner Garten wie dieser gilt im Innern Kopenhagens als
große Herrlichkeit.

Der Theologe ging auf dem Weg auf und nieder, die Uhr war
erst sechs, draußen auf der Straße ertönte ein Posthorn.

„Oh, reisen, reisen!" rief er aus; „das ist doch das größte
Glück in der Welt! Das ist meiner Wünsche höchstes Ziel!
Da würde diese Unruhe, die ich fühle, gestillt werden. Aber
weit fort müßte es sein! Ich möchte die herrliche Schweiz
sehen, Italien bereisen und –"

Ja, gut war es, daß die Galoschen sogleich wirkten, sonst
wäre er gar zu weit herumgekommen, für sich selbst wie für
uns andere. Er reiste. Er war mitten in der Schweiz, aber
mit acht andern in das Innere einer Postkutsche gepackt. Er
hatte Kopfschmerzen, fühlte sich müde im Nacken, und das

Blut war ihm in die Füße geströmt, die angeschwollen waren und von den Stiefeln gedrückt wurden. Er schwebte in einem Zustand zwischen Schlafen und Wachen. In seiner rechten Tasche hatte er den Kreditbrief, in seiner linken Tasche den Paß und in einem kleinen Lederbeutel auf der Brust einige eingenähte Louisdor. Jeder Traum verkündete, daß die eine oder andere von diesen Kostbarkeiten verloren sei, und darum fuhr er fieberhaft empor, und die erste Bewegung, die die Hand machte, war ein Dreieck von der Rechten zur Linken und gegen die Brust, um zu fühlen, ob er sie noch habe oder nicht. Schirme, Stöcke und Hüte schaukelten im Netz über ihm und nahmen so ziemlich die Aussicht, die höchst imponierend war; verstohlen sah er hinaus, während das Herz sang, was wenigstens ein Dichter, den wir kennen, in der Schweiz gesungen hat, bis jetzt aber noch nicht drucken ließ:

Hier ist's so schön, wie das Herz nur will,
Montblanc seh ich, den steilen.
Wenn nur das Geld ausreichen will,
Ach, dann ist hier gut weilen!

Groß, ernst und dunkel war die ganze Natur ringsumher. Die Tannenwälder erschienen wie Heidekraut auf den hohen Felsen, deren Gipfel im Wolkenschleier verborgen waren; nun begann es zu schneien, der kalte Wind blies.
„Uh!" seufzte er; „wären wir doch auf der anderen Seite der Alpen, dann wäre es Sommer, und ich hätte Geld auf meinen Kreditbrief erhoben; die Angst, die ich darum fühle, macht, daß ich die Schweiz nicht genießen kann. Oh, wäre ich doch erst auf der anderen Seite!"
Und da war er auf der anderen Seite, tief in Italien war er, zwischen Florenz und Rom. Der Trasimenische See lag in der Abendbeleuchtung wie flammendes Gold zwischen den dunkelblauen Bergen. Hier, wo Hannibal den Flaminius schlug, hielten sich nun die Weinranken friedlich an den grünen Fingern. Liebliche, halbnackte Kinder hüteten eine Herde kohlschwarzer Schweine unter einer Gruppe duftender Lorbeerbäume am Weg. Könnten wir dieses Gemälde richtig wiedergeben, so würden alle jubeln: „Herrliches Ita-

lien!" Aber das sagten weder der Theologe noch ein einziger seiner Reisegefährten in der Postkutsche.

Zu Tausenden flogen giftige Fliegen und Mücken zu ihnen herein. Vergeblich schlugen sie mit einem Myrtenzweig um sich, die Fliegen stachen trotzdem. Es war nicht ein Mensch im Wagen, dessen Gesicht nicht von Stichen angeschwollen und blutig gewesen wäre. Die armen Pferde sahen wie Aas aus, die Fliegen saßen in großen Scharen auf ihnen, und nur für Augenblicke half es, daß der Kutscher abstieg und die Tiere abschabte. Nun sank die Sonne, eine kurze, aber eisige Kälte ging durch die ganze Natur, es war durchaus nicht behaglich, aber ringsumher bekamen Berge und Wolken die herrlichste grüne Farbe, so klar, so leuchtend – ja, geh selbst hin und sieh es dir an, das ist besser, als eine Beschreibung zu lesen. Es war unvergleichlich. Das fanden die Reisenden auch, aber – der Magen war leer, der Körper ermüdet, alle Sehnsucht des Herzens drehte sich um ein Nachtquartier, aber wie wird das ausfallen? Man hielt viel sehnsüchtiger danach Ausschau als nach der schönen Natur.

Der Weg ging durch einen Olivenwald, es war, als führe man daheim zwischen knotigen Weiden. Hier lag das einsame Wirtshaus. Ein Halbdutzend bettelnder Krüppel hatte sich davor gelagert. Der Gesündeste von ihnen sah aus wie „der älteste Sohn des Hungers, der das Alter seiner Volljährigkeit erreicht hat", die anderen waren entweder blind, hatten vertrocknete Beine und krochen auf den Händen oder hatten abgezehrte Arme mit fingerlosen Händen. Das war ein rechtes Elend, das aus den Lumpen hervorguckte. „Eccelenza, miserabili!" seufzten sie und streckten die kranken Glieder vor. Die Wirtin selbst, mit bloßen Füßen, ungeordneten Haaren und nur mit einer schmutzigen Bluse angetan, empfing die Gäste. Die Türen waren mit Bindfaden zusammengebunden, die Fußböden in den Zimmern boten ein halb aufgerissenes Pflaster von Mauersteinen dar; Fledermäuse flogen unter der Decke hin, und der Gestank darin –

„Ja, decken Sie den Tisch unten im Stall!" sagte einer der Reisenden. „Dort weiß man doch, was man einatmet!"

Die Fenster wurden geöffnet, damit ein wenig frische Luft hereinkommen konnte; aber schneller als diese kamen die verdorrten Arme und das ewige Jammern „Miserabili, Eccelenza" herein. An den Wänden standen viele Inschriften, die Hälfte war gegen die bella Italia!

Das Essen wurde aufgetragen; es war eine Suppe aus Wasser, gewürzt mit Pfeffer und ranzigem Öl, und die gleiche Art Öl war auch am Salat. Verdorbene Eier und gebratene Hahnenkämme waren die Prachtgerichte; selbst der Wein hatte einen Beigeschmack, er war eine wahre Mixtur.

Zur Nacht wurden die Koffer gegen die Tür gestellt; einer der Reisenden hatte die Wache, während die anderen schliefen; der Theologe war der Wachhabende. Oh, wie schwül war es hier drinnen! Die Hitze drückte, die Mücken surrten und stachen, die „miserabili" draußen jammerten im Schlaf.

„Ja, reisen ist schon gut", sagte der Theologe, „hätte man nur keinen Körper! Könnte dieser ruhen und der Geist dagegen fliegen! Wohin ich auch komme, gibt es Entbehrungen, die das Herz bedrücken; etwas Besseres als das Augenblickliche will ich haben; ja, etwas Besseres, das Beste, aber wo und was ist es? Im Grunde weiß ich wohl, was ich will, ich will zu einem glücklichen Ziel, dem glücklichsten von allen!"

Und sowie das Wort ausgesprochen war, befand er sich zu Hause. Die langen weißen Gardinen hingen vor den Fenstern herab, und mitten auf dem Fußboden stand der schwarze Sarg. Darin lag er in seinem stillen Todesschlaf, sein Wunsch war erfüllt, der Körper ruhte, der Geist reiste. Preise niemanden glücklich, bevor er in seinem Grab ist, waren die Worte Solons, hier wurden sie aufs neue bekräftigt.

Jede Leiche ist eine Sphinx der Unsterblichkeit; auch die Sphinx in diesem schwarzen Sarkophag beantwortete uns nicht, was der Lebende zwei Tage vorher niedergeschrieben hatte:

> Du starker Tod, dein Schweigen wecket Graun;
> Du hinterläßt als Spur nur Kirchhofsgräber.
> Soll nicht der Geist die Jakobsleiter schaun?
> Nur auferstehn als Todesgartengräser?

> Das größte Leiden sieht die Welt oft nicht!
> Du, der du einsam warst bis an dein Ende,

Weit schwerer drückt das Herz so manche Pflicht
Als hier die Erde an des Sarges Wände!

Zwei Gestalten bewegten sich im Zimmer. Wir kennen sie
beide: es waren die Fee der Sorge und die Abgesandte des
Glücks, sie beugten sich über den Toten.
„Siehst du", sagte die Sorge. „Welches Glück haben wohl
deine Galoschen der Menschheit gebracht?"
„Sie brachten wenigstens ihm, der hier schläft, ein dauern-
des Gut!" antwortete die Freude.
„O nein!" sagte die Sorge. „Selbst ging er fort, er wurde
nicht gerufen! Seine geistige Kraft war nicht stark genug,
um die Schätze hier zu heben, die er seiner Bestimmung
nach heben muß! Ich will ihm eine Wohltat erweisen!"
Und sie zog die Galoschen von seinen Füßen, da war der
Todesschlaf beendet, der Wiederbelebte erhob sich. Die
Sorge verschwand, mit ihr aber auch die Galoschen; sie hat
sie gewiß als ihr Eigentum betrachtet.

Das Gänseblümchen

Nun hör einmal zu!
Draußen auf dem Lande, dicht am Weg, lag ein Landhaus;
du hast es gewiß selbst einmal gesehen. Davor ist ein kleiner Garten mit Blumen und einem Staketenzaun, der gestrichen ist. Dicht dabei am Graben, mitten in dem schönsten
grünen Gras, wuchs ein Gänseblümchen; die Sonne beschien es ebenso warm und schön wie die großen herrlichen Prachtblumen im Garten, und deshalb wuchs es von
Stunde zu Stunde. Eines Morgens stand es mit seinen kleinen, leuchtendweißen Blättern, die wie Strahlen rings um
die kleine gelbe Sonne in der Mitte sitzen, ganz entfaltet
da. Es dachte gar nicht daran, daß es kein Mensch dort im
Gras sähe und daß es ein armes, verachtetes Blümchen sei;
nein, es war so vergnügt, es wandte sich der warmen Sonne
gerade entgegen, sah zu ihr auf und horchte auf die Lerche,
die in der Luft sang.
Das Gänseblümchen war so glücklich, als ob es ein großer
Festtag wäre, und es war doch nur ein Montag. Alle Kinder

waren in der Schule; während sie auf ihren Bänken saßen und etwas lernten, saß es auf seinem kleinen grünen Stiel und lernte auch von der warmen Sonne und allem ringsumher, wie gut Gott ist; und es gefiel ihm recht, daß die kleine Lerche alles, was es in der Stille fühlte, so deutlich und schön sang. Und das Gänseblümchen sah mit einer Art Ehrfurcht zu dem glücklichen Vogel auf, der singen und fliegen konnte, aber es war gar nicht betrübt, daß es das selbst nicht konnte. ‚Ich sehe und höre ja!‘ dachte es, ‚die Sonne bescheint mich, und der Wind küßt mich! Oh, wie reich bin ich doch beschenkt worden!‘

Innerhalb des Staketenzaunes standen so viele steife, vornehme Blumen, je weniger Duft sie hatten, um so mehr prunkten sie. Die Päonien bliesen sich auf, um größer als eine Rose zu sein; aber die Größe allein macht es nicht! Die Tulpen hatten die allerschönsten Farben, und das wußten sie wohl und hielten sich kerzengerade, damit man sie besser sehen möchte. Sie beachteten das Gänseblümchen da draußen gar nicht, aber das sah desto mehr nach ihnen und dachte: ‚Wie sind sie reich und schön! Ja, zu ihnen fliegt gewiß der prächtige Vogel und besucht sie! Gott sei Dank, daß ich so nahe dabeistehe, so kann ich doch die Pracht auch sehen!‘ Und gerade als es das dachte, quivit! da kam die Lerche geflogen, aber nicht zu den Päonien und Tulpen – nein, ins Gras zu dem armen Gänseblümchen. Es erschrak vor lauter Freude, daß es gar nicht wußte, was es denken sollte.

Der kleine Vogel tanzte rings um das Gänseblümchen herum und sang: „Nein, wie weich ist doch das Gras! Und sieh, welch ein süßes Blümchen mit Gold im Herzen und Silber auf dem Kleid!“ Der gelbe Punkt im Gänseblümchen sah ja auch aus wie Gold, und die kleinen Blätter ringsherum waren glänzend weiß.

Wie glücklich das Gänseblümchen war – nein, das kann niemand begreifen! Der Vogel küßte es mit seinem Schnabel, sang ihm vor und flog dann wieder in die blaue Luft hinauf. Es dauerte sicher eine ganze Viertelstunde, bevor das Blümchen sich erholen konnte. Halb verschämt und doch innig erfreut sah es nach den anderen Blumen im Garten. Sie hatten ja die Ehre und Glückseligkeit gesehen, die ihm widerfahren war, sie mußten ja begreifen, welche

Freude es war. Aber die Tulpen standen noch einmal so steif wie vorher, und dann waren sie so spitz im Gesicht und so rot, denn sie hatten sich geärgert. Die Päonien waren ganz dickköpfig, buh! es war gut, daß sie nicht sprechen konnten, sonst hätte das Gänseblümchen eine ordentliche Zurechtweisung bekommen. Das arme Blümchen konnte wohl sehen, daß sie nicht bei guter Laune waren, und das tat ihm herzlich leid. Zur selben Zeit kam ein Mädchen mit einem großen scharfen und glänzenden Messer in den Garten; es ging gerade zu den Tulpen und schnitt eine nach der andern ab. „Uh!" seufzte das Gänseblümchen, „das ist ja schrecklich; nun ist es vorbei mit ihnen!" Dann ging das Mädchen mit den Tulpen fort. Das Gänseblümchen war froh darüber, daß es draußen im Gras stand und ein kleines, armes Blümchen war. Es fühlte sich so dankbar, und als die Sonne unterging, faltete es seine Blätter, schlief ein und träumte die ganze Nacht von der Sonne und dem kleinen Vogel.

Am nächsten Morgen, als das Blümchen wieder glücklich all seine weißen Blätter wie kleine Arme gegen Luft und Licht ausstreckte, erkannte es die Stimme des Vogels, aber es war so traurig, was er sang. Ja, die arme Lerche hatte guten Grund dazu, sie war gefangen worden und saß nun in einem Bauer, dicht am offenen Fenster. Sie sang davon, frei und glücklich umherzufliegen, sang von dem jungen, grünen Korn auf dem Feld und von der herrlichen Reise, die sie mit ihren Flügeln hoch in die Luft hinauf machen konnte. Der arme Vogel war nicht bei guter Laune, gefangen saß er da im Bauer.

Das Gänseblümchen wollte so gern helfen, aber wie sollte es das anfangen? Ja, das war schwer zu finden. Es vergaß ganz und gar, wie schön alles ringsumher stand, wie warm die Sonne schien und wie prächtig weiß seine Blätter aussahen. Ach, es konnte nur an den gefangenen Vogel denken, für den es gar nichts tun konnte.

Da kamen zwei kleine Knaben aus dem Garten, der eine trug ein Messer in der Hand, groß und scharf wie das, welches das Mädchen hatte, um die Tulpen abzuschneiden. Sie gingen gerade auf das Gänseblümchen zu, das gar nicht begreifen konnte, was sie wollten.

„Hier können wir ein herrliches Rasenstück für die Lerche

ausschneiden!" sagte der eine Knabe und begann ein Viereck einzuschneiden, so daß das Gänseblümchen mitten in dem Rasenstück stand.

„Reiß das Blümchen ab!" sagte der andere Knabe, und das Gänseblümchen zitterte vor Angst, denn abgerissen zu werden hieße ja das Leben verlieren; und nun wollte es so gern leben, weil es mit dem Rasenstück zu der gefangenen Lerche in das Bauer sollte.

„Nein, laß es stehen", sagte der andere Knabe, „es schmückt so hübsch!" Und so blieb es stehen und kam mit in das Bauer zur Lerche.

Aber der arme Vogel klagte laut über seine verlorene Freiheit und schlug mit den Flügeln gegen den Eisendraht im Bauer. Das Gänseblümchen konnte nicht sprechen, kein tröstendes Wort sagen, so gern es auch wollte.

So verging der ganze Vormittag.

„Hier ist kein Wasser!" sagte die gefangene Lerche. „Sie sind alle ausgegangen und haben vergessen, mir einen Tropfen zu trinken zu geben. Mein Hals ist trocken und brennt! Es ist wie Feuer und Frost in mir, und die Luft ist so schwer! Ach, ich muß sterben, scheiden vom warmen Sonnenschein, vom frischen Grün, von all der Herrlichkeit, die Gott geschaffen hat!" Und dann bohrte sie ihren kleinen Schnabel in das kühle Rasenstück, um sich daran ein wenig zu erfrischen. Da fiel ihr Blick auf das Gänseblümchen, und der Vogel nickte ihm zu, küßte es mit dem Schnabel und sagte: „Du mußt hier drinnen auch vertrocknen, du armes Blümchen! Dich und den kleinen Flecken mit grünem Gras hat man mir für die ganze Welt gegeben, die ich draußen hatte! Jeder kleine Grashalm soll mir ein grüner Baum, jedes deiner weißen Blätter eine duftende Blume sein! Ach, ihr erzählt mir nur, wieviel ich verloren habe!"

‚Wer sie doch trösten könnte!' dachte das Gänseblümchen, aber es konnte kein Blatt bewegen; doch der Duft, der den feinen Blättern entströmte, war viel stärker, als man ihn sonst bei diesen Blümchen findet. Das bemerkte der Vogel auch, und obwohl er vor Durst verschmachtete und in seinem Schmerz die grünen Grashalme abriß, rührte er doch das Blümchen nicht an.

Es wurde Abend, und noch kam niemand, der dem armen Vogel einen Wassertropfen brachte. Da streckte er seine hübschen Flügel aus und schüttelte sie krampfhaft, sein Gesang war ein wehmütiges Piep-piep, der kleine Kopf neigte sich dem Blümchen entgegen, und des Vogels Herz brach aus Mangel und Sehnsucht. Da konnte das Blümchen nicht wie am Abend vorher seine Blätter zusammenfalten und schlafen, es hing krank und traurig zur Erde nieder.

Erst am nächsten Morgen kamen die Knaben, und als sie den Vogel tot erblickten, weinten sie, weinten viele Tränen und gruben ihm ein niedliches Grab, das mit Blumenblättern geschmückt wurde. Die Leiche des Vogels kam in eine schöne rote Schachtel; königlich sollte er bestattet werden, der arme Vogel! Als er lebte und sang, vergaßen sie ihn, ließen ihn im Bauer sitzen und Mangel leiden; nun bekam er Schmuck und viele Tränen.

Aber das Rasenstück mit dem Gänseblümchen wurde in den Staub der Landstraße hinausgeworfen. Keiner dachte an das Gänseblümchen, das doch am meisten für den kleinen Vogel gefühlt hatte und das ihn so gern trösten wollte.

Der standhafte Zinnsoldat

Es waren einmal fünfundzwanzig Zinnsoldaten. Die waren alle Brüder, denn ein alter zinnerner Löffel hatte sie geboren. Das Gewehr hielten sie im Arm und das Gesicht geradeaus; rot und blau, so herrlich war ihre Uniform. Als der Deckel von der Schachtel abgenommen wurde, in der sie lagen, war das allererste Wort, das sie in dieser Welt hörten: „Zinnsoldaten!" Das rief ein kleiner Knabe und klatschte in die Hände. Er hatte sie bekommen, denn es war sein Geburtstag, und er stellte sie nun auf dem Tisch auf. Der eine Soldat glich leibhaftig dem andern, nur ein einziger war etwas verschieden; er hatte nur ein Bein, denn er war zuletzt gegossen worden, und es war nicht mehr genug Zinn da, doch stand er ebenso fest auf seinem einen wie die anderen auf ihren zweien, und gerade er ist es, dem es merkwürdig erging.

Auf dem Tisch, wo sie aufgestellt wurden, stand vieles andere Spielzeug; was am meisten in die Augen fiel, war ein niedliches Schloß aus Papier. Durch die kleinen Fenster konnte man gerade in die Säle hineinsehen. Vor dem Schloß standen kleine Bäume rings um einen kleinen Spiegel, der wie ein See aussehen sollte. Schwäne aus Wachs schwammen darauf und spiegelten sich. Das war alles niedlich, aber das Niedlichste war doch eine kleine Jungfer, die mitten in der offenen Schloßtür stand. Sie war auch aus Papier ausgeschnitten, aber sie hatte einen Rock vom feinsten Linon an und ein kleines, schmales blaues Band über der Schulter, gerade wie ein Gewand; mitten darin saß eine glänzende Flitterrose, geradeso groß wie ihr ganzes Gesicht. Die kleine Jungfer streckte ihre beiden Arme aus, denn sie war eine Tänzerin; und dann hob sie das eine Bein so hoch empor, daß der Zinnsoldat es gar nicht finden konnte und glaubte, daß sie gerade wie er nur ein Bein habe.

‚Das wäre eine Frau für mich!‘ dachte er, ‚aber sie ist sehr vornehm, sie wohnt in einem Schloß. Ich habe nur eine Schachtel, und darin sind wir fünfundzwanzig; das ist kein Ort für sie! Doch ich muß sehen, daß ich ihre Bekanntschaft mache!‘ Und dann legte er sich, so lang er war, hinter eine Schnupftabakdose, die auf dem Tisch stand; da konnte er die kleine feine Dame richtig ansehen, die auf einem Bein stehenblieb, ohne aus der Balance zu kommen.

Als es Abend wurde, kamen all die anderen Zinnsoldaten in ihre Schachtel, und die Leute im Haus gingen zu Bett. Nun fing das Spielzeug an zu spielen: Es kommt Besuch, Krieg führen und Ball geben. Die Zinnsoldaten rasselten in der Schachtel, denn sie wollten mit dabeisein, aber sie konnten den Deckel nicht abheben. Der Nußknacker machte Purzelbäume, und der Griffel vergnügte sich auf der Tafel; es war ein Lärm, daß der Kanarienvogel davon erwachte und anfing mitzuschwatzen, und zwar in Versen.

Die beiden einzigen, die sich nicht von der Stelle rührten, waren der Zinnsoldat und die kleine Tänzerin; sie hielt sich ganz gerade auf den Zehenspitzen und hatte beide Arme ausgebreitet; er war ebenso standhaft auf seinem einen Bein und wandte seine Augen keinen Augenblick von ihr.

Nun schlug die Uhr zwölf, und klatsch! da sprang der Deckel von der Schnupftabakdose, aber es war kein Tabak darin, nein, sondern ein kleiner schwarzer Kobold; das war nämlich ein Kunststück.

„Zinnsoldat", sagte der Kobold, „sieh doch nicht nach Dingen, die dich nichts angehen!"

Aber der Zinnsoldat tat, als ob er es nicht hörte.

„Na, warte nur bis morgen!" sagte der Kobold.

Als es nun Morgen wurde und die Kinder aufstanden, wurde der Zinnsoldat in das Fenster gestellt, und – war es nun der Kobold oder der Zugwind – auf einmal flog das Fenster auf, und der Soldat fiel kopfüber vom dritten Stock hinunter. Das war eine schreckliche Fahrt! Er streckte das Bein gerade in die Höhe und blieb auf dem Tschako mit dem Bajonett zwischen den Pflastersteinen stehen.

Das Dienstmädchen und der kleine Knabe kamen sogleich hinunter, um zu suchen; aber obwohl sie beinahe auf ihn traten, konnten sie ihn doch nicht sehen. Hätte der Zinnsoldat gerufen: Hier bin ich!, so hätten sie ihn wohl gefunden; aber er fand es nicht passend, laut zu schreien, denn er war in Uniform.

Nun fing es an zu regnen; bald fielen die Tropfen dichter, es wurde ein ordentlicher Guß; als er vorbei war, kamen zwei Straßenjungen.

„Guck mal", sagte der eine, „da liegt ein Zinnsoldat! Der muß Kahn fahren!"

Und dann machten sie einen Kahn aus einer Zeitung, setzten den Soldaten mitten hinein, und nun fuhr er den Rinnstein hinunter; beide Jungen liefen nebenher und klatschten in die Hände. Gott bewahre uns! was schlugen da für Wellen in dem Rinnstein, und welch ein Strom war da; ja, es hatte aber auch gegossen! Der Papierkahn schaukelte auf und nieder, und mitunter drehte er sich so geschwind, daß der Zinnsoldat zitterte; aber er blieb standhaft, verzog keine Miene, sah geradeaus und hielt das Gewehr im Arm.

Mit einemmall trieb der Kahn unter ein langes Rinnsteinbrett; da wurde es so dunkel, als wäre er in seiner Schachtel. ‚Wo mag ich nun hinkommen?' dachte er. ‚Ja, ja, daran ist der Kobold schuld! Ach, säße doch die kleine Dame hier im Kahn, dann könnte es hier gern noch einmal so dunkel sein!'

Da kam plötzlich eine große Wasserratte, die unter dem Rinnsteinbrett wohnte.

„Hast du einen Paß?" fragte die Ratte. „Her mit dem Paß!"

Aber der Zinnsoldat schwieg still und hielt das Gewehr noch fester.

Der Kahn fuhr davon und die Ratte hinterher. Hu! wie fletschte sie die Zähne und rief den Holzspänen und dem Stroh zu: „Haltet ihn! Haltet ihn! Er hat keinen Zoll bezahlt! Er hat den Paß nicht gezeigt!"

Aber die Strömung wurde stärker und stärker; der Zinnsoldat konnte schon vorn, wo das Brett aufhörte, den hellen Tag erblicken, aber er hörte auch einen brausenden Ton, der wohl einen tapferen Mann erschrecken konnte. Denke nur, wo das Brett endete, stürzte der Rinnstein gerade in einen großen Kanal; das würde für ihn ebenso gefährlich sein wie für uns, einen großen Wasserfall hinunterzufahren.

Nun war er schon so nahe daran, daß er nicht mehr anhalten konnte. Der Kahn fuhr hinaus, der arme Zinnsoldat hielt sich so steif, wie er konnte; niemand sollte ihm nachsagen, daß er mit den Augen blinzelte. Der Kahn wirbelte drei-, viermal herum und war bis zum Rand mit Wasser gefüllt, er mußte sinken! Der Zinnsoldat stand bis zum Hals im Wasser, und tiefer und tiefer sank der Kahn, mehr und mehr löste das Papier sich auf; nun ging das Wasser über den Kopf des Soldaten. – Da dachte er an die kleine niedliche Tänzerin, die er nie mehr zu Gesicht bekommen sollte, und es klang in seinen Ohren:

Fahre hin, o Kriegersmann!
Den Tod mußt du erleiden!

Nun ging das Papier entzwei, und der Zinnsoldat stürzte hinab, wurde aber im selben Augenblick von einem großen Fisch verschlungen.

Oh, wie dunkel war es darin! Da war es noch schlimmer als unter dem Rinnsteinbrett; und dann war es dort so eng. Aber der Zinnsoldat blieb standhaft und lag, so lang er war, mit dem Gewehr im Arm.

Der Fisch schwamm hin und her, er machte die allerschrecklichsten Bewegungen; endlich wurde er ganz still. Es durchfuhr ihn wie ein Blitzstrahl, das Licht schien ganz hell, und einer rief laut: „Der Zinnsoldat!"

Der Fisch war gefangen, auf den Markt gebracht, verkauft

worden und in die Küche gekommen, wo die Köchin ihn mit einem großen Messer aufschnitt. Sie faßte mit zwei Fingern den Soldaten mitten um den Leib und trug ihn in die Stube, wo alle einen so merkwürdigen Mann sehen wollten, der im Bauch eines Fisches herumgereist war. Aber der Zinnsoldat war gar nicht stolz. Sie stellten ihn auf den Tisch, und da – nein, wie seltsam kann es doch in der Welt zugehen! Der Zinnsoldat war in derselben Stube, in der er früher gewesen war; er sah dieselben Kinder, und dasselbe Spielzeug stand auf dem Tisch: das herrliche Schloß mit der niedlichen kleinen Tänzerin. Sie hielt sich noch auf dem einen Bein und hatte das andere hoch in der Luft, sie war auch standhaft. Das rührte den Zinnsoldaten; er war nahe daran, Zinn zu weinen, aber es gehörte sich nicht. Er sah sie an, und sie sah ihn an, aber sie sagten gar nichts.

Da nahm einer der kleinen Knaben den Soldaten und warf ihn in den Ofen, und er gab keinen Grund dafür an; es war sicher der Kobold in der Dose, der schuld daran war.

Der Zinnsoldat stand im hellsten Licht und fühlte eine Hitze, die entsetzlich war; aber ob sie von dem wirklichen Feuer oder von der Liebe herrührte, das wußte er nicht. Die Farben waren ganz von ihm abgegangen; ob das auf der Reise geschehen oder ob der Kummer daran schuld war, konnte niemand sagen. Er sah die kleine Dame an, sie sah ihn an, und er fühlte, daß er schmolz; aber noch stand er standhaft mit dem Gewehr im Arm. Da ging eine Tür auf, der Wind ergriff die Tänzerin, und sie flog wie eine Sylphide gerade in den Ofen zum Zinnsoldaten, loderte in Flammen auf, und fort war sie. Da schmolz der Zinnsoldat zu einem Klumpen, und als das Mädchen am folgenden Tag die Asche herausnahm, fand sie ihn als ein kleines Zinnherz. Von der Tänzerin dagegen war nur die Flitterrose da, und die war kohlschwarz gebrannt.

Die wilden Schwäne

Weit fort von hier, dort, wohin die Schwalben fliegen, wenn wir Winter haben, wohnte ein König, der elf Söhne und eine Tochter, Elisa, hatte. Die elf Brüder waren Prinzen und gingen mit dem Stern auf der Brust und dem Säbel an der Seite in die Schule. Sie schrieben mit Diamantgriffeln auf Goldtafeln und lasen ebenso gut vorwärts wie rückwärts; man konnte gleich hören, daß sie Prinzen waren. Die Schwester Elisa saß auf einem kleinen Schemel von Spiegelglas und hatte ein Bilderbuch, das das halbe Königreich gekostet hatte.

Oh, die Kinder hatten es sehr gut, aber so sollte es nicht immer bleiben!

Ihr Vater, der König über das ganze Land war, verheiratete sich mit einer bösen Königin, welche die armen Kinder gar nicht liebte. Schon am ersten Tag konnten sie es merken. Auf dem Schloß war ein großes Fest, und da spielten die Kinder: Es kommt Besuch; aber während sie sonst allen Kuchen und alle gebratenen Äpfel bekamen, die nur zu haben waren, gab sie ihnen bloß Sand in einer Teetasse und sagte, sie könnten so tun, als ob das etwas wäre.

Die Woche darauf brachte sie die kleine Schwester Elisa aufs Land zu Bauersleuten, und lange währte es nicht, da redete sie dem König so viel von den armen Prinzen ein, daß er sich gar nicht mehr um sie kümmerte.

„Fliegt hinaus in die Welt und sorgt für euch selbst", sagte die böse Königin. „Fliegt als Vögel ohne Stimme!" Aber sie konnte es doch nicht so schlimm machen, wie sie gern wollte; die Prinzen wurden elf herrliche wilde Schwäne. Mit einem wunderlichen Schrei flogen sie aus den Schloßfenstern, weit über den Park in den Wald hinein.

Es war noch früh am Morgen, als sie dort vorbeikamen, wo die Schwester Elisa in der Stube des Bauern lag und schlief. Hier schwebten sie über dem Dach, drehte ihre langen Hälse und schlugen mit den Flügeln; aber niemand hörte oder sah es. Sie mußten wieder weiter, hoch zu den Wolken empor, weit hinaus in die große Welt; da flogen sie in einen großen, dunklen Wald, der sich bis an den Strand erstreckte.

Die arme kleine Elisa stand in der Stube des Bauern und spielte mit einem grünen Blatt, anderes Spielzeug hatte sie nicht. Sie stach ein Loch in das Blatt, sah hindurch und zur Sonne empor, da war es gerade, als sähe sie die klaren Augen ihrer Brüder; jedesmal, wenn die warmen Sonnenstrahlen auf ihre Wangen schienen, dachte sie an all ihre Küsse.

Ein Tag verging ebenso wie der andere. Strich der Wind durch die großen Rosenhecken vor dem Haus, so flüsterte er den Rosen zu: „Wer kann schöner sein als ihr?" Aber die Rosen schüttelten den Kopf und sagten: „Elisa ist schöner!" Und saß die alte Frau am Sonntag vor der Tür und las in ihrem Gesangbuch, so wendete der Wind die Blätter um und sagte zu dem Buch: „Wer kann frömmer sein als du?" – „Elisa ist frömmer!" sagte das Gesangbuch. Und es war die reine Wahrheit, was die Rosen und das Gesangbuch sagten.

Als sie fünfzehn Jahre alt war, sollte sie nach Hause, und als die Königin sah, wie schön sie war, wurde sie zornig und haßerfüllt. Gern hätte sie sie in einen wilden Schwan verwandelt wie die Brüder; aber das wagte sie nicht sogleich, weil ja der König seine Tochter sehen wollte.

Frühmorgens ging die Königin in das Bad, das aus Marmor erbaut und mit weichen Kissen und den schönsten Decken geschmückt war; sie nahm drei Kröten, küßte sie und sagte zur einen: „Setz dich auf Elisas Kopf, wenn sie in das Bad kommt, damit sie träge wird wie du! – Setz dich auf ihre Stirn", sagte sie zur zweiten, „damit sie häßlich wird wie du, so daß ihr Vater sie nicht erkennt! – Ruhe an ihrem Herzen", flüsterte sie der dritten zu, „laß sie einen bösen Sinn bekommen, damit sie daran leidet!" Dann setzte sie die Kröten in das klare Wasser, das sogleich eine grünliche Farbe bekam, rief Elisa, entkleidete sie und ließ sie in das Wasser steigen. Und als Elisa untertauchte, setzte sich die eine Kröte ihr aufs Haar, die zweite auf die Stirn und die dritte auf die Brust. Aber sie schien es nicht zu merken; sobald sie sich aufrichtete, schwammen drei rote Mohnblumen auf dem Wasser. Wären die Tiere nicht giftig gewesen und von der Hexe geküßt, so wären sie in rote Rosen verwandelt worden. Aber zu Blumen wurden sie doch, weil sie auf Elisas Kopf, ihrer Stirn und an ihrem Herzen geruht hatten. Sie war zu fromm und unschuldig, als daß ein Zauber Macht über sie haben konnte.

Als die böse Königin das sah, rieb sie Elisa mit Walnußsaft ein, so daß sie ganz schwarzbraun wurde, bestrich ihr das hübsche Gesicht mit einer stinkenden Salbe und ließ das herrliche Haar verfilzen. Es war unmöglich, die schöne Elisa wiederzuerkennen.

Als der Vater sie sah, erschrak er darum sehr und sagte, es sei nicht seine Tochter. Niemand außer dem Kettenhund und den Schwalben wollte sie erkennen; aber das waren arme Tiere, die nichts zu sagen hatten.

Da weinte die arme Elisa und dachte an ihre elf Brüder, die alle fort waren. Betrübt schlich sie sich aus dem Schloß davon und ging den ganzen Tag über Feld und Moor, bis in den großen Wald. Sie wußte gar nicht, wohin sie wollte, aber sie fühlte sich unsagbar traurig und sehnte sich nach ihren Brüdern; die waren gewiß ebenso wie sie in die Welt hinausgejagt worden, die wollte sie suchen und finden.

Nur kurze Zeit war sie im Wald gewesen, als die Nacht anbrach; sie war ganz vom Wege abgekommen, da legte sie sich auf das weiche Moos, betete ihr Abendgebet und lehnte ihren Kopf an einen Baumstumpf. Es war ganz still, die Luft war mild, und ringsumher im Gras und im Moos leuchteten Hunderte von Johanniswürmchen wie ein grünes Feuer; als sie einen der Zweige leise mit der Hand berührte, fielen die leuchtenden Insekten wie Sternschnuppen zu ihr nieder.

Die ganze Nacht träumte sie von ihren Brüdern; sie spielten wieder als Kinder, schrieben mit den Diamantgriffeln auf die Goldtafeln und betrachteten das herrliche Bilderbuch, das das halbe Königreich gekostet hatte. Aber auf die Tafel schrieben sie nicht wie früher nur Nullen und Striche, sondern die mutigen Taten, die sie vollführt, alles, was sie erlebt und gesehen hatten; und im Bilderbuch war alles lebendig, die Vögel sangen, und die Menschen traten aus dem Buch heraus und sprachen mit Elisa und ihren Brüdern, aber wenn sie das Blatt umwendete, sprangen sie gleich wieder hinein, damit keine Verwirrung in die Bilder käme.

Als sie erwachte, stand die Sonne schon hoch. Sie konnte sie freilich nicht sehen, die hohen Bäume breiteten ihre

Zweige dicht und fest aus. Aber die Strahlen spielten dort oben wie ein wehender Goldflor; da kam ein Duft aus dem Grün, und die Vögel setzten sich fast auf ihre Schultern. Sie hörte Wasser plätschern, das waren viele große Quellen, die alle in einen Weiher flossen, der den herrlichsten Sandboden hatte. Freilich wuchsen dort dichte Büsche ringsumher, aber an einer Stelle hatten die Hirsche eine große Öffnung gemacht, und hier ging Elisa zum Wasser hinunter. Es war so klar, und hätte der Wind nicht die Zweige und Büsche berührt, daß sie sich bewegten, so hätte sie glauben müssen, sie wären auf den Grund gemalt, so deutlich spiegelte sich dort jedes Blatt, das von der Sonne beschienene und das, das ganz im Schatten war.

Sobald Elisa ihr eigenes Gesicht erblickte, erschrak sie sehr, so braun und häßlich war es, doch als sie ihre kleine Hand benetzte und Augen und Stirn rieb, schimmerte die weiße Haut wieder durch. Da legte sie all ihre Kleider ab und ging in das frische Wasser. Ein schöneres Königskind als sie fand sich nirgends in dieser Welt!

Als sie sich wieder angekleidet und ihr langes Haar geflochten hatte, ging sie zur sprudelnden Quelle, trank aus der hohlen Hand und wanderte tiefer in den Wald hinein, ohne selbst zu wissen, wohin. Sie dachte an ihre Brüder, dachte an den lieben Gott, der sie gewiß nicht verlassen würde. Er ließ die wilden Waldäpfel wachsen, um die Hungrigen zu sättigen, und zeigte ihr einen solchen Baum, dessen Zweige sich unter der Last der Früchte bogen. Hier hielt sie ihr Mittagsmahl, setzte Stützen unter die Zweige und ging dann in den dunkelsten Teil des Waldes. Da war es so still, daß sie ihre eigenen Fußtritte hörte, jedes kleine dürre Blatt unter ihren Füßen raschelte. Nicht ein Vogel war dort zu sehen, nicht ein Sonnenstrahl konnte durch die großen, dichten Zweige dringen; die hohen Stämme standen ganz nahe beisammen; wenn sie geradeaus sah, schien es ihr, als ob ein Balkengitter dicht am andern sie umschlösse. Oh, hier war eine Einsamkeit, die sie früher nie gekannt!

Die Nacht wurde sehr dunkel, nicht ein einziger kleiner Johanniswurm leuchtete im Moos. Betrübt legte sie sich nieder, um zu schlafen. Da schien es ihr, als ob die Baumzweige über ihr sich zur Seite neigten und der liebe Gott mit milden Augen auf sie niedersah; und kleine Engel guckten über seinem Kopf und unter seinen Armen hervor.

Als sie am Morgen erwachte, wußte sie nicht, ob sie es geträumt hatte oder ob es wirklich so gewesen war.

Sie ging ein paar Schritte weiter, da begegnete ihr eine alte Frau mit einem Korb voll Beeren; die Alte gab ihr einige davon. Elisa fragte, ob sie nicht elf Prinzen durch den Wald habe reiten sehen.

„Nein!" sagte die Alte, „aber gestern sah ich elf Schwäne mit Goldkronen auf dem Kopf den Fluß hier nahebei hinunterschwimmen!"

Und sie führte Elisa ein Stück weiter zu einem Abhang, an dessen Fuße sich ein Flüßchen dahinschlängelte; die Bäume an seinen Ufern streckten ihre langen, blattreichen Zweige einander entgegen, und wo sie, ihrem natürlichen Wuchs nach, nicht zusammenfinden konnten, dort hatten sich die Wurzeln aus der Erde gelöst und hingen ineinander verschlungen über dem Wasser.

Elisa sagte der Alten Lebewohl und ging den Fluß entlang, bis dahin, wo er sich in die große, offene See ergoß.

Das ganze herrliche Meer lag vor dem jungen Mädchen, aber nicht ein Segel zeigte sich darauf, nicht ein Boot war da zu sehen. Wie sollte sie nun weiterkommen? Sie betrachtete die unzähligen kleinen Steine am Ufer; das Wasser hatte sie alle rund geschliffen. Glas, Eisen, Steine, alles, was dort angespült lag, hatte seine Form durch das Wasser bekommen, das doch viel weicher war als ihre feine Hand. „Es rollt unermüdlich fort, und so glättet sich das Harte; ich will ebenso unermüdlich sein. Dank für eure Lehre, ihr klaren, rollenden Wogen; einst, das sagt mir mein Herz, werdet ihr mich zu meinen lieben Brüdern tragen!"

Auf dem angespülten Tang lagen elf weiße Schwanenfedern; sie sammelte sie zu einem Strauß. Wassertropfen lagen darauf, ob es Tautropfen oder Tränen waren, konnte niemand sehen. Einsam war es dort am Strand, aber sie fühlte es nicht, denn das Meer bot ewige Abwechslung dar, ja in wenigen Stunden mehr, als die Binnenseen mit süßem Wasser in einem ganzen Jahr aufweisen können. Kam eine große schwarze Wolke, so war es, als ob das Meer sagen wollte: „Ich kann auch finster aussehen", und dann blies der Wind, und die Wogen kehrten das Weiße nach außen.

Schienen aber die Wolken rot und schlief der Wind, so war das Meer wie ein Rosenblatt; bald wurde es grün, bald weiß. Aber wie still es auch ruhte, am Ufer war doch eine leise Bewegung; das Wasser hob sich sacht, wie die Brust eines schlafenden Kindes.

Als die Sonne untergehen wollte, sah Elisa elf wilde Schwäne mit Goldkronen auf den Köpfen dem Land zufliegen, sie schwebten einer hinter dem andern, es sah aus wie ein langes weißes Band. Da stieg Elisa den Abhang hinauf und verbarg sich hinter einem Busch; die Schwäne ließen sich nahe bei ihr nieder und schlugen mit ihren großen weißen Schwingen.

Sowie die Sonne ins Meer sank, fielen plötzlich die Schwanengefieder, und elf schöne Prinzen, Elisas Brüder, standen da. Sie stieß einen lauten Schrei aus; obwohl sie sich sehr verändert hatten, wußte sie doch, daß sie es waren, fühlte sie, daß sie es sein mußten. Und sie sprang in ihre Arme und nannte sie bei Namen, und die Prinzen waren so glücklich, als sie ihre kleine Schwester sahen und erkannten, die nun groß und schön geworden war. Sie lachten und weinten, und bald hatten sie einander erzählt, wie böse ihre Stiefmutter gegen sie alle gewesen war.

„Wir Brüder", sagte der älteste, „fliegen als wilde Schwäne, solange die Sonne am Himmel steht; sobald sie untergegangen ist, bekommen wir unsere menschliche Gestalt wieder. Darum müssen wir immer darauf bedacht sein, bei Sonnenuntergang festen Boden unter den Füßen zu haben, denn fliegen wir dann noch in den Wolken, so müssen wir als Menschen in die Tiefe stürzen. Hier wohnen wir nicht; es liegt ein ebenso schönes Land jenseits des Meeres. Aber der Weg dahin ist weit, wir müssen über das große Wasser, und es findet sich keine Insel auf unserem Weg, wo wir übernachten könnten, nur eine einsame kleine Klippe ragt in der Mitte hervor; sie ist nur so groß, daß wir Seite an Seite darauf ruhen können. Ist die See stark bewegt, so spritzt das Wasser hoch über uns hinweg; und doch danken wir Gott dafür. Dort übernachten wir in unserer Menschengestalt, ohne die Klippe könnten wir niemals unser liebes Heimatland besuchen, denn zwei der längsten Tage des Jahres brauchen wir zu unserem Flug. Nur einmal im Jahr ist es uns vergönnt, unser Vaterhaus zu sehen; elf Tage dürfen wir hierbleiben, über den großen Wald fliegen, von wo wir das Schloß erblicken können, in dem wir geboren wurden und wo unser Vater wohnt, und den hohen Kirchturm, wo die Mutter begraben ist. Hier kommt es uns vor, als wären Bäume und Büsche mit uns verwandt, hier laufen die wilden Pferde über die Ebene, wie wir es in unserer Kindheit gesehen, hier singt der Kohlenbrenner die alten Lieder, nach denen wir als Kinder tanzten, hier ist unser Vaterland, hierhin zieht es uns, und hier haben wir dich gefunden, du liebe kleine Schwester! Zwei Tage dürfen wir noch bleiben, dann müssen wir fort über das Meer, nach einem herrlichen Land, das aber nicht unser Vaterland ist! Wie nehmen wir dich mit? Wir haben weder Schiff noch Boot!"

„Wie kann ich euch erlösen?" fragte die Schwester. Und sie sprachen die ganze Nacht miteinander und schlummerten nur wenige Stunden.

Elisa erwachte von dem Schlag der Schwanenflügel, die über ihr brausten. Die Brüder waren wieder verwandelt und flogen große Kreise und schließlich weit fort, aber der jüngste blieb zurück; und der Schwan legte den Kopf in ihren Schoß, und sie streichelte seine weißen Flügel; den ganzen Tag waren sie beisammen. Gegen Abend kamen die andern zurück, und als die Sonne untergegangen war, hatten sie ihre natürliche Gestalt wieder.

„Morgen fliegen wir von hier fort und dürfen vor Ablauf eines ganzen Jahres nicht zurückkehren. Aber dich können wir nicht so verlassen! Hast du Mut, uns zu folgen? Mein Arm ist stark genug, dich durch den Wald zu tragen, sollten wir da nicht alle so starke Flügel haben, um mit dir über das Meer zu fliegen?"

„Ja, nehmt mich mit!" sagte Elisa.

Die ganze Nacht brachten sie damit zu, aus der geschmeidigen Weidenrinde und dem zähen Schilf ein Netz zu flechten, und das wurde groß und fest. Elisa legte sich darauf, und als die Sonne hervortrat und die Brüder in wilde Schwäne verwandelt wurden, ergriffen sie das Netz mit ihren Schnäbeln und flogen mit ihrer lieben Schwester, die noch schlief, hoch zu den Wolken empor. Die Sonnenstrahlen fielen ihr gerade ins Gesicht, darum flog einer der Schwäne über ihrem Kopf, damit seine breiten Schwingen ihr Schatten geben konnten.

Sie waren weit vom Land entfernt, als Elisa erwachte; sie glaubte noch zu träumen, so seltsam kam es ihr vor, hoch durch die Luft über das Meer getragen zu werden. Neben ihr lag ein Zweig mit herrlichen reifen Beeren und ein Bündel wohlschmeckender Wurzeln; die hatte der jüngste der Brüder gesammelt und ihr hingelegt. Sie lächelte ihn dankbar an, denn sie erkannte ihn; er war es, der über ihrem Kopf flog und sie mit seinen Schwingen beschattete.

Sie waren so hoch, daß das erste Schiff, das sie unter sich erblickten, wie eine weiße Möwe aussah, die auf dem Wasser lag. Eine große Wolke stand hinter ihnen, das war ein Berg, und auf diesem sah Elisa ihren eigenen Schatten und den der elf Schwäne, so riesengroß flogen sie dahin. Das war ein Bild, prächtiger, als sie es je gesehen. Doch als die Sonne höher stieg und die Wolke weiter zurückblieb, verschwand das schwebende Schattenbild.

Den ganzen Tag flogen sie wie ein sausender Pfeil durch die Luft; aber es ging doch langsamer als sonst, denn jetzt hatten sie die Schwester zu tragen. Es zog ein böses Wetter auf, der Abend brach herein, ängstlich sah Elisa die Sonne sinken, und noch war die einsame Klippe im Meer nicht zu erblicken. Es kam ihr vor, als machten die Schwäne stärkere Schläge mit den Flügeln. Ach! sie war schuld daran, daß sie nicht rasch genug vorwärts kamen. Wenn die Sonne untergegangen war, mußten sie Menschen werden, in das Meer stürzen und ertrinken. Da betete sie aus tiefstem Herzen zum lieben Gott, aber noch erblickte sie die Klippe nicht. Die schwarze Wolke kam näher, die starken Windstöße verkündeten Sturm, die Wolken standen als eine einzige große, drohende Woge da, die fast wie Blei vorwärts jagte; Blitz auf Blitz zuckte.

Nun war die Sonne gerade am Rand des Meeres. Elisas Herz bebte; da schossen die Schwäne hinab, so schnell, daß sie zu fallen glaubte, aber nun schwebten sie wieder. Die Sonne war halb unter dem Wasser, da erst erblickte sie die kleine Klippe unter sich, die nicht größer aussah als ein Seehund, der den Kopf aus dem Wasser steckt. Die Sonne sank sehr schnell, nun war sie nur noch wie ein Stern; da berührte ihr Fuß den festen Grund, die Sonne erlosch wie der letzte Funke im brennenden Papier. Arm in Arm sah sie die Brüder um sich stehen; aber mehr Platz als gerade für die Geschwister war auch nicht da. Die See schlug gegen die Klippe und ging wie Sprühregen über sie hin; der Himmel leuchtete in einem stetig flammenden Feuer, und Schlag auf Schlag rollte der Donner; aber Schwester und Brüder hielten sich an den Händen und sangen Choräle, aus denen sie Trost und Mut schöpften.

In der Morgendämmerung war die Luft rein und still; sobald die Sonne emporstieg, flogen die Schwäne mit Elisa von der Insel fort. Die Wogen gingen noch hoch; als sie in der Luft schwebten, schienen die weißen Schaumköpfe auf der schwarzgrünen See Millionen Schwäne zu sein, die auf dem Wasser schwammen.

Als die Sonne höher stieg, sah Elisa vor sich, halb in der Luft schwimmend, ein Bergland mit glänzenden Eismassen auf den Felsen; und mitten darauf erhob sich ein wohl meilenlanges Schloß, mit einem kühnen Säulengang über dem andern; unten wogten Palmenwälder und Prachtblumen, so groß wie Mühlräder. Sie fragte, ob dies das Land sei, wohin sie wollten, aber die Schwäne schüttelten den Kopf, denn das, was sie sah, war das herrliche, allzeit wechselnde Wolkenschloß der Fata Morgana, dahin durften sie keinen Menschen bringen. Elisa starrte es an, da stürzten Berge, Wälder und Schloß zusammen, und zwanzig stolze Kirchen, alle einander gleich, mit hohen Türmen und spitzen Fenstern standen vor ihnen. Sie glaubte die Orgel zu hören, aber es war das Meer, das sie hörte. Nun war sie den Kirchen ganz nahe, da wurden sie zu einer ganzen Flotte, die unter ihr dahinsegelte; doch als sie hinuntersah, waren es nur Seenebel, die über das Wasser glitten. So hatte sie ewige Abwechslung vor Augen, bis sie das wirkliche Land erblickte, in das sie wollten; dort erhoben sich herrliche blaue Berge mit Zedernwäldern, Städten und Schlössern. Lange bevor die Sonne unterging, saß sie auf dem Felsen vor einer großen Höhle, die mit feinen grünen Schlingpflanzen bewachsen war; es sah aus, als wären es gestickte Teppiche.

„Nun wollen wir sehen, was du diese Nacht hier träumst", sagte der jüngste Bruder und zeigte ihr ihre Schlafkammer.

„Wenn ich doch träumte, wie ich euch erlösen kann!" sagte sie. Und dieser Gedanke beschäftigte sie lebhaft; sie betete inbrünstig zu Gott um seine Hilfe, ja selbst im Schlaf betete sie noch. Da kam es ihr vor, als ob sie hoch durch die Luft fliege, zum Wolkenschloß der Fata Morgana; und die Fee kam ihr entgegen, schön und glänzend; und doch glich sie ganz der alten Frau, die ihr Beeren im Walde gegeben und ihr von den Schwänen mit den Goldkronen erzählt hatte.

„Deine Brüder können erlöst werden", sagte sie; „aber hast du Mut und Ausdauer? Wohl ist das Wasser weicher als deine feinen Hände, und doch formt es die harten Steine um, aber es fühlt nicht die Schmerzen, die deine Finger fühlen werden; es hat kein Herz, leidet nicht Angst und Qual, die du aushalten mußt. Siehst du die Brennessel, die ich in meiner Hand halte? Von dieser Art wachsen viele rings um die Höhle, wo du schläfst; nur die dort und auch die, welche auf den Gräbern des Kirchhofs wachsen, sind tauglich, merk dir das. Die mußt du pflücken, obwohl sie deine Hand voll Blasen brennen werden. Brichst du die Nesseln mit deinen Füßen, so erhältst du Flachs; daraus mußt du elf Panzerhemden mit langen Ärmeln flechten und binden; wirfst du sie über die elf Schwäne, so ist der Zauber gelöst. Aber bedenke wohl, daß du von dem Augenblick an, wo du die Arbeit beginnst, bis sie vollendet ist, nicht sprechen darfst, wenn auch Jahre darüber vergehen; das erste Wort, das du sprichst, geht als tödlicher Dolch in die Herzen deiner Brüder! An deiner Zunge hängt ihr Leben. Merk dir das alles wohl!"

Und gleichzeitig berührte sie ihre Hand mit der Nessel; es war wie ein brennendes Feuer, von dem Elisa erwachte. Es war heller Tag, und dicht neben ihr, wo sie geschlafen, lag eine Nessel gleich der, die sie im Traum gesehen hatte. Da fiel sie auf ihre Knie, dankte und ging aus der Höhle, um ihre Arbeit zu beginnen.

Mit ihren feinen Händen griff sie in die häßlichen Nesseln, die waren wie Feuer, sie brannten große Blasen in ihre Hände und Arme; aber gern wollte sie es leiden, wenn sie nur die lieben Brüder erlösen konnte. Sie brach jede Nessel mit ihren bloßen Füßen und flocht den grünen Flachs.

Als die Sonne untergegangen war, kamen die Brüder und erschraken, sie so stumm zu finden; sie glaubten, es wäre ein neuer Zauber der bösen Stiefmutter. Aber als sie ihre Hände sahen, begriffen sie, was sie ihretwegen tat, und der jüngste Bruder weinte, und wo seine Tränen hinfielen, fühlte sie keine Schmerzen, verschwanden die brennenden Blasen.

Die Nacht brachte sie mit ihrer Arbeit zu, denn sie hatte keine Ruhe, bevor sie die lieben Brüder erlöst hatte. Den ganzen folgenden Tag, während die Schwäne fort waren, saß sie in ihrer Einsamkeit; aber niemals war die Zeit so schnell entflohen. Ein Panzerhemd war schon fertig, nun fing sie das nächste an.

Da ertönte ein Jagdhorn zwischen den Bergen; ihr wurde ganz ängstlich. Der Ton kam näher, sie hörte Hunde bellen; erschrocken floh sie in die Höhle, band die Nesseln, die sie gesammelt und gehechelt hatte, zu einem Bündel zusammen und setzte sich darauf.

Sogleich kam ein großer Hund aus dem Gebüsch gesprungen, und dann noch einer und noch einer; sie bellten laut, liefen zurück und kamen abermals. Es währte nicht lange, da standen alle Jäger vor der Höhle, und der schönste unter ihnen war der König des Landes. Er trat auf Elisa zu, niemals hatte er ein schöneres Mädchen gesehen.

„Wie bist du hierhergekommen, du schönes Kind?" fragte er. Elisa schüttelte den Kopf, sie durfte ja nicht sprechen, es galt die Erlösung und das Leben ihrer Brüder. Und sie verbarg die Hände unter der Schürze, damit der König nicht sehen möge, was sie leiden mußte.

„Komm mit mir!" sagte er, „hier darfst du nicht bleiben. Bist du so gut, wie du schön bist, so will ich dich in Samt und Seide kleiden, eine Goldkrone auf dein Haupt setzen, und du sollst in meinem reichsten Schloß wohnen!" Dann hob er sie auf sein Pferd. Sie weinte und rang die Hände, aber der König sagte: „Ich will nur dein Glück! Einst wirst du mir dafür danken!" Und so jagte er fort über die Berge und hielt sie vor sich auf dem Pferd, und die Jäger jagten hinterher.

Als die Sonne unterging, lag die schöne Königsstadt mit Kirchen und Kuppeln vor ihnen, und der König führte sie in das Schloß, wo große Springbrunnen in hohen Marmorsälen plätscherten, wo Wände und Decken mit Gemälden prangten. Aber sie hatte keine Augen dafür, sie weinte und trauerte. Willig ließ sie sich von den Frauen königliche Kleider anlegen, Perlen ins Haar flechten und feine Handschuhe über die verbrannten Finger ziehen. Als sie in all

ihrer Pracht dastand, war sie so blendend schön, daß der
Hof sich tief vor ihr verneigte. Und der König erkor sie zu
seiner Braut, obwohl der Erzbischof den Kopf schüttelte
und flüsterte, daß das schöne Waldmädchen gewiß eine
Hexe sei, sie blende die Augen und betöre das Herz des
Königs.

Aber der König hörte nicht darauf, ließ die Musik ertönen,
die köstlichsten Gerichte auftragen und die lieblichsten
Mädchen um sie herum tanzen. Und sie wurde durch duftende Gärten in prächtige Säle geführt; aber nicht ein Lächeln kam auf ihre Lippen oder in ihre Augen, darin stand
nur Trauer als ihr ewiges Erbe und Eigen. Nun öffnete der
König eine kleine Kammer dicht daneben, wo sie schlafen
sollte; die war mit köstlichen grünen Teppichen geschmückt und glich ganz der Höhle, in der sie gelebt hatte;
auf dem Fußboden lag das Bund Flachs, das sie aus den
Nesseln gesponnen hatte, und unter der Decke hing das
Panzerhemd, das fertiggestrickt war. Alles das hatte einer
der Jäger als eine Kuriosität mitgenommen.

„Hier kannst du dich in dein früheres Heim zurückträu-
men!" sagte der König. „Hier ist die Arbeit, die dich dort
beschäftigte; inmitten all deiner Pracht wird es dich belusti-
gen, an jene Zeit zurückzudenken."

Als Elisa das sah, was ihrem Herzen so nahe lag, spielte ein
Lächeln um ihren Mund, und das Blut kehrte in ihre Wangen zurück. Sie dachte an die Erlösung ihrer Brüder, küßte
dem König die Hand, und er drückte sie an sein Herz und
ließ durch alle Kirchenglocken das Hochzeitsfest verkünden. Das schöne, stumme Mädchen aus dem Wald wurde
die Königin des Landes.

Da flüsterte der Erzbischof dem König böse Worte ins Ohr,
aber sie drangen nicht bis in sein Herz. Die Hochzeit sollte
stattfinden; der Erzbischof selbst mußte ihr die Krone auf
das Haupt setzen, und er drückte mit bösem Sinn den engen Reif fest auf ihre Stirn, so daß es schmerzte. Doch ein
schwerer Reif lag um ihr Herz, die Trauer um ihre Brüder.
Sie fühlte nicht die körperlichen Leiden. Ihr Mund war
stumm; ein einziges Wort würde ja ihre Brüder das Leben
kosten; aber in ihren Augen lag tiefe Liebe zu dem guten,
schönen König, der alles tat, um sie zu erfreuen. Von ganzem Herzen gewann sie ihn von Tag zu Tag lieber; oh, daß

sie sich ihm nur anvertrauen und ihr Leid klagen dürfte!
Doch stumm mußte sie sein, stumm mußte sie ihr Werk
vollbringen. Darum schlich sie sich des Nachts von seiner
Seite, ging in die kleine, verborgene Kammer, die wie die
Höhle geschmückt war, und strickte ein Panzerhemd nach
dem andern fertig. Aber als sie das siebente begann, hatte
sie keinen Flachs mehr.

Auf dem Kirchhof, das wußte sie, wuchsen die Nesseln, die
sie brauchte, aber die mußte sie selbst pflücken; wie sollte
sie dahinaus gelangen!

‚Oh, was ist der Schmerz in meinen Fingern gegen die
Qual, die mein Herz erleidet!‘ dachte sie. ‚Ich muß es wagen! Der Herr wird seine Hand nicht von mir abziehen!‘
Mit einer Herzensangst, als sei es eine böse Tat, was sie
vorhabe, schlich sie sich in der mondhellen Nacht in den
Garten und ging durch die Alleen und durch die einsa-
men Straßen zum Kirchhof. Da sah sie auf einem der brei-
testen Grabsteine einen Kreis Lamien sitzen, häßliche He-
xen, die ihre Lumpen auszogen, als ob sie sich baden
wollten, und dann wühlten sie mit den langen, mageren
Fingern die frischen Gräber auf, holten die Leichen heraus und fraßen das Fleisch. Elisa mußte dicht an ihnen
vorbei, und sie hefteten ihre bösen Blicke auf sie; aber sie
betete still, sammelte die brennenden Nesseln und trug
sie heim ins Schloß.

Nur ein einziger Mensch hatte sie gesehen, der Erzbischof;
er wachte, wenn die andern schliefen. Nun hatte er doch
recht, daß es mit der Königin nicht sei, wie es sein sollte;
sie war eine Hexe, darum hatte sie den König und das
ganze Volk betört.

Im Beichtstuhl sagte er dem König, was er gesehen hatte
und was er befürchtete. Und als diese harten Worte aus seinem Munde kamen, schüttelten die geschnitzten Heiligen-
bilder die Köpfe, als wenn sie sagen wollten: „Es ist nicht
so! Elisa ist unschuldig!“ Aber der Erzbischof legte es anders aus; er meinte, daß sie gegen sie zeugten, daß sie die
Köpfe über ihre Sünde schüttelten. Da rollten dem König
zwei schwere Tränen die Wangen herab; er ging nach
Hause, mit Zweifel im Herzen, und stellte sich nachts, als
ob er schlafe. Aber es kam kein Schlaf in seine Augen, er
merkte, wie Elisa aufstand, und jede Nacht wiederholte sich

das, und jedesmal folgte er ihr leise und sah, daß sie in ihrer Kammer verschwand.

Von Tag zu Tag wurde seine Miene finsterer; Elisa sah es, begriff aber nicht, warum, doch es ängstigte sie, und was litt sie nicht im Herzen für die Brüder! Auf den königlichen Samt und Purpur rannen ihre heißen Tränen; sie lagen da wie schimmernde Diamanten, und alle, die die reiche Pracht sahen, wünschten, Königin zu sein. Inzwischen war sie bald mit ihrer Arbeit fertig; nur ein Panzerhemd fehlte noch; aber Flachs hatte sie nicht mehr und nicht eine einzige Nessel. Einmal, nur dieses letzte Mal, mußte sie auf den Kirchhof und einige Hände voll pflücken. Sie dachte mit Angst an die einsame Wanderung und an die schrecklichen Lamien, aber ihr Wille war so fest wie ihr Vertrauen zu Gott.

Elisa ging, aber der König und der Erzbischof folgten ihr. Sie sahen sie durch die Gitterpforte im Kirchhof verschwinden, und als sie sich der Pforte näherten, saßen die Lamien auf dem Grabstein, wie Elisa sie gesehen hatte; und der König wandte sich ab, denn unter ihnen vermutete er die, deren Kopf noch diesen Abend an seiner Brust geruht hatte.

„Das Volk muß sie richten!" sagte er. Und das Volk verurteilte sie zum Feuertod.

Aus den prächtigen Königssälen wurde sie in ein dunkles, feuchtes Loch geführt, wo der Wind durch das vergitterte Fenster pfiff; statt Samt und Seide gab man ihr das Bund Nesseln, welches sie gesammelt hatte, darauf konnte sie ihr Haupt legen; die harten, brennenden Panzerhemden, die sie gestrickt hatte, sollten ihr Kissen und Decken sein. Aber nichts Lieberes hätte man ihr geben können; sie nahm ihre Arbeit wieder vor und betete zu Gott. Draußen sangen die Straßenjungen Spottlieder auf sie; keine Seele tröstete sie mit einem freundlichen Wort.

Da schwirrten gegen Abend dicht am Gitter Schwanenflügel, das war der jüngste der Brüder. Er hatte die Schwester gefunden; und sie schluchzte laut vor Freude, obwohl sie wußte, daß die kommende Nacht vielleicht die letzte sein würde, die sie erleben durfte; aber nun war ja auch die Arbeit fast vollendet, und ihre Brüder waren da.

Der Erzbischof kam, um in der letzten Stunde bei ihr zu sein, das hatte er dem König versprochen. Aber sie schüttelte den Kopf und bat ihn mit Blicken und Mienen zu gehen. In dieser Nacht mußte sie ja ihre Arbeit vollenden, oder alles war umsonst, alles, Schmerz, Tränen und die schlaflosen Nächte. Der Erzbischof entfernte sich mit bösen Worten gegen sie, aber die arme Elisa wußte, daß sie unschuldig war, und fuhr in ihrer Arbeit fort.

Die kleinen Mäuse liefen über den Fußboden; sie schleppten Nesseln zu ihren Füßen hin, um zu helfen, und die Drossel setzte sich an das Gitter des Fensters und sang die ganze Nacht, so lustig sie konnte, damit Elisa nicht den Mut verlieren möchte.

Es dämmerte noch, erst in einer Stunde würde die Sonne aufgehen, da standen die elf Brüder an der Pforte des Schlosses und verlangten, vor den König geführt zu werden. Das könne nicht geschehen, wurde geantwortet; es wäre ja noch Nacht, der König schlafe und dürfe nicht geweckt werden. Sie baten, sie drohten, die Wache kam, ja selbst der König trat heraus und fragte, was das bedeute. Da ging die Sonne auf, und nun waren keine Brüder mehr zu sehen, aber über das Schloß flogen elf weiße Schwäne.

Aus dem Stadttor strömte das ganze Volk, alle wollten die Hexe brennen sehen. Ein alter Gaul zog den Karren, auf dem sie saß; man hatte ihr einen Kittel von grobem Sackleinen angezogen; ihr herrliches langes Haar hing aufgelöst um den schönen Kopf; ihre Wangen waren totenblaß, ihre Lippen bewegten sich leise, während die Finger den grünen Flachs flochten. Selbst auf dem Weg zum Tode unterbrach sie die begonnene Arbeit nicht; die zehn Panzerhemden lagen zu ihren Füßen, am elften strickte sie noch. Der Pöbel verhöhnte sie. „Seht die Hexe, wie sie murmelt! Kein Gesangbuch hat sie in der Hand; nein, mit ihrem häßlichen Zauberkram sitzt sie da; reißt es in tausend Stücke!"

Und sie drangen alle auf sie ein und wollten die Panzerhemden zerreißen; da kamen elf weiße Schwäne geflogen, die setzten sich rings um sie her auf den Karren und schlugen mit ihren großen Schwingen. Da wich der Haufe erschrocken zur Seite.

„Das ist ein Zeichen des Himmels! Sie ist gewiß unschuldig!" flüsterten viele. Aber sie wagten nicht, es laut zu sagen.

Jetzt ergriff der Henker sie bei der Hand; da warf sie hastig die elf Panzerhemden über die Schwäne, und sogleich standen elf schöne Prinzen da. Aber der jüngste hatte einen Schwanenflügel statt des einen Armes, denn es fehlte ein Ärmel in seinem Panzerhemd, den hatte sie nicht fertigbekommen.

„Nun darf ich sprechen!" sagte sie. „Ich bin unschuldig!"

Und als das Volk sah, was geschehen war, neigte es sich vor ihr wie vor einer Heiligen, aber sie sank leblos in die Arme der Brüder, so hatten Spannung, Angst und Schmerz auf sie gewirkt.

„Ja, unschuldig ist sie", sagte der älteste Bruder, und nun erzählte er alles, was geschehen war. Und während er sprach, verbreitete sich ein Duft, wie von Millionen Rosen, denn jedes Stück Brennholz im Scheiterhaufen hatte Wurzel geschlagen und Zweige getrieben; es stand eine duftende Hecke da, hoch und groß, mit roten Rosen; ganz oben saß eine Blüte, weiß und glänzend, sie leuchtete wie ein Stern. Die pflückte der König und steckte sie an Elisas Brust, da erwachte sie mit Frieden und Glückseligkeit im Herzen.

Und alle Kirchenglocken läuteten von selbst, und die Vögel kamen in großen Scharen. Es wurde ein Hochzeitszug zurück zum Schloß, wie ihn noch kein König gesehen hatte!

Der fliegende Koffer

Es war einmal ein Kaufmann, der war so reich, daß er die ganze Straße und fast noch eine kleine Gasse dazu mit Silbergeld pflastern konnte; aber das tat er nicht, er wußte sein Geld anders anzuwenden. Gab er einen Schilling aus, so bekam er einen Taler wieder; so ein guter Kaufmann war er – und dann starb er.

Der Sohn bekam nun alles Geld, und er lebte lustig, ging jede Nacht zur Maskerade, machte Papierdrachen aus Talerscheinen und ließ Goldstücke wie flache Steine über das Wasser hüpfen. So konnte das Geld schon alle werden, und das tat es auch. Zuletzt besaß er nicht mehr als vier Schillinge und hatte keine andern Kleider als ein Paar Pantoffeln und einen alten Schlafrock. Nun kümmerten sich seine Freunde nicht länger um ihn, da sie ja nicht zusammen auf die Straße gehen konnten; aber einer von ihnen, der gutmütig war, sandte ihm einen alten Koffer und sagte: „Pack ein!" Ja, das war nun gut gesagt, aber er hatte nichts einzupacken; darum setzte er sich selbst in den Koffer.

Es war ein merkwürdiger Koffer. Sobald man auf das Schloß drückte, konnte der Koffer fliegen. Er drückte, und husch! flog er mit ihm durch den Schornstein hoch über die Wolken, weiter und weiter fort; knackte es aber im Boden, war er sehr in Angst, daß der Koffer in Stücke gehen könnte, denn dann hätte er einen tüchtigen Purzelbaum gemacht! Gott bewahre uns! Und so kam er in das Land der Türken. Den Koffer verbarg er im Wald unter dürren Blättern und ging dann in die Stadt. Das konnte er auch gut, denn bei den Türken gingen ja alle so wie er in Schlafrock und Pantoffeln. Da begegnete er einer Amme mit einem kleinen Kind. „Höre, du Türkenamme", sagte er, „was ist das für ein großes Schloß hier dicht bei der Stadt, wo die Fenster so hoch sitzen?"

„Da wohnt die Tochter des Königs!" sagte sie. „Es ist ihr prophezeit, daß sie über einen Geliebten sehr unglücklich werden würde, und deshalb darf niemand zu ihr kommen, wenn nicht der König und die Königin dabei sind!"

„Danke schön!" sagte der Kaufmannssohn und ging hinaus in den Wald, setzte sich in seinen Koffer, flog auf das Dach und kroch durch das Fenster zur Prinzessin.

Sie lag auf dem Sofa und schlief; sie war so schön, daß der Kaufmannssohn sie küssen mußte. Da erwachte sie und erschrak sehr, er aber sagte, er sei der Türkengott, der durch die Luft zu ihr gekommen sei, und das gefiel ihr gut.

Dann saßen sie nebeneinander, und er erzählte ihr Geschichten von ihren Augen: sie seien die herrlichsten dunklen Seen, und die Gedanken tummelten sich darin wie Nixen; und er erzählte von ihrer Stirn: sie sei ein Schneeberg mit den prächtigsten Sälen und Bildern, und er erzählte vom Storch, der die süßen kleinen Kinder bringt.

Ja, das waren herrliche Geschichten! Dann freite er um die Prinzessin, und sie sagte sogleich ja.

„Aber Ihr müßt am Sonnabend herkommen!" sagte sie. „Da sind der König und die Königin bei mir zum Tee! Sie werden sehr stolz darauf sein, daß ich den Türkengott bekomme. Aber seht zu, daß Ihr ein recht hübsches Märchen wißt, denn das lieben meine Eltern außerordentlich. Meine Mutter will es moralisch und vornehm haben und mein Vater lustig, so daß man lachen kann!"

„Ja, ich bringe kein anderes Hochzeitsgeschenk als ein Märchen!" sagte er, und so trennten sie sich. Aber die Prinzessin gab ihm einen Säbel, der war mit Goldstücken besetzt, und die konnte er gut gebrauchen.

Nun flog er fort, kaufte sich einen neuen Schlafrock und saß dann draußen im Wald und dichtete an einem Märchen; das sollte bis zum Sonnabend fertig sein, und das ist gar nicht so leicht.

Als er es fertig hatte, war es Sonnabend.

Der König, die Königin und der ganze Hof waren zum Tee bei der Prinzessin. Er wurde sehr gnädig empfangen!

„Bitte erzählen Sie uns ein Märchen", sagte die Königin, „eins, das tiefsinnig und belehrend ist."

„Aber worüber man doch lachen kann!" sagte der König.

„Jawohl!" sagte er und erzählte. Und nun gut aufgepaßt.

„Es war einmal ein Bund Schwefelhölzchen, die waren so überaus stolz auf ihre hohe Herkunft! Ihr Stammbaum, das heißt die große Fichte, von der jedes ein kleines Hölzchen war, hatte als großer, alter Baum im Wald gestanden. Die Schwefelhölzchen lagen nun im Regal zwischen einem Feuerzeug und einem alten Eisentopf, und sie erzählten ihnen von ihrer Jugend. ‚Ja, als wir auf dem grünen Zweig waren', sagten sie, ‚da waren wir wirklich auf dem grünen Zweig! Jeden Morgen und Abend gab es Diamanttee, das war der Tau; den ganzen Tag hatten wir Sonnenschein, wenn die Sonne schien, und die kleinen Vögel mußten uns Geschichten erzählen. Wir konnten wohl merken, daß wir auch reich waren, denn die Laubbäume waren nur im Sommer bekleidet, aber unsere Familie konnte sich grüne Kleider im Sommer wie im Winter leisten. Doch da kamen die Holzhauer, das war die große Revolution, und unsere Familie wurde zersplittert. Der Stammherr bekam seinen Platz als Großmast auf einem prächtigen Schiff, das die Welt umsegeln konnte, wenn es wollte; die anderen Zweige kamen nach anderen Orten, und wir haben nun das Amt, der niedrigen Menge das Licht anzuzünden. Deshalb sind wir vornehmen Leute hierher in die Küche gekommen.'

145

‚Mir ist es ganz anders ergangen!‘ sagte der Eisentopf, neben dem die Schwefelhölzchen lagen. ‚Seit ich auf die Welt
gekommen bin, bin ich viele Male gescheuert und in mir ist
gekocht worden! Ich sorge für das Solide und bin eigentlich
der Erste hier im Hause. Meine einzige Freude ist, nach
Tisch rein und fein auf dem Regal zu stehen und ein vernünftiges Gespräch mit meinen Kameraden zu führen.
Doch wenn ich vom Wassereimer absehe, der hin und wieder einmal in den Hof kommt, so leben wir immer innerhalb unserer vier Wände. Unser einziger Neuigkeitsbote ist
der Marktkorb, aber was der von Regierung und Volk erzählt, das ist so beunruhigend; ja, neulich war da ein alter
Topf, der vor Schreck darüber herunterfiel und in Stücke
zersprang. Der traut sich was, kann ich euch sagen!‘ – ‚Nun
schwatzt du zuviel!‘ sagte das Feuerzeug, und der Stahl
schlug gegen den Feuerstein, daß er Funken sprühte. ‚Wollen wir uns nicht einen lustigen Abend machen?‘
‚Ja, laßt uns davon sprechen, wer der Vornehmste ist!‘ sagten die Schwefelhölzchen.
‚Nein, ich rede nicht gern von mir selbst‘, sagte die Tonkruke. ‚Laß uns eine Abendunterhaltung veranstalten! Ich
will anfangen, ich werde etwas erzählen, was jeder erlebt
hat; da kann man sich leicht hineinversetzen, und das ist
sehr vergnüglich. An der Ostsee, bei den dänischen Buchen –‘
‚Das ist ein hübscher Anfang!‘ sagten alle Teller. ‚Das wird
bestimmt eine Geschichte, die uns gefällt.‘
‚Ja, da verlebte ich meine Jugend bei einer stillen Familie;
die Möbel wurden poliert, der Fußboden gescheuert, und
alle vierzehn Tage wurden reine Gardinen aufgehängt!‘
‚Wie interessant Sie doch erzählen!‘ sagte der Kehrbesen.
‚Man kann gleich hören, daß ein Frauenzimmer erzählt, es
ist so etwas Reinliches darin!‘
‚Ja, das fühlt man!‘ sagte der Wassereimer und machte vor
Freude einen kleinen Sprung, daß es auf den Fußboden
platschte.
Und die Tonkruke fuhr fort zu erzählen, und das Ende war
ebenso gut wie der Anfang.
Alle Teller klapperten vor Freude, und der Kehrbesen zog
grüne Petersilie aus dem Sandloch und bekränzte die Ton-
kruke, denn er wußte, daß es die andern ärgern würde. ‚Be-

kränze ich sie heute', dachte er, ,so bekränzt sie mich morgen.'
,Nun will ich tanzen!' sagte die Feuerzange und tanzte. Gott bewahre uns, wie konnte sie das eine Bein in die Höhe strecken! Der alte Stuhlüberzug im Winkel platzte, als er es sah! ,Werde ich nun auch bekränzt?' fragte die Feuerzange, und sie wurde es.
,Das ist doch nur Pöbel!' dachten die Schwefelhölzchen.
Nun sollte die Teemaschine singen; sie sagte aber, sie sei erkältet, sie könne nicht singen, wenn es nicht in ihr koche, aber das war nur Vornehmtuerei, sie wollte nicht singen, wenn sie nicht bei der Herrschaft auf dem Tisch stand.
Im Fenster saß eine alte Gänsefeder, mit der das Mädchen zu schreiben pflegte. Es war nichts Bemerkenswertes an ihr, außer daß sie gar zu tief in das Tintenfaß getaucht worden war, und darauf war sie nun stolz. ,Will die Teemaschine nicht singen', sagte sie, ,so soll sie es bleibenlassen! Draußen hängt eine Nachtigall in einem Bauer, die kann singen. Sie hat freilich nichts gelernt, aber darüber wollen wir heute abend hinwegsehen!'
,Ich finde es höchst unpassend', sagte der Teekessel — er war Küchensänger und Halbbruder der Teemaschine —, ,daß man einen solchen fremden Vogel hören soll! Ist das patriotisch? Man soll den Marktkorb darüber urteilen lassen!'
,Ich ärgere mich nur!' sagte der Marktkorb, ,ich ärgere mich innerlich so sehr, wie sich das niemand vorstellen kann! Ist das eine passende Art, den Abend zu begehen? Würde es nicht richtiger sein, das Haus in Ordnung zu bringen? Ein jeder müßte an seinen Platz kommen, und ich würde die ganze Sache leiten. Das würde etwas anderes werden!'
,Ja, laßt uns Spektakel machen!' sagten alle.
In diesem Augenblick ging die Tür auf. Es war das Dienstmädchen, und da standen sie still. Keiner muckste sich! Aber jeder einzelne Topf, der wußte wohl, was er tun konnte und wie vornehm er war.
,Ja, wenn ich gewollt hätte', dachte jeder, ,so wäre es freilich ein lustiger Abend geworden!'
Das Dienstmädchen nahm die Schwefelhölzchen und machte Feuer damit an. — Gott bewahre uns, wie die sprühten und aufloderten!

‚Nun kann doch jeder sehen', dachten sie, ‚daß wir die Ersten sind! Welchen Glanz haben wir! Welches Licht!'
Und damit waren sie verbrannt."
„Das war ein herrliches Märchen!" sagte die Königin. „Ich fühle mich ganz in die Küche zu den Schwefelhölzchen versetzt; ja, nun sollst du unsere Tochter haben."
„Jawohl!" sagte der König; „du sollst unsere Tochter am Montag haben!" Denn jetzt sagten sie du zu ihm, da er zur Familie gehören sollte.
Die Hochzeit war nun bestimmt, und am Abend vorher wurde die ganze Stadt illuminiert. Kringel und Brezeln wurden unter das Volk geworfen; die Gassenjungen standen auf den Zehen, riefen hurra und pfiffen durch die Finger; es war außerordentlich prachtvoll.
‚Ja, ich werde wohl auch etwas zum besten geben müssen!' dachte der Kaufmannssohn. Und so kaufte er Raketen, Knallerbsen und alles Feuerwerk, das man sich nur denken kann, legte es in seinen Koffer und flog damit in die Luft.
Hui, wie das ging und wie das pufte!
Alle Türken hüpften dabei in die Höhe, daß ihnen die Pantoffeln um die Ohren flogen; so eine Lufterscheinung hatten sie noch nie gesehen. Nun konnten sie begreifen, daß es der Türkengott selbst war, der die Prinzessin haben sollte.
Sobald der Kaufmannssohn mit seinem Koffer wieder in den Wald kam, dachte er: ‚Ich will doch in die Stadt gehen, um zu erfahren, wie es sich ausgenommen hat!' Und es war ja ganz natürlich, daß er Lust dazu hatte.
Nein, was die Leute erzählten! Jeder, den er danach fragte, hatte es auf seine Weise gesehen, aber herrlich war es für alle gewesen.
„Ich habe den Türkengott selbst gesehen", sagte der eine. „Er hatte Augen wie glänzende Sterne und einen Bart wie schäumende Wasser!"
„Er flog in einem Feuermantel!" sagte ein anderer. „Die lieblichsten Engelskinder blickten aus den Falten hervor!"
Ja, das waren herrliche Sachen, die er hörte, und am nächsten Tag sollte er Hochzeit machen.
Nun ging er in den Wald zurück, um sich in seinen Koffer zu setzen – aber wo war der geblieben? Der Koffer war verbrannt. Ein Funken des Feuerwerks war zurückgeblieben, der hatte das Feuer entfacht, und der Koffer lag in Asche.

Er konnte nicht mehr fliegen, nicht mehr zu seiner Braut
gelangen.
Sie stand den ganzen Tag auf dem Dach und wartete; sie
wartet noch, er aber geht in der Welt umher und erzählt
Märchen, doch sind sie nicht mehr so lustig wie das von
den Schwefelhölzchen.

Der Schweinehirt

Es war einmal ein armer Prinz; er hatte ein Königreich,
das ganz klein war; aber es war allemal groß genug, um darauf zu heiraten, und verheiraten wollte er sich.
Nun war es freilich etwas keck von ihm, daß er zur Tochter
des Kaisers zu sagen wagte: „Willst du mich?" Aber er
wagte es doch, denn sein Name war weit und breit be-
rühmt; es gab Hunderte von Prinzessinnen, die gern ja gesagt hätten, aber ob sie es wohl tat?
Nun wollen wir hören.
Auf dem Grab von des Prinzen Vater wuchs ein Rosenstrauch, ein ganz herrlicher Rosenstrauch! Der blühte nur
jedes fünfte Jahr, und auch dann trug er nur eine einzige
Rose – aber was für eine Rose! Die duftete so süß, daß man
alle seine Sorgen und seinen Kummer vergaß, wenn man
daran roch. Und dann hatte er eine Nachtigall, die konnte
singen, als ob alle schönen Melodien in ihrer kleinen Kehle
säßen. Diese Rose und diese Nachtigall sollte die Prinzessin
haben; und darum kamen die beiden in große Silberbehäl-
ter und wurden so zu ihr gesandt.
Der Kaiser ließ sie vor sich her in den großen Saal tragen,
wo die Prinzessin war und mit ihren Hofdamen „Es kommt
Besuch" spielte, weiter taten sie nichts; und als sie die großen Behälter mit den Geschenken darin sah, klatschte sie
vor Freude in die Hände.
„Wenn es doch eine kleine Miezekatze wäre!" sagte sie.
Aber da kam die herrliche Rose zum Vorschein.
„Nein, wie ist die niedlich gemacht!" sagten alle Hofdamen.
„Sie ist mehr als niedlich", sagte der Kaiser, „sie ist
hübsch."

149

Aber die Prinzessin befühlte sie, und da war sie den Tränen nahe.

„Pfui, Papa!" sagte sie; „sie ist nicht künstlich, sie ist *wirklich*!"

„Pfui!" sagten alle Hofdamen, „sie ist wirklich!"

„Laßt uns erst sehen, was in dem anderen Behälter ist, ehe wir böse werden", meinte der Kaiser; und da kam die Nachtigall heraus; sie sang so schön, daß man nicht sogleich etwas Böses gegen sie vorzubringen wußte.

„*Superbe! Charmant!*" sagten die Hofdamen, denn sie plauderten alle französisch, eine immer ärger als die andere.

„Wie der Vogel mich an die Spieldose der hochseligen Kaiserin erinnert", sagte ein alter Kavalier, „ach ja, das ist ganz derselbe Ton, derselbe Vortrag!"

„Ja", sagte der alte Kaiser, und dann weinte er wie ein kleines Kind.

„Ich will doch nicht hoffen, daß er wirklich ist?" sagte die Prinzessin.

„Ja, das ist ein wirklicher Vogel", sagten die, welche ihn gebracht hatten.

„Dann laßt den Vogel fliegen", sagte die Prinzessin, und sie wollte auf keine Weise gestatten, daß der Prinz zu ihr käme.

Aber der ließ sich nicht einschüchtern; er beschmierte sich das Gesicht braun und schwarz, drückte die Mütze tief ins Gesicht und klopfte an.

„Guten Tag, Kaiser", sagte er, „könnte ich nicht hier auf dem Schloß in Dienst treten?"

„Ja", sagte der Kaiser, „das wollen aber so viele. Aber laß mal sehen, ich brauche einen, der die Schweine hüten kann, denn Schweine haben wir sehr viele!"

Und so wurde der Prinz als kaiserlicher Schweinehirt angestellt. Er bekam eine jämmerliche kleine Kammer unten beim Schweinekoben, und hier mußte er bleiben; aber den ganzen Tag saß er und arbeitete, und als es Abend war, hatte er einen niedlichen kleinen Topf gemacht; rings um den Topf waren Schellen, und sobald er kochte, klingelten sie so schön und spielten die alte Melodie:

Ach, du lieber Augustin,
Alles ist hin, hin, hin!

Aber das Allerkünstlichste war doch, daß man, wenn man den Finger in den Dampf des Topfes hielt, sogleich riechen konnte, welche Speisen unter jedem Schornstein in der Stadt zubereitet wurden. Das war wahrlich etwas ganz anderes als eine Rose.

Nun kam die Prinzessin mit all ihren Hofdamen daherspaziert, und als sie die Melodie hörte, blieb sie stehen und sah ganz erfreut aus; denn „Ach, du lieber Augustin" konnte sie auch spielen; es war das einzige, was sie konnte, aber das spielte sie mit einem Finger.

„Das ist ja das, was ich kann!" sagte sie. „Das muß ein gebildeter Schweinehirt sein! Höre, geh hinein und frage ihn, was das Instrument kostet."

Und da mußte eine der Hofdamen hineingehen; aber sie zog Holzpantoffeln an.

„Was willst du für den Topf haben?" fragte ihn die Hofdame.

„Ich will zehn Küsse von der Prinzessin haben", sagte der Schweinehirt.

„Gottbewahre!" sagte die Hofdame.

„Ja, für weniger tue ich es nicht", antwortete der Schweinehirt.

„Nun, was antwortete er?" fragte die Prinzessin.

„Das mag ich gar nicht sagen", antwortete die Hofdame, „das ist so scheußlich!"

„Dann kannst du es flüstern!" Und so flüsterte sie.

„Er ist unartig!" sagte die Prinzessin, und dann ging sie. Aber als sie ein kleines Stück gegangen war, erklangen die Schellen so lieblich:

Ach, du lieber Augustin,
Alles ist hin, hin, hin!

„Höre", sagte die Prinzessin, „frage ihn, ob er zehn Küsse von meinen Hofdamen haben will."

„Ich danke schön", sagte der Schweinehirt; „zehn Küsse von der Prinzessin, oder ich behalte meinen Topf."

„Wie ist das doch langweilig!" sagte die Prinzessin. „Aber dann müßt ihr euch vor mich stellen, damit es niemand sieht!"

Und die Hofdamen stellten sich vor sie, und dann breiteten

151

sie ihre Kleider aus, und da bekam der Schweinehirt die zehn Küsse, und sie bekam den Topf.

Na, das war eine Freude! Den ganzen Abend und den ganzen Tag mußte der Topf kochen; es gab nicht einen Schornstein in der ganzen Stadt, von dem sie nicht wußten, was da gekocht wurde, sowohl beim Kammerherrn wie beim Schuhmacher. Die Hofdamen tanzten und klatschten in die Hände.

„Wir wissen, wer süße Suppe und Eierkuchen essen wird; wir wissen, wer Grütze und Karbonade bekommt; wie interessant das doch ist!"

„Höchst interessant!" sagte die Oberhofmeisterin.

„Ja, aber haltet reinen Mund, denn ich bin des Kaisers Tochter."

„Jawohl! Das versteht sich!" sagten alle.

Der Schweinehirt, das heißt der Prinz – aber sie wußten es ja nicht anders, als daß er ein wirklicher Schweinehirt sei – ließ keinen Tag verstreichen, ohne etwas zu tun, und so machte er eine Knarre; wenn man die herumdrehte, erklangen all die Walzer, Hopser und Polkas, die man seit Erschaffung der Welt gekannt hat.

„Aber das ist superbe!" sagte die Prinzessin, als sie vorbeiging. „Ich habe nie eine schönere Komposition gehört. Höre, geh hinein und frage, was das Instrument kostet; aber ich küsse ihn nicht wieder!"

„Er will hundert Küsse von der Prinzessin haben", sagte die Hofdame, die drinnen gewesen war, um zu fragen.

„Ich glaube, er ist verrückt!" sagte die Prinzessin, und dann ging sie, aber als sie ein kleines Stück gegangen war, blieb sie stehen. „Man muß die Kunst aufmuntern", sagte sie. „Ich bin des Kaisers Tochter! Sage ihm, er soll wie neulich zehn Küsse haben, den Rest kann er von meinen Hofdamen bekommen."

„Ach, aber wir tun es so ungern!" sagten die Hofdamen.

„Das ist Geschwätz", sagte die Prinzessin, „und wenn ich ihn küssen kann, so könnt ihr es auch. Bedenkt, ich gebe euch Kost und Lohn!" Und nun mußte die Hofdame wieder zu ihm hinein.

„Hundert Küsse von der Prinzessin", sagte er, „oder jeder behält das Seine."

„Stellt euch davor", sagte sie; und da stellten alle Hofdamen sich davor, und dann küßte sie.

„Was mag dort unten beim Schweinekoben für ein Auflauf sein?" fragte der Kaiser, der auf den Altan getreten war. Er rieb sich die Augen und setzte die Brille auf. Das sind ja die Hofdamen, die da ihr Wesen treiben; ich werde wohl zu ihnen hinuntermüssen." Und dann zog er seine Pantoffeln hinten herauf, denn es waren Schuhe, die er heruntergetreten hatte.

Potztausend, wie er sich sputete!

Sobald er in den Hof kam, ging er ganz leise, und die Hofdamen hatten so viel damit zu tun, die Küsse zu zählen, damit es ehrlich zugehe und er nicht zuviel, aber auch nicht zuwenig bekomme, daß sie den Kaiser gar nicht bemerkten. Er erhob sich auf die Zehenspitzen.

„Was ist das?" sagte er, als er sah, daß sie sich küßten, und dann schlug er sie mit seinem Pantoffel an den Kopf, gerade als der Schweinehirt den sechsundachtzigsten Kuß bekam.

„Schert euch fort!" sagte der Kaiser, denn er war zornig. Und sowohl die Prinzessin wie der Schweinehirt wurden aus seinem Kaiserreich hinausgeworfen.

Da stand sie nun und weinte; der Schweinehirt schalt, und der Regen strömte hernieder.

„Ach, ich elendes Geschöpf", sagte die Prinzessin; „hätte ich doch den schönen Prinzen genommen. Ach, wie unglücklich bin ich!"

Und der Schweinehirt ging hinter einen Baum, wischte das Schwarze und Braune aus seinem Gesicht, warf die schlechten Kleider ab und trat nun in seiner Prinzentracht hervor, so schön, daß die Prinzessin sich verneigen mußte.

„Ich bin nun dahin gekommen, daß ich dich verachte", sagte er. „Du wolltest einen ehrlichen Prinzen nicht haben; du verstandest dich nicht auf die Rose und die Nachtigall; aber den Schweinehirten konntest du für eine Spielerei küssen; und nun laß es dir gut gehen!"

Und dann ging er in sein Königreich und machte ihr die Tür vor der Nase zu. Da konnte sie draußen stehen und singen:

„Ach, du lieber Augustin,
Alles ist hin, hin, hin!"

Die Nachtigall

In China, das weißt du wohl, ist der Kaiser ein Chinese, und alle, die er um sich hat, sind auch Chinesen. Es ist nun viele Jahre her, aber eben darum ist es der Mühe wert, die Geschichte zu hören, ehe sie vergessen wird! Des Kaisers Schloß war das prächtigste in der Welt, ganz und gar aus feinem Porzellan, sehr kostbar, aber so zerbrechlich, so gefährlich zu berühren, daß man sich ordentlich in acht nehmen mußte. Im Garten sah man die wunderbarsten Blumen, und an die allerprächtigsten waren Silberglocken gebunden, die läuteten, damit man nicht vorbeigehen sollte, ohne die Blumen zu bemerken. Ja, alles war in des Kaisers Garten so kunstvoll ausgeklügelt. Und er erstreckte sich so weit, daß der Gärtner selbst das Ende nicht kannte. Ging man immer weiter, so kam man in den herrlichsten Wald mit hohen Bäumen und tiefen Seen. Der Wald ging hinunter bis zum Meer, das blau und tief war; große Schiffe konnten bis unter die Zweige darin segeln, und darin wohnte eine Nachtigall, die so herrlich sang, daß selbst der arme Fischer, der doch viel anderes zu tun hatte, stillhielt und horchte, wenn er des Nachts ausgefahren war, um das Fischnetz einzuholen, und darin die Nachtigall hörte.

„Ach Gott, wie ist das schön!" sagte er; aber er mußte auf seine Sachen achtgeben und vergaß dabei den Vogel. Doch wenn er in der nächsten Nacht wieder sang und der Fischer dorthin kam, sagte er dasselbe: „Ach Gott, wie ist das schön!"

Aus allen Ländern der Welt kamen Reisende in die Stadt des Kaisers und bewunderten sie, das Schloß und den Garten. Doch wenn sie die Nachtigall zu hören bekamen, sagten sie alle: „Das ist doch das Beste!"

Die Reisenden erzählten davon, wenn sie nach Hause kamen, und die Gelehrten schrieben viele Bücher über die Stadt, das Schloß und den Garten, aber die Nachtigall vergaßen sie nicht, sie wurde am höchsten gepriesen; und diejenigen, welche dichten konnten, schrieben die herrlichsten Gedichte, alle über die Nachtigall im Wald bei dem tiefen See.

Die Bücher kamen in der Welt herum, und einige davon ka-

154

men auch einmal zum Kaiser. Er saß in seinem goldenen Stuhl und las und las; jeden Augenblick nickte er mit dem Kopf, denn es freute ihn, die prächtigen Beschreibungen der Stadt, des Schlosses und des Gartens zu lesen. „Aber die Nachtigall ist doch das Allerbeste!" stand da geschrieben.

„Was ist das?" sagte der Kaiser. „Die Nachtigall? Die kenne ich ja gar nicht! Ist ein solcher Vogel in meinem Kaiserreich und sogar in meinem Garten? Davon habe ich nie gehört! So etwas muß man erst lesen!"

Und dann rief er seinen Kavalier. Der war so vornehm und antwortete, wenn jemand, der geringer war als er, mit ihm zu sprechen oder ihn etwas zu fragen wagte, weiter nichts als „P!", und das hat nichts zu bedeuten.

„Hier soll ja ein höchst merkwürdiger Vogel sein, der Nachtigall genannt wird!" sagte der Kaiser. „Man sagt, dies sei das Allerbeste in meinem großen Reich. Warum hat man mir nie etwas davon gesagt?"

„Ich habe ihn nie zuvor nennen hören!" sagte der Kavalier. „Er ist nie bei Hof vorgestellt worden!"

„Ich will, daß er heute abend herkommen und mir vorsingen soll!" sagte der Kaiser. „Die ganze Welt weiß, was ich habe, und ich weiß es nicht!"

„Ich habe ihn nie zuvor nennen hören!" sagte der Kavalier. „Ich werde ihn suchen, ich werde ihn finden!"

Aber wo war der zu finden? Der Kavalier lief alle Treppen auf und nieder, durch Säle und Gänge, aber keiner von all denen, auf die er traf, hatte von der Nachtigall sprechen hören. Und der Kavalier lief wieder zum Kaiser und sagte, daß es gewiß eine Fabel von denen sein müßte, die da Bücher schrieben. „Dero Kaiserliche Majestät sollen nicht glauben, was da geschrieben wird! Das sind Erfindungen und etwas, was man die Schwarze Kunst nennt."

„Aber das Buch, in dem ich dies gelesen habe", sagte der Kaiser, „ist mir von dem großmächtigen Kaiser von Japan gesandt, und so kann es keine Unwahrheit sein. Ich will die Nachtigall hören! Sie muß heute abend hier sein! Sie hat meine höchste Gnade! Und kommt sie nicht, so soll dem ganzen Hofe auf den Bauch getrampelt werden, wenn er Abendbrot gegessen hat!"

„Tsing pe!" sagte der Kavalier und lief wieder alle Treppen auf und nieder, durch alle Säle und Gänge; und der halbe

Hof lief mit, denn sie wollten nicht gern auf den Bauch getrampelt werden. Da gab es ein Fragen nach der merkwürdigen Nachtigall, welche die ganze Welt kannte, nur niemand bei Hofe.

Endlich trafen sie ein kleines armes Mädchen in der Küche. Es sagte: „O Gott, die Nachtigall kenne ich gut; ja, wie die singen kann! Jeden Abend habe ich Erlaubnis, meiner armen kranken Mutter Überreste vom Tisch nach Hause zu tragen; sie wohnt unten am Strand; und wenn ich zurückgehe, müde bin und im Wald ausruhe, dann höre ich die Nachtigall singen! Es kommen mir dabei die Tränen in die Augen, und es ist, als ob meine Mutter mich küßte!"

„Kleine Köchin", sagte der Kavalier, „ich werde dir eine feste Anstellung in der Küche und die Erlaubnis verschaffen, den Kaiser speisen zu sehen, wenn du uns zur Nachtigall führen kannst, denn sie ist zu heute abend bestellt."

Und so zogen sie alle hinaus in den Wald, wo die Nachtigall zu singen pflegte; der halbe Hof war mit. Als sie am allerbesten marschierten, fing eine Kuh zu brüllen an.

„Oh", sagten die Hofjunker, „nun haben wir sie! Es ist doch eine merkwürdige Kraft in einem so kleinen Tier! Die habe ich ganz bestimmt schon früher gehört!"

„Nein, das sind Kühe, die brüllen!" sagte die kleine Köchin. „Wir sind noch weit von dem Ort entfernt!"

Nun quakten die Frösche im Sumpf.

„Herrlich!" sagte der chinesische Schloßpropst. „Nun höre ich sie; es klingt gerade wie kleine Kirchenglocken!"

„Nein, das sind Frösche!" sagte das kleine Küchenmädchen. „Aber nun, denke ich, werden wir sie bald hören!"

Da begann die Nachtigall zu singen.

„Das ist sie!" sagte das kleine Mädchen. „Hört! Hört! Und da sitzt sie!" Und dann zeigte es auf einen kleinen grauen Vogel oben in den Zweigen.

„Ist es möglich!" sagte der Kavalier. „So hätte ich sie mir niemals gedacht! Wie einfach sie aussieht! Sie hat sicher ihre Farbe darüber verloren, daß sie so viele vornehme Menschen um sich sieht!"

„Kleine Nachtigall!" rief die kleine Köchin laut, „unser gnädigster Kaiser wünscht, daß du vor ihm singst!"

„Mit dem größten Vergnügen!" sagte die Nachtigall und sang dann, daß es eine Lust war.

„Es klingt gerade wie Glasglocken!" sagte der Kavalier. „Und seht die kleine Kehle, wie sie sich anstrengt! Es ist merkwürdig, daß wir sie früher nie gehört haben! Sie wird großen Succès bei Hofe haben!"

„Soll ich noch einmal vor dem Kaiser singen?" fragte die Nachtigall, die glaubte, der Kaiser sei auch da.

„Meine vortreffliche kleine Nachtigall", sagte der Kavalier, „ich habe die große Freude, Sie zu einem Hoffest heute abend einzuladen, wo Sie Dero hohe kaiserliche Gnaden mit Ihrem charmanten Gesang bezaubern werden!"

„Der hört sich am besten im Grünen an!" sagte die Nachtigall; doch sie kam gern mit, als sie hörte, daß es der Kaiser wünschte.

Auf dem Schloß war tüchtig aufgeputzt worden. Die Wände und der Fußboden, die aus Porzellan waren, glänzten im Lichte vieler tausend Goldlampen; die herrlichsten Blumen, die recht klingeln konnten, waren in den Gängen aufgestellt. Das war ein Laufen und ein Zugwind, und alle Glocken klingelten, so daß man sein eigenes Wort nicht hören konnte.

Mitten in den großen Saal, wo der Kaiser saß, war ein goldener Stecken gestellt, darauf sollte die Nachtigall sitzen. Der ganze Hof war da, und die kleine Köchin hatte die Erlaubnis, hinter der Tür zu stehen, da sie nun den Titel einer wirklichen Köchin bekommen hatte. Alle waren in ihrem besten Putz, und alle sahen nach dem kleinen grauen Vogel, dem der Kaiser zunickte.

Die Nachtigall sang so herrlich, daß dem Kaiser die Tränen in die Augen traten und ihm über die Wangen rollten; da sang die Nachtigall noch schöner, das ging recht zu Herzen. Der Kaiser war so froh, und er sagte, die Nachtigall solle seinen goldenen Pantoffel um den Hals bekommen. Aber die Nachtigall dankte, sie habe schon Belohnung genug erhalten.

„Ich habe Tränen in des Kaisers Augen gesehen, das ist mir der reichste Schatz! Eines Kaisers Tränen haben eine wunderbare Macht! Gott weiß, ich bin genug belohnt!" Und dann sang sie wieder mit ihrer süßen, herrlichen Stimme.

„Das ist die liebenswürdigste Koketterie, die ich kenne!" sagten die Damen ringsumher, und dann nahmen sie Wasser in den Mund, um zu glucksen, wenn jemand mit ihnen sprach. Sie glaubten dann auch eine Nachtigall zu sein. Ja, die Lakaien und Kammermädchen ließen melden, daß auch sie zufrieden seien, und das will viel sagen, denn ihnen ist es am allerschwersten recht zu machen. Ja, die Nachtigall machte wahrlich ihr Glück.

Sie sollte nun bei Hofe bleiben, ihr eigenes Bauer und die Freiheit haben, zweimal am Tage und einmal in der Nacht spazierenzufliegen. Sie bekam dann zwölf Diener mit, welche ihr alle ein Seidenband um das Bein geschlungen hatten und sie gut festhielten. So ein Ausflug war durchaus kein Vergnügen.

Die ganze Stadt sprach von dem merkwürdigen Vogel, und begegneten sich zwei, so sagte der eine nichts anderes als „Nacht!", und der andere sagte: „gall!" Und dann seufzten sie und verstanden sich. Ja, elf Hökerkinder wurden nach ihr benannt; aber keins von ihnen hatte einen Ton in der Kehle.

Eines Tages kam für den Kaiser ein großes Paket, worauf geschrieben stand: „Nachtigall".

„Da haben wir nun ein neues Buch über unseren berühmten Vogel!" sagte der Kaiser. Aber es war kein Buch, sondern ein kleines Kunstwerk, das in einer Schachtel lag, eine künstliche Nachtigall, die der lebendigen gleichen sollte, aber überall mit Diamanten, Rubinen und Saphiren besetzt war. Sobald man den Kunstvogel aufzog, konnte er eins der Stücke singen, die der wirkliche Vogel sang; und dann bewegte sich der Schwanz auf und nieder und glänzte von Silber und Gold. Um den Hals hing ein kleines Band, darauf stand geschrieben: „Die Nachtigall des Kaisers von Japan ist arm gegen die des Kaisers von China."

„Das ist herrlich!" sagten alle, und der, welcher den künstlichen Vogel gebracht hatte, erhielt sogleich den Titel: Kaiserlicher Obernachtigallbringer.

„Nun müssen sie zusammen singen, was wird das für ein Duett!"

Und so mußten sie zusammen singen, aber es wollte nicht richtig gehen, denn die wirkliche Nachtigall sang auf ihre Weise, und der Kunstvogel ging auf Walzen. „Der hat keine Schuld", sagte der Spielmeister; „der ist besonders taktfest und ganz meine Schule!" Nun sollte der Kunstvogel allein singen. Er machte ebenso sein Glück wie der wirkliche, und dann war er ja viel niedlicher anzusehen, er glitzerte wie Armbänder und Brustnadeln.

Dreiunddreißigmal sang er ein und dasselbe Stück und war doch nicht müde. Die Leute hätten ihn gern wieder aufs neue gehört, aber der Kaiser meinte, daß nun auch die lebendige Nachtigall ein wenig singen solle – aber wo war die? Niemand hatte bemerkt, daß sie aus dem offenen Fenster in ihre grünen Wälder davongeflogen war.

„Aber was ist denn das!" sagte der Kaiser. Und alle Hofleute schalten und meinten, daß die Nachtigall ein höchst undankbares Tier sei. „Den besten Vogel haben wir doch!" sagten sie; und so mußte denn der Kunstvogel wieder singen, und das war das vierunddreißigste Mal, daß sie dasselbe Stück zu hören bekamen. Aber sie konnten es doch nicht ganz auswendig, denn es war gar zu schwer. Und der Spielmeister lobte den Vogel außerordentlich, ja er versicherte, daß er besser als eine wirkliche Nachtigall sei, nicht nur was die Kleider und die vielen herrlichen Diamanten betreffe, sondern auch inwendig.

„Denn sehen Sie, meine Herrschaften, der Kaiser vor allen, bei der wirklichen Nachtigall kann man nie berechnen, was da kommen wird, aber bei dem Kunstvogel ist alles bestimmt! So wird es und nicht anders! Man kann es erklären, man kann ihn öffnen und dem menschlichen Denken zeigen, wie die Walzen liegen, wie sie gehen und wie das eine aus dem andern folgt!"

„Das sind ganz unsere Gedanken!" sagten alle, und der Spielmeister erhielt die Erlaubnis, am nächsten Sonntag den Vogel dem Volke vorzuzeigen. Es sollte ihn auch singen hören, sagte der Kaiser. Und es hörte ihn, und es wurde so vergnügt, als ob es sich an Tee berauscht hätte, denn das ist nun so ganz chinesisch, und da sagten alle: „Oh!" und hielten den Finger, den man Topflecker nennt, in die Höhe und nickten dazu. Die armen Fischer jedoch, die die wirkliche Nachtigall gehört hatten, sagten: „Das klingt wohl hübsch und auch ganz ähnlich, aber es fehlt etwas, ich weiß nicht, was!"

Die wirkliche Nachtigall wurde aus dem Land und dem Reich verwiesen.

Der Kunstvogel hatte seinen Platz auf einem Seidenkissen dicht bei des Kaisers Bett; all die Geschenke, die er bekommen hatte, Gold und Edelsteine, lagen rings um ihn her, und im Titel war er zu einem „Hochkaiserlichen Nachttischsänger" aufgestiegen, im Rang bis Nummer eins zur linken Seite. Denn der Kaiser hielt die Seite für die vornehmste, auf der das Herz sitzt, und das Herz sitzt auch bei einem Kaiser links. Und der Spielmeister schrieb ein Werk von fünfundzwanzig Bänden über den Kunstvogel; das war so gelehrt und so lang, voll von den allerschwersten chinesischen Wörtern, daß alle Leute sagten, sie hätten es gelesen und verstanden, denn sonst wären sie ja dumm gewesen und auf den Bauch getrampelt worden.

So verging ein ganzes Jahr. Der Kaiser, der Hof und all die andern Chinesen konnten jeden kleinen Gluckser im Gesang des Kunstvogels auswendig. Aber gerade darum gefiel er ihnen nun am allerbesten; sie konnten selbst mitsingen, und das taten sie auch. Die Straßenjungen sangen: „Zizizi! Gluckgluckgluck!" Und der Kaiser sang es ebenfalls. Ja, das war gewiß herrlich.

Eines Abends jedoch, als der Kunstvogel am besten sang und der Kaiser im Bett lag und zuhörte, sagte es drinnen im Vogel „schwupp". Da sprang etwas! „Schnurrrr!"

Alle Räder liefen herum, und dann stand die Musik still.

Der Kaiser sprang sogleich aus dem Bett und ließ seinen Leibarzt rufen; aber was konnte der schon helfen! Dann ließen sie den Uhrmacher holen, und nach vielem Reden und Nachsehen bekam er den Vogel etwas in Ordnung, aber er sagte, daß er sehr geschont werden müsse, denn die Zapfen seien abgenutzt, und es sei unmöglich, neue so einzusetzen, daß die Musik sicher gehe. Das war eine große Trauer! Nur einmal im Jahr durfte man den Kunstvogel singen lassen, und das war schon fast zuviel. Aber dann hielt der Spielmeister eine kleine Rede voll inhaltsschwerer Worte und sagte, daß es ebensogut sei wie früher, und dann war es ebensogut wie früher.

Nun waren fünf Jahre vergangen, und eine große Trauer kam über das Land, denn sie liebten im Grunde alle ihren Kaiser, und nun war er krank und konnte nicht mehr lange leben, sagte man. Schon war ein neuer Kaiser gewählt, und das Volk stand draußen auf der Straße und fragte den Kavalier, wie es ihrem Kaiser gehe.

„P!" sagte er und schüttelte den Kopf.

Kalt und bleich lag der Kaiser in seinem großen, prächtigen Bett. Der ganze Hof glaubte ihn tot, und jeder von ihnen lief hin, den neuen Kaiser zu begrüßen. Die Kammerdiener liefen hinaus, um darüber zu schwatzen, und die Kammermädchen hatten große Kaffeegesellschaft. Ringsumher in allen Sälen und Gängen war Tuch gelegt, damit man keinen Fußtritt hören sollte, und darum war es da so still, so still! Aber der Kaiser war noch nicht tot; steif und bleich lag er in dem prächtigen Bett mit den langen Samtgardinen und den schweren Goldquasten; hoch oben stand ein Fenster offen, und der Mond schien herein auf den Kaiser und den Kunstvogel.

Der arme Kaiser konnte kaum atmen; es war, als ob etwas auf seiner Brust säße; er schlug die Augen auf, und da sah er, daß es der Tod war, der auf seiner Brust saß, sich seine goldene Krone aufgesetzt hatte und in der einen Hand des Kaisers goldenen Säbel, in der anderen seine prächtige Fahne hielt. Und ringsumher aus den Falten der großen samtenen Bettgardinen sahen wunderliche Köpfe hervor, einige ganz häßlich, andere so lieblich und mild: das waren alle bösen und guten Taten des Kaisers, die ihn anblickten, nun, da der Tod ihm auf dem Herzen saß.

„Entsinnst du dich dessen?" flüsterte einer nach dem andern. „Erinnerst du dich dessen?" Und dann erzählten sie ihm so viel, daß ihm der Schweiß von der Stirn rann.

„Das habe ich nicht gewußt!" sagte der Kaiser. „Musik! Musik! Die große chinesische Trommel!" rief er; „damit ich nicht alles hören muß, was sie sagen!"

Und sie fuhren fort, und der Tod nickte wie ein Chinese zu allem, was gesagt wurde.

„Musik, Musik!" schrie der Kaiser. „Du lieber kleiner Goldvogel! Singe doch, singe! Ich habe dir Gold und Kostbarkeiten gegeben; ich habe dir selbst meinen goldenen Pantoffel um den Hals gehängt, singe doch, singe!"

Aber der Vogel stand still; es war niemand da, um ihn aufzuziehen, und sonst sang er nicht; aber der Tod fuhr fort, den Kaiser mit seinen großen leeren Augenhöhlen anzustarren, und es war so still, so schrecklich still!

Da klang auf einmal vom Fenster her der herrlichste Gesang; es war die kleine lebendige Nachtigall, die draußen auf dem Zweig saß. Sie hatte von der Not ihres Kaisers ge-

hört und war darum gekommen, ihm Trost und Hoffnung zu singen. Und wie sie sang, wurden die Gestalten bleicher und bleicher; das Blut kreiste rascher und rascher in dem schwachen Körper des Kaisers, und selbst der Tod lauschte und sagte: „Sing weiter, kleine Nachtigall, sing weiter!"
„Ja, willst du mir den prächtigen goldenen Säbel geben? Willst du mir die reiche Fahne geben? Willst du mir des Kaisers Krone geben?"
Und der Tod gab jedes Kleinod für einen Gesang; und die Nachtigall sang noch weiter; sie sang von dem stillen Kirchhof, wo die weißen Rosen wachsen, wo der Flieder duftet und wo das frische Gras von den Tränen der Überlebenden befeuchtet wird. Da bekam der Tod Sehnsucht nach seinem Garten und schwebte wie ein kalter, weißer Nebel aus dem Fenster.
„Dank, Dank!" sagte der Kaiser. „Du himmlischer kleiner Vogel! Ich kenne dich wohl! Dich habe ich aus meinem Land und Reich gejagt! Und doch hast du die bösen Gesichter von meinem Bett fortgesungen, den Tod von meinem Herzen vertrieben! Wie kann ich dich belohnen?"
„Du hast mich belohnt!" sagte die Nachtigall. „Ich habe deinen Augen Tränen entlockt, als ich das erstemal sang, das vergesse ich dir nie! Das sind Juwelen, die ein Sängerherz erfreuen! – Aber schlafe nun und werde frisch und stark! Ich werde dir vorsingen!"
Und sie sang – und der Kaiser fiel in einen süßen Schlummer. Ach, wie mild und wohltuend war der Schlaf!
Die Sonne schien durch die Fenster zu ihm herein, als er gestärkt und gesund erwachte. Keiner von seinen Dienern war zurückgekehrt, denn sie glaubten, er sei tot; nur die Nachtigall saß noch bei ihm und sang.
„Immer mußt du bei mir bleiben!" sagte der Kaiser. „Du sollst nur singen, wenn du selbst willst, und den Kunstvogel schlage ich in tausend Stücke."
„Tu das nicht!" sagte die Nachtigall. „Der hat ja das Gute getan, das er tun konnte! Behalte ihn wie bisher! Ich kann im Schloß nicht wohnen, aber laß mich kommen, wenn ich selbst Lust habe, da will ich des Abends auf dem Zweig dort beim Fenster sitzen und dir vorsingen, damit du froh und nachdenklich zugleich sein kannst! Ich werde von den Glücklichen singen und von denen, die leiden! Ich werde

vom Bösen und vom Guten singen, das rings um dich her verborgen gehalten wird! Der kleine Singvogel fliegt weit umher, zu dem armen Fischer, zu dem Dach des Bauern, zu jedem, der weit von dir und deinem Hof entfernt ist! Ich liebe dein Herz mehr als deine Krone, und doch hat die Krone einen Duft von etwas Heiligem an sich! – Ich komme, ich singe dir vor! – Aber eins mußt du mir versprechen."

„Alles!" sagte der Kaiser und stand da in seiner kaiserlichen Tracht, die er selbst angelegt hatte, und hielt den Säbel, der schwer von Gold war, an sein Herz.

„Um eins bitte ich dich! Erzähle niemand, daß du einen kleinen Vogel hast, der dir alles sagt; dann wird es noch besser gehen!"

Da flog die Nachtigall fort.

Die Diener kamen herein, um nach ihrem toten Kaiser zu sehen – ja, da standen sie, und der Kaiser sagte: „Guten Morgen!"

Das Liebespaar

Ein Kreisel und ein Bällchen lagen im Kasten zusammen mit anderem Spielzeug, und da sagte der Kreisel zum Bällchen: „Wollen wir nicht Brautleute sein, wo wir doch in einem Kasten zusammen liegen?" Aber das Bällchen, das aus Saffian genäht war und das sich ebensoviel einbildete wie ein feines Fräulein, wollte auf so etwas nicht antworten.

Am nächsten Tag kam der kleine Knabe, dem das Spielzeug gehörte; er bemalte den Kreisel rot und gelb und schlug einen Messingnagel mitten hinein; das sah ganz prächtig aus, wenn der Kreisel herumschnurrte!

„Sehen Sie mich an!" sagte er zum Bällchen. „Was sagen Sie nun? Wollen wir nicht Brautleute sein? Wir passen so gut zueinander, Sie springen, und ich tanze! Glücklicher als wir zwei kann niemand werden!"

„So? Glauben Sie das?" sagte das Bällchen. „Sie wissen wohl nicht, daß mein Vater und meine Mutter Saffianpantoffeln gewesen sind und daß ich einen Kork im Leibe habe?"

„Ja, aber ich bin aus Mahagoniholz", sagte der Kreisel; „und der Stadtrichter selbst hat mich gedrechselt. Er hat seine eigene Drechselbank, und es hat ihm viel Vergnügen gemacht."

„Kann ich mich darauf verlassen?" fragte das Bällchen.

„Möge ich niemals die Peitsche bekommen, wenn ich lüge!" antwortete der Kreisel.

„Sie wissen gut für sich zu sprechen!" sagte das Bällchen. „Aber ich kann doch nicht, ich bin mit einer Schwalbe so gut wie halb verlobt; jedesmal, wenn ich in die Luft fliege, steckt sie den Kopf zum Nest heraus und fragt: ,Wie ist's, wie ist's?' Und nun habe ich innerlich ja gesagt, und das ist so gut wie eine halbe Verlobung; aber ich verspreche Ihnen, Sie niemals zu vergessen!"

„Ja, das wird viel helfen!" sagte der Kreisel. Und dann sprachen sie nicht mehr miteinander.

Am nächsten Tag wurde das Bällchen hervorgeholt. Der Kreisel sah es hoch in die Luft fliegen, wie ein Vogel; zuletzt konnte man es gar nicht mehr erblicken; jedesmal kam es wieder zurück, machte aber immer einen hohen Sprung, wenn es die Erde berührte; und das geschah entweder aus Sehnsucht oder weil es einen Kork im Leibe hatte. Das neuntemal aber blieb das Bällchen weg und kam nicht wieder; und der Knabe suchte und suchte, aber weg war es.

„Ich weiß wohl, wo es ist!" seufzte der Kreisel. „Es ist im Schwalbennest und hat sich mit der Schwalbe verheiratet!"

Je mehr der Kreisel daran dachte, um so mehr verliebte er sich in das Bällchen; gerade weil er es nicht bekommen konnte, darum nahm seine Liebe zu; daß es einen anderen genommen hatte, das war das Aparte dabei. Und der Kreisel tanzte herum und schnurrte, aber immer dachte er an das Bällchen, das in seinen Gedanken schöner und schöner wurde. So vergingen viele Jahre – und nun war es eine alte Liebe.

Und der Kreisel war nicht mehr jung! Aber da wurde er eines Tages über und über vergoldet, niemals hatte er so schön ausgesehen; er war nun ein Goldkreisel und sprang, daß es nur so schnurrte. Ja, das war doch etwas! Aber auf einmal sprang er zu hoch und – weg war er! Man suchte und suchte, selbst unten im Keller, doch er war nicht zu finden.

Wo war er?

Er war in den Kehrichtkasten gesprungen, wo allerlei lag: Kohlstrünke, Kehricht und Schutt, der von der Dachrinne gefallen war.

„Nun liege ich wirklich gut! Hier wird die Vergoldung bald abgehen. Und was ist das für ein Gesindel, unter das ich hier geraten bin!" Und dann schielte er nach einem langen abgeblätterten Kohlstrunk und nach einem wunderlichen runden Dinge, das wie ein alter Apfel aussah – aber es war kein Apfel, es war ein altes Bällchen, das viele Jahre in der Dachrinne gelegen hatte und vom Wasser ganz durchnäßt war.

„Gott sei Dank, da kommt doch einer unsersgleichen, mit dem man sprechen kann!" sagte das Bällchen und sah den vergoldeten Kreisel an. „Ich bin eigentlich aus Saffian, von Jungfrauenhänden genäht, und habe einen Kork im Leibe; aber das wird mir wohl niemand ansehen. Ich wollte mich gerade mit einer Schwalbe verheiraten, aber da fiel ich in die Dachrinne, und darin habe ich wohl fünf Jahre gelegen und bin aufgeweicht! Glauben Sie mir, das ist eine lange Zeit für eine Jungfer!"

Aber der Kreisel sagte nichts; er dachte an seine alte Liebste, und je mehr er hörte, desto klarer wurde es ihm, daß sie es war.

Da kam das Dienstmädchen und wollte den Kasten ausschütten. „Heisa, da ist der Goldkreisel!" sagte sie.

Und der Kreisel kam wieder zu großer Achtung und Ehre im Hause, aber vom Bällchen hörte man nichts. Und der Kreisel sprach nie mehr von seiner alten Liebe; die vergeht, wenn die Liebste fünf Jahre lang in einer Wasserrinne gelegen hat und aufgeweicht ist; ja, man erkennt sie nicht wieder, wenn man ihr im Kehrichtkasten begegnet.

Das häßliche junge Entlein

Es war so herrlich auf dem Lande! Es war Sommer, das Korn stand gelb, der Hafer grün, das Heu war auf den grünen Wiesen in Schobern aufgesetzt, und der Storch ging dort auf seinen langen roten Beinen und plapperte ägyptisch, denn diese Sprache hatte er von seiner Mutter gelernt. Rings um Äcker und Wiesen waren große Wälder und mitten in den Wäldern tiefe Seen. Ja, es war wirklich herrlich auf dem Lande! Im Sonnenschein lag dort ein alter Gutshof, von tiefen Kanälen umgeben; und von der Mauer bis zum Wasser wuchsen große Klettenblätter, die so hoch waren, daß kleine Kinder unter den höchsten aufrecht stehen konnten; es war so wild darin wie im tiefsten Wald. Hier saß eine Ente auf ihrem Nest; sie mußte ihre Jungen ausbrüten, aber es wurde ihr fast zu langweilig, denn es dauerte so lange, und sie bekam selten Besuch; die andern Enten schwammen lieber in den Kanälen umher, als hinaufzulaufen und sich unter ein Klettenblatt zu setzen, um mit ihr zu schnattern.

Endlich platzte ein Ei nach dem andern: „Piep! Piep!" sagte es, und alle Eidotter waren lebendig geworden und streckten den Kopf heraus.

„Rapp! Rapp!" sagte sie, und dann rappelten sich alle, was sie konnten, und sahen sich unter den grünen Blättern nach allen Seiten um, und die Mutter ließ sie schauen, soviel sie wollten, denn das Grüne ist gut für die Augen.

„Wie groß ist doch die Welt!" sagten alle Jungen, denn nun hatten sie freilich ganz anders Platz als drinnen im Ei.

„Glaubt ihr, das sei die ganze Welt?" sagte die Mutter. „Die erstreckt sich noch weit über die andere Seite des Gartens, bis in das Feld des Pfarrers, aber da bin ich noch nie gewesen! – Ihr seid doch alle beisammen?" fuhr sie fort und stand auf. „Nein, ich habe nicht alle, das größte Ei liegt noch da; wie lange soll denn das dauern! Jetzt habe ich es bald satt!" Und dann setzte sie sich wieder.

„Nun, wie geht es?" sagte eine alte Ente, die gekommen war, um ihr einen Besuch zu machen.

„Es dauert so lange mit dem einen Ei!" sagte die Ente, die brütete. „Es will noch kein Loch kommen; aber nun sollst du die andern sehen, es sind die niedlichsten Entlein, die ich je gesehen habe. Sie gleichen allesamt ihrem Vater; der Bösewicht, er kommt nicht, mich zu besuchen."

„Laß mich das Ei sehen, das nicht platzen will!" sagte die Alte. „Du kannst mir glauben, es ist ein Putenei! Ich bin auch einmal so angeführt worden und hatte meine liebe Not mit den Jungen, denn ihnen ist bange vor dem Wasser, kann ich dir sagen! Ich konnte sie nicht hineinbekommen;

ich rappte und schnappte, aber es half nichts. – Laß mich das Ei sehen! Ja, das ist ein Putenei! Laß das liegen und lehre die andern Kinder schwimmen."

„Ich will doch noch ein bißchen darauf sitzen", sagte die Ente, „habe ich so lange gesessen, kann ich auch noch länger sitzen."

„Wie du willst", sagte die alte Ente und ging davon.

Endlich platzte das große Ei. „Piep! Piep!" sagte das Junge und kroch heraus. Es war so groß und häßlich! Die Ente sah es an: „Es ist doch ein entsetzlich großes Entlein", sagte sie, „keins von den andern sieht so aus; es wird doch wohl kein Putenküken sein? Na, wir werden bald dahinterkommen! In das Wasser muß es, und wenn ich es selbst hineinstoßen soll."

Am nächsten Tag war wunderschönes Wetter, die Sonne schien auf alle grünen Kletten. Die Entenmutter ging mit ihrer ganzen Familie zum Kanal hinunter. Platsch! Da sprang sie in das Wasser. „Rapp! Rapp!" sagte sie, und ein Entlein nach dem andern plumpste hinein; das Wasser schlug über ihren Köpfen zusammen, aber sie kamen gleich wieder nach oben und schwammen so prächtig; die Beine gingen von selbst, und alle waren sie im Wasser, selbst das häßliche, graue Junge schwamm mit.

„Nein, es ist kein Puter", sagte sie, „sieh, wie herrlich es die Beine gebraucht, wie gerade es sich hält, es ist mein eigenes Junges! Im Grunde ist es doch ganz hübsch, wenn man es nur richtig ansieht. Rapp! Rapp! – Kommt nur mit mir, ich werde euch in die große Welt führen und euch im Entenhof präsentieren, aber haltet euch immer in meiner Nähe, damit euch niemand tritt, und nehmt euch vor der Katze in acht!"

Und so kamen sie in den Entenhof. Da drinnen war ein schrecklicher Lärm, denn da waren zwei Familien, die sich um einen Aalkopf schlugen, und dann bekam ihn doch die Katze.

„Seht, so geht es in der Welt zu!" sagte die Entenmutter und leckte sich den Schnabel, denn sie wollte auch den Aalkopf haben. „Gebraucht nun die Beine!" sagte sie, „Seht, daß ihr euch rappelt, und neigt euern Hals vor der alten Ente dort! Sie ist die vornehmste von allen hier, sie ist aus spanischem Geblüt, darum ist sie so dick, und seht ihr: sie hat einen roten Lappen um das Bein; das ist etwas außerordentlich Schönes und die größte Auszeichnung, die eine Ente bekommen kann; das bedeutet, daß man sie nicht verlieren will und daß sie von Tier und Mensch erkannt werden soll! – Rappelt euch! – Setzt die Füße nicht einwärts! Ein wohlerzogenes Entlein setzt die Füße weit auseinander, gerade wie Vater und Mutter, seht, so! Nun neigt euern Hals und sagt: Rapp."

Und das taten sie; aber die andern Enten ringsumher sahen sie an und sagten ganz laut: „Sieh da! Nun sollen wir auch noch diese Sippschaft bekommen; als ob wir nicht schon so genug wären! Und pfui! wie das eine Entlein aussieht, das wollen wir nicht dulden!" Und sogleich flog eine Ente hin und biß es in den Nacken.

„Laß es in Ruhe!" sagte die Mutter; „es tut ja keinem etwas."

„Ja, aber es ist zu groß und ungewöhnlich", sagte die beißende Ente, „und darum muß es geschunden werden."

„Es sind hübsche Kinder, die Sie da hat", sagte die alte Ente mit dem Lappen um das Bein, „allesamt schön bis auf das eine, das ist nicht geglückt; ich wünschte, daß Sie es umarbeiten könnte."

„Das geht nicht, Ihro Gnaden", sagte die Entenmutter, „es ist nicht hübsch, aber innerlich ist es gut, und es schwimmt so schön wie alle andern, ja ich darf sagen, noch etwas besser; ich denke, es wird hübsch heranwachsen oder mit der Zeit etwas kleiner werden; es hat zu lange im Ei gelegen und darum nicht die rechte Gestalt bekommen!" Und dann zupfte sie es im Nacken und glättete das Gefieder. „Es ist überdies ein Enterich", sagte sie, „und darum macht es nicht soviel aus. Ich denke, er bekommt gute Kräfte, er schlägt sich schon durch."

„Die anderen Entlein sind niedlich", sagte die Alte, „tut nun, als ob Ihr zu Hause wäret, und wenn Ihr einen Aalkopf findet, so könnt Ihr ihn mir bringen."

Und so waren sie wie zu Hause.

Aber das arme Entlein, das zuletzt aus dem Ei gekrochen war und so häßlich aussah, wurde von den Enten und den Hühnern gebissen, gepufft und verspottet. „Es ist zu groß!" sagten alle, und der Truthahn, der mit Sporen zur Welt gekommen war und darum glaubte, er sei Kaiser, plusterte sich auf wie ein Schiff mit vollen Segeln, ging gerade auf das Entlein los, und dann kollerte er und bekam einen ganz roten Kopf. Das arme Entlein wußte weder, wo es stehen noch gehen sollte; es war so betrübt, weil es so häßlich aussah und vom ganzen Entenhof verspottet wurde.

So ging es den ersten Tag, und später wurde es immer schlimmer. Das arme Entlein wurde von allen gejagt, selbst seine Geschwister waren so böse zu ihm und sagten immer: „Wenn dich nur die Katze fangen möchte, du häßliches Stück!" Und die Mutter sagte: „Wenn du nur weit fort wärst!" Und die Enten bissen es, und die Hühner schlugen es, und das Mädchen, das die Tiere füttern sollte, stieß es mit den Füßen.

Da lief es fort und flog über den Zaun; die kleinen Vögel in den Büschen flogen erschrocken auf. ‚Das geschieht, weil ich so häßlich bin', dachte das Entlein und schloß die Augen, lief aber trotzdem weiter; so kam es in das große Moor, wo die Wildenten wohnten. Hier lag es die ganze Nacht, es war so müde und bekümmert.

Am Morgen flogen die Wildenten auf, und sie sahen sich den neuen Kameraden an. „Was bist du für einer?" fragten sie, und das Entlein drehte sich nach allen Seiten und grüßte, so gut es konnte.

„Du bist außerordentlich häßlich!" sagten die Wildenten, „aber das kann uns gleich sein, wenn du nur nicht in unsere Familie einheiratest." – Das Arme! Es dachte gewiß nicht daran, sich zu verheiraten, wenn es nur im Schilf liegen und etwas Moorwasser trinken dürfte.

So lag es zwei ganze Tage, als zwei Wildgänse, oder richtiger, Wildgänseriche – denn es waren männliche – dorthin kamen; es war noch nicht lange her, daß sie aus dem Ei gekrochen waren, und darum waren sie auch so keck.

„Hör mal, Kamerad!" sagten sie, „du bist so häßlich, daß wir dich gut leiden können! Willst du mitziehen und Zugvogel werden? Nahebei in einem andern Moor gibt es einige süße, liebliche Wildgänse, sämtlich Fräulein, die ‚Rapp!' sagen können. Du bist imstande, da dein Glück zu machen, so häßlich du auch bist!"

„Piff! Paff!" ertönte es eben, und beide Wildgänseriche fielen tot in das Schilf, und das Wasser wurde blutrot. „Piff! Paff!" ertönte es wieder, und ganze Scharen Wildgänse flogen aus dem Schilf auf, und dann knallte es wieder. Es war große Jagd, die Jäger lagen rings um das Moor; ja, einige saßen oben in den Ästen der Bäume, die sich weit über das Schilfrohr hinausstreckten. Der blaue Rauch zog wie Wolken zwischen die dunklen Bäume und hing weit über dem Wasser; in den Sumpf kamen die Jagdhunde, platsch, platsch! Schilf und Rohr neigten sich nach allen Seiten. Das war ein Schreck für das arme Entlein! Es drehte den Kopf, um ihn unter den Flügel zu stecken, aber im selben Augenblick stand ein furchtbar großer Hund dicht bei ihm, die Zunge hing ihm lang aus dem Hals heraus, und die Augen leuchteten furchtbar häßlich; er riß seinen Rachen gerade vor dem Entlein auf, zeigte ihm die scharfen Zähne und – platsch, platsch! ging er wieder, ohne es zu packen.

„Oh, Gott sei Dank!" seufzte das Entlein. „Ich bin so häßlich, daß mich selbst der Hund nicht beißen mag!"

Und so lag es ganz still, während die Schrotkörner durch das Schilf pfiffen und Schuß auf Schuß knallte.

Erst spät am Abend wurde es still, aber das arme Junge wagte nicht, sich zu erheben; es wartete noch mehrere Stunden, bevor es sich umsah, und dann eilte es fort aus dem Moor, so schnell es konnte, es lief über Feld und Wiese; da tobte ein solcher Sturm, daß es kaum noch von der Stelle kommen konnte.

Gegen Abend erreichte es ein ärmliches kleines Bauernhaus, das war so jämmerlich, daß es selbst nicht wußte, nach welcher Seite es fallen sollte, und darum blieb es stehen. Der Sturm umsauste das Entlein so, daß es sich auf den Schwanz setzen mußte, um sich zu halten; und es wurde schlimmer und schlimmer; da merkte es, daß die Tür aus der einen Angel gegangen war und so schief hing, daß es durch die Spalte in die Stube schlüpfen konnte, und das tat es.

Hier wohnte eine alte Frau mit ihrem Kater und ihrer Henne, und der Kater, den sie Söhnchen nannte, konnte einen Buckel machen und spinnen, er sprühte sogar Funken, aber dann mußte man ihn gegen die Haare streichen; die Henne hatte ganz kleine kurze Beine, darum wurde sie Küchelchen-Kurzbein genannt; sie legte gut Eier, und die Frau liebte sie wie ihr eigenes Kind.

Am Morgen bemerkte man sogleich das fremde Entlein, und der Kater begann zu schnurren und die Henne zu gakkern.

„Was ist das?" sagte die Frau und sah sich um, aber sie sah nicht gut, und so glaubte sie, daß das Entlein eine fette Ente sei, die sich verirrt habe. „Das ist ja ein seltener Fang!" sagte sie. „Nun kann ich Enteneier bekommen. Wenn es nur kein Enterich ist! Das müssen wir ausprobieren."

Und so wurde das Entlein für drei Wochen zur Probe angenommen, aber es kam kein Ei. Und der Kater war Herr im Hause, und die Henne war die Madame, und immer sagten sie: „Wir und die Welt!" Denn sie glaubten, daß sie die Hälfte seien, und zwar der allerbeste Teil. Das Entlein glaubte, daß man auch eine andere Meinung haben könne; aber das litt die Henne nicht.

„Kannst du Eier legen?" fragte sie.

„Nein!"

„Ja, willst du dann wohl deinen Mund halten!"

Und der Kater sagte: „Kannst du einen krummen Buckel machen, spinnen und Funken sprühen?"

„Nein!"

„Dann darfst du auch keine Meinung haben, wenn vernünftige Leute sprechen!"

Und das Entlein saß im Winkel und war schlechter Laune. Da dachte es an frische Luft und Sonnenschein; es bekam eine seltsame Lust, auf dem Wasser zu schwimmen, daß es zuletzt nicht anders konnte, als es der Henne zu sagen.

„Was fehlt dir denn?" fragte die. „Du hast nichts zu tun, darum fängst du Grillen! Lege Eier oder spinne, dann vergehen sie."

„Aber es ist so herrlich, auf dem Wasser zu schwimmen!" sagte das Entlein, „so herrlich, den Kopf unter Wasser zu haben und auf den Grund zu tauchen!"

„Ja, das ist wohl ein großes Vergnügen!" sagte die Henne. „Du bist wohl verrückt geworden! Frag den Kater danach – er ist das klügste Geschöpf, das ich kenne –, ob er gern auf dem Wasser schwimmt oder untertaucht! Ich will nicht von mir sprechen. – Frag selbst unsere Herrschaft, die alte Frau; klüger als sie ist niemand auf der Welt! Glaubst du, daß die Lust hat, zu schwimmen und den Kopf unter Wasser zu haben?"

„Ihr versteht mich nicht!" sagte das Entlein.

„Wir verstehen dich nicht? Wer soll dich dann verstehen können! Du wirst doch wohl nicht klüger sein wollen als

der Kater und die Frau, von mir will ich nicht reden! Hab
dich nicht, Kind, und danke deinem Schöpfer für all das
Gute, was man dir angetan hat! Bist du nicht in eine warme
Stube gekommen und hast einen Umgang, von dem du etwas lernen kannst? Aber du bist ein Schwätzer, und es ist
nicht erfreulich, mit dir umzugehen! Mir kannst du glauben! Ich meine es gut mit dir. Ich sage dir Unangenehmes,
und daran erkennt man seine wahren Freunde! Sieh nur zu,
daß du Eier legst oder spinnen und Funken sprühen
lernst!"

„Ich glaube, ich gehe hinaus in die weite Welt!" sagte das
Entlein.

„Ja, tu das!" sagte die Henne.

Und das Entlein ging, es schwamm auf dem Wasser, es
tauchte, aber alle Tiere übersahen es wegen seiner Häßlich-
keit.

Nun kam der Herbst; die Blätter im Wald wurden gelb und
braun, der Wind erfaßte sie, so daß sie umhertanzten, und
oben in der Luft war es sehr kalt. Die Wolken hingen
schwer von Hagel und Schneeflocken, und auf dem Zaun
stand der Rabe und schrie „Au! Au!" vor lauter Kälte; ja,
man konnte ordentlich frieren, wenn man nur daran dachte.
Das arme Entlein hatte es wahrlich nicht gut!

Eines Abends, die Sonne ging so wunderbar unter, kam ein
ganzer Schwarm herrlicher großer Vögel aus dem Busch,
das Entlein hatte niemals so schöne gesehen; sie waren
ganz leuchtendweiß, mit langen geschmeidigen Hälsen; es
waren Schwäne. Sie stießen einen ganz wunderlichen Ton
aus, breiteten ihre prächtigen langen Flügel aus und flogen
aus der kalten Gegend fort nach wärmeren Ländern, nach
offenen Seen! Sie stiegen so hoch, so hoch, und dem häßlichen jungen Entlein wurde so seltsam zumute; es drehte
sich im Wasser wie ein Rad herum, reckte den Hals nach
ihnen und stieß einen so lauten und wunderlichen Schrei
aus, daß es sich selbst davor fürchtete. Oh, es konnte die
schönen, glücklichen Vögel nicht vergessen, und sobald es
sie nicht mehr erblickte, tauchte es bis auf den Grund, und
als es wieder heraufkam, war es wie außer sich. Es wußte
nicht, wie die Vögel hießen, auch nicht, wohin sie flogen,
aber doch war es ihnen gut, wie es nie jemandem gewesen;
es beneidete sie durchaus nicht, wie konnte es ihm einfal-

len, sich solche Herrlichkeit zu wünschen? Es wäre schon froh gewesen, wenn die Enten es nur unter sich geduldet hätten – das arme häßliche Tier!

Und der Winter wurde so kalt, so kalt! Das Entlein mußte im Wasser herumschwimmen, damit es nicht ganz zufror, aber in jeder Nacht wurde das Loch, worin es schwamm, kleiner und kleiner. Es fror, so daß es in der Eisdecke knackte; das Entlein mußte immerzu die Beine gebrauchen, damit das Loch sich nicht schloß. Zuletzt wurde es matt, lag ganz still und fror so im Eis fest.

Früh am Morgen kam ein Bauer; als er das Entlein sah, ging er hin, schlug mit seinem Holzschuh das Eis in Stücke und trug es heim zu seiner Frau. Da lebte es wieder auf.

Die Kinder wollten mit ihm spielen; aber das Entlein glaubte, sie wollten ihm etwas zuleide tun, und fuhr in seiner Angst gerade in den Milchtopf hinein, so daß die Milch in die Stube spritzte. Die Frau schrie und schlug die Hände zusammen, worauf es in das Butterfaß, dann hinunter in die Mehltonne und wieder herausflog. Wie sah es da aus! Die Frau schrie und schlug mit der Feuerzange nach ihm, die Kinder rannten einander über den Haufen, um das Entlein zu fangen, sie lachten und schrien! – Gut war es, daß die Tür offenstand und es zwischen die Büsche in den frisch gefallenen Schnee schlüpfen konnte – da lag es ganz erschöpft.

Aber es würde gar zu traurig sein, all die Not und das Elend zu erzählen, die das Entlein in dem harten Winter erdulden mußte. – Es lag im Moor zwischen dem Röhricht, als die Sonne wieder warm zu scheinen begann; die Lerchen sangen – es war herrlicher Frühling.

Da konnte das Entlein auf einmal seine Flügel heben; sie rauschten stärker als zuvor und trugen es rasch davon, und ehe es recht davon wußte, befand es sich in einem großen Garten, wo die Apfelbäume in Blüte standen, wo der Flieder duftete und seine langen grünen Zweige zu den gewundenen Kanälen neigte. Oh, hier war es so schön, so frühlingsfrisch! Und aus dem Dickicht kamen drei herrliche, weiße Schwäne; sie rauschten mit den Federn und schwammen so leicht auf dem Wasser. Das Entlein kannte die prächtigen Tiere und wurde von einer seltsamen Traurigkeit befallen.

„Ich will zu ihnen fliegen, zu den königlichen Vögeln! Und sie werden mich totschlagen, weil ich so häßlich bin und mich ihnen zu nähern wage. Aber das ist einerlei! Besser, von ihnen getötet als von den Enten gezwackt, von den Hühnern geschlagen, von dem Mädchen, das den Hühnerhof hütet, getreten zu werden und im Winter Schlimmes zu leiden!" Und es flog hinaus in das Wasser und schwamm den prächtigen Schwänen entgegen, die sahen es und schossen mit rauschenden Federn heran. „Tötet mich nur!" sagte das arme Tier, neigte seinen Kopf der Wasserfläche zu und erwartete den Tod – aber was sah es in dem klaren Wasser? Es sah unter sich sein eigenes Bild, aber das war kein plumper, schwarzgrauer Vogel mehr, häßlich und garstig, sondern war selbst ein Schwan.

Es schadet nichts, in einem Entenhof geboren zu sein, wenn man nur in einem Schwanenei gelegen hat!

Es war sehr froh, daß es all die Not und Widerwärtigkeit ausgestanden hatte. Nun erkannte es erst recht sein Glück an all der Herrlichkeit, die es begrüßte. – Und die großen Schwäne umschwammen es und streichelten es mit dem Schnabel.

In den Garten kamen einige kleine Kinder, die Brot und Korn in das Wasser warfen, und das kleinste rief: „Da ist ein neuer!" Und die andern Kinder jubelten mit: „Ja, es ist ein neuer angekommen!" Und sie klatschten mit den Händen und tanzten umher, holten Vater und Mutter, und es wurde Brot und Kuchen in das Wasser geworfen, und sie sagten alle: „Der neue ist der schönste! So jung und so prächtig!" Und die alten Schwäne neigten sich vor ihm.

Da fühlte er sich so beschämt und steckte den Kopf unter die Flügel, er wußte selbst nicht, warum; er war allzu glücklich, aber gar nicht stolz, denn ein gutes Herz wird niemals stolz! Er dachte daran, wie man ihn verfolgt und verhöhnt hatte, und hörte nun alle sagen, daß er der schönste aller schönen Vögel sei. Der Flieder bog sich mit den Zweigen gerade zu ihm in das Wasser, und die Sonne schien so warm und so gut! Da rauschten seine Federn, der schlanke Hals hob sich, und aus vollem Herzen jubelte er: „So viel Glück habe ich nicht erträumt, als ich noch das häßliche junge Entlein war!"

174

Der Tannenbaum

Draußen im Wald stand ein niedlicher Tannenbaum. Er hatte einen guten Platz; Sonne konnte er bekommen, Luft war genug da, und ringsumher wuchsen viele größere Kameraden, Tannen und Fichten. Der kleine Tannenbaum wünschte aber so sehnlich, größer zu werden! Er dachte nicht an die warme Sonne und an die frische Luft, er kümmerte sich nicht um die Bauernkinder, die dort umhergingen und plauderten, wenn sie in den Wald gekommen waren, um Erdbeeren und Himbeeren zu sammeln. Oft kamen sie mit einem ganzen Topf voll oder hatten Erdbeeren auf einen Strohhalm gereiht; dann setzten sie sich neben den kleinen Tannenbaum und sagten: „Nein, wie niedlich klein der ist!" Das mochte der Baum gar nicht hören.

Im folgenden Jahr war er um einen langen Trieb größer, und das Jahr darauf um noch einen, denn an den Tannenbäumen kann man immer an der Zahl der Triebe, die sie haben, sehen, wie viele Jahre sie gewachsen sind.

„Oh, wäre ich doch so ein großer Baum wie die andern!" seufzte das kleine Bäumchen; „dann könnte ich meine Zweige so weit ausbreiten und mit der Krone in die weite Welt hinausblicken! Die Vögel würden dann Nester in meinen Zweigen bauen, und wenn der Wind wehte, könnte ich so vornehm nicken wie die andern dort!"

Er hatte gar keine Freude am Sonnenschein, an den Vögeln und an den roten Wolken, die morgens und abends über ihn hinsegelten.

War es dann Winter und der Schnee lag glitzernd weiß ringsumher, so kam häufig ein Hase angesprungen und setzte geradewegs über das Bäumchen weg – oh, das war so ärgerlich! – Aber zwei Winter vergingen, und im dritten war der Baum so groß, daß der Hase um ihn herumlaufen mußte. Oh, wachsen, wachsen, groß und alt werden, das ist doch das einzig Schöne in dieser Welt, dachte der Baum.

Im Herbst kamen immer Holzhauer und fällten einige der größten Bäume, das geschah jedes Jahr, und der junge Tannenbaum, der nun ganz gut gewachsen war, bebte dabei; denn die großen, prächtigen Bäume fielen mit Knacken und Krachen zur Erde, die Zweige wurden ihnen abgehauen, die Bäume sahen ganz nackt, lang und schmal aus; sie waren fast nicht mehr zu erkennen. Aber dann wurden sie auf Wagen gelegt, und Pferde zogen sie aus dem Wald hinaus.

Wo sollten sie hin? Was stand ihnen bevor?

Im Frühjahr, als die Schwalben und Störche kamen, fragte der Baum sie: „Wißt ihr nicht, wohin sie gebracht wurden? Seid ihr ihnen nicht begegnet?"

Die Schwalben wußten nichts, aber der Storch sah nachdenklich aus, nickte mit dem Kopf und sagte: „Ja, ich glaube wohl! Mir begegneten viele neue Schiffe, als ich aus Ägypten geflogen kam; auf den Schiffen waren prächtige Mastbäume; ich wage zu behaupten, daß sie es waren; sie rochen nach Tanne; ich kann vielmals grüßen, die tragen den Kopf hoch, sehr hoch!"

„Oh, wäre ich doch auch groß genug, um über das Meer fahren zu können! Wie ist das eigentlich, dieses Meer, und wie sieht es aus?"

„Ja, das zu erklären ist zu weitläufig", sagte der Storch, und damit ging er fort.

„Freu dich deiner Jugend!" sagten die Sonnenstrahlen, „freu dich deines frischen Wachstums, des jungen Lebens, das in dir ist!"

Und der Wind küßte den Baum, und der Tau weinte Tränen über ihn; aber das verstand der Tannenbaum nicht.

Als es auf die Weihnachtszeit zuging, wurden ganz junge Bäume gefällt, Bäume, die oft nicht einmal so groß oder im gleichen Alter mit diesem Tannenbaum waren, der weder Rast noch Ruh hatte, sondern immer davonwollte. Diese jungen Bäume, und es waren gerade die allerschönsten, behielten immer ihre Zweige; sie wurden auf Wagen gelegt, und Pferde zogen sie aus dem Wald hinaus.

„Wohin sollen die?" fragte der Tannenbaum. „Sie sind nicht größer als ich, da war sogar einer, der war viel kleiner! Warum behielten sie alle ihre Zweige? Wo fahren sie hin?"

„Das wissen wir! Das wissen wir!" zwitscherten die Sperlinge. „Unten in der Stadt haben wir durch die Fensterscheiben gesehen! Wir wissen, wohin sie fahren! Oh, sie gelangen zur größten Pracht und Herrlichkeit, die man sich denken kann! Wir haben in die Fenster geguckt und gesehen, daß sie mitten in der warmen Stube aufgepflanzt und mit den schönsten Sachen, vergoldeten Äpfeln, Honigkuchen,

Spielzeug und vielen hundert Lichtern, geschmückt werden."

„Und dann –?" fragte der Tannenbaum und bebte in allen Zweigen. „Und dann? Was geschieht dann?"

„Ja, mehr haben wir nicht gesehen! Das war unvergleichlich."

„Ob ich wohl auch bestimmt bin, diesen strahlenden Weg zu gehen?" jubelte der Tannenbaum. „Das ist noch besser, als über das Meer zu ziehen! Wie ich an der Sehnsucht leide! Wäre es doch Weihnachten! Nun bin ich groß und ausgewachsen wie die andern, die im vorigen Jahr fortgebracht wurden! – Oh, wäre ich erst auf dem Wagen! Wäre ich doch in der warmen Stube mit all der Pracht und Herrlichkeit! Und dann –? Ja, dann kommt etwas noch Besseres, noch Schöneres, warum würden sie mich sonst so schmükken! Es muß etwas noch Größeres, etwas noch Herrlicheres kommen! Aber was? Oh, ich leide! Ich schne mich! Ich weiß selbst nicht, wie mir ist!"

„Freu dich unser!" sagten die Luft und das Sonnenlicht; „freu dich deiner frischen Jugend im Freien!"

Aber er freute sich durchaus nicht und wuchs und wuchs; Winter und Sommer stand er grün, dunkelgrün stand er da; die Leute, die ihn sahen, sagten: „Das ist ein schöner Baum!" Und zur Weihnachtszeit wurde er von allen zuerst gefällt. Die Axt hieb tief durch sein Mark, der Baum fiel mit einem Seufzer zu Boden; er fühlte einen Schmerz, eine Ohnmacht; er konnte gar nicht an irgendein Glück denken, er war betrübt, von der Heimat scheiden zu müssen, von dem Fleck, auf dem er emporgeschossen war; er wußte ja, daß er die lieben alten Kameraden, die kleinen Büsche und Blumen ringsumher, nie mehr sehen würde, ja vielleicht nicht einmal die Vögel. Die Abreise war durchaus nicht angenehm.

Der Baum kam erst wieder zu sich, als er, im Hof mit anderen Bäumen abgeladen, einen Mann sagen hörte: „Der ist prächtig! Wir brauchen nur diesen!"

Nun kamen zwei Diener in vollem Staat und trugen den Tannenbaum in einen großen schönen Saal. Ringsherum an den Wänden hingen Bilder, und neben dem großen Kachelofen standen hohe chinesische Vasen mit Löwen auf den Deckeln; da gab es Schaukelstühle, seidene Sofas, große Tische voller Bilderbücher und Spielzeug für hundertmal hundert Taler – wenigstens sagten das die Kinder. Und der Tannenbaum wurde in ein großes, mit Sand gefülltes Faß gestellt; aber niemand konnte sehen, daß es ein Faß war, denn es wurde rundherum mit grünem Stoff behängt und stand auf einem großen bunten Teppich! Oh, wie der Baum bebte! Was wird nun wohl geschehen? Die Diener und die Fräulein schmückten ihn; an einen Zweig hängten sie kleine Netze, ausgeschnitten aus farbigem Papier; jedes Netz war mit Zuckerwerk gefüllt; vergoldete Äpfel und Walnüsse hingen herab, als wären sie festgewachsen, und über hundert rote, blaue und weiße Lichterchen wurden in den Zweigen festgesteckt. Puppen, die so lebendig wie Menschen aussahen – der Baum hatte früher nie solche gesehen –, schwebten im Grünen, und hoch oben auf die Spitze wurde ein großer Stern von Flittergold gesetzt; das war prächtig, ganz unvergleichlich prächtig.

„Heut abend", sagten alle, „heut abend wird er strahlen!" ‚Oh‘, dachte der Baum, ‚wäre es doch Abend! Würden nur die Lichter bald angezündet! Und was dann wohl geschieht? Ob da wohl Bäume aus dem Wald kommen und mich sehen? Ob die Sperlinge an die Fensterscheiben fliegen? Ob ich hier festwachse und Winter und Sommer geschmückt stehen werde?‘

Ja, er wußte gut Bescheid! Aber er hatte ordentlich Borkenschmerzen vor lauter Sehnsucht, und Borkenschmerzen sind für einen Baum ebenso schlimm wie Kopfschmerzen für uns andere.

Nun wurden die Lichter angezündet. Welcher Glanz! Welche Pracht! Der Baum bebte dabei in allen Zweigen, so daß eins der Lichter das Grün anbrannte; es sengte ordentlich.

„Gott bewahre uns!" schrien die Fräulein und löschten es hastig aus.

Nun durfte der Baum nicht einmal beben. Oh, das war ein Schreck! Er hatte Angst, etwas von seinem Schmuck zu verlieren; er war ganz betäubt von all dem Glanz. – Und nun gingen beide Flügeltüren auf – und eine Menge Kinder stürzten herein, als wollten sie den ganzen Baum umwerfen; die älteren Leute kamen bedächtig nach. Die Kleinen standen ganz stumm – aber nur einen Augenblick, dann jubelten sie wieder, daß es nur so schallte; sie tanzten um den

Baum herum, und ein Geschenk nach dem andern wurde abgepflückt.

‚Was machen sie?‘ dachte der Baum. ‚Was soll geschehen?‘ Und die Lichter brannten bis dicht auf die Zweige herunter, und wie sie niederbrannten, löschte man sie aus, und dann bekamen die Kinder die Erlaubnis, den Baum zu plündern. Oh, sie stürzten sich auf ihn, daß es in allen Zweigen knackte; wäre er nicht mit der Spitze und dem Goldstern an der Decke festgebunden gewesen, so wäre er umgestürzt.

Die Kinder tanzten mit ihrem prächtigen Spielzeug herum, niemand sah nach dem Baum, nur das alte Kindermädchen blickte zwischen die Zweige, aber nur, um zu sehen, ob nicht noch eine Feige oder ein Apfel vergessen worden war.

„Eine Geschichte! Eine Geschichte!“ riefen die Kinder und zogen einen kleinen dicken Mann zu dem Baum hin; und er setzte sich gerade unter ihn, „denn da sind wir im Grünen“, sagte er, „und der Baum kann mit besonderem Nutzen zuhören! Aber ich erzähle nur eine Geschichte. Wollt ihr die von Ivede-Avede oder die von Klumpe-Dumpe hören, der die Treppen herunterfiel und doch zu Ehren kam und die Prinzessin erhielt?“

„Ivede-Avede!“ schrien einige, Klumpe-Dumpe!“ schrien andere, das war ein Rufen und Schreien! Nur der Tannenbaum schwieg ganz still und dachte: ‚Soll ich gar nicht mit, gar nichts dabei tun?‘ Er war ja dabeigewesen, hatte getan, was er sollte.

Und der Mann erzählte von Klumpe-Dumpe, der die Treppen herunterfiel und doch zu Ehren kam und die Prinzessin erhielt. Und die Kinder klatschten in die Hände und riefen: „Erzähle! Erzähle!“ Sie wollten auch die Geschichte von Ivede-Avede hören, aber sie bekamen nur die von Klumpe-Dumpe. Der Tannenbaum stand ganz stumm und gedankenvoll; nie hatten die Vögel im Wald so etwas erzählt. ‚Klumpe-Dumpe fiel die Treppen herunter und bekam doch die Prinzessin! Ja, ja, so geht es in der Welt zu!‘ dachte der Tannenbaum und glaubte, daß es wahr sei, weil es ein so netter Mann erzählte. ‚Ja, ja! Wer kann es wissen! Vielleicht falle ich auch die Treppe hinunter und bekomme eine Prinzessin!‘ Und er freute sich darauf, den nächsten

Tag wieder mit Lichtern und Spielzeug, Gold und Früchten angeputzt zu werden.

‚Morgen werde ich nicht zittern!' dachte er. ‚Ich will mich recht an all meiner Herrlichkeit freuen. Morgen werde ich die Geschichte von Klumpe-Dumpe hören und vielleicht auch die von Ivede-Avede.' Und der Baum stand still und gedankenvoll die ganze Nacht.

Am Morgen kamen der Diener und das Mädchen herein.

‚Nun beginnt das Schmücken aufs neue!' dachte der Baum. Aber sie schleppten ihn zur Stube hinaus, die Treppe hinauf auf den Boden, und hier, in einem dunklen Winkel, wo kein Tageslicht schien, stellten sie ihn hin. ‚Was soll das bedeuten?' dachte der Baum. ‚Was soll ich hier wohl tun? Was bekomme ich hier wohl zu hören?' Und er lehnte sich an die Mauer und dachte und dachte. – Und er hatte Zeit genug, denn es vergingen Tage und Nächte, niemand kam herauf; und als endlich jemand kam, so geschah es nur, um einige große Kästen in den Winkel zu stellen. Nun stand der Baum ganz versteckt; man mußte glauben, daß er völlig vergessen war.

‚Nun ist es Winter draußen!' dachte der Baum. ‚Die Erde ist hart und mit Schnee bedeckt, die Menschen können mich nicht pflanzen; deshalb soll ich wohl bis zum Frühjahr hier im Schutz stehen! Wie wohlbedacht das ist! Wie gut doch die Menschen sind! – Wäre es hier nur nicht so dunkel und schrecklich einsam! – Nicht einmal ein kleiner Hase! – Es war doch so niedlich da draußen im Wald, wenn Schnee lag und der Hase vorbeisprang; ja, selbst als er über mich hinwegsprang; aber damals konnte ich es nicht leiden. Hier oben ist es doch schrecklich einsam!'

„Piep, piep!" sagte da eine kleine Maus und huschte hervor; und dann kam noch eine kleine. Sie beschnupperten den Tannenbaum, und dann schlüpften sie zwischen seine Zweige.

„Es ist eine greuliche Kälte!" sagten die kleinen Mäuse. „Sonst ist es hier gut sein! Nicht wahr, du alter Tannenbaum?"

„Ich bin gar nicht alt", sagte der Tannenbaum. „Es gibt viele, die weit älter sind als ich!"

„Wo kommst du her", fragten die Mäuse, „und was weißt

du?" Sie waren so gewaltig neugierig. „Erzähl uns doch von dem schönsten Ort auf Erden! Bist du dort gewesen? Bist du in der Speisekammer gewesen, wo Käse auf den Brettern liegen und Schinken unter der Decke hängen, wo man auf Talglicht tanzt, mager hineingeht und fett herauskommt?"

„Das kenne ich nicht", sagte der Baum. „Aber den Wald kenne ich, wo die Sonne scheint und wo die Vögel singen!" Und dann erzählte er alles aus seiner Jugend, und die kleinen Mäuse hatten so etwas noch nie gehört, und sie horchten auf und sagten: „Nein, wieviel du gesehen hast! Wie glücklich du gewesen bist!"

„Ich?" sagte der Tannenbaum und dachte über das nach, was er selbst erzählte. „Ja, es waren im Grunde ganz fröhliche Zeiten!" – Aber dann erzählte er vom Weihnachtsabend, wo er mit Kuchen und Lichtern geschmückt war.

„Oh", sagten die kleinen Mäuse, „wie glücklich du gewesen bist, du alter Tannenbaum!"

„Ich bin gar nicht alt!" sagte der Baum. „Erst diesen Winter bin ich aus dem Wald gekommen! Ich bin in meinem allerbesten Alter. Ich bin nur so schnell gewachsen."

„Wie schön du erzählst!" sagten die kleinen Mäuse. Und in der nächsten Nacht kamen sie mit vier andern kleinen Mäusen, die sollten den Baum auch erzählen hören, und je mehr er erzählte, desto deutlicher erinnerte er sich selbst an alles und dachte: ‚Es waren doch ganz fröhliche Zeiten! Aber sie können wiederkommen, noch einmal wiederkommen. Klumpe-Dumpe fiel die Treppen herunter und erhielt doch die Prinzessin; vielleicht kann ich auch eine Prinzessin bekommen!' Und dann dachte der Tannenbaum an eine kleine niedliche Birke, die draußen im Walde wuchs; das war für den Tannenbaum eine wirkliche schöne Prinzessin.

„Wer ist Klumpe-Dumpe?" fragten die kleinen Mäuse. Und dann erzählte der Tannenbaum das ganze Märchen; er konnte sich jedes einzelnen Wortes entsinnen; und die kleinen Mäuse wären vor lauter Freude fast bis in die Spitze des Baumes gesprungen. In der folgenden Nacht kamen noch viel mehr Mäuse, und am Sonntag sogar zwei Ratten; aber die sagten, die Geschichte sei nicht hübsch, und das betrübte die kleinen Mäuse, denn nun hielten sie auch weniger davon.

„Kennen Sie nur die eine Geschichte?" fragten die Ratten.

„Nur die eine", sagte der Baum, „die hörte ich an meinem glücklichsten Abend, aber damals dachte ich nicht daran, wie glücklich ich war."

„Das ist eine höchst jämmerliche Geschichte! Kennen Sie keine mit Speck und Talglicht? Keine Speisekammergeschichte?"

„Nein", sagte der Baum.

„Na, dann bedanken wir uns!" antworteten die Ratten und gingen zu den Ihren zurück.

Die kleinen Mäuse blieben zuletzt auch weg, und da seufzte der Baum: „Es war doch ganz hübsch, als sie um mich herumsaßen, die flinken kleinen Mäuse, und zuhörten, wie ich erzählte! Nun ist auch das vorbei! – Aber ich werde daran denken und mich freuen, wenn ich wieder hervorgeholt werde!"

Aber wann geschah das? – Ja, es war eines Morgens, da kamen Leute und rumorten auf dem Boden; die Kästen wurden weggesetzt, der Baum wurde hervorgezogen; sie warfen ihn freilich ziemlich hart auf den Fußboden, aber ein Diener schleppte ihn sogleich zur Treppe hin, wo das Tageslicht schien.

‚Nun beginnt das Leben wieder!' dachte der Baum; er fühlte die frische Luft, den ersten Sonnenstrahl – und nun war er draußen im Hof.

Alles ging so geschwind; der Baum vergaß völlig, sich selbst zu betrachten; da war so vieles ringsumher zu sehen. Der Hof stieß an einen Garten, und alles blühte darin; die Rosen hingen so frisch und duftend über das kleine Gitter, die Lindenbäume blühten, und die Schwalben flogen umher und sagten: „Quirre-virre-vit, mein Mann ist kommen!" Aber es war nicht der Tannenbaum, den sie meinten.

„Nun werde ich leben!" jubelte er und breitete seine Zweige weit aus; aber ach, die waren alle vertrocknet und gelb; und er lag da im Winkel zwischen Unkraut und Nesseln. Der Stern von Goldpapier saß noch oben in der Spitze und glänzte im hellen Sonnenschein.

Im Hof spielten ein paar der munteren Kinder, die zur Weihnachtszeit den Baum umtanzt und sich so über ihn ge-

freut hatten. Eins der kleinsten lief hin und riß den Goldstern ab.

„Sieh, was da noch an dem häßlichen alten Tannenbaum
sitzt!" sagte es und trat auf die Zweige, so daß sie unter seinen Stiefeln knackten.

Und der Baum sah all die Blumenpracht und Frische im
Garten, er sah sich selbst und wünschte, daß er in seinem
dunklen Winkel auf dem Boden geblieben wäre; er gedachte seiner frischen Jugend im Wald, des lustigen Weih-
nachtsabends und der kleinen Mäuse, die so munter die Ge-
schichte von Klumpe-Dumpe angehört hatten.

„Vorbei! Vorbei!" sagte der arme Baum. „Hätte ich mich
doch gefreut, als ich es noch konnte! Vorbei! Vorbei!"

Und der Knecht kam und hieb den Baum in kleine Stücke;
ein ganzes Bündel lag da; hell flackerte es auf unter dem
großen Braukessel; und er seufzte so tief, und jeder Seufzer
war wie ein kleiner Schuß; darum liefen die Kinder, die
dort spielten, herbei und setzten sich vor das Feuer, blickten hinein und riefen: „Piff! Paff!" Aber bei jedem Knall,
der ein tiefer Seufzer war, dachte der Baum an einen Som-
mertag im Wald oder an eine Winternacht da draußen,
wenn die Sterne funkelten; er dachte an den Weihnachtsabend und an Klumpe-Dumpe, das einzige Märchen, das er
gehört hatte und zu erzählen wußte, und dann war der
Baum verbrannt.

Die Knaben spielten im Hof, und der kleinste hatte den
Goldstern auf der Brust, den der Baum an seinem glücklichsten Abend getragen hatte; nun war er vorbei, und mit dem
Baum war es vorbei und mit der Geschichte auch: vorbei,
vorbei – und so geht es mit allen Geschichten!

Die Schneekönigin

Ein Märchen in sieben Geschichten

Erste Geschichte,
die von dem Spiegel und den Scherben handelt

Seht! Nun fangen wir an. Wenn wir am Ende der Geschichte sind, wissen wir nicht mehr, als wir jetzt wissen, denn es war ein böser Troll! Es war einer der allerärgsten, es war der Teufel! Eines Tages war er richtig guter Laune, denn er hatte einen Spiegel gemacht, welcher die Eigenschaft besaß, daß alles Gute und Schöne, das sich darin spiegelte, fast zu nichts zusammenschwand; aber das, was nichts taugte und sich schlecht ausnahm, das trat recht hervor und wurde noch ärger. Die herrlichsten Landschaften sahen darin wie gekochter Spinat aus, und die besten Menschen wurden widerlich oder standen ohne Rumpf auf dem Kopf; die Gesichter wurden so verdreht, daß sie nicht zu erkennen waren, und hatte man eine Sommersprosse, so konnte man gewiß sein, daß sie über Mund und Nase lief. Das sei äußerst belustigend, sagte der Teufel. Ging nun ein guter, frommer Gedanke durch einen Menschen, dann kam ein Grinsen in den Spiegel, so daß der Teufel über seine kunstvolle Erfindung lachen mußte. Alle, die in die Trollschule gingen, denn er hielt Trollschule ab, erzählten ringsum, daß ein Wunder geschehen sei; nun könne man erst erfahren, meinten sie, wie die Welt und die Menschen wirklich aussähen. Sie liefen mit dem Spiegel umher, und zuletzt gab es kein Land und keinen Menschen mehr, der nicht verdreht darin gesehen wurde. Nun wollten sie auch zum Himmel hinauffliegen, um sich über die Engel und den lieben Gott lustig zu machen. Je höher sie mit dem Spiegel flogen, um so mehr grinste er, sie konnten ihn kaum festhalten; sie flogen höher und höher; Gott und den Engeln näher; da erzitterte der Spiegel so fürchterlich in seinem Grinsen, daß er ihnen aus den Händen fiel und zur Erde stürzte, wo er in hundert Millionen, Billionen und noch mehr Stücke ging. Und da gerade richtete er viel größeres Unglück an als zuvor, denn einige Stücke waren kaum so groß wie ein Sandkorn, und diese flogen ringsumher in der weiten Welt, und wo sie den Leuten ins Auge kamen, da blieben sie sitzen, und da sahen die Menschen alles verkehrt oder hatten nur Augen für das, was an einer Sache verkehrt war, denn jede kleine Spiegelscherbe hatte dieselben Kräfte behalten, die der ganze Spiegel besessen hatte. Einige Menschen bekamen sogar eine kleine Spiegelscherbe ins Herz, und dann war es ganz entsetzlich, das Herz wurde wie ein Klumpen Eis. Einige Spiegelscherben waren so groß, daß sie zu Fensterscheiben gebraucht wurden; aber es war nicht gut, durch diese Scheiben seine Freunde anzusehen; andere Stückchen kamen in Brillen, und wenn die Leute diese Brillen aufsetzten, war es unmöglich, recht zu sehen und gerecht zu sein; der Böse lachte, daß ihm der Bauch wackelte, und das kitzelte ihn so schön. Aber draußen flogen noch kleine Glasscherben in der Luft umher.

Nun wollen wir hören!

Zweite Geschichte
Ein Knabe und ein kleines Mädchen

In der großen Stadt, wo so viele Menschen und Häuser sind und nicht Platz genug ist, daß alle Leute einen kleinen Garten haben können, und wo sich darum die meisten mit Blumen in Blumentöpfen begnügen müssen, lebten zwei arme Kinder, die einen Garten hatten, der etwas größer war als ein Blumentopf. Sie waren nicht Bruder und Schwester, aber sie hatten sich so lieb, als ob sie es gewesen wären. Die Eltern wohnten einander gerade gegenüber, sie wohnten in zwei Dachkammern; wo das Dach des einen Nachbarhauses gegen das andere stieß und die Wasserrinne zwischen den Dächern entlanglief, dort war in jedem Haus ein kleines Fenster; man brauchte nur über die Rinne zu steigen, so konnte man von dem einen Fenster zum andern kommen. Die Eltern hatten draußen jeder einen großen Holzkasten, und darin wuchsen Küchenkräuter, die sie brauchten, und ein kleiner Rosenstock; es stand in jedem Kasten einer, die wuchsen so herrlich! Nun fiel es den Eltern ein, die Kästen quer über die Rinne zu stellen, so daß sie fast von dem einen Fenster zum andern reichten und wahrhaftig wie zwei Blumenwälle aussahen. Erbsenranken hingen über die Kästen, und die Rosenstöcke trieben lange Zweige, die sich um die Fenster rankten und einander entgegenbogen, es war fast wie eine Ehrenpforte aus Grün und Blüten. Da die Kästen sehr hoch waren und die Kinder wußten, daß sie nicht hinaufklettern durften, so bekamen sie oft Erlaubnis, zueinander hinauszusteigen und auf ihren kleinen Schemeln unter den Rosen zu sitzen, und dort spielten sie dann prächtig.

Im Winter war dieses Vergnügen ja vorbei. Die Fenster waren oft ganz zugefroren, aber dann wärmten sie Kupferschillinge auf dem Ofen und legten die warme Münze gegen die gefrorene Scheibe, und so entstand ein schönes Guckloch, so rund, so rund; dahinter guckte ein liebes, sanftes Auge, eins aus jedem Fenster; das waren der kleine Knabe und das kleine Mädchen. Er hieß Kay, und sie hieß Gerda. Im Sommer konnten sie mit einem Sprung zueinander gelangen, im Winter mußten sie erst die vielen Treppen hinunter und die vielen Treppen hinauf; draußen fegte der Schnee.

„Das sind die weißen Bienen, die schwärmen", sagte die alte Großmutter.

„Haben sie auch eine Bienenkönigin?" fragte der kleine Knabe, denn er wußte, daß es unter den wirklichen Bienen eine gibt.

„Die haben sie!" sagte die Großmutter. „Sie fliegt dort, wo sie am dichtesten schwärmen! Es ist die größte von allen, und nie bleibt sie still auf der Erde, sie fliegt wieder hinauf in die schwarze Wolke. Manche Winternacht fliegt sie durch die Straßen der Stadt und blickt zu den Fenstern hinein, und dann frieren sie so wunderbar zu und sehen wie Blumen aus."

„Ja, das haben wir gesehen", sagten beide Kinder und wußten nun, daß es wahr ist.

„Kann die Schneekönigin hier hereinkommen?" fragte das kleine Mädchen.

„Laß sie nur kommen", sagte der Knabe, „dann setze ich sie auf den warmen Ofen, und dann schmilzt sie."

Aber die Großmutter glättete sein Haar und erzählte andere Geschichten.

186

Am Abend, als der kleine Kay zu Hause und halb entkleidet war, kletterte er auf den Stuhl am Fenster und guckte durch das kleine Loch; ein paar Schneeflocken fielen draußen, und eine von ihnen, die allergrößte, blieb auf dem Rand des einen Blumenkastens liegen; die Schneeflocke wuchs mehr und mehr und wurde zuletzt ein ganzes Frauenzimmer, in den feinsten weißen Flor gekleidet, der wie aus Millionen sternartiger Flocken zusammengesetzt war. Sie war so schön und fein, aber aus Eis, aus blendendem, blinkendem Eis, doch war sie lebendig; die Augen blitzten wie zwei klare Sterne, aber es war weder Rast noch Ruh darin. Sie nickte zum Fenster und winkte mit der Hand. Der kleine Knabe erschrak und sprang vom Stuhl herunter, da war es, als ob draußen ein großer Vogel am Fenster vorbeiflöge.

Am nächsten Tag gab es klaren Frost, und dann gab es Tauwetter – und dann kam der Frühling. Die Sonne schien, das Grün guckte hervor, die Schwalben bauten Nester, die Fenster wurden geöffnet, und die kleinen Kinder saßen wieder in ihrem kleinen Garten hoch oben in der Dachrinne über allen Stockwerken.

Die Rosen blühten diesen Sommer so unvergleichlich; das kleine Mädchen hatte ein Lied gelernt, in dem von Rosen die Rede war, und bei den Rosen dachte sie an ihre eigenen; und sie sang es dem kleinen Knaben vor, und er sang mit:

> „Die Rosen, sie blühn und vergehen,
>   Wir werden das Christkindlein sehen!"

Und die Kleinen hielten einander bei der Hand, küßten die Rosen, blickten in Gottes hellen Sonnenschein und sprachen zu ihm, als ob das Jesuskind da wäre. Was waren das für herrliche Sommertage, wie schön war es draußen bei den frischen Rosenstöcken, die blühten, als wollten sie niemals damit aufhören!

Kay und Gerda saßen und sahen in das Bilderbuch mit Tieren und Vögeln, da geschah es – die Uhr schlug gerade fünf vom großen Kirchturm –, daß Kay sagte: „Au! Es hat mich ins Herz gestochen, und nun habe ich etwas ins Auge bekommen!"

187

Das kleine Mädchen faßte ihn um den Hals; er blinzelte mit den Augen; nein, es war gar nichts zu sehen.

„Ich glaube, es ist weg!" sagte er; aber weg war es nicht. Es war gerade eins von jenen Glaskörnern, die vom Spiegel gesprungen waren, dem Zauberspiegel, wir erinnern uns noch an ihn, an das häßliche Glas, das alles Große und Gute, das sich darin spiegelte, klein und häßlich machte; aber das Böse und Schlechte trat ordentlich hervor, und jeder Fehler an einer Sache war gleich zu bemerken. Der arme Kay hatte auch ein Körnchen gerade ins Herz bekommen. Das würde bald wie ein Eisklumpen werden. Nun tat es nicht mehr weh, aber das Körnchen war da.

„Warum weinst du?" fragte er. „Du siehst so häßlich aus! Mir fehlt ja nichts! Pfui!" rief er auf einmal; „die Rose dort hat einen Wurmstich! Und sieh, diese da ist ja ganz schief! Im Grunde sind es häßliche Rosen! Sie gleichen dem Kasten, in dem sie stehen!" Und dann stieß er mit dem Fuß gegen den Kasten und riß die beiden Rosen ab.

„Kay, was machst du?" rief das kleine Mädchen; und als er ihren Schrecken sah, riß er noch eine Rose ab und sprang dann in sein Fenster und von der kleinen lieben Gerda fort.

Als sie später mit dem Bilderbuch kam, sagte er, daß das für Wickelkinder sei; und erzählte die Großmutter Geschichten, so kam er immer mit einem Aber; und wenn es ihm gerade einfiel, dann ging er hinter ihr her, setzte eine Brille auf und sprach ebenso wie sie; das war ganz treffend, und die Leute lachten über ihn. Bald konnte er sprechen und gehen wie alle Menschen in der ganzen Straße. Alles, was an ihnen eigentümlich und unschön war, das wußte Kay nachzumachen, und die Leute sagten: „Der Junge hat bestimmt einen ausgezeichneten Kopf!" Aber es war das Glas, das er ins Auge bekommen hatte, das Glas, das ihm im Herzen saß; daher kam es auch, daß er selbst die kleine Gerda neckte, die ihm doch von ganzer Seele gut war.

Seine Spiele wurden nun anders als früher, sie waren so verständig. – An einem Wintertag, als die Schneeflocken fegten, kam er mit einem großen Brennglas, hielt seinen blauen Rockzipfel hinaus und ließ die Schneeflocken darauf fallen.

„Sieh nur in das Glas, Gerda", sagte er, und jede Schneeflocke wurde viel größer und sah aus wie eine prächtige

Blume oder ein zehneckiger Stern, es war herrlich anzusehen. „Siehst du, wie kunstvoll!" sagte Kay. „Das ist viel interessanter als die wirklichen Blumen! Und es ist kein einziger Fehler daran, sie sind ganz gleichmäßig, wenn sie nur nicht schmelzen würden."

Bald darauf kam Kay mit großen Handschuhen und seinem Schlitten auf dem Rücken, er rief Gerda zu: „Ich habe Erlaubnis bekommen, auf den großen Platz zu fahren, wo die andern Knaben spielen!" Und weg war er.

Dort auf dem Platz banden die kecksten Knaben oft ihre Schlitten an die Bauernwagen, und dann fuhren sie ein gutes Stück mit. Das war sehr lustig. Als sie am besten spielten, kam ein großer Schlitten, der war ganz weiß gestrichen, und in ihm saß jemand, in einen zottigen weißen Pelz gehüllt und mit einer weißen zottigen Mütze auf dem Kopf; der Schlitten fuhr zweimal um den Platz, und Kay band seinen kleinen Schlitten schnell daran fest und fuhr mit. Es ging rascher und rascher, gerade hinein in die nächste Straße; die Gestalt, die fuhr, drehte sich um und nickte Kay freundlich zu, es war, als ob sie einander kannten; jedesmal, wenn Kay seinen kleinen Schlitten lösen wollte, nickte die Gestalt wieder, und dann blieb Kay sitzen; sie fuhren gerade zum Stadttor hinaus. Da begann der Schnee so dicht herabzufallen, daß der kleine Knabe beim Fahren keine Hand vor den Augen sehen konnte; nun ließ er schnell die Schnur fahren, um von dem großen Schlitten loszukommen, aber das half nichts, sein kleines Fuhrwerk hing fest, und es ging mit Windeseile vorwärts. Da rief er ganz laut, aber niemand hörte ihn, und der Schnee stob, und der Schlitten flog von dannen; mitunter gab es einen Sprung; es war, als führe er über Gräben und Hecken. Der Knabe war ganz erschrocken, er wollte sein Vaterunser beten, aber er konnte sich nur auf das große Einmaleins besinnen.

Die Schneeflocken wurden größer und größer, zuletzt sahen sie aus wie große weiße Hühner; auf einmal sprangen sie zur Seite, der große Schlitten hielt, und die Gestalt, die ihn fuhr, erhob sich; der Pelz und die Mütze waren lauter Schnee; es war eine Dame, so hoch und rank, so glänzend weiß, es war die Schneekönigin.

„Wir sind gut vorangekommen", sagte sie, „aber wer wird denn frieren! Krieche in meinen Bärenpelz!"

Und sie setzte ihn neben sich in den Schlitten und schlug den Pelz um ihn; es war, als versinke er in einer Schneewehe.

„Friert dich noch?" fragte sie, und dann küßte sie ihn auf die Stirn. Uh, das war kälter als Eis! Das ging ihm gerade ins Herz hinein, das ja schon halb ein Eisklumpen war; es war, als sollte er sterben – aber nur einen Augenblick, dann tat es ihm recht wohl; er spürte nichts mehr von der Kälte ringsumher.

„Meinen Schlitten! Vergiß nicht meinen Schlitten!" Daran dachte er zuerst, und der wurde an eins der weißen Hühnchen gebunden, und dieses flog mit dem Schlitten auf dem Rücken hinterher. Die Schneekönigin küßte Kay noch einmal, und da hatte er die kleine Gerda, die Großmutter und alle daheim vergessen.

„Nun bekommst du keine Küsse mehr", sagte sie, „denn sonst küsse ich dich tot!"

Kay sah sie an; sie war so hübsch, ein klügeres, schöneres Antlitz konnte er sich nicht denken; nun schien sie nicht aus Eis zu sein wie damals, als sie draußen vor dem Fenster saß und ihm winkte; in seinen Augen war sie vollkommen, er spürte gar keine Angst, er erzählte ihr, daß er kopfrechnen könne, und sogar mit Brüchen, er wisse die Quadratmeilen des Landes und die Einwohnerzahl, und sie lächelte immer; da kam es ihm vor, als wäre es doch nicht genug, was er wisse, und er sah hinauf in den großen, großen Himmelsraum; und sie flog mit ihm, flog hoch hinauf auf die schwarze Wolke, und der Sturm sauste und brauste; es war, als sänge er alte Lieder. Sie flogen über Wälder und Seen, über Meere und Länder; unter ihnen sauste der kalte Wind, die Wölfe heulten, der Schnee funkelte; über ihm flogen die schwarzen, schreienden Krähen, aber hoch oben schien der Mond so groß und klar, und ihn betrachtete Kay die lange, lange Winternacht hindurch; am Tage schlief er zu den Füßen der Schneekönigin.

190

Dritte Geschichte
Der Blumengarten bei der Frau, die zaubern konnte

Aber wie erging es der kleinen Gerda, als Kay nicht zurückkehrte? Wo war er nur? Niemand wußte es, niemand konnte Bescheid geben. Die Knaben erzählten nur, daß sie gesehen hätten, wie er seinen kleinen Schlitten an einen prächtigen großen band, der in die Straße hinein- und zum Stadttor hinausgefahren sei. Niemand wußte, wo er war; viele Tränen flossen; die kleine Gerda weinte so sehr und so lange – dann sagten sie, er sei tot, er sei im Fluß ertrunken, der nahe bei der Stadt vorbeifloß; oh, das waren recht lange, dunkle Wintertage!

Nun kam der Frühling mit wärmerem Sonnenschein.

„Kay ist tot und fort!" sagte die kleine Gerda.

„Das glaube ich nicht!" sagte der Sonnenschein.

„Er ist tot und fort!" sagte sie zu den Schwalben.

„Das glauben wir nicht!" antworteten sie, und zuletzt glaubte die kleine Gerda es auch nicht.

„Ich will meine neuen roten Schuhe anziehen", sagte sie eines Morgens, „die, welche Kay nie gesehen hat, und dann will ich zum Fluß hinuntergehen und den nach ihm fragen!"

Und es war noch ganz früh; sie küßte die alte Großmutter, die noch schlief, zog die roten Schuhe an und ging ganz allein aus dem Tor zum Fluß.

„Ist es wahr, daß du mir meinen kleinen Spielkameraden genommen hast? Ich will dir meine roten Schuhe schenken, wenn du ihn mir wiedergibst!"

Und es war ihr, als nickten die Wellen so wunderlich; da nahm sie ihre roten Schuhe, das Liebste, was sie hatte, und warf sie alle beide in den Fluß, aber sie fielen dicht ans Ufer, und die kleinen Wellen trugen sie schnell wieder ans Land zu ihr zurück; es war gerade, als ob der Fluß das Liebste, was sie hatte, nicht haben wollte, weil er den kleinen Kay ja nicht hatte; aber sie glaubte nun, daß sie die Schuhe nicht weit genug geworfen hätte, und so kletterte sie in ein Boot, das im Schilf lag; sie ging ganz an dessen äußerstes Ende und warf die Schuhe hinaus; aber das Boot war nicht festgebunden, und bei der Bewegung, die sie machte, glitt es vom Ufer ab; sie bemerkte es und beeilte sich herauszukommen; doch sie konnte das Ufer nicht erreichen, das Boot war schon über eine Elle davon entfernt, und nun trieb es schneller davon.

Da erschrak die kleine Gerda sehr und fing an zu weinen, aber niemand hörte sie außer den Sperlingen, und die konnten sie nicht ans Land tragen; aber sie flogen am Ufer entlang und sangen, gleichsam um sie zu trösten: „Hier sind wir, hier sind wir!" Das Boot trieb mit dem Strom; die kleine Gerda saß ganz still, nur mit Strümpfen an den Füßen; ihre kleinen roten Schuhe trieben hinter ihr her, aber sie konnten das Boot nicht erreichen; es hatte schnellere Fahrt.

Hübsch war es an beiden Ufern, schöne Blumen, alte Bäume und Abhänge mit Schafen und Kühen, aber nicht ein Mensch war zu sehen.

‚Vielleicht trägt mich der Fluß zum kleinen Kay‘, dachte Gerda, und da wurde sie heiterer, erhob sich und sah viele Stunden auf die schönen grünen Ufer; dann kam sie zu einem großen Kirschgarten, in dem ein kleines Haus mit wunderlichen roten und blauen Fenstern stand; übrigens hatte es ein Strohdach, und draußen waren zwei hölzerne Soldaten, die vor dem, der vorbeifuhr, das Gewehr schulterten.

Gerda rief sie an, sie glaubte, daß sie lebendig seien, aber sie antworteten natürlich nicht; sie kam ihnen ganz nahe, der Fluß trieb das Boot gerade auf das Ufer zu.

Gerda rief noch lauter, und da kam aus dem Haus eine alte, alte Frau, die sich auf einen Krückstock stützte; sie hatte einen großen Sonnenhut auf, und der war mit den schönsten Blumen bemalt.

„Du armes kleines Kind", sagte die alte Frau, „wie bist du denn auf den großen reißenden Strom gekommen und so weit in die Welt hinausgetrieben!" Und dann ging die alte Frau in das Wasser hinein, erfaßte mit ihrem Krückstock das Boot, zog es ans Ufer und hob die kleine Gerda heraus.

Und Gerda war froh, wieder aufs Trockene zu kommen, obwohl sie sich vor der fremden alten Frau doch ein bißchen fürchtete.

„Komm doch und erzähl mir, wer du bist und wie du hierherkommst!" sagte sie.

Und Gerda erzählte ihr alles, und die Alte schüttelte den

Kopf und sagte: „Hm! Hm!" Und als Gerda alles gesagt und gefragt hatte, ob sie nicht den kleinen Kay gesehen habe, sagte die Frau, daß er nicht vorbeigekommen sei, aber er komme wohl noch, sie solle nur nicht betrübt sein, sondern ihre Kirschen kosten und ihre Blumen ansehen, die seien schöner als irgendein Bilderbuch, und eine jede könne eine ganze Geschichte erzählen. Dann nahm sie Gerda bei der Hand, sie gingen in das kleine Haus hinein, und die alte Frau schloß die Tür zu.

Die Fenster lagen sehr hoch, und die Scheiben waren rot, blau und gelb; das Tageslicht schimmerte so wunderlich in allen Farben darinnen, aber auf dem Tisch standen die schönsten Kirschen, und Gerda aß davon, soviel sie wollte, denn das durfte sie. Und während sie aß, kämmte die alte Frau ihr Haar mit einem goldenen Kamm, und das Haar ringelte sich und glänzte so herrlich gelb um das kleine freundliche Gesicht, das so rund war und wie eine Rose aussah.

„Nach einem so süßen kleinen Mädchen habe ich mich schon richtig gesehnt", sagte die Alte. „Nun wirst du sehen, wie gut wir miteinander auskommen!"

Und je länger sie das Haar der kleinen Gerda kämmte, desto mehr vergaß Gerda ihren Pflegebruder Kay; denn die alte Frau konnte zaubern, aber eine böse Zauberin war sie nicht, sie zauberte nur ein wenig zu ihrem Vergnügen und wollte die kleine Gerda gern behalten. Darum ging sie in den Garten, streckte ihren Krückstock gegen alle Rosensträucher aus, und wie herrlich sie auch blühten, so versanken sie doch alle in die schwarze Erde, und man konnte nicht sehen, wo sie gestanden hatten. Die Alte fürchtete, wenn Gerda die Rosen erblickte, würde sie an ihre eigenen denken, sich dann des kleinen Kay erinnern und ihres Weges gehen.

Nun führte sie Gerda hinaus in den Blumengarten. Was war da für ein Duft und eine Herrlichkeit! Alle nur denkbaren Blumen, und zwar für jede Jahreszeit, standen hier im prächtigsten Flor; kein Bilderbuch konnte bunter und schöner sein. Gerda hüpfte vor Freude und spielte, bis die Sonne hinter den hohen Kirschbäumen unterging; dann bekam sie ein schönes Bett mit roten Seidenkissen, die waren mit blauen Veilchen gestopft; und sie schlief und

193

träumte so herrlich wie eine Königin an ihrem Hochzeitstag.

Am nächsten Tag konnte sie wieder im warmen Sonnenschein mit den Blumen spielen, und so vergingen viele Tage. Gerda kannte jede Blume, aber so viele dort auch waren, so schien es ihr doch, als ob eine fehle, aber welche, das wußte sie nicht. Da saß sie eines Tages und betrachtete den Sonnenhut der alten Frau mit den gemalten Blumen, und gerade die schönste darunter war eine Rose. Die Alte hatte vergessen, sie vom Hut zu nehmen, als sie die andern in die Erde versenkte. Aber so ist es, wenn man die Gedanken nicht beisammen hat!

„Was denn, sind hier keine Rosen?" sagte Gerda und sprang zwischen die Beete, suchte und suchte, aber es war keine zu finden. Da setzte sie sich hin und weinte, aber ihre heißen Tränen fielen gerade dorthin, wo ein Rosenstrauch versunken war, und als die warmen Tränen die Erde benetzten, trieb der Strauch auf einmal empor, so blühend, wie er versunken war, und Gerda umarmte ihn, küßte die Rosen und dachte an die herrlichen Rosen daheim und damit auch an den kleinen Kay.

„Oh, wie bin ich aufgehalten worden!" sagte das kleine Mädchen. „Ich wollte ja den kleinen Kay suchen! – Wißt ihr nicht, wo er ist?" fragte sie die Rosen. „Glaubt ihr, daß er tot und fort ist?"

„Tot ist er nicht", antworteten die Rosen. „Wir sind ja in der Erde gewesen; dort sind alle Toten, aber Kay war nicht da."

„Ich danke euch!" sagte die kleine Gerda und ging zu den andern Blumen, sah in deren Kelch hinein und fragte: „Wißt ihr nicht, wo der kleine Kay ist?"
Aber jede Blume stand in der Sonne und träumte ihr eigenes Märchen oder ihre eigene Geschichte; davon hörte Gerda so viele, viele, aber keine wußte etwas von Kay.

Und was sagte da die Feuerlilie?

„Hörst du die Trommel: bum! bum! Es sind nur zwei Töne, immer bum! bum! Höre der Frauen Trauergesang, höre der Priester Ruf. – In seinem langen roten Mantel steht das Hinduweib auf dem Scheiterhaufen, die Flammen schlagen um sie und ihren toten Mann empor; aber das Hinduweib denkt an den Lebenden hier im Kreis, an ihn, dessen

Augen heißer als die Flammen brennen, an ihn, dessen Augenfeuer mehr an ihr Herz dringt als die Flammen, die bald ihren Körper zu Asche verbrennen. Kann die Flamme des Herzens in der Flamme des Scheiterhaufens ersterben?"

„Das verstehe ich gar nicht", sagte die kleine Gerda.

„Das ist mein Märchen!" sagte die Feuerlilie.

Was sagte die Winde?

„Über den schmalen Felsen ragt eine alte Ritterburg; das dichte Immergrün wächst an den alten roten Mauern empor, Blatt an Blatt, um den Altan herum, und da steht ein schönes Mädchen; sie beugt sich über das Geländer und sieht auf den Weg hinunter. Keine Rose hängt frischer an den Zweigen als sie; keine Apfelblüte, die der Wind vom Baum trägt, ist schwebender als sie; wie rauscht das prächtige Seidengewand! ,Kommt er noch nicht?'"

„Ist es Kay, den du meinst?" fragte die kleine Gerda.

„Ich spreche nur von meinem Märchen, meinem Traum", antwortete die Winde.

Was sagte das kleine Schneeglöckchen?

„Zwischen den Bäumen hängt an Seilen das lange Brett, das ist eine Schaukel; zwei niedliche kleine Mädchen – die Kleider sind weiß wie der Schnee, lange grüne Seidenbänder flattern von den Hüten – sitzen und schaukeln sich; der Bruder, der größer ist als sie, steht auf der Schaukel; er hat den Arm um das Seil gelegt, um sich zu halten, denn in der einen Hand hat er eine kleine Schale, in der andern eine Tonpfeife, er bläst Seifenblasen; die Schaukel schwingt, und die Blasen fliegen mit herrlichen, wechselnden Farben; die letzte hängt noch am Pfeifenstiel und biegt sich im Wind. Die Schaukel schwingt; der kleine schwarze Hund, leicht wie die Blasen, hebt sich auf die Hinterbeine und will mit in die Schaukel; sie fliegt; der Hund fällt herab, bellt und ist böse; er wird geneckt, die Blasen platzen. – Ein schaukelndes Brett, ein zerspringendes Schaumbild ist mein Gesang!"

„Es mag wohl hübsch sein, was du erzählst, aber du sagst es so traurig und nennst gar nicht den kleinen Kay."

Was sagten die Hyazinthen?

„Es waren drei schöne Schwestern, so durchsichtig und fein; das Kleid der einen war rot, das der anderen blau, das der dritten ganz weiß; Hand in Hand tanzten sie am stillen

See im hellen Mondenschein. Es waren keine Elfen, es waren Menschenkinder. Dort duftete es so süß, und die Mädchen verschwanden im Wald; der Duft wurde stärker – drei Särge, darin die schönen Mädchen lagen, glitten aus des Waldes Dickicht über den See dahin; die Johanniswürmchen flogen leuchtend ringsumher wie kleine schwebende Lichter. Schlafen die tanzenden Mädchen, oder sind sie tot? – Der Blumenduft sagt, sie seien Leichen; die Abendglocke läutet über den Toten!"

„Du machst mich ganz betrübt", sagte die kleine Gerda. „Du duftest so stark, ich muß an die toten Mädchen denken! Ach, ist der kleine Kay denn wirklich tot? Die Rosen sind in der Erde gewesen, und die sagen nein!"

„Kling, klang!" läuteten die Hyazinthenglocken. „Wir läuten nicht für den kleinen Kay, wir kennen ihn nicht, wir singen nur unser Lied, das einzige, das wir können."

Und Gerda ging zur Butterblume, die aus den glänzenden grünen Blättern hervorschien.

„Du bist eine kleine, helle Sonne", sagte Gerda. „Sag mir, ob du weißt, wo ich meinen Spielkameraden finden kann."

Und die Butterblume leuchtete so schön und sah Gerda an. Welches Lied konnte wohl die Butterblume singen? Es sprach auch nicht von Kay.

„In einem kleinen Hof schien Gottes Sonne am ersten Frühlingstag so warm; die Strahlen glitten über die weißen Wände des Nachbarhauses; dicht dabei wuchs die erste gelbe Blume und glänzte golden in den warmen Sonnenstrahlen; die alte Großmutter saß draußen in ihrem Stuhl; die Enkelin, eine arme, schöne Magd, kam von einem kurzen Besuch heim; sie küßte die Großmutter; es war Gold, Herzensgold in dem liebevollen Kuß. Gold im Munde, Gold im Grunde, Gold in der Morgenstunde! Sieh, das ist meine kleine Geschichte!" sagte die Butterblume.

„Meine arme alte Großmutter!" seufzte Gerda. „Ja, sie sehnt sich gewiß nach mir und grämt sich um mich, wie sie es um den kleinen Kay tat. Aber ich komme bald wieder nach Hause, und dann bringe ich Kay mit. – Es hilft mir nicht, daß ich die Blumen frage, die kennen nur ihr eigenes Lied; sie sagen mir nicht Bescheid!" Und dann schürzte sie ihr Kleidchen, damit sie rascher laufen konnte; aber die Narzisse schlug ihr ans Bein, als sie über sie sprang; da blieb sie stehen, sah die lange gelbe Blume an und fragte: „Weißt du vielleicht etwas?" Und sie neigte sich zur Narzisse hinab – und was sagte die?

„Ich kann mich selbst sehen! Ich kann mich selbst sehen!" sagte die Narzisse. „Oh, oh, wie ich dufte! – Oben in der kleinen Dachkammer steht halb angekleidet eine kleine Tänzerin; sie steht bald auf einem Bein, bald auf beiden, sie tritt die ganze Welt mit Füßen, sie ist nur Blendwerk. Sie gießt Wasser aus dem Teetopf über ein Stück Stoff, das sie hält, es ist das Mieder. – Reinlichkeit ist eine gute Sache! Das weiße Kleid hängt am Haken, das ist auch im Teetopf gewaschen und auf dem Dach getrocknet; sie zieht es an und schlägt das safrangelbe Tuch um den Hals, dann leuchtet das Kleid noch weißer. Das Bein in die Höhe! Sieh, wie hochmütig sie auf einem Bein steht! Ich kann mich selbst sehen! Ich kann mich selbst sehen!"

„Darum kümmere ich mich gar nicht!" sagte Gerda. „Das brauchst du mir nicht zu erzählen!" Und dann lief sie zum Ende des Gartens.

Die Tür war verschlossen, aber sie rüttelte an der verrosteten Klinke, so daß sie abfiel, und die Tür sprang auf, und dann lief die kleine Gerda auf bloßen Füßen in die weite Welt hinaus. Sie sah dreimal zurück, aber niemand war da, der sie verfolgte; zuletzt konnte sie nicht mehr laufen und setzte sich auf einen großen Stein; und als sie sich umsah, war der Sommer vorbei; es war Spätherbst, das konnte man in dem schönen Garten gar nicht merken, dort gab es immer Sonnenschein und Blumen aller Jahreszeiten.

„Gott, wie habe ich mich verspätet!" sagte die kleine Gerda. „Es ist ja Herbst geworden! Da darf ich nicht ruhen!" Und sie erhob sich, um weiterzugehen.

Wie waren ihre kleinen Füße so wund und müde! Ringsumher sah es kalt und rauh aus; die langen Weidenblätter waren ganz gelb, und der Tau tropfte als Wasser von ihnen herab, ein Blatt fiel nach dem andern, nur der Schlehdorn trug noch Früchte, die waren aber herb und zogen den Mund zusammen. Oh, wie war es grau und schwer in der weiten Welt!

Vierte Geschichte
Prinz und Prinzessin

Gerda mußte wieder ausruhen; da hüpfte auf dem Schnee, ihrem Platz gerade gegenüber, eine große Krähe; die hatte lange da gesessen, sie betrachtet und mit dem Kopf gewackelt; nun sagte sie: „Kra! Kra! – Gu' Tag! Gu' Tag!" Besser konnte sie es nicht herausbringen, aber sie meinte es gut mit dem kleinen Mädchen und fragte, wohin es so allein in der weiten Welt gehe. Das Wort „allein" verstand Gerda sehr gut und fühlte recht, wieviel darin lag; und sie erzählte der Krähe ihr ganzes Leben und Schicksal und fragte, ob sie Kay nicht gesehen habe.
Und die Krähe nickte ganz bedächtig und sagte: „Das könnte sein! Das könnte sein!"
„Wie? Glaubst du?" rief das kleine Mädchen und hätte die Krähe fast totgedrückt, so küßte es sie.
„Vernünftig, vernünftig!" sagte die Krähe. „Ich glaube, es kann der kleine Kay gewesen sein, aber nun hat er dich sicher über der Prinzessin vergessen!"
„Wohnt er bei einer Prinzessin?" fragte Gerda.
„Ja, höre!" sagte die Krähe. „Aber es fällt mir so schwer, deine Sprache zu reden. Verstehst du die Krähensprache, dann kann ich besser erzählen!"
„Nein, die habe ich nicht gelernt", sagte Gerda, „aber die Großmutter konnte sie, und auch die P-Sprache konnte sie. Hätte ich es nur gelernt!"
„Tut gar nichts", sagte die Krähe, „ich werde erzählen, so gut ich kann; aber schlecht wird es trotzdem gehen", und dann erzählte sie, was sie wußte.
„In dem Königreich, in dem wir jetzt sitzen, wohnt eine Prinzessin, die ist so ungeheuer klug, aber sie hat auch alle Zeitungen, die es in der Welt gibt, gelesen und wieder vergessen, so klug ist sie. Neulich saß sie auf dem Thron, und das ist doch nicht so angenehm, sagt man; da fängt sie an, ein Lied zu summen, und das war gerade ‚Weshalb sollt ich nicht heiraten'. ‚Höre, da ist etwas daran', sagte sie, und so wollte sie sich verheiraten; aber sie wollte einen Mann haben, der zu antworten verstand, wenn man mit ihm sprach, einen, der nicht bloß dastand und vornehm aussah, denn das ist so langweilig. Nun ließ sie alle Hofdamen zusam-

mentrommeln, und als die hörten, was sie wollte, wurden sie sehr vergnügt. ‚Das mag ich leiden!' sagte sie, ‚daran habe ich neulich auch gedacht!' – Du kannst glauben, daß jedes Wort, was ich sage, wahr ist!" sagte die Krähe. „Ich habe eine zahme Liebste, die geht frei im Schloß umher, und die hat mir alles erzählt."

Die Liebste war natürlich auch eine Krähe, denn wenn eine Krähe ihresgleichen sucht, ist es immer eine Krähe.

„Die Zeitungen kamen sogleich mit einem Rand von Herzen und dem Namenszug der Prinzessin heraus; man konnte darin lesen, daß es einem jeden jungen Mann, der gut aussehe, freistünde, auf das Schloß zu kommen und mit der Prinzessin zu sprechen; und derjenige, welcher so rede, daß man hören könne, er sei dort zu Hause, und der am besten spreche, den wolle die Prinzessin zum Mann nehmen. – Ja ja", sagte die Krähe, „du kannst mir glauben, es ist so wahr, wie ich hier sitze. Die Leute strömten herbei, es war ein Gedränge und ein Gelaufe, aber es glückte nicht, weder den ersten noch den zweiten Tag. Sie konnten allesamt gut sprechen, wenn sie draußen auf der Straße waren, aber wenn sie in das Schloßtor traten und die Garde in Silber sahen und auf der Treppe die Lakaien in Gold und die großen erleuchteten Säle, dann waren sie verblüfft. Und standen sie gar vor dem Thron, wo die Prinzessin saß, dann wußten sie nichts weiter zu sagen als das letzte Wort, das die Prinzessin gesagt hatte, und sie hatte keine Lust, das noch einmal zu hören. Es war gerade, als ob die Leute im Schloß Schnupftabak auf den Bauch bekommen hätten und in tiefen Schlaf gefallen wären, bis sie wieder auf die Straße kamen, ja, dann konnten sie schwatzen. Da stand eine Schlange gerade vom Stadttor bis zum Schloß. Ich war selbst drinnen, um es zu sehen!" sagte die Krähe. „Sie wurden hungrig und durstig, aber auf dem Schloß bekamen sie nicht einmal ein Glas lauwarmes Wasser. Zwar hatten einige der Klügsten Butterbrote mitgenommen, aber sie teilten nicht mit ihren Nachbarn; sie dachten so: Laß ihn nur hungrig aussehen, dann nimmt die Prinzessin ihn nicht!"

„Aber Kay, der kleine Kay!" fragte Gerda. „Wann kam der? War er unter den vielen?"

„Warte! Warte! Jetzt sind wir gleich bei ihm! Es war am dritten Tag, da kam eine kleine Person, ohne Pferd oder

Wagen, ganz keck gerade auf das Schloß zumarschiert; seine Augen glänzten wie deine, er hatte schönes langes Haar, aber sonst ärmliche Kleider."

„Das war Kay!" jubelte Gerda. „Oh, dann habe ich ihn gefunden!" Und sie klatschte in die Hände.

„Er hatte ein kleines Ränzel auf dem Rücken!" sagte die Krähe.

„Nein, das war gewiß sein Schlitten", sagte Gerda, „denn mit dem Schlitten ging er fort."

„Das kann wohl sein", sagte die Krähe; „ich sah nicht so genau danach! Aber das weiß ich von meiner zahmen Liebsten, als er in das Schloßtor kam und die Leibgarde in Silber sah und auf der Treppe die Lakaien in Gold, wurde er nicht im mindesten verlegen, er nickte und sagte zu ihnen: ‚Das muß langweilig sein, auf der Treppe zu stehen, ich gehe lieber hinein!' Da glänzten die Säle von Lichtern; Geheimräte und Exzellenzen gingen auf bloßen Füßen und trugen Goldgefäße; man konnte wohl andächtig werden! Seine Stiefel knarrten so entsetzlich laut, aber ihm wurde doch nicht bange."

„Das ist ganz gewiß Kay!" sagte Gerda. „Ich weiß, er hatte neue Stiefel an, ich habe sie in Großmutters Stube knarren hören!"

„Ja, freilich knarrten sie", sagte die Krähe. „Und unbekümmert ging er gerade zur Prinzessin hinein, die auf einer Perle, so groß wie ein Spinnrad, saß; und alle Hofdamen mit ihren Jungfern und den Jungfern der Jungfern und alle Kavaliere mit ihren Dienern und den Dienern der Diener, die wieder einen Burschen hielten, standen ringsherum aufgestellt; und je näher sie der Tür standen, desto stolzer sahen sie aus. Der Bursche des Dieners des Dieners, der immer in Pantoffeln geht, ist fast gar nicht mehr zu sehen, so stolz steht er in der Tür!"

„Das muß greulich sein!" sagte die kleine Gerda. „Und Kay hat doch die Prinzessin bekommen?"

„Wäre ich nicht eine Krähe gewesen, so hätte ich sie genommen, und das, obwohl ich verlobt bin. Er soll ebenso gut gesprochen haben, wie ich spreche, wenn ich die Krähensprache spreche; das habe ich von meiner zahmen Liebsten. Er war keck und hübsch; er war gar nicht zum Freien gekommen, sondern nur, um sich von der Klugheit der

Prinzessin zu überzeugen, und die fand er gut, und sie fand ihn auch gut."

„Ja gewiß, das war Kay!" sagte Gerda. „Er war so klug, er konnte kopfrechnen mit Brüchen! – Oh, willst du mich nicht auf dem Schloß einführen?"

„Ja, das ist leicht gesagt!" antwortete die Krähe. „Aber wie machen wir das? Ich werde es mit meiner zahmen Liebsten besprechen; sie kann uns wohl raten; denn das muß ich dir sagen, so ein kleines Mädchen wie du bekommt niemals die Erlaubnis, ordnungsgemäß hineinzukommen!"

„Doch, die bekomme ich", sagte Gerda. „Wenn Kay hört, daß ich da bin, kommt er gleich heraus und holt mich!"

„Erwarte mich dort an der Treppe!" sagte die Krähe, wakkelte mit dem Kopf und flog davon.

Erst als es spät am Abend war, kam die Krähe wieder zurück. „Rar! Rar!" sagte sie. „Ich soll dich vielmals von ihr grüßen, und hier ist ein kleines Brot für dich, das hat sie aus der Küche genommen, dort ist Brot genug, und du bist sicher hungrig. – Es ist nicht möglich, daß du in das Schloß hineinkommst, du bist ja barfuß. Die Garde in Silber und die Lakaien in Gold würden es nicht erlauben. Aber weine nicht! Du sollst schon dort hinkommen. Meine Liebste kennt eine kleine Hintertreppe, die zum Schlafgemach führt, und sie weiß, woher sie den Schlüssel nimmt."

Und sie gingen in den Garten, in die große Allee, wo ein Blatt nach dem andern abfiel; und als auf dem Schloß die Lichter ausgelöscht wurden, eins nach dem andern, führte die Krähe die kleine Gerda zu einer Hintertür, die nur angelehnt war.

Oh, wie Gerdas Herz vor Angst und Sehnsucht klopfte! Es war gerade, als ob sie etwas Böses tun sollte, und sie wollte doch nur wissen, ob es der kleine Kay war. Ja, er mußte es sein; sie dachte so lebhaft an seine klugen Augen, an sein langes Haar; sie konnte richtig sehen, wie er lächelte, wie damals, als sie daheim unter den Rosen saßen. Er würde sich sicher freuen, sie zu sehen, zu hören, welchen langen Weg sie um seinetwillen gegangen war, zu wissen, wie betrübt sie alle daheim gewesen waren, als er nicht wieder kam. Oh, das war eine Furcht und eine Freude!

Nun waren sie auf der Treppe; da brannte auf einem Schrank eine kleine Lampe; mitten auf dem Fußboden stand die zahme Krähe und drehte den Kopf nach allen Seiten und betrachtete Gerda, die sich verneigte, wie die Großmutter sie gelehrt hatte.

„Mein Verlobter hat mir so viel Gutes von Ihnen gesagt, mein kleines Fräulein", sagte die zahme Krähe, „Ihre Vita, wie man es nennt, ist auch sehr rührend. – Wollen Sie die Lampe nehmen, dann werde ich vorangehen. Wir gehen hier den geraden Weg, denn da begegnen wir niemandem."

„Es ist mir, als käme jemand hinter uns", sagte Gerda, und es sauste an ihr vorbei; es war wie Schatten an der Wand, Pferde mit fliegenden Mähnen und dünnen Beinen, Jägerburschen, Herren und Damen zu Pferde.

„Das sind nur Träume", sagte die Krähe, „die kommen und holen die Gedanken der hohen Herrschaft zur Jagd ab. Das ist gut, dann können Sie sie besser im Bett betrachten. Aber ich hoffe, wenn Sie zu Ehren und Würden gelangen, werden Sie ein dankbares Herz zeigen."

„Das versteht sich von selbst!" sagte die Krähe vom Walde.

Nun kamen sie in den ersten Saal hinein; der war aus rosenrotem Atlas mit künstlichen Blumen an den Wänden; auch hier sausten an ihnen Träume vorbei, aber sie fuhren so schnell, daß Gerda die hohe Herrschaft nicht zu sehen bekam. Ein Saal war immer prächtiger als der andere, ja, man konnte wohl staunen! Nun waren sie im Schlafgemach. Hier glich die Decke einer großen Palme mit Blättern aus Glas, aus kostbarem Glas; und in der Mitte hingen an einem dikken Stiel aus Gold zwei Betten, von denen jedes wie eine Lilie aussah: die eine war weiß, in der lag die Prinzessin, die andere war rot, und in dieser sollte Gerda den kleinen Kay suchen; sie bog eins der roten Blätter zur Seite, und da sah sie einen braunen Nacken. Oh, das war Kay! Sie rief ganz laut seinen Namen, hielt die Lampe zu ihm hin – die Träume sausten zu Pferde wieder in die Stube herein – er erwachte, drehte den Kopf und – es war nicht der kleine Kay.

Der Prinz glich ihm nur im Nacken, aber jung und hübsch war er. Und aus dem weißen Lilienbett blinzelte die Prinzessin hervor und fragte, was da wäre. Da weinte die kleine Gerda und erzählte ihre ganze Geschichte und alles, was die Krähen für sie getan hatten.

„Du arme Kleine!" sagten der Prinz und die Prinzessin, und sie lobten die Krähen und sagten, daß sie gar nicht böse auf sie seien, aber sie sollten es doch nicht öfter tun. Indessen sollten sie eine Belohnung haben.

„Wollt ihr frei fliegen?" fragte die Prinzessin. „Oder wollt ihr feste Anstellung als Hofkrähen haben, mit allem, was in der Küche abfällt?"

Und beide Krähen verneigten sich und baten um feste Anstellung, denn sie dachten an ihr Alter und sagten: „Es wäre so schön, etwas für die alten Tage zu haben", wie sie es nannten.

Und der Prinz stand aus seinem Bett auf und ließ Gerda darin schlafen, und mehr konnte er nicht tun. Sie faltete ihre kleinen Hände und dachte: ,Wie doch die Menschen und Tiere gut sind!' Und dann schloß sie die Augen und schlief so selig. Alle Träume kamen wieder hereingeflogen, und da sahen sie wie Gottes Engel aus, und sie zogen einen kleinen Schlitten, und auf dem saß Kay und nickte; aber das Ganze war nur Traum, und darum war es auch wieder fort, sobald sie erwachte.

Am folgenden Tag wurde sie von Kopf bis Fuß in Seide und Samt gekleidet; es wurde ihr angeboten, auf dem Schloß zu bleiben und gute Tage zu verleben, aber sie bat nur um einen kleinen Wagen mit einem Pferd davor und ein Paar kleine Stiefel, dann wolle sie wieder in die weite Welt hinaus fahren und Kay suchen.

Und sie bekam Stiefel und Muff und wurde niedlich gekleidet, und als sie fortwollte, hielt vor der Tür eine neue Kutsche aus reinem Gold; das Wappen des Prinzen und der Prinzessin glänzte daran wie ein Stern; Kutsche, Diener und Vorreiter, denn es waren auch Vorreiter da, hatten Goldkronen auf dem Kopf. Der Prinz und die Prinzessin halfen ihr selbst in den Wagen und wünschten ihr alles Glück. Die Waldkrähe, die nun verheiratet war, begleitete sie die ersten drei Meilen; sie saß ihr zu Seite, denn sie konnte nicht vertragen, rückwärts zu fahren; die andere Krähe stand in der Tür und schlug mit den Flügeln; sie kam nicht mit, denn sie litt an Kopfschmerzen, seitdem sie eine feste Anstellung und zuviel zu essen hatte. Inwendig war die Kutsche mit Zuckerbrezeln gefüttert, und im Sitz waren Früchte und Pfeffernüsse.

„Lebe wohl! Lebe wohl!" riefen der Prinz und die Prinzessin, und die kleine Gerda weinte, und die Krähe weinte. So ging es die ersten Meilen; da sagte auch die Krähe Lebewohl, und das war der schwerste Abschied; sie flog auf einen Baum und schlug mit ihren schwarzen Flügeln, solange sie den Wagen sehen konnte, der wie der helle Sonnenschein strahlte.

Fünfte Geschichte
Das kleine Räubermädchen

Sie fuhren durch den dunklen Wald, aber die Kutsche leuchtete wie eine Fackel; das stach den Räubern in die Augen, das konnten sie nicht ertragen.

„Das ist Gold, das ist Gold!" riefen sie, stürzten hervor, ergriffen die Pferde, schlugen die kleinen Jockeis, den Kutscher und die Diener tot und zogen dann die kleine Gerda aus dem Wagen.

„Sie ist fett, sie ist niedlich, sie ist mit Nußkernen gemästet!" sagte das alte Räuberweib, das einen langen struppigen Bart und Augenbrauen hatte, die ihm über die Augen herabhingen.

„Das ist so gut wie ein kleines Mastlamm! Na, wie die schmecken wird!" Und dann zog sie ihr blankes Messer heraus, und das glänzte, daß es grauenhaft war.

„Au!" sagte das Weib im gleichen Augenblick, ihre eigene kleine Tochter biß sie ins Ohr, sie hing so wild und unartig auf ihrem Rücken, daß es eine Lust war.

„Du häßlicher Balg!" sagte die Mutter und hatte keine Zeit, Gerda zu schlachten.

„Sie soll mit mir spielen!" sagte das kleine Räubermädchen. „Sie soll mir ihren Muff und ihr hübsches Kleid geben und in meinem Bett schlafen!" Und dann biß es wieder, daß das Räuberweib in die Höhe sprang und sich ringsherum drehte. Und alle Räuber lachten und sagten: „Seht, wie sie mit ihrer Göre tanzt!"

„Ich will in die Kutsche", sagte das kleine Räubermädchen, und es mußte und wollte seinen Willen haben, denn es war so verzogen und so starrköpfig. Das kleine Räubermädchen und Gerda saßen nun darin, und so fuhren sie über Stock und Stein tiefer in den Wald. Das kleine Räubermädchen war so groß wie Gerda, aber stärker, breitschultriger und von dunkler Haut; die Augen waren ganz schwarz, sie sahen fast traurig aus. Es faßte die kleine Gerda um den Leib und sagte: „Sie sollen dich nicht schlachten, solange ich nicht böse auf dich werde. Du bist wohl eine Prinzessin?"

„Nein", sagte Gerda und erzählte ihm alles, was sie erlebt hatte und wie sehr sie den kleinen Kay liebhätte.

Das Räubermädchen sah sie ganz ernsthaft an, nickte ein wenig mit dem Kopf und sagte: „Sie sollen dich nicht schlachten, und wenn ich noch so böse auf dich werde; dann werde ich es schon selbst tun!" Und dann trocknete es Gerdas Augen und steckte seine beiden Hände in den schönen Muff, der so weich und warm war. Nun hielt die Kutsche still; sie waren mitten auf dem Hof eines Räuberschlosses; es war von oben bis unten geborsten, Raben und Krähen flogen aus den offenen Löchern, und die großen Bullenbeißer, von denen jeder aussah, als könnte er einen Menschen verschlingen, sprangen in die Höhe, aber sie bellten nicht, denn das war verboten.

In dem großen, alten, rußigen Saal brannte mitten auf dem steinernen Fußboden ein großes Feuer; der Rauch zog unter der Decke hin und mußte sich selbst den Ausgang suchen; ein großer Braukessel mit Suppe kochte, und Hasen und Kaninchen wurden am Spieß gedreht.

„Du sollst diese Nacht mit mir bei all meinen kleinen Tieren schlafen", sagte das Räubermädchen. Sie bekamen zu essen und zu trinken und gingen dann in eine Ecke, wo Stroh und Teppiche lagen. Obendrüber saßen auf Latten und Stäben beinah hundert Tauben, die alle zu schlafen schienen, sich aber doch ein wenig drehten, als die beiden kleinen Mädchen kamen.

„Das sind allesamt meine!" sagte das kleine Räubermädchen und ergriff rasch eine der nächsten, hielt sie bei den Füßen und schüttelte sie, daß sie mit den Flügeln schlug. „Küsse sie!" rief es und klatschte sie Gerda ins Gesicht. „Da sitzen die Waldkanaillen", fuhr es fort und zeigte hinter eine Menge Stäbe, die vor einem Loch hoch oben in der Mauer eingeschlagen waren. „Das sind Waldkanaillen, die beiden; die fliegen gleich weg, wenn man sie nicht ordentlich verschlossen hält; und hier steht mein alter liebster Bä!" Und es zog ein Rentier, das einen blanken kupfernen Ring um den Hals trug und angebunden war, am Geweih. „Den müssen wir auch in der Klemme halten, sonst springt er uns fort. An jedem Abend kitzle ich ihn mit meinem scharfen Messer am Hals, davor fürchtet er sich so!" Und das kleine Mädchen zog ein langes Messer aus einer Mauerspalte und ließ es über den Hals des Rentiers gleiten; das arme Tier schlug mit den Beinen aus, und das kleine Räubermädchen lachte und zog dann Gerda mit ins Bett.

„Willst du das Messer behalten, wenn du schläfst?" fragte Gerda und blickte etwas furchtsam darauf.

„Ich schlafe immer mit dem Messer", sagte das kleine Räubermädchen, „man weiß nie, was kommen kann. Aber erzähl mir nun wieder, was du mir vorhin von dem kleinen Kay erzähltest und weshalb du in die weite Welt gegangen bist." Und Gerda erzählte wieder von vorn, und die Waldtauben gurrten oben im Käfig, und die andern Tauben schliefen. Das kleine Räubermädchen legte seinen Arm um Gerdas Hals, hielt das Messer in der andern Hand und schlief, daß man es hören konnte; aber Gerda konnte kein Auge schließen, sie wußte nicht, ob sie leben oder sterben würde. Die Räuber saßen rings um das Feuer, sangen und tranken, und das Räuberweib schlug Kobolz. Oh, es war ein ganz greulicher Anblick für das kleine Mädchen.

Da sagten die Waldtauben: „Kurre! Kurre! Wir haben den kleinen Kay gesehen. Ein weißes Huhn trug seinen Schlitten; er saß im Wagen der Schneekönigin, der dicht über den Wald hinfuhr, als wir im Nest lagen; sie blies uns Junge an, und außer uns beiden starben alle. Kurre! Kurre!"

„Was sagt ihr dort oben?" rief Gerda. „Wohin reiste die Schneekönigin? Wißt ihr etwas davon?"

„Sie reiste wohl nach Lappland, denn dort ist immer Schnee und Eis! Frag das Rentier, das am Strick angebunden steht."

„Dort ist Eis und Schnee, dort ist es herrlich und gut!" sagte das Rentier. „Dort springt man frei umher in den großen, glänzenden Tälern! Dort hat die Schneekönigin ihr Sommerzelt, aber ihr festes Schloß ist oben, nach dem Nordpol zu, auf der Insel, die Spitzbergen genannt wird!"

„O Kay, kleiner Kay!" seufzte Gerda.

„Nun mußt du still liegen!" sagte das Räubermädchen, „sonst stoße ich dir das Messer in den Leib!"

Am Morgen erzählte ihr Gerda alles, was die Waldtauben gesagt hatten, und das kleine Räubermädchen sah ganz ernsthaft aus, nickte aber mit dem Kopf und sagte: „Das ist einerlei! Das ist einerlei! – Weißt du, wo Lappland ist?" fragte sie das Rentier.

„Wer sollte es wohl besser wissen als ich?" sagte das Tier, und die Augen funkelten ihm im Kopf. „Dort bin ich geboren und aufgewachsen, dort bin ich auf den Schneefeldern herumgesprungen!"

„Höre", sagte das Räubermädchen zu Gerda, „du siehst, alle unsere Mannsleute sind fort, nur die Mutter ist noch hier, und die bleibt, aber gegen Morgen trinkt sie aus der großen Flasche und macht dann ein Nickerchen – dann werde ich etwas für dich tun." Nun sprang es aus dem Bett, fiel der Mutter um den Hals, zog sie am Bart und sagte: „Mein einzig lieber Ziegenbock, guten Morgen!" Und die Mutter gab ihr Nasenstüber, daß die Nase rot und blau wurde, aber das war alles lauter Liebe.

Als die Mutter dann aus ihrer Flasche getrunken hatte und ihr Nickerchen machte, ging das Räubermädchen zum Rentier und sagte: „Ich hätte die größte Lust, dich noch manches Mal mit dem scharfen Messer zu kitzeln, denn dann bist du so possierlich, aber es ist einerlei, ich will deine Schnur lösen und dir hinaushelfen, damit du nach Lappland laufen kannst; aber du mußt Beine machen und dieses kleine Mädchen zum Schloß der Schneekönigin bringen, wo ihr Spielkamerad ist. Du hast wohl gehört, was sie erzählte, denn sie sprach laut genug, und du hast gehorcht!"

Das Rentier sprang vor Freude in die Höhe. Das Räubermädchen hob die kleine Gerda hinauf und war so vorsichtig, sie festzubinden, ja ihr sogar ein kleines Kissen zum Sitzen zu geben. „Es ist einerlei", sagte es, „da hast du auch deine Pelzstiefel, denn es wird kalt, aber den Muff behalte ich, der ist gar zu niedlich! Trotzdem sollst du nicht frieren. Hier hast du die großen Fausthandschuhe meiner Mutter, die reichen dir gerade bis zum Ellbogen hinauf. Kriech hinein! – Nun siehst du an den Händen geradeso aus wie meine häßliche Mutter!"

Und Gerda weinte vor Freude.

„Ich kann nicht leiden, daß du jammerst!" sagte das kleine Räubermädchen. „Jetzt mußt du erst recht vergnügt aussehen! Und da hast du zwei Brote und einen Schinken, nun wirst du nicht hungern." Beides wurde hinten auf das Rentier gebunden; das kleine Räubermädchen öffnete die Tür, lockte all die großen Hunde herein, durchschnitt dann den Strick mit seinem scharfen Messer und sagte zum Rentier: „Nun lauf! Aber gib gut auf das kleine Mädchen acht!"

Und Gerda streckte die Hände mit den großen Fausthandschuhen dem Räubermädchen entgegen und sagte Lebewohl, und dann flog das Rentier über Stock und Stein davon, durch den großen Wald, über Sümpfe und Steppen, so schnell es nur konnte. Die Wölfe heulten, und die Raben schrien. – „Fut! Fut!" sagte es am Himmel. Es war gerade, als hätte er Nasenbluten.

„Das sind meine alten Nordlichter", sagte das Rentier, „sieh, wie sie leuchten!" Und dann lief es noch schneller, Tag und Nacht. Die Brote wurden verzehrt, der Schinken auch, und dann waren sie in Lappland.

Sechste Geschichte
Die Lappin und die Finnin

Bei einem kleinen Haus hielten sie an; es war so jämmerlich, das Dach ging bis zur Erde hinunter, und die Tür war so niedrig, daß die Familie auf dem Bauch kriechen mußte, wenn sie heraus oder hinein wollte. Hier war niemand zu Hause außer einer alten Lappin, die bei einer Tranlampe Fisch briet; und das Rentier erzählte Gerdas ganze Geschichte, aber zuerst seine eigene, denn diese erschien ihm viel wichtiger; und Gerda war von der Kälte so erstarrt, daß sie nicht sprechen konnte.

„Ach, ihr Armen!" sagte die Lappin, „da habt ihr noch weit zu laufen! Ihr müßt über hundert Meilen weit nach Finnmarken hinein, denn dort hat die Schneekönigin ihren Landsitz und brennt Abend für Abend ein Feuerwerk ab. Ich werde ein paar Worte auf einen Stockfisch schreiben, Papier habe ich nicht, den werde ich euch für die Finnin dort oben mitgeben, sie kann euch besser Bescheid geben als ich."

Und als Gerda nun aufgewärmt war und zu essen und zu trinken bekommen hatte, schrieb die Lappin ein paar Worte auf einen Stockfisch, bat Gerda, wohl darauf zu achten, band sie wieder auf dem Rentier fest, und das sprang davon. „Fut! Fut!" sagte es oben in der Luft, die ganze Nacht brannten die herrlichsten blauen Nordlichter – und dann kamen sie nach Finnmarken und klopften an den Schornstein der Finnin, denn sie hatte nicht einmal eine Tür.

Dort drinnen war eine Hitze, daß die Finnin selbst fast ganz nackt ging; klein war sie und ganz schmutzig; sie löste der kleinen Gerda gleich die Kleider, zog ihr die Fausthandschuhe und Stiefel aus, denn sonst wäre es ihr zu heiß geworden, legte dem Rentier ein Stück Eis auf den Kopf und las dann, was auf dem Stockfisch geschrieben stand, sie las es dreimal, und dann konnte sie es auswendig und steckte den Fisch in den Suppentopf, denn er konnte ja noch gut gegessen werden, und sie verschwendete nie etwas.

Nun erzählte das Rentier zuerst seine Geschichte, dann die der kleinen Gerda; und die Finnin blinzelte mit den klugen Augen, sagte aber gar nichts.

„Du bist so klug", sagte das Rentier, „ich weiß, du kannst alle Winde der Welt mit einem Zwirnsfaden zusammenbinden; wenn der Schiffer den einen Knoten löst, bekommt er guten Wind, löst er den andern, dann bläst es scharf, und löst er den dritten und vierten, dann stürmt es, daß die Wälder umfallen. Willst du nicht dem kleinen Mädchen einen Trank geben, daß es die Kraft von zwölf Männern bekommt und die Schneekönigin überwindet?"

„Die Kraft von zwölf Männern?" sagte die Finnin. „Ja, das würde viel helfen!" Und dann ging sie zu einem Brett, nahm ein großes zusammengerolltes Fell hervor und rollte es auf; darauf waren wunderliche Buchstaben geschrieben, und die Finnin las, daß ihr das Wasser von der Stirn rann.

Aber das Rentier bat wieder so sehr für die kleine Gerda, und Gerda sah die Finnin mit so bittenden, tränenvollen Augen an, daß auch sie zu blinzeln anfing und das Rentier in einen Winkel zog; während es wieder frisches Eis auf den Kopf bekam, flüsterte sie ihm zu: „Der kleine Kay ist freilich bei der Schneekönigin und findet dort alles nach seinem Geschmack und Gefallen und glaubt, es sei der beste Teil der Welt, aber das kommt daher, daß er einen Glassplitter ins Herz und ein kleines Glaskorn ins Auge bekommen hat; die müssen zuerst heraus, sonst wird er nie wieder ein Mensch, und die Schneekönigin wird ihre Macht über ihn behalten!"

„Aber kannst du nicht der kleinen Gerda etwas eingeben, so daß sie das alles beherrschen kann?"

„Ich kann ihr keine größere Macht geben, als sie schon hat; siehst du nicht, wie groß sie ist? Siehst du nicht, wie Menschen und Tiere ihr dienen müssen, wie sie auf bloßen Füßen so gut in der Welt fortgekommen ist? Sie kann nicht von uns ihre Macht erhalten, die sitzt in ihrem Herzen, die besteht darin, daß sie ein liebes, unschuldiges Kind ist. Kann sie nicht selbst zur Schneekönigin hineingelangen und das Glas aus dem kleinen Kay herausbekommen, dann können wir nicht helfen! Zwei Meilen von hier beginnt der Garten der Schneekönigin, dahin kannst du das kleine Mädchen tragen; setze sie beim großen Busch ab, der mit roten Beeren im Schnee steht; halte nicht lange Gevatterklatsch, sondern spute dich, hierher zurückzukommen!" Und dann hob die Finnin die kleine Gerda auf das Rentier, das lief, was es konnte.

„Oh, ich habe meine Stiefel nicht! Ich habe meine Fausthandschuhe nicht!" rief die kleine Gerda. Das merkte sie in der schneidenden Kälte, aber das Rentier wagte nicht anzuhalten, es lief, bis es zu dem Busch mit den roten Beeren kam; da setzte es Gerda ab und küßte sie auf den Mund, und es liefen große blanke Tränen über die Backen des Tieres; und dann lief es, was es nur konnte, wieder zurück. Da stand die arme Gerda, ohne Schuhe, ohne Handschuhe, mitten in dem fürchterlichen, eiskalten Finnmarken.

Sie lief vorwärts, so schnell sie konnte; da kam ein ganzes Regiment Schneeflocken; aber die fielen nicht vom Himmel herunter, der war ganz klar und leuchtete von Nordlichtern; die Schneeflocken fielen gerade auf der Erde hin, und je näher sie kamen, desto größer wurden sie. Gerda erinnerte sich noch, wie groß und kunstvoll die Schneeflocken damals ausgesehen hatten, als sie sie durch das Brennglas sah, aber hier waren sie freilich noch weit größer und fürchterlicher, sie lebten, sie waren die Vorposten der Schneekönigin, sie hatten die wunderlichsten Gestalten. Einige sahen aus wie häßliche große Stachelschweine, andere wie ganze Knoten von Schlangen, welche die Köpfe hervorstreckten, und andere wie kleine dicke Bären, deren Haare sich sträubten, alle waren glänzend weiß, alle waren lebendige Schneeflocken.

Da betete die kleine Gerda ihr Vaterunser, und die Kälte war so groß, daß sie ihren eigenen Atem sehen konnte, wie Rauch strömte er ihr aus dem Mund. Der Atem wurde dichter und dichter und formte sich zu kleinen Engeln, die mehr und mehr wuchsen, wenn sie die Erde berührten; und alle hatten sie Helme auf dem Kopf und Spieße und Schilde in den Händen; es wurden immer mehr, und als Gerda ihr Vaterunser beendet hatte, war eine ganze Legion um sie; sie stachen mit ihren Spießen gegen die greulichen Schneeflocken, so daß diese in hundert Stücke zersprangen, und die kleine Gerda ging ganz sicher und frischen Mutes vorwärts. Die Engel streichelten ihr Hände und Füße, und da empfand sie weniger, wie kalt es war, und ging rasch zum Schloß der Schneekönigin.

Aber nun müssen wir erst sehen, wie es Kay ergeht. Er dachte freilich nicht an die kleine Gerda und am wenigsten daran, daß sie draußen vor dem Schloß stände.

Siebente Geschichte
Was im Schloß der Schneekönigin geschehen war
und was dort später geschah

Die Wände des Schlosses waren aus treibendem Schnee und Fenster und Türen aus schneidenden Winden; es waren über hundert Säle darin, ganz wie sie der Schnee zusammengeweht hatte; der größte erstreckte sich viele Meilen lang, alle wurden von dem starken Nordlicht beleuchtet, und sie waren so groß, so leer, so eisig kalt und so glänzend! Niemals gab es hier Fröhlichkeit, nicht einmal soviel wie einen kleinen Bärenball, wo der Sturm hätte blasen und die Eisbären auf den Hinterbeinen gehen und ihre feinen Manieren zeigen können; niemals eine kleine Spielgesellschaft mit Maulklapp und Tatzenschlag; nie ein kleines bißchen Kaffeeklatsch der Weißfuchsfräulein; leer, groß und kalt war es in den Sälen der Schneekönigin. Die Nordlichter flammten so deutlich, daß man zählen konnte, wann sie am höchsten und wann sie am niedrigsten standen. Mitten in diesem leeren, unendlichen Schneesaal war ein zugefrorener See, der war in tausend Stücke zersprungen, aber jedes Stück glich dem anderen so genau, daß es ein ganzes Kunstwerk war; und mitten auf dem See saß die Schneekönigin, wenn sie zu Hause war, und dann sagte sie, daß sie im Spiegel des Verstandes sitze und daß er der einzige und beste in dieser Welt sei.

Der kleine Kay war ganz blau vor Kälte, ja fast schwarz, aber er merkte es nicht, denn sie hatte ihm das Frösteln weggeküßt, und sein Herz war so gut wie ein Eisklumpen. Er schleppte einige scharfe flache Eisstücke hin und her, die er auf alle mögliche Weise aneinanderlegte, denn er wollte damit etwas herausbringen. Es war gerade, als wenn wir anderen kleine Holztafeln haben und sie in Figuren zusammenlegen, was man das chinesische Spiel nennt. Kay legte auch Figuren, und zwar die allerkunstvollsten. Das war das Verstandeseisspiel. In seinen Augen waren die Figuren ganz ausgezeichnet und von allerhöchster Wichtigkeit; das machte das Glaskörnchen, das ihm im Auge saß! Er legte ganze Figuren, die ein geschriebenes Wort waren, aber nie konnte er es dahin bringen, das Wort zu legen, das er gerade haben wollte, das Wort Ewigkeit, und die Schneekönigin hatte gesagt: „Kannst du diese Figur herausfinden, dann sollst du dein eigener Herr sein, und ich schenke dir die ganze Welt und ein Paar neue Schlittschuhe." Aber er konnte es nicht.

„Nun sause ich fort zu den warmen Ländern!" sagte die Schneekönigin. „Ich will hinfahren und in die schwarzen Töpfe sehen!" Das waren die feuerspeienden Berge Ätna und Vesuv, wie man sie nennt. „Ich werde sie ein wenig weißen! Das gehört dazu, das tut den Zitronen und Weintrauben gut!" Und die Schneekönigin flog davon, und Kay saß ganz allein in dem viele Meilen großen, leeren Eissaal, sah die Eisstücke an und dachte und dachte, so daß es in ihm knackte; ganz steif und still saß er, man hätte glauben können, er wäre erfroren.

Da trat die kleine Gerda durch das große Tor in das Schloß. Dort waren schneidende Winde, aber sie betete ein Abendgebet, und da legten sich die Winde, als ob sie schlafen wollten, und sie trat in die großen, leeren, kalten Säle – da sah sie Kay, sie erkannte ihn, sie flog ihm um den Hals, hielt ihn so fest und rief: „Kay! Lieber kleiner Kay! Da habe ich dich gefunden!"

Aber er saß ganz still, steif und kalt – da weinte die kleine Gerda heiße Tränen, sie fielen auf seine Brust, sie drangen in sein Herz, sie tauten den Eisklumpen auf und verzehrten das kleine Spiegelstück darin; er sah sie an, und sie sang das Lied:

„Die Rosen, sie blühn und vergehen,
Wir werden das Christkindlein sehen!"

Da brach Kay in Tränen aus; er weinte so, daß das Spiegelkörnchen aus dem Auge rollte, er erkannte sie und jubelte: „Gerda! Liebe kleine Gerda! Wo bist du nur so lange gewesen? Und wo bin ich gewesen?" Und er blickte ringsum. „Wie kalt es hier ist! Wie weit und leer es hier ist!" Und er hielt sich an Gerda fest, und sie lachte und weinte vor Freude; das war so herrlich, daß selbst die Eisstücke vor Freude ringsherum tanzten, und als sie müde waren und sich niederlegten, lagen sie gerade in den Buchstaben, von denen die Schneekönigin gesagt hatte, er solle sie herausfinden, dann wäre er sein eigener Herr, und sie wolle ihm die ganze Welt und ein Paar neue Schlittschuhe geben.

Und Gerda küßte seine Wangen, und sie wurden blühend; sie küßte seine Augen, und sie leuchteten wie die ihrigen; sie küßte seine Hände und Füße, und er war gesund und munter. Die Schneekönigin mochte nun nach Hause kommen, sein Freibrief stand da mit glänzenden Eisstücken geschrieben.

Und sie faßten einander bei der Hand und wanderten aus dem großen Schloß hinaus; sie sprachen von der Großmutter und von den Rosen auf dem Dach; und wo sie gingen, lagen die Winde ganz still, und die Sonne brach hervor; und als sie den Busch mit den roten Beeren erreichten, stand das Rentier da und wartete; es hatte ein anderes, junges Rentier bei sich, dessen Euter voll war, und das gab den Kleinen seine warme Milch und küßte sie auf den Mund. Dann trugen sie Kay und Gerda zuerst zur Finnin, wo sie sich in der heißen Stube aufwärmten und über die Heimreise Bescheid erhielten, dann zur Lappin, die ihnen neue Kleider genäht und ihren Schlitten instand gesetzt hatte.

Das Rentier und das Junge nahmen sie in die Mitte und begleiteten sie bis zur Grenze des Landes, dort guckte das erste Grün hervor; da nahmen sie Abschied vom Rentier und von der Lappin. „Lebt wohl!" sagten sie alle. Und die ersten kleinen Vögel begannen zu zwitschern, die Bäume hatten grüne Knospen, und aus dem Wald kam auf einem prächtigen Pferd, das Gerda kannte – es war vor die Goldkutsche gespannt gewesen –, ein junges Mädchen geritten, mit einer leuchtendroten Mütze auf dem Kopf und Pistolen vor sich; es war das kleine Räubermädchen, das es satt hatte, zu Hause zu sein, und nun zuerst nach Norden und später, wenn es kein Vergnügen daran hätte, in eine andere Richtung wollte. Es erkannte Gerda sogleich, und Gerda erkannte es auch, das war eine Freude!

„Du bist ja ein schöner Bursche, so herumzuschweifen!" sagte sie zum kleinen Kay. „Ich möchte wissen, ob du verdienst, daß man deinetwegen bis ans Ende der Welt läuft!"

Aber Gerda streichelte seine Wangen und fragte nach dem Prinzen und der Prinzessin.

„Die sind in fremde Länder gereist!" sagte das Räubermädchen.

„Aber die Krähe?" sagte Gerda.

„Ja, die Krähe ist tot!" antwortete es. „Die zahme Liebste ist Witwe geworden und trägt ein Endchen schwarzes Wollgarn am Bein; sie klagt ganz jämmerlich, Geschwätz ist das Ganze! – Aber erzähle mir nun, wie es dir ergangen ist und wie du ihn erwischt hast."

Und Gerda und Kay erzählten.

„Schnipp-schnapp-schnurre-basselurre!" sagte das Räubermädchen, nahm beide bei der Hand und versprach, wenn es einmal durch ihre Stadt käme, so wollte es sie besuchen. Und dann ritt es in die weite Welt hinein, aber Kay und Gerda gingen Hand in Hand; und wie sie gingen, war es herrlicher Frühling mit Blumen und Grün; die Kirchenglocken läuteten, und sie erkannten die hohen Türme, die große Stadt, es war die, in der sie wohnten, und sie gingen hinein und zu Großmutters Tür, die Treppe hinauf, in die Stube, wo alles auf derselben Stelle stand wie früher, und die Uhr sagte „Tick! Tack!", und die Zeiger drehten sich; aber als sie durch die Tür gingen, merkten sie, daß sie erwachsene Menschen geworden waren. Die Rosen aus der

Dachrinne blühten zum offenen Fenster herein, und da standen die kleinen Kinderstühle, und Kay und Gerda setzten sich jedes auf den seinen und hielten einander bei der Hand; die kalte, leere Herrlichkeit bei der Schneekönigin hatten sie vergessen wie einen schweren Traum. Die Großmutter saß in Gottes hellem Sonnenschein und las aus der Bibel vor: „Werdet ihr nicht wie die Kinder, so werdet ihr nicht in das Himmelreich kommen!"

Und Kay und Gerda sahen einander in die Augen, und sie verstanden auf einmal den alten Gesang:

Die Rosen, sie blühn und vergehen,
Wir werden das Christkindlein sehen!

Da saßen sie beide, erwachsen und doch Kinder, Kinder im Herzen, und es war Sommer, warmer, herrlicher Sommer.

Fliedermütterchen

Es war einmal ein kleiner Knabe, der hatte sich erkältet; er war aus dem Haus gegangen und hatte nasse Füße bekommen; niemand konnte begreifen, woher er sie bekommen hatte, denn es war ganz trocknes Wetter. Nun zog ihn seine Mutter aus, brachte ihn zu Bett und ließ die Teemaschine holen, um ihm eine gute Tasse Fliedertee zu bereiten, denn das wärmt! Zur gleichen Zeit kam auch der alte, freundliche Mann zur Tür herein, der ganz oben im Hause wohnte und so allein lebte, denn er hatte weder Frau noch Kinder, hatte aber alle Kinder gern und wußte so viele Märchen und Geschichten zu erzählen, daß es eine Lust war.

„Nun trinkst du deinen Tee", sagte die Mutter, „vielleicht bekommst du dann auch ein Märchen zu hören."

„Ja, wenn man nur ein neues wüßte!" sagte der alte Mann und nickte freundlich. „Aber woher hat der Kleine die nassen Füße bekommen?" fragte er.

„Ja, woher hat er die nur?" sagte die Mutter, „das kann niemand begreifen."

„Bekomme ich ein Märchen zu hören?" fragte der Knabe.

„Ja, kannst du mir einigermaßen genau sagen, denn das muß ich zuerst wissen, wie tief der Rinnstein drüben in der kleinen Straße ist, wo du zur Schule gehst?"

„Genau bis zur Mitte der Stiefelschäfte", sagte der Knabe; „aber dann muß ich in das tiefe Loch gehen!"

„Siehst du, daher haben wir die nassen Füße", sagte der Alte. „Nun sollte ich freilich ein Märchen erzählen, aber ich weiß keins mehr!"

„Sie können schnell eins machen", sagte der kleine Knabe. „Mutter sagt, daß alles, was Sie ansehen, zu einem Märchen werden kann, und aus allem, was Sie anfassen, können Sie eine Geschichte machen!"

„Ja, aber solche Märchen und Geschichten taugen nichts! Nein, die richtigen, die kommen von selbst, die klopfen mir an die Stirn und sagen: Hier bin ich!"

„Klopft es nicht bald?" fragte der kleine Knabe; und die Mutter lachte, tat Fliedertee in die Kanne und goß kochendes Wasser darauf.

„Erzähle! Erzähle!"

„Ja, wenn ein Märchen von selbst käme; aber so eins ist vornehm, es kommt nur, wenn es selbst Lust hat. – Halt!" sagte er auf einmal. „Da haben wir's! Gib acht, nun ist eins in der Teekanne!"

Und der kleine Knabe sah zur Teekanne hin, der Deckel hob sich mehr und mehr, und die Fliederblüten kamen frisch und weiß daraus hervor; sie trieben große lange Zweige; selbst aus der Tülle breiteten sie sich nach allen Seiten aus und wurden größer und größer; es war der herrlichste Fliederbusch, ein ganzer Baum; er ragte ins Bett hinein und schob die Gardinen zur Seite; nein, wie das blühte und duftete! Und mitten im Baum saß eine alte, freundliche Frau in einem wunderlichen Kleid; es war ganz grün wie die Blätter des Fliederbaums und mit großen weißen Fliederblüten besetzt; man konnte nicht gleich erkennen, ob es Stoff oder lebendes Grün und Blüten waren.

„Wie heißt die Frau?" fragte der kleine Knabe.

„Ja, die Römer und Griechen", sagte der alte Mann, „die nannten sie eine Dryade, aber das verstehen wir nicht; draußen in der Vorstadt der Seeleute haben sie einen besseren Namen für sie; dort wird sie Fliedermütterchen genannt, und nun mußt du auf sie achtgeben; horch nur und sieh dir den herrlichen Fliederbaum an.

Genau so ein großer blühender Baum steht draußen in der Vorstadt, er wuchs dort im Winkel eines kleinen ärmlichen Hofes. Unter diesem Baum saßen eines Nachmittags im schönsten Sonnenschein zwei alte Leute. Es war ein alter, alter Seemann und seine alte, alte Frau; sie waren Urgroßeltern und sollten bald ihre goldene Hochzeit feiern, aber sie konnten sich des Datums nicht recht entsinnen; und Fliedermütterchen saß im Baum und sah so vergnügt aus, gerade wie hier. ‚Ich weiß wohl, wann die goldene Hochzeit ist!‘ sagte es; aber sie hörten es nicht, sie sprachen von alten Zeiten.

‚Ja, weißt du noch‘, sagte der alte Seemann, ‚als wir damals noch ganz klein waren und herumliefen und spielten? Es war derselbe Hof, in dem wir nun sitzen; und wir pflanzten kleine Zweige in den Hof und machten einen Garten.‘

‚Ja‘, sagte die alte Frau, ‚das weiß ich noch ganz gut; und wir begossen die Zweige, und einer von ihnen war ein Fliederzweig, der schlug Wurzeln, trieb grüne Zweige und ist nun zu dem großen Baum geworden, unter dem wir alten Leute sitzen.‘

‚Ja‘, sagte er, ‚und dort in der Ecke stand ein Wasserkübel, in dem mein Boot schwamm; ich hatte es selbst geschnitzt. Wie das segeln konnte! Aber ich mußte freilich bald woandershin segeln.‘

‚Ja, aber zuerst gingen wir in die Schule und lernten etwas‘, sagte sie, ‚und dann wurden wir eingesegnet; wir weinten beide; aber des Nachmittags gingen wir Hand in Hand auf den Runden Turm und sahen in die Welt hinaus über Kopenhagen und das Wasser; dann gingen wir nach Frederiksberg, wo der König und die Königin in ihren prächtigen Booten auf den Kanälen umherfuhren.‘

‚Aber ich mußte freilich ganz anders umhersegeln, und das viele Jahre, weit fort, auf langen Reisen!‘

‚Ja, ich habe oft um dich geweint‘, sagte sie; ‚ich glaubte, du wärest tot und fort und lägest leblos dort unten im tiefen Wasser. Manche Nacht stand ich auf und sah, ob die Wetterfahne sich drehte; ja, sie drehte sich wohl, aber du kamst nicht! Ich erinnere mich so deutlich, wie eines Tages der Regen strömte; der Fuhrmann, der den Kehricht holt, kam dorthin, wo ich diente; ich ging mit dem Kehrichtfaß hinunter und blieb in der Tür stehen – was war das für ein abscheuliches Wetter! Und gerade als ich so dastand, war der Postbote neben mir und gab mir einen Brief, der war von dir! Ja, wie der herumgereist war! Ich riß ihn auf und las, ich lachte und weinte, ich war so froh! Da stand, daß du in den warmen Ländern wärest, wo die Kaffeebohnen wachsen. Was für ein herrliches Land muß das sein! Du erzähltest so viel, und ich sah das alles, während der Regen herniederströmte und ich mit dem Kehrichtfaß dastand. Da kam einer und faßte mich um den Leib –'

,Ja, aber du gabst ihm einen tüchtigen Schlag auf die Backe, daß es nur so klatschte.'

,Ich wußte ja nicht, daß du es warst; du warst ebenso geschwind gekommen wie dein Brief, und du warst so schön; das bist du noch; du hattest ein langes, gelbes Seidentuch in der Tasche und einen blanken Hut auf. Du warst so fein! Gott, was das doch für ein Wetter war, und wie die Straße aussah!'

,Dann haben wir geheiratet', sagte er, ,weißt du noch? Und dann, als wir den ersten kleinen Knaben und dann Marie und Niels und Peter und Hans Christian bekamen?'

,Ja, und wie alle herangewachsen und ordentliche Menschen geworden sind, die ein jeder leiden mag!'

,Und ihre Kinder haben wieder Kinder bekommen', sagte der alte Matrose. ,Ja, das sind tüchtige Kindeskinder! – Es war doch, glaube ich, in dieser Jahreszeit, als wir Hochzeit hielten.'

,Ja, eben heute ist der goldene Hochzeitstag', sagte Fliedermütterchen und steckte den Kopf mitten zwischen die beiden Alten; und die glaubten, es sei die Nachbarin, die da nickte; sie sahen einander an und faßten sich bei den Händen. Bald darauf kamen die Kinder und Enkelkinder, die wußten wohl, daß es der goldene Hochzeitstag war; sie hatten schon am Morgen gratuliert, aber die Alten hatten es wieder vergessen, während sie sich so gut an alles erinnerten, was schon vor vielen Jahren geschehen war. Und der Fliederbaum duftete so stark, und die Sonne, die eben untergehen wollte, schien den beiden Alten gerade ins Gesicht, sie sahen beide so rotwangig aus; und das kleinste der Enkelkinder tanzte um sie herum und rief ganz glücklich, heute abend gebe es ein richtiges Fest, sie würden warme Kartoffeln bekommen; und Fliedermütterchen nickte im Baum und rief mit allen andern hurra!"

„Aber das war ja gar kein Märchen!" sagte der kleine Knabe, der zuhörte.

„Ja, das mußt du verstehen!" sagte der Alte, der erzählte. „Aber laß uns Fliedermütterchen danach fragen!"

„Das war noch kein Märchen", sagte Fliedermütterchen; „aber nun kommt es! Aus der Wirklichkeit wächst gerade das wundersamste Märchen; sonst hätte ja mein schöner Fliederbusch nicht aus der Teekanne hervorsprießen können." Und dann nahm sie den kleinen Knaben aus dem Bett und nahm ihn in die Arme; und die Fliederzweige, voll von Blüten, schlugen um sie zusammen; sie saßen wie in der dichtesten Laube, und die flog mit ihnen durch die Luft; es war unaussprechlich schön. Fliedermütterchen war auf einmal ein junges, niedliches Mädchen geworden, aber das Kleid war noch von demselben grünen, weißgeblümten Stoff, wie es Fliedermütterchen getragen hatte; an der Brust trug sie eine wirkliche Fliederblüte und um ihr gelbes, gelocktes Haar einen ganzen Kranz von Fliederblüten; ihre Augen waren so groß, so blau; oh, sie war so herrlich anzuschauen! Sie und der Knabe küßten sich, und dann waren sie im gleichen Alter und von der gleichen Freude erfüllt.

Sie gingen Hand in Hand aus der Laube und standen nun im schönen Blumengarten des Elternhauses; bei dem frischen Rasenplatz war Vaters Stock an einen Pflock gebunden; für die Kleinen war der Stock lebendig; sobald sie sich auf ihn setzten, verwandelte sich sein blanker Knauf in einen prächtig wiehernden Pferdekopf, die lange schwarze Mähne flatterte, vier schlanke, kräftige Beine schossen hervor; das Tier war stark und feurig, im Galopp ging es um den Rasenplatz herum, hussa! – „Nun reiten wir viele Meilen weit fort", sagte der Knabe, „wir reiten nach dem Gutshof, wo wir im vorigen Jahr waren!" Und sie ritten und ritten um den Rasenplatz herum, und immer rief das kleine Mädchen, das, wie wir wissen, niemand anderes als Fliedermütterchen war: „Nun sind wir auf dem Lande! Siehst du das Bauernhaus mit dem großen Backofen? Er steht wie ein riesengroßes Ei in der Mauer zur Straße. Der Fliederbaum breitet seine Zweige über ihn aus, und der

Hahn läuft herum und scharrt für die Hühner; sieh, wie er gockelt! – Nun sind wir bei der Kirche; die liegt hoch auf dem Hügel, zwischen den großen Eichen, von denen die eine halb abgestorben ist! – Nun sind wir bei der Schmiede, wo das Feuer brennt und die halbnackten Männer mit den Hämmern schlagen, daß die Funken weit umhersprühen. Weiter, weiter nach dem prächtigen Gutshof!" Und alles, was das kleine Mädchen, das hinten auf dem Stock saß, sagte, das flog auch vorbei; der Knabe sah es, und doch kamen sie nur um den Rasenplatz herum. Dann spielten sie im Seitenweg und ritzten einen kleinen Garten in die Erde; und sie nahm die Fliederblüte aus ihrem Haar und pflanzte sie; und sie wuchs genau wie bei den Alten in der Vorstadt, damals, als sie noch klein waren, wie zuvor erzählt worden ist. Sie gingen Hand in Hand, gerade wie die alten Leute es als Kinder getan hatten, aber nicht auf den Runden Turm hinauf oder nach dem Frederiksberg-Park – nein, das kleine Mädchen faßte den Knaben um den Leib, und dann flogen sie weit über ganz Dänemark. Und es war Frühling, und es wurde Sommer, und es war Herbst, und es wurde Winter, und Tausende von Bildern spiegelten sich in Augen und Herz des Knaben wider, und immer sang das kleine Mädchen ihm vor: „Das wirst du nie vergessen!" Und auf dem ganzen Flug duftete der Fliederbaum so süß und so herrlich; er bemerkte wohl die Rosen und die frischen Buchen; aber der Fliederbaum duftete noch wunderbarer, denn seine Blüten hingen am Herzen des kleinen Mädchens, und daran lehnte er im Fluge oft den Kopf.

„Hier ist es herrlich im Frühling!" sagte das kleine Mädchen; und sie standen im frisch ausgeschlagenen Buchenwald, wo der Waldmeister zu ihren Füßen duftete; und die blaßroten Anemonen sahen in dem Grün so lieblich aus. „Oh, wäre es immer Frühjahr im duftenden dänischen Buchenwald!"

„Hier ist es herrlich im Sommer!" sagte das kleine Mädchen; und sie fuhren an alten Schlössern aus der Ritterzeit vorbei, wo sich die hohen Mauern und gezackten Giebel in den Kanälen spiegelten, wo die Schwäne schwammen und in die alten kühlen Alleen sahen. Auf dem Felde wogte das Korn, als wäre es ein See; in den Gräben standen rote und gelbe Blumen und auf den Gehegen wilder Hopfen und blühende

Winden; und abends stieg der Mond rund und groß empor; die Heuhaufen auf den Wiesen dufteten so süß. „Das vergißt man nie!"

„Hier ist es herrlich im Herbst!" sagte das kleine Mädchen; und der Himmel wurde doppelt so hoch und blau; der Wald bekam die schönsten Farben, rot, gelb und grün. Die Jagdhunde hetzten davon, ganze Scharen Flugwild flogen schreiend über die Hünengräber, wo sich Brombeerranken um die alten Steine schlangen. Das Meer war schwarzblau, mit weißen Segeln, und in der Tenne saßen alte Frauen, Mädchen und Kinder und pflückten Hopfen in ein großes Faß, die Jungen sangen Lieder, aber die Alten erzählten Märchen von Kobolden und Zauberern. Besser konnte es nirgends sein.

„Hier ist es herrlich im Winter!" sagte das kleine Mädchen, und alle Bäume waren mit Reif bedeckt, so daß sie wie weiße Korallen aussahen; der Schnee knirschte unter den Füßen, als hätte man neue Stiefel an, und vom Himmel fiel eine Sternschnuppe nach der andern. Im Zimmer wurde der Weihnachtsbaum angezündet, da gab es Geschenke und Fröhlichkeit; auf dem Lande in der Bauernstube erklang die Fiedel, Krapfen wurden ausgeteilt; selbst das ärmste Kind sagte: „Es ist doch herrlich im Winter!"

Ja, es war herrlich! Und das kleine Mädchen zeigte dem Knaben alles, und immer duftete der Fliederbaum, und immer wehte die rote Flagge mit dem weißen Kreuz, die Flagge, unter der der alte Seemann aus der Vorstadt gesegelt war. Der Knabe wurde zum Jüngling und sollte in die weite Welt hinaus, weit fort in die warmen Länder, wo der Kaffee wächst. Aber beim Abschied nahm das kleine Mädchen eine Fliederblüte von der Brust und gab sie ihm zum Aufbewahren, und sie wurde in das Gesangbuch gelegt; und immer, wenn er im fremden Land das Buch öffnete, geschah es gerade an der Stelle, wo die Erinnerungsblume lag, und je mehr er sie betrachtete, desto frischer wurde sie; er spürte gleichsam einen Duft von den dänischen Wäldern, und deutlich sah er zwischen den Blütenblättern das kleine Mädchen mit den klaren blauen Augen hervorgucken, und es flüsterte dann: „Hier ist es herrlich im Frühling, im Sommer, im Herbst und im Winter!" Und Hunderte von Bildern glitten durch seine Gedanken.

So gingen viele Jahre dahin, und er war nun ein alter Mann und saß mit seiner alten Frau unter einem blühenden Baum; sie hielten einander bei der Hand, gerade wie es der Urgroßvater und die Urgroßmutter in der Vorstadt getan hatten; und sie sprachen ebenso wie diese von alten Tagen und der goldenen Hochzeit. Das kleine Mädchen mit den blauen Augen und mit den Fliederblüten im Haar saß oben im Baum, nickte beiden zu und sagte: „Heute ist der goldene Hochzeitstag!" Und dann nahm es zwei Blüten aus seinem Kranz und küßte sie, und die leuchteten zuerst wie Silber, dann wie Gold, und als es sie auf den Scheitel der alten Leute legte, wurde jede Blüte zu einer Goldkrone. Da saßen sie beide wie ein König und eine Königin unter dem duftenden Baum, der ganz und gar aussah wie ein Fliederstrauch; und er erzählte seiner alten Frau die Geschichte von dem Fliedermütterchen, wie sie ihm erzählt worden war, als er noch ein kleiner Knabe gewesen; und sie meinten beide, daß sie so vieles enthalte, was ihrer eigenen gleiche, und das, was ähnlich war, gefiel ihnen am besten.

„Ja, so ist es!" sagte das kleine Mädchen im Baum. „Einige nennen mich Fliedermütterchen, andere Dryade, aber eigentlich heiße ich Erinnerung; ich sitze im Baum, während er wächst und wächst; ich kann zurückdenken, ich kann erzählen. Laß sehen, ob du deine Blüte noch hast."

Und der alte Mann öffnete sein Gesangbuch, da lag die Fliederblüte, so frisch, als wäre sie erst vor kurzem hineingelegt; und die Erinnerung nickte, und die beiden Alten mit der Goldkrone auf dem Kopf saßen in der roten Abendsonne; sie schlossen die Augen und – und –? Ja, da war das Märchen aus!

Der kleine Knabe lag in seinem Bett, er wußte nicht, ob er es geträumt oder es erzählen gehört hatte; die Teekanne stand auf dem Tisch, aber es wuchs kein Fliederbaum daraus hervor; und der alte Mann, der erzählt hatte, wollte gerade zur Tür hinausgehen, und er tat es auch.

„Wie herrlich war das!" sagte der kleine Knabe. „Mutter, ich bin in den warmen Ländern gewesen!"

„Ja, das glaube ich wohl!" sagte die Mutter. „Wenn man zwei volle Tassen Fliedertee im Leibe hat, dann kommt man wohl in die warmen Länder!" Und sie deckte ihn gut zu, damit er sich nicht erkälten sollte. „Du hast gut geschlafen, während ich mich mit ihm darüber stritt, ob es eine Geschichte oder ein Märchen war!"

„Und wo ist das Fliedermütterchen?" fragte der Knabe.

„Es ist in der Teekanne", sagte die Mutter, „und da mag es bleiben."

Die Stopfnadel

Es war einmal eine Stopfnadel, die war so fein, daß sie sich einbildete, sie sei eine Nähnadel.

„Seht nur zu, daß ihr mich festhaltet!" sagte die Stopfnadel zu den Fingern, die sie hervornahmen. „Laßt mich nicht fallen! Falle ich auf den Boden, dann findet man mich bestimmt nicht mehr wieder, so fein bin ich."

„Das geht noch an", sagten die Finger und faßten sie um den Leib.

„Seht, ich komme mit Gefolge!" sagte die Stopfnadel und zog einen langen Faden hinter sich her, der aber keinen Knoten hatte.

Die Finger richteten die Nadel gerade gegen den Pantoffel der Köchin, an dem war das Oberleder entzwei, das sollte zusammengenäht werden.

„Das ist niedere Arbeit!" sagte die Stopfnadel. „Ich gehe niemals hindurch; ich breche, ich breche!" Und wirklich, sie brach. „Sagt' ich's nicht?" rief die Stopfnadel. „Ich bin zu fein!"

„Nun taugt sie zu gar nichts!" meinten die Finger; aber sie mußten sie doch festhalten; die Köchin tröpfelte Siegellack auf die Nadel und steckte sie vorn in ihr Tuch.

„So, nun bin ich eine Busennadel!" sagte die Stopfnadel. „Ich wußte wohl, daß ich zu Ehren kommen würde; ist man was, so bleibt man was!" Und dabei lachte sie in sich hinein, denn man kann es einer Stopfnadel niemals von außen ansehen, wenn sie lacht. Da saß sie nun so stolz, als ob sie in einer Kutsche führe, und sah nach allen Seiten!

„Darf ich die Ehre haben, zu fragen, ob Sie aus Gold sind?" fragte sie die Stecknadel, die ihre Nachbarin war. „Sie haben ein herrliches Aussehen und Ihren eigenen Kopf; aber er ist nur klein! Sie müssen zusehen, daß er wächst; denn man kann schließlich nicht jeden lacken!"

Und damit richtete sich die Stopfnadel so stolz in die Höhe, daß sie aus dem Tuch in den Gußstein fiel, den die Köchin gerade ausspülte.

„Nun gehen wir auf Reisen!" sagte die Stopfnadel. „Wenn ich nur nicht verlorengehe!" Aber sie ging verloren.

„Ich bin zu fein für diese Welt!" sagte sie, als sie im Rinnstein lag. „Aber ich weiß, wer ich bin, und das ist immer ein kleines Vergnügen!" Und die Stopfnadel hielt sich gerade und verlor ihre gute Laune nicht.

Und es segelte allerlei über sie hin, Späne, Strohhalme und Stücke von Zeitungen. „Seht nur, wie sie segeln!" sagte die Stopfnadel. „Die wissen nicht, was unter ihnen steckt! Ich stecke, ich sitze hier fest! Seht, da fährt nun ein Span, der denkt an nichts in der Welt als an einen Span, und das ist er selbst! Da treibt ein Strohhalm, seht, wie der sich dreht, wie der sich wendet! Denk doch nicht soviel an dich selbst, du könntest dich am Rinnstein stoßen. Da schwimmt ein Stück Zeitung! Was drinsteht, ist vergessen, und doch spreizt es sich! Ich sitze geduldig und still. Ich weiß, was ich bin, und das bleibe ich auch!"

Eines Tages war da etwas in ihrer Nähe, was so herrlich glänzte, und da glaubte die Stopfnadel, es sei ein Diamant; aber es war eine Flaschenscherbe, und weil sie glänzte, redete die Stopfnadel sie an und stellte sich als Busennadel vor.

„Sie sind wohl ein Diamant?"

„Ja, so etwas Ähnliches!" Und da glaubte eins vom anderen, es wäre etwas sehr Kostbares, und sie sprachen davon, wie hochmütig doch die Welt sei.

„Ich habe bei einer Jungfer in einer Schachtel gewohnt", sagte die Stopfnadel, „und diese Jungfer war Köchin; an jeder Hand hatte sie fünf Finger, aber so etwas Eingebildetes habe ich nie gekannt! Und sie waren doch nur da, um mich zu halten, mich aus der Schachtel zu nehmen und wieder in die Schachtel zu legen."

„Waren sie denn glänzend?" fragte die Flaschenscherbe.

„Glänzend?" sagte die Stopfnadel. „Nein, aber hochmütig! Es waren fünf Brüder, alle geborene ‚Finger‘. Sie saßen aufrecht nebeneinander, obwohl sie von verschiedener Länge waren; der äußerste, der Däumling, war kurz und dick, er ging außerhalb des Gliedes, hatte nur *einen* Knick im Rükken und konnte nur *eine* Verbeugung machen, aber er sagte, wenn er bei einem Menschen abgehackt würde, so wäre der ganze Mensch für den Kriegsdienst untauglich. Topflecker kam in Süßes und Saures, zeigte auf Sonne und Mond und gab den Druck beim Schreiben. Langemann guckte den anderen über den Kopf. Goldrand ging mit einem Goldring um den Leib, und der kleine Peter Spielmann tat gar nichts, und darauf war er stolz. Prahlerei war's, und Prahlerei blieb's, und da ging ich fort in den Rinnstein!"

„Seht, nun wird sie befördert!" sagte die Stopfnadel, als plötzlich mehr Wasser in den Rinnstein kam, das über alle Bretter strömte und die Flaschenscherbe mit sich riß.

„Seht, nun ist sie befördert!" sagte die Stopfnadel. „Ich bleibe sitzen, ich bin zu fein; aber das ist mein Stolz, und der ist achtbar!" Und so saß sie aufrecht da und hatte viele Gedanken.

„Ich möchte fast glauben, ich bin von einem Sonnenstrahl geboren, so fein bin ich! Kommt es mir doch auch vor, als ob die Sonne mich immer unter dem Wasser suchte. Ach, ich bin so fein, daß meine Mutter mich nicht finden kann. Hätte ich mein altes Auge, das gebrochen ist, ich glaube, ich könnte weinen; aber ich tät's nicht – weinen ist nicht fein!"

Eines Tages lagen ein paar Straßenjungen da und wühlten im Rinnstein, wo sie alte Nägel, Schillinge und ähnliches fanden. Es war eine Schweinerei, aber es war nun einmal ihr Vergnügen.

„Au!" schrie der eine, der sich an der Stopfnadel stach, „das ist aber ein Kerl!"

„Ich bin kein Kerl, ich bin ein Fräulein!" sagte die Stopfnadel; aber darauf hörte niemand. Der Lack war abgegangen, und schwarz war sie auch geworden; aber schwarz macht schlanker, und da glaubte sie, sie sei noch feiner als früher.

„Da kommt eine Eierschale gesegelt!" sagten die Jungen, und dann steckten sie die Stopfnadel fest in die Schale.

„Weiße Wände und selbst schwarz", sagte die Stopfnadel, „das kleidet gut; so kann man mich doch sehen! Wenn ich nur nicht seekrank werde, denn dann breche ich!"

Aber sie wurde nicht seekrank und brach nicht.

„Es ist gut gegen die Seekrankheit, wenn man einen Stahlmagen hat und immer daran denkt, daß man etwas mehr ist als ein Mensch! Nun ist meine Seekrankheit vorüber! Je feiner man ist, desto mehr kann man vertragen."

„Krach!" sagte die Eierschale, es fuhr ein Lastwagen über sie hinweg.

„Hu, wie das drückt!" sagte die Stopfnadel, „nun werde ich doch seekrank! Ich breche! Ich breche!" Aber sie brach nicht, obgleich ein Lastwagen über sie fuhr; sie lag der Länge lang da, und so mag sie liegenbleiben.

Die Glocke

Abends in den schmalen Straßen der großen Stadt, wenn die Sonne unterging und die Wolken wie Gold zwischen den Schornsteinen glänzten, hörte häufig bald der eine, bald der andere einen wunderlichen Laut, gerade wie der Klang einer Kirchenglocke, aber man hörte ihn nur einen Augenblick, denn es war dort ein solches Wagenrasseln und ein solches Rufen, und das stört. „Nun läutet die Abendglocke", sagte man, „nun geht die Sonne unter!"

Die Leute, die vor die Stadt gingen, wo die Häuser mit Gärten und kleinen Feldern weiter auseinanderlagen, sahen den Abendhimmel prächtiger und hörten den Klang der Glocke weit stärker; es war, als käme der Ton von einer Kirche, tief aus dem stillen, duftenden Wald; und die Leute blickten dorthin und wurden ganz andächtig.

Dann verging längere Zeit, bis der eine zum andern sagte: „Ob wohl eine Kirche da draußen im Wald ist? Die Glocke hat doch einen seltsam herrlichen Klang! Wollen wir nicht hinausgehen und sie uns näher ansehn?" Und die reichen Leute fuhren, und die Armen gingen; aber der Weg wurde ihnen so seltsam lang, und als sie zu einer Gruppe von Weidenbäumen kamen, die am Rande des Waldes wuchsen, setzten sie sich und sahen zu den langen Zweigen hinauf und glaubten, sie seien nun recht im Grünen. Der Konditor aus der Stadt kam auch heraus und schlug sein Zelt auf; dann kam noch ein Konditor, der hängte gerade über seinem Zelt eine Glocke auf, eine Glocke, die geteert war, um den Regen aushalten zu können, aber der Klöppel fehlte ihr. Wenn dann die Leute wieder nach Hause gingen, sagten sie, es sei höchst romantisch gewesen, und das bedeutet etwas anderes als Tee. Drei Personen versicherten, sie hätten den Wald durchdrungen bis an sein Ende; und sie hätten immer den wunderlichen Glockenklang gehört, aber es sei ihnen dort gewesen, als wenn er gerade aus der Stadt gekommen sei. Der eine schrieb ein ganzes Lied darüber und sagte, daß die Glocke klinge wie die Stimme einer Mutter, die zu einem lieben, klugen Kind spreche; keine Melodie sei herrlicher als der Klang der Glocke.

Der Kaiser des Landes wurde auch aufmerksam darauf und versprach, daß derjenige, der wirklich ausfindig machen könne, woher der Klang komme, den Titel eines „Weltglöckners" haben solle, selbst wenn es keine Glocke sei.

Nun gingen viele um des guten Postens willen zum Wald; aber es war nur einer, der mit einer Art Erklärung zurückkam. Keiner war tief genug eingedrungen, und auch er nicht; doch er sagte, der Glockenton komme von einer sehr großen Eule in einem hohlen Baum, es sei eine Weisheitseule, die ihren Kopf immerfort gegen den Baum stoße; ob aber der Ton von ihrem Kopf oder vom hohlen Stamm herrühre, das konnte er noch nicht mit Bestimmtheit sagen; und dann wurde er als Weltglöckner angestellt und schrieb jedes Jahr eine kleine Abhandlung über die Eule; aber man wußte ebensoviel wie vorher.

Nun war gerade Einsegnungstag. Der Pfarrer hatte schön und innig gesprochen; die Konfirmanden waren tief davon bewegt; es war ein wichtiger Tag für sie, die Kinder wurden mit einem Male erwachsene Menschen; die Kinderseele sollte nun gleichsam in einen verständigeren Menschen hinüberfliegen. Es war herrlichster Sonnenschein; die Konfirmanden gingen zur Stadt hinaus, und vom Wald klang die große unbekannte Glocke seltsam stark. Sie bekamen alle sogleich Lust, da hinzugehen, nur drei von ihnen nicht; die eine wollte nach Hause und ihr Ballkleid anprobieren, denn gerade das Kleid und der Ball waren schuld daran, daß sie dieses Jahr eingesegnet worden war, sonst wäre sie nicht mitgekommen; der zweite war ein armer Knabe, der seinen Konfirmationsanzug und die Stiefel vom Sohn des Hauswirts geliehen hatte und sie zum bestimmten Glockenschlag wieder abliefern mußte; der dritte sagte, er ginge nie an einen fremden Ort, wenn seine Eltern nicht dabei wären, er sei immer ein artiges Kind gewesen und wolle es auch bleiben, selbst als Konfirmand, und darüber solle man sich nicht lustig machen! Aber das taten sie doch.

Diese drei gingen also nicht mit, die andern trabten vorwärts. Die Sonne schien, und die Vögel sangen, und die Konfirmanden sangen mit und hielten einander bei der Hand, denn sie hatten ja noch keine Ämter bekommen und waren alle Konfirmanden vor dem lieben Gott.

Aber bald wurden zwei der Kleinsten müde und kehrten um und gingen wieder zur Stadt; zwei kleine Mädchen setzten sich und banden Kränze, die kamen auch nicht mit; und als die andern die Weidenbäume erreichten, wo der Konditor wohnte, sagten sie: „Seht, nun sind wir hier draußen; die Glocke ist ja doch nicht da – sie ist nur etwas, was man sich einbildet!"

Da ertönte plötzlich tief im Wald die Glocke so schön und feierlich, daß vier oder fünf sich entschlossen, doch etwas weiter in den Wald hineinzugehen. Der war so dicht, so belaubt! Es war richtig beschwerlich, voranzukommen; Waldlilien und Anemonen wuchsen fast zu hoch, blühende Winden und Brombeerranken hingen in langen Girlanden von Baum zu Baum, wo die Nachtigallen sangen und die Sonnenstrahlen spielten. Oh, so herrlich war es; aber für Mädchen war es kein gangbarer Weg, sie würden sich die Kleider zerreißen. Da lagen große Felsblöcke, mit Moos von allen Farben bewachsen; das frische Quellwasser sprudelte hervor, und seltsam sagte es „gluck, gluck".

„Das ist doch wohl nicht die Glocke?" sagte einer der Konfirmanden und legte sich nieder und horchte. „Das muß man richtig studieren!" Und da blieb er und ließ die andern gehen.

Sie kamen zu einem Haus aus Rinde und Zweigen; ein großer Baum mit wilden Äpfeln neigte seine Äste darüber, als wollte er seinen ganzen Segen über das Dach mit den blühenden Rosen ausschütten; die langen Zweige lagen um den Giebel, und daran hing eine kleine Glocke. Sollte es die sein, die man gehört hatte? Ja, darin stimmten alle überein, bis auf einen, der sagte, die Glocke sei zu klein und zu fein, als daß man sie so weit hören könne, wie man sie gehört habe, und es wären ganz andere Töne, die ein Menschenherz so rührten. Der da sprach, war ein Königssohn, und da sagten die anderen: „So einer will nun immer klüger sein."

Darum ließen sie ihn allein gehen; und als er nun ging, wurde seine Brust mehr und mehr von der Einsamkeit des Waldes erfüllt; aber noch hörte er die kleine Glocke, über die sich die anderen freuten, und mitunter, wenn der Wind die Töne vom Konditor herübertrug, konnte er auch hören, wie da zum Tee gesungen wurde. Aber die tiefen Glockenschläge tönten doch stärker; bald war es, als spielte eine Orgel dazu; ihr Klang kam von der Linken, von der Seite, auf der das Herz sitzt.

Nun raschelte es im Busch, und da stand ein kleiner Knabe vor dem Königssohn, ein Knabe in Holzschuhen und mit einer so kurzen Jacke, daß man wahrhaftig sehen konnte, wie lang seine Handgelenke waren. Sie kannten einander; der Knabe war derjenige von den Konfirmanden, der nicht mitkommen konnte, weil er nach Hause mußte, um Jacke und Stiefel an den Sohn des Hauswirts abzuliefern. Das hatte er getan und war dann in Holzschuhen und mit den ärmlichen Kleidern allein fortgegangen; denn die Glocke klang so stark, so tief – er mußte hinaus.

„Dann können wir ja zusammen gehen", sagte der Königssohn. Aber der arme Konfirmand mit den Holzschuhen war sehr schüchtern, er zupfte an den kurzen Ärmeln seiner Jacke und sagte, er fürchte, er könne nicht so rasch mitkommen; überdies meinte er, daß die Glocke zur Rechten gesucht werden müsse, denn dort sei gewiß alles Große und Herrliche verborgen.

„Ja, dann treffen wir uns nicht", sagte der Königssohn und nickte dem armen Knaben zu, der in den dunkelsten, tiefsten Teil des Waldes ging, wo die Dornen seine ärmlichen Kleider entzwei- und Gesicht, Hände und Füße blutig rissen. Der Königssohn bekam auch einige tüchtige Risse, aber die Sonne beschien doch seinen Weg, und ihn begleiten wir nun, denn er war ein flinker Bursche.

„Die Glocke will und muß ich finden", sagte er, „und wenn ich bis ans Ende der Welt gehen muß."

Häßliche Affen saßen oben in den Bäumen und fletschten die Zähne. „Wir wollen ihn prügeln!" sagten sie. „Wir wollen ihn prügeln! Er ist ein Königssohn!"

Aber der ging unverdrossen tiefer und tiefer in den Wald hinein, wo die wunderbarsten Blumen wuchsen; da standen weiße Sternlilien mit blutroten Staubfäden, himmelblaue Tulpen, die im Winde funkelten, und Apfelbäume, deren Äpfel ganz und gar wie große, glänzende Seifenblasen aussahen; denkt nur, wie die Bäume im Sonnenschein strahlen mußten! Rings um die schönsten grünen Wiesen, wo Hirsch und Hindin im Grase spielten, wuchsen prächtige Eichen und Buchen, und war die Rinde von einem Baum gesprungen, so wuchsen da Gras und lange Ranken in den Spalten; da waren auch große Waldstrecken mit stillen Seen, auf denen weiße Schwäne schwammen und mit den Flügeln schlugen. Der Königssohn stand oft still und lauschte; oft glaubte er, von einem dieser tiefen Seen klänge die Glocke zu ihm herauf, aber dann merkte er doch, daß ihr Ton nicht daher kam, sondern daß die Glocke noch tiefer im Wald läutete.

Nun ging die Sonne unter, die Luft schimmerte rot wie Feuer; es wurde so still, so still im Wald, und er sank auf seine Knie, sang sein Abendlied und sagte: „Niemals finde ich, was ich suche! Nun geht die Sonne unter, nun kommt die Nacht, die dunkle Nacht. Doch einmal kann ich die runde Sonne vielleicht noch sehen, ehe sie hinter der Erde versinkt; ich will dort auf die Felsen steigen, die sich in gleicher Höhe mit den höchsten Bäumen erheben!"

Und er griff nun in Ranken und Wurzeln und kletterte an den nassen Steinen empor, wo die Wasserschlangen sich ringelten, wo die Kröten ihn gleichsam anbellten – aber er kam hinauf, bevor die Sonne, von dieser Höhe gesehen, ganz untergegangen war. Oh, welche Pracht! Das Meer, das große, herrliche Meer, das seine langen Wogen gegen die Küste wälzte, streckte sich vor ihm aus, und die Sonne stand wie ein großer, leuchtender Altar da draußen, wo Meer und Himmel sich begegneten; alles verschmolz in glühenden Farben, der Wald sang, und das Meer sang, und sein Herz sang mit. Die ganze Natur war eine große, heilige Kirche, worin Bäume und schwebende Wolken die Pfeiler waren, Blumen und Gras die gewebte Samtdecke und der Himmel selbst die große Kuppel; dort oben erloschen die roten Farben, als die Sonne verschwand, aber Millionen Sterne wurden angezündet, Millionen von Diamantlampen leuchteten da, und der Königssohn breitete seine Arme aus gegen den Himmel, gegen das Meer und den Wald – und da kam plötzlich aus dem rechten Seitenweg der arme Konfirmand mit den kurzen Ärmeln und den Holzschuhen; er war auf seinem Wege hier ebenso zeitig angekommen; und sie liefen einander entgegen und hielten sich bei den Händen in der großen Kirche der Natur und der Poesie, und über ihnen erklang die unsichtbare heilige Glocke, selige Geister umschwebten sie im Tanz zu einem jubelnden Halleluja!

Elfenhügel

Einige Eidechsen huschten in den Spalten eines alten Baumes umher; sie konnten einander gut verstehen, denn sie sprachen die Eidechsensprache.

„Nein, wie das poltert und brummt in dem alten Elfenhügel!" sagte die eine Eidechse. „Ich habe von dem Spektakel schon zwei Nächte kein Auge zugetan; das ist wie Zahnweh, denn da schlafe ich auch nicht!"

„Da drinnen ist etwas los!" sagte die andere Eidechse. „Sie stellen den Hügel bis zum Hahnenschrei auf vier rote Pfähle, er wird ordentlich ausgelüftet, und die Elfenmädchen haben neue Tänze gelernt, bei denen getrampelt wird. Da ist etwas los!"

„Ja, ich habe mit einem Regenwurm meiner Bekanntschaft gesprochen", sagte die dritte Eidechse, „der Regenwurm kam gerade aus dem Hügel, wo er Tag und Nacht in der Erde gewühlt hatte, er hatte eine ganze Menge gehört; sehen kann er ja nicht, das arme Tier, aber hineinkriechen und lauschen, das versteht er. Sie erwarten Fremde im Elfenhügel, vornehme Fremde, aber wen, das wollte der Regenwurm nicht sagen, oder er wußte es auch nicht. Alle Irrlichter sind bestellt, um einen Fackelzug aufzuführen, wie man das nennt, und Silber und Gold, wovon genug im Hügel ist, wird poliert und im Mondschein ausgestellt!"

„Wer mögen wohl die Fremden sein?" fragten alle Eidechsen. „Was mag da wohl los sein? Hört, wie es summt! Hört, wie es brummt!"

Im selben Augenblick teilte sich der Elfenhügel, und ein altes Elfenmädchen, mit bloßem Rücken, aber sonst sehr anständig gekleidet, kam herausgetrippelt; es war des alten Elfenkönigs Haushälterin; sie war mit seiner Familie weitläufig verwandt und trug ein Bernsteinherz auf der Stirn. Ihre Beine liefen so hurtig trip, trip! Potztausend, wie konnte sie trippeln, und gerade hinunter ins Moor zum Nachtraben.

„Sie werden zum Elfenhügel eingeladen, und zwar heute nacht", sagte sie, „aber wollen Sie uns nicht zunächst einen großen Dienst erweisen und die Einladungen übernehmen? Sie müssen ja etwas tun, da Sie selbst kein Haus führen. Wir erwarten einige hochvornehme Fremde, Zauberer, die etwas zu sagen haben, und darum will der alte Elfenkönig sich zeigen!"

„Wer soll denn eingeladen werden?" fragte der Nachtrabe.

„Zu dem großen Ball kann alle Welt kommen, selbst Menschen, wenn sie nur im Schlaf sprechen oder ein bißchen von dem können, was in unsere Art fällt, aber bei der ersten Tafel soll strenge Auswahl herrschen, wir wollen nur die Allervornehmsten haben. Ich bekam Streit mit dem Elfenkönig, denn ich meinte, wir könnten nicht einmal Gespenster zulassen. Der Meermann und seine Töchter müssen zuerst eingeladen werden; sie kommen zwar nicht gern aufs Trokkene, aber sie sollen schon jeder einen nassen Stein zum Sitzen oder noch etwas Besseres bekommen, und dann, denke ich, werden sie diesmal wohl nicht absagen. Alle alten Trolle erster Klasse mit Schweifen, der Wassermann und die Kobolde müssen wir haben, und dann, denke ich, können wir das Grabschwein, das Totenpferd und den Kirchenzwerg nicht fortlassen; sie gehören zwar zur Geistlichkeit, die nicht mit zu unseren Leuten zählt, aber das ist nur ihr Amt, sie sind mit uns doch näher verwandt und machen ständig Besuche."

„Krah!" sagte der Nachtrabe und flog davon, um einzuladen.

Die Elfenmädchen tanzten schon auf dem Elfenhügel. Sie tanzten mit Schleiern, die aus Nebel und Mondschein gewebt waren, und das sieht niedlich aus für die, die Gefallen daran finden. Mitten im Elfenhügel war der große Saal sorgsam hergerichtet; der Fußboden war mit Mondschein gewa-

schen und die Wände mit Hexenfett eingerieben, so daß sie
im Licht wie Tulpenblätter schimmerten. In der Küche waren in Hülle und Fülle Frösche am Spieß, Natternhäute mit
kleinen Kinderfingern darin und Salate aus Pilzsamen,
feuchten Mäuseschnauzen und Schierling, Bier vom Gebräu
der Moorfrau, leuchtender Salpeterwein aus Grabkellern, alles sehr solide; verrostete Nägel und Kirchenfensterglas gehörten zum Naschwerk.
Der alte Elfenkönig ließ seine Goldkrone mit gestoßenem
Griffel polieren; es war ein Primus-Griffel, und es ist für
den Elfenkönig sehr schwierig, den Griffel von einem Pri-
mus zu bekommen! Im Schlafgemach hängten sie Gardinen
auf und befestigten sie mit Schneckenspeichel. Ja, das war
wahrlich ein Summen und Brummen!
„Nun muß hier mit Roßhaar und Schweineborsten geräu-
chert werden, dann glaube ich das Meinige getan zu haben", sagte das alte Elfenmädchen.
„Väterchen", sagte die kleinste der Töchter, „bekomme ich
nun zu wissen, wer die vornehmen Fremden sind?"
„Na", sagte er, „dann muß ich es wohl sagen! Zwei meiner
Töchter müssen sich zur Heirat bereithalten; zwei werden
gewiß fortheiraten. Der alte Troll aus Norwegen, der im alten Dovregebirge wohnt und viele Felsenschlösser aus
Feldsteinen und ein Goldbergwerk besitzt, das besser ist,
als man glaubt, kommt mit seinen beiden Söhnen her, die
sollen sich eine Frau aussuchen. Der alte Troll ist ein echter
alter, ehrlicher norwegischer Greis, lustig und geradezu; ich
kenne ihn aus alten Tagen, als wir Brüderschaft miteinander
tranken; er hat hier unten seine Frau geholt; nun ist sie tot,
sie war eine Tochter des Kreidefelsenkönigs von Mön. Er
hat seine Frau aus der Kreide geholt, wie man zu sagen
pflegt. Oh, wie ich mich nach dem alten norwegischen Troll
sehne! Die Knaben, sagt man, sollen etwas ungezogene, na-
seweise Jungen sein, aber man tut ihnen vielleicht auch unrecht, und es wird mit ihnen schon gut werden, wenn man
auf sie achtgibt. Laßt mich nun sehen, daß ihr ihnen Manieren beibringt!"
„Und wann kommen sie?" fragte die eine Tochter.
„Das kommt auf Wind und Wetter an", sagte der Elfenkönig. „Sie reisen ökonomisch! Sie kommen per Schiff hierher. Ich wollte, sie sollten über Schweden fahren, aber der

Alte hat noch nichts für diese Seite übrig. Er geht nicht mit der Zeit, und das kann ich nicht leiden!"

Da kamen zwei Irrlichter angehüpft, das eine schneller als das andere, und darum kam das eine zuerst an.

„Sie kommen! Sie kommen!" riefen sie.

„Gebt mir meine Krone und laßt mich im Mondschein stehen!" sagte der Elfenkönig.

Die Töchter hoben die Schleier und verneigten sich bis zur Erde.

Da stand der alte Troll vom Dovre, mit der Krone aus gehärteten Eis- und polierten Tannenzapfen; im übrigen hatte er einen Bärenpelz an und große warme Stiefel, die Söhne dagegen gingen mit bloßem Hals und ohne Hosenträger, denn es waren Kraftmenschen.

„Ist das ein Hügel?" fragte der kleinste Knabe und zeigte auf den Elfenhügel. „Das nennen wir in Norwegen ein Loch."

„Jungs", sagte der Alte, „Loch geht nach innen, Hügel geht nach oben. Habt ihr denn keine Augen im Kopf?"

Das einzige, was sie hier unten verwundere, sagten sie, sei, daß sie so ohne weiteres die Sprache verstehen könnten.

„Habt euch nur nicht!" sagte der Alte, „man könnte glauben, ihr wärt nicht recht ausgebacken."

Und dann gingen sie in den Elfenhügel hinein, wo wahrlich feine Gesellschaft versammelt war, und das in einer Geschwindigkeit, daß man glauben sollte, sie seien zusammengeweht, und für jeden war es niedlich und nett eingerichtet. Die Meerleute saßen in großen Wasserkübeln zu Tisch; sie sagten, es sei gerade, als ob sie zu Hause wären. Alle hielten die Tischsitte ein, außer den beiden kleinen norwegischen Trollen; die legten die Beine auf den Tisch, denn sie glaubten, daß ihnen alles gut stehe.

„Die Füße aus der Schüssel!" sagte der alte Troll, und da gehorchten sie, aber sie taten es nicht sogleich. Ihre Tischdame kitzelten sie mit Tannenzapfen, die sie in der Tasche hatten, und dann zogen sie ihre Stiefel aus, um bequem zu sitzen, und gaben ihr die Stiefel zu halten. Aber der Vater, der alte Dovretroll, der war freilich ganz anders; er erzählte so schön von den stolzen norwegischen Felsen und von Wasserfällen, die schäumend mit Gepolter wie Donnerschlag und Orgelklang zu Tal stürzten; er erzählte vom

Lachs, der gegen die stürzenden Wasser emporsprang, wenn der Nöck auf der Goldharfe spielte; er erzählte von den schimmernden Winternächten, wenn die Schlittenschellen läuten und die Burschen mit brennenden Fackeln über das blanke Eis laufen, das so durchsichtig ist, daß sie die Fische unter ihren Füßen erschrecken sehen. Ja, er konnte erzählen, daß man sah und hörte, was er sagte; es war gerade, als wenn Sägemühlen gingen, als wenn Knechte und Mägde Lieder sängen und den Hallingtanz tanzten; heisa, mit einemmal gab der alte Troll dem alten Elfenmädchen einen Gevatterschmatz, das war ein ordentlicher Kuß! Und sie waren doch gar nicht verwandt miteinander.

Nun mußten die Elfenmädchen tanzen, und zwar einfach und mit Stampfen, und das stand ihnen gut; dann kam der Kunsttanz oder, wie sie es nannten, das „Aus-dem-Tanz-Treten". Potztausend, wie sie die Beine strecken konnten! Man wußte nicht, was Ende und was Anfang, wußte nicht, was Arme und was Beine waren, das ging alles durcheinander wie Sägespäne; und dann schnurrten sie herum, daß dem Totenpferd schlecht wurde und es die Tafel verlassen mußte.

„Prrr!" sagte der alte Troll, „das ist ein Spaß mit den Beinen! Aber was können sie mehr als tanzen, die Beine strecken und Wirbelwind machen?"

„Das sollst du bald erfahren", sagte der Elfenkönig, und dann rief er die jüngste von seinen Töchtern vor. Sie war so zart und hell wie Mondschein, sie war die Feinste von allen Schwestern. Sie nahm ein weißes Hölzchen in den Mund, und dann war sie ganz verschwunden, das war ihre Kunst.

Aber der alte Troll sagte, diese Kunst könne er bei seiner Frau nicht leiden, und er glaube auch nicht, daß seine Jungen etwas davon hielten.

Die zweite konnte neben sich selbst gehen, gerade als ob sie einen Schatten hätte, und den hat das Trollvolk nicht.

Die dritte war von ganz anderer Art, sie hatte im Brauhaus der Moorfrau gelernt, und nur sie verstand es, Erlenknorren mit Johanniswürmchen zu spicken.

„Sie wird eine gute Hausfrau", sagte der alte Troll, und dann stieß er mit den Augen an, denn er wollte nicht soviel trinken.

Nun kam das vierte Elfenmädchen, das hatte eine goldene

Harfe zum Spielen, und als es die erste Saite anschlug, hoben alle das linke Bein, denn die Trolle sind linksbeinig, und als es die zweite Saite anschlug, mußten alle tun, was es wollte.

„Das ist ein gefährliches Frauenzimmer!" sagte der alte Troll, aber die beiden Söhne gingen zum Hügel hinaus, denn nun hatten sie es satt.

„Und was kann die nächste Tochter?" fragte der Trollgreis.

„Ich habe gelernt, die Norweger zu lieben", sagte sie. „Und niemals werde ich mich verheiraten, wenn ich nicht nach Norwegen kommen kann."

Aber die kleinste der Schwestern flüsterte dem Alten zu: „Das ist nur, weil sie in einem norwegischen Lied gehört hat, wenn die Welt untergeht, würden doch die norwegischen Klippen wie Grabsteine stehenbleiben, und darum will sie da hinauf, denn sie fürchtet sich sehr vor dem Untergang."

„Ho ho", sagte der alte Troll, „darauf geht es hinaus? Aber was kann die siebente und letzte?"

„Die sechste kommt vor der siebenten!" sagte der Elfenkönig, denn er konnte rechnen, aber die sechste wollte nicht recht hervorkommen.

„Ich kann nur den Leuten die Wahrheit sagen", sagte sie, „um mich kümmert sich niemand, und ich habe genug damit zu tun, mein Totenhemd zu nähen."

Nun kam die siebente und letzte, und was konnte die? Ja, die konnte Märchen erzählen, und zwar so viele sie wollte.

„Hier sind alle meine fünf Finger", sagte der alte Troll, „erzähl mir eins von jedem!"

Und sie faßte ihm um das Handgelenk, und er lachte, daß es in ihm gluckste, und als sie zum Goldfinger kam, der einen Goldring um den Leib hatte, gerade als ob er wüßte, daß Verlobung sein sollte, sagte der alte Troll: „Halt fest, was du hast, die Hand ist dein, dich will ich selber zur Frau haben!"

Und das Elfenmädchen sagte, daß das Märchen vom Goldfinger und das vom kleinen Peter Spielmann noch fehlten.

„Die wollen wir im Winter hören", sagte der Troll, „und von der Tanne wollen wir hören und von der Birke und von den Trollgeschenken und vom klingenden Frost! Du sollst

236

schon erzählen, denn das versteht noch keiner so recht dort oben! – Und dann wollen wir in der Steinstube sitzen, wo die Kienspäne brennen, und Met aus den goldenen Hörnern der alten norwegischen Könige trinken, der Nöck hat mir ein paar geschenkt; und wenn wir da sitzen, kommt der Nickelmann zu Besuch, der singt dir alle Lieder der Hirtenmädchen im Gebirge vor. Das wird lustig! Der Lachs wird im Wasserfall springen und gegen die Steinwände schlagen, aber er kommt doch nicht herein. – Ja, du kannst glauben, es ist gut im lieben alten Norwegen! Aber wo sind die Jungen?"

Ja, wo waren die Jungen? Sie liefen auf dem Feld herum und bliesen die Irrlichter aus, die so brav ankamen und den Fackelzug darbringen wollten.

„Was ist das für ein Herumtreiben?" fragte der alte Troll. „Nun habe ich eine Mutter für euch genommen, ihr könnt nun eine von den Tanten nehmen."

Aber die Jungen sagten, sie würden am liebsten eine Rede halten und Brüderschaft trinken, zum Heiraten hätten sie keine Lust. Und dann hielten sie Reden, tranken Brüderschaft und machten die Nagelprobe, um zu zeigen, daß sie ausgetrunken hatten, zogen die Röcke aus und legten sich auf den Tisch, um zu schlafen, denn sie genierten sich nicht. Aber der alte Troll tanzte mit seiner jungen Braut in der Stube herum und wechselte die Stiefel mit ihr, denn das ist feiner als Ringewechseln.

„Nun kräht der Hahn!" sagte das alte Elfenmädchen, das den Haushalt besorgte. „Nun müssen wir die Fensterläden schließen, damit die Sonne uns nicht verbrennt!"

Und dann schloß sich der Hügel.

Aber draußen liefen die Eidechsen in dem gespaltenen Baum auf und nieder, und die eine sagte zur anderen: „Oh, wie gut kann ich den alten norwegischen Troll leiden!"

„Ich mag die Knaben lieber", sagte der Regenwurm, aber er konnte ja nicht sehen, das arme Tier!

Die Springer

Der Floh, der Grashüpfer und der Hüpfauf* wollten einmal sehen, wer von ihnen am höchsten springen könnte. Da luden sie die ganze Welt und wer sonst noch kommen wollte, ein, die Pracht mit anzusehen. Es waren drei tüchtige Springer, die sich da im Zimmer versammelten.

„Ich gebe meine Tochter dem, der am höchsten springt!" sagte der König. „Denn es wäre zu armselig, wenn diese Leute umsonst springen sollten."

Der Floh trat zuerst vor; er hatte sehr nette Manieren und grüßte nach allen Seiten, denn er hatte Fräuleinblut in den Adern und war gewohnt, nur mit Menschen umzugehen, und das macht sehr viel aus.

Dann kam der Grashüpfer, der war freilich bedeutend schwerer, aber er machte doch eine ganz gute Figur und trug eine grüne Uniform, die ihm angeboren war. Überdies sagte er, daß er im Lande Ägypten einer sehr alten Familie angehöre und daß er dort hochgeschätzt werde. Er sei geradewegs vom Feld genommen und in ein Kartenhaus gesetzt worden, das drei Etagen hatte, alle aus Kartenfiguren, die ihre bunte Seite nach innen gekehrt hatten. Da seien Türen und Fenster, und zwar aus dem Leib der Herzdame geschnitten. „Ich singe so", sagte er, „daß sechzehn eingeborene Heimchen, die von klein auf gepfiffen und doch kein Kartenhaus bekommen hatten, sich bei meinem Gesang noch dünner ärgerten, als sie schon waren!"

Alle beide, der Floh und der Grashüpfer, taten gehörig kund, wer sie waren und daß sie glaubten, wohl eine Prinzessin ehelichen zu können.

Der Hüpfauf sagte nichts, aber man erzählte von ihm, daß er desto mehr dächte; und der Hofhund, der ihn nur beschnüffelt hatte, stand dafür ein, daß der Hüpfauf aus guter Familie sei. Der alte Ratsherr, der drei Orden für Stillschweigen erhalten hatte, versicherte, er wisse, daß der Hüpfauf mit Prophetenkraft begabt sei; man könne an seinem Rücken sehen, ob man einen milden oder einen strengen Winter bekomme, und das kann man nicht ein-

---

* Ein Kinderspielzeug aus einem fleischlosen Gänsebrustknochen, nach Art der hölzernen Springfrösche gemacht.

mal am Rücken desjenigen sehen, der den Kalender schreibt.

„Ich sage ja nichts!" sagte der alte König, „ich denke mir immer so mein Teil!"

Nun galt es also, den Sprung zu tun. Der Floh sprang so hoch, daß niemand es sehen konnte, und da behaupteten sie, daß er gar nicht gesprungen sei. Das war doch schnöde!

Der Grashüpfer sprang nur halb so hoch, aber er sprang dem König ins Gesicht, und der sagte, das sei abscheulich.

Der Hüpfauf stand lange still und besann sich; am Ende glaubte man, daß er nicht springen könne.

„Wenn ihm nur nicht schlecht geworden ist!" sagte der Hofhund, und dann beschnüffelte er ihn wieder. Hopp! da sprang er mit einem kleinen schiefen Sprung auf den Schoß der Prinzessin, die auf einem niedrigen Goldschemel saß.

Da sagte der König: „Der höchste Sprung ist der zu meiner Tochter hinauf, denn darin liegt das Feine, aber es gehört Köpfchen dazu, darauf zu kommen. Und der Hüpfauf hat gezeigt, daß er Köpfchen hat. Er hat den Kopf auf dem rechten Fleck!"

Und so bekam er die Prinzessin.

„Ich bin doch am höchsten gesprungen!" sagte der Floh. „Aber es ist einerlei! Laß sie nur den Gänseknochen mit Stock und Pech nehmen. Ich bin doch am höchsten gesprungen! Aber es gehört in dieser Welt ein Körper dazu, damit man gesehen werden kann."

Und darauf trat der Floh in fremde Kriegsdienste, wo er, wie man sagt, erschlagen worden sein soll.

Der Grashüpfer setzte sich draußen in den Graben und dachte darüber nach, wie es eigentlich in der Welt zugehe, und er sagte auch: „Körper gehört dazu! Körper gehört dazu!" Und dann sang er sein eigenes trübseliges Lied, dem wir die Geschichte entnommen haben, die doch wohl erlogen sein könnte, wenn sie auch gedruckt ist.

Die Hirtin
und der Schornsteinfeger

Hast du wohl je einen recht alten Holzschrank gesehen,
ganz schwarz vor Alter und mit geschnitzten Schnörkeln
und Laubwerk? Genau so einer stand in einer Wohnstube,
er war von der Urgroßmutter geerbt und hatte geschnitzte
Rosen und Tulpen von oben bis unten. Da gab es die wunderlichsten Schnörkel, und dazwischen streckten kleine
Hirsche den Kopf mit Geweih hervor. Mitten auf dem
Schrank aber stand ein ganzer geschnitzter Mann; er war
freilich lächerlich anzusehen und grinste auch, denn Lachen konnte man es nicht nennen; er hatte die Beine eines
Ziegenbocks, kleine Hörner am Kopf und einen langen
Bart. Die Kinder im Zimmer nannten ihn immer den Zie-
genbocksbein-Oberunduntergeneralkriegskommandeur-
sergeanten, denn der Name war schwer auszusprechen,
und es gibt nicht viele, die diesen Titel bekommen; aber
den Mann schnitzen zu lassen, das war auch etwas. Doch
nun war er ja da! Immer sah er nach dem Tisch unter dem
Spiegel, denn da stand eine liebliche kleine Hirtin aus Porzellan. Die Schuhe waren vergoldet, das Kleid war mit
einer roten Rose niedlich aufgesteckt, und dazu hatte sie
einen Goldhut und einen Hirtenstab; sie war wunderschön. Dicht neben ihr stand ein kleiner Schornsteinfeger,
so schwarz wie Kohle, im übrigen aber auch aus Porzellan.
Er war ebenso rein und fein wie irgendein anderer; daß er
ein Schornsteinfeger war, das war ja nur etwas, was er dar-
stellte; der Porzellanmacher hätte ebensogut einen Prinzen
aus ihm machen können, denn das war einerlei.

Da stand er so niedlich mit seiner Leiter und mit einem Gesicht, so weiß und rot wie das eines Mädchens, und das war
eigentlich ein Fehler, denn etwas schwarz hätte es wohl
sein müssen. Er stand ganz nahe bei der Hirtin; sie waren
beide hingestellt, wo sie standen, und da sie nun einmal so
hingestellt waren, hatten sie sich verlobt. Sie paßten ja zueinander; sie waren junge Leute, aus demselben Porzellan
und beide gleich zerbrechlich.

Dicht bei ihnen stand noch eine Puppe, die dreimal größer
war; es war ein alter Chinese, der nicken konnte. Er war

auch aus Porzellan und sagte, er sei der Großvater der kleinen Hirtin, aber das konnte er wohl nicht beweisen. Er behauptete, daß er Gewalt über sie habe, und darum hatte er dem Ziegenbocksbein-Oberunduntergeneralkriegskommandeursergeanten, der um die kleine Hirtin freite, zugenickt.

„Da bekommst du einen Mann", sagte der alte Chinese, „einen Mann, der, wie ich fest glaube, aus Mahagoniholz ist. Er kann dich zur Ziegenbocksbein-Oberunduntergeneralkriegskommandeursergeantin machen; er hat den ganzen Schrank voll Silberzeug, außer dem, was er in den geheimen Fächern aufbewahrt!"

„Ich will nicht in den dunklen Schrank!" sagte die kleine Hirtin. „Ich habe sagen hören, daß er elf Porzellanfrauen darin hat!"

„Dann kannst du die zwölfte werden!" sagte der Chinese. „Heute nacht, sobald es in dem alten Schrank knackt, sollt ihr Hochzeit feiern, so wahr ich ein Chinese bin!" Und darauf nickte er mit dem Kopf und schlief ein.

Aber die kleine Hirtin weinte und blickte ihren Herzallerliebsten, den Porzellanschornsteinfeger, an.

„Ich möchte dich bitten", sagte sie, „mit mir in die weite Welt hinauszugehen, denn hier können wir nicht bleiben."

„Ich will alles, was du willst!" sagte der kleine Schornsteinfeger. „Laß uns gleich gehen! Ich denke wohl, daß ich dich durch meine Profession ernähren kann."

„Wären wir nur erst wohlbehalten vom Tisch herunter!" sagte sie. „Ich werde nicht froh, bevor wir draußen in der weiten Welt sind!"

Und er tröstete sie und zeigte ihr, wie sie ihren kleinen Fuß auf die ausgeschnittene Ecke und das vergoldete Laubwerk, am Tischbein setzen müsse; seine Leiter nahm er auch zu Hilfe, und dann waren sie auf dem Fußboden. Aber als sie zum alten Schrank hinsahen, war dort große Unruhe; all die ausgeschnittenen Hirsche streckten die Köpfe weiter hervor, erhoben die Geweihe und drehten die Hälse. Der Ziegenbocksbein-Oberunduntergeneralkriegskommandeursergeant sprang in die Höhe und rief zum alten Chinesen hinüber: „Nun laufen sie fort! Nun laufen sie fort!"

Da erschraken sie etwas und sprangen geschwind in den Schubkasten am Fenstertritt.

Hier lagen drei, vier Spiele Karten, die nicht vollständig waren, und ein kleines Puppentheater, das aufgebaut war, so gut es eben ging. Da wurde Komödie gespielt, und alle Damen, Karo-, Herz-, Kreuz- und Pikdame, saßen in der ersten Reihe und fächelten sich mit ihren Tulpen; und hinter ihnen standen alle Buben und zeigten, daß sie Kopf hatten, sowohl oben als unten, wie die Spielkarten es haben. Die Komödie handelte von zweien, die einander nicht bekommen konnten, und die Hirtin weinte darüber, denn es war wie ihre eigene Geschichte.

„Das kann ich nicht aushalten!" sagte sie. „Ich muß aus dem Schubkasten heraus!" Aber als sie auf dem Fußboden anlangten und zum Tisch hinaufblickten, da war der alte Chinese erwacht und wackelte mit dem ganzen Körper; unten war er ja ein Klotz.

„Nun kommt der alte Chinese!" schrie die kleine Hirtin und fiel auf ihre Porzellanknie nieder, so betrübt war sie.

„Ich habe einen Gedanken!" sagte der Schornsteinfeger. „Wollen wir in die große Potpourrivase kriechen, die in der Ecke steht? Da können wir auf Rosen und Lavendel liegen und ihm Salz in die Augen werfen, wenn er kommt."

„Das kann nichts nützen", sagte sie. „Überdies weiß ich, daß der alte Chinese und die Potpourrivase miteinander verlobt gewesen sind, und es bleibt immer etwas Wohlwollen zurück, wenn man in solchem Verhältnis gestanden hat. Nein, es bleibt nichts übrig, als in die weite Welt hinauszugehen!"

„Hast du wirklich Mut, mit mir in die weite Welt hinauszugehen?" fragte der Schornsteinfeger. „Hast du bedacht, wie groß sie ist und daß wir nie mehr hierher zurückkommen können?"

„Das habe ich", sagte sie.

Und der Schornsteinfeger sah sie fest an, und dann sagte er: „Mein Weg geht durch den Schornstein! Hast du wirklich Mut, mit mir durch den Ofen, durch den eisernen Kasten und durch das Rohr zu kriechen? Dann kommen wir in den Schornstein, und da kann ich mich bewegen. Wir steigen so hoch, daß sie uns nicht erreichen können, und ganz oben geht ein Loch in die weite Welt hinaus."

Und er führte sie zur Ofentür.

„Da sieht es so schwarz aus!" sagte sie, aber sie ging doch

mit ihm durch den Kasten und das Rohr, wo es pechschwarze Nacht war.

„Nun sind wir im Schornstein", sagte er. „Und sieh! Sieh! Dort oben scheint der herrlichste Stern!"

Und es war ein wirklicher Stern am Himmel, der gerade zu ihnen herabschien, als wollte er ihnen den Weg zeigen. Und sie kletterten und krochen, ein greulicher Weg war es und so hoch. Aber er hob sie und schob sie, er hielt sie und zeigte ihr die besten Stellen, wo sie ihre kleinen Porzellanfüße hinsetzen konnte; und so erreichten sie den Schornsteinrand, und auf den setzten sie sich, denn sie waren sehr ermüdet, und dazu hatten sie auch allen Grund.

Der Himmel mit allen seinen Sternen war hoch über ihnen und alle Dächer der Stadt tief unter ihnen. Sie sahen so weit, so weit hinaus in die Welt. Die arme Hirtin hatte es sich niemals so vorgestellt. Sie lehnte sich mit ihrem kleinen Kopf an ihren Schornsteinfeger, und dann weinte sie, daß das Gold von ihrem Gürtel absprang.

„Das ist allzuviel!" sagte sie. „Das kann ich nicht ertragen! Die Welt ist allzu groß! Wäre ich doch wieder auf dem Tisch unter dem Spiegel! Ich werde nicht froh, bevor ich wieder dort bin! Nun bin ich dir in die Welt hinaus gefolgt, nun kannst du mich auch wieder zurückbegleiten, wenn du mich wirklich liebhast."

Und der Schornsteinfeger redete ihr gut zu, sprach von dem alten Chinesen und vom Ziegenbocksbein-Oberunduntergeneralkriegskommandeursergeanten; aber sie schluchzte so heftig und küßte ihren kleinen Schornsteinfeger, daß er nicht anders konnte als sich ihr fügen, obgleich es töricht war.

Und so kletterten sie mit großer Mühe den Schornstein wieder hinunter und krochen durch das Rohr und den Kasten, das war gar nicht schön. Dann standen sie im dunklen Ofen und horchten hinter der Tür, um zu erfahren, wie es in der Stube stand. Dort war es ganz still; sie guckten hinein – ach, da lag der alte Chinese mitten auf dem Fußboden. Er war vom Tisch gefallen, als er hinter ihnen her wollte, und lag nun in drei Stücke zerschlagen da; der ganze Rücken war in einem Stück abgegangen, und der Kopf war in eine Ecke gerollt. Der Ziegenbocksbein-Oberunduntergeneral-

243

kriegskommandeursergeant stand, wo er immer gestanden hatte, und dachte nach.

„Das ist gräßlich!" sagte die kleine Hirtin. „Der alte Großvater ist in Stücke zersprungen, und wir sind schuld daran! Das werde ich nie überleben!" Und dann rang sie ihre winzig kleinen Hände.

„Er kann noch genietet werden", sagte der Schornsteinfeger. „Er kann noch genietet werden. Sei nur nicht so heftig! Wenn sie ihn im Rücken kitten und ihm einen guten Niet in den Nacken stecken, so wird er so gut wie neu und kann uns noch manches Unangenehme sagen."

„Glaubst du?" sagte sie. Und dann krochen sie wieder auf den Tisch hinauf, wo sie früher gestanden hatten.

„Siehst du, so weit sind wir nun gekommen!" sagte der Schornsteinfeger. „Da hätten wir uns all die Mühe ersparen können!"

„Hätten wir nur erst den alten Großvater wieder genietet!" sagte die Hirtin. „Ob das sehr teuer ist?"

Und genietet wurde er. Die Familie ließ ihn im Rücken kitten, er bekam einen guten Niet durch den Hals; er war so gut wie neu, aber nicken konnte er nicht mehr.

„Sie sind wohl hochmütig geworden, seitdem Sie in Stücke zersprungen sind?" sagte der Ziegenbocksbein-Oberunduntergeneralkriegskommandeursergeant. „Ich glaube nicht, daß Sie Ursache hätten, so gefährlich zu sein. Soll ich sie haben, oder soll ich sie nicht haben?"

Und der Schornsteinfeger und die kleine Hirtin sahen den alten Chinesen flehentlich an; sie fürchteten, er würde nikken, aber das konnte er nicht, und es war ihm unangenehm, einem Fremden zu erzählen, daß er beständig einen Niet im Nacken habe. Und so blieben die Porzellanleute beisammen, und sie segneten Großvaters Niet und liebten sich, bis sie zerbrachen.

Holger Danske

Da ist in Dänemark ein altes Schloß, das heißt Kronborg. Es liegt draußen am Öresund, wo die großen Schiffe jeden Tag zu Hunderten vorbeifahren, englische, russische und preußische; und sie begrüßen das alte Schloß mit Kanonen: „Bum!" Und das Schloß antwortet mit Kanonen: „Bum!" Denn so sagen die Kanonen „Guten Tag!" und „Schönen Dank!". Im Winter segeln dort keine Schiffe, dann ist alles mit Eis bedeckt bis hinüber zur schwedischen Küste, aber das ist wie eine richtige Landstraße; da wehen die dänische Flagge und die schwedische Flagge, und Dänen und Schweden sagen einander: „Guten Tag!" – „Schönen Dank!" Aber nicht mit Kanonen, nein, mit freundlichem Handschlag, und der eine holt Weißbrot und Brezeln bei dem andern, denn fremde Kost schmeckt am besten. Aber das Schönste vom Ganzen ist doch das alte Kronborg, und unter ihm sitzt Holger Danske im tiefen, dunklen Keller, wo niemand hinkommt. Er ist in Eisen und Stahl gekleidet und stützt sein Haupt auf die starken Arme; sein langer Bart hängt über den Marmortisch, in dem er festgewachsen ist. Er schläft und träumt, aber im Traum sieht er alles, was hier oben in Dänemark geschieht. Jeden Weihnachtsabend kommt ein Engel Gottes und sagt ihm, daß es richtig sei, was er geträumt habe, und daß er ruhig weiterschlafen könne, Dänemark sei noch in keiner wirklichen Gefahr; kommt es aber in eine solche, ja, dann wird der alte Holger Danske sich erheben, daß der Tisch zerbricht, wenn er den Bart herauszieht! Dann kommt er hervor und schlägt drein, daß es in allen Ländern der Welt zu hören ist.

All das von Holger Danske erzählte ein alter Großvater seinem kleinen Enkel, und der kleine Knabe wußte, daß es wahr ist, was der Großvater sagte. Und während der Alte saß und erzählte, schnitzte er an einem großen Holzbild, das Holger Danske darstellen und vorn an einem Schiff angebracht werden sollte, denn der alte Großvater war Bildschnitzer, und das ist ein Mann, der Galionsfiguren für die Schiffe schnitzt, je nachdem, wie das Schiff benannt werden soll. Und hier hatte er Holger Danske geschnitzt, der so aufrecht und stolz mit seinem langen Bart dastand und in der einen Hand das breite Schlachtschwert hielt, während er sich mit der anderen Hand auf das dänische Wappen stützte.

Und der alte Großvater erzählte so viel von merkwürdigen dänischen Männern und Frauen, daß es dem kleinen Enkel am Ende vorkam, als wisse er nun ebensoviel, wie Holger Danske wissen konnte, der ja doch nur davon träumte. Und als der Kleine in sein Bett kam, dachte er so viel daran, daß er ordentlich sein Kinn gegen die Bettdecke preßte und meinte, er habe einen langen Bart, der daran festgewachsen sei.

Aber der alte Großvater blieb bei seiner Arbeit sitzen und schnitzte an dem letzten Teil, das war das dänische Wappen. Und nun war er fertig; und er betrachtete das Ganze und dachte an alles, was er gelesen und gehört und was er diesen Abend dem kleinen Knaben erzählt hatte; und er nickte und wischte seine Brille ab, setzte sie wieder auf und sagte: „Ja, zu meinen Lebzeiten kommt Holger Danske wohl nicht mehr, aber der Knabe dort im Bett kann ihn vielleicht zu sehen bekommen und mit dabeisein, wenn es wirklich losgeht." Und der alte Großvater nickte, und je länger er seinen Holger Danske ansah, desto deutlicher wurde ihm, daß es ein gutes Bild war, das er gemacht hatte. Es schien ihm, als ob es ordentlich Farbe bekäme und der Harnisch wie Eisen und Stahl glänze; die Herzen im dänischen Wappen wurden röter und röter, und die Löwen mit den Goldkronen sprangen.*

„Das ist doch das schönste Wappen, das es in der Welt gibt!" sagte der Alte. „Die Löwen sind die Stärke und die Herzen die Milde und die Liebe." Und er betrachtete den obersten Löwen und dachte an König Knud, der das große England an Dänemarks Thron fesselte; und er sah den zweiten Löwen an und dachte an Valdemar, der Dänemark vereinigte und die wendischen Länder bezwang; er sah auf den dritten Löwen und dachte an Margarethe, die Dänemark, Schweden und Norwegen vereinigte. Aber als er die roten Herzen ansah, da leuchteten sie noch stärker als zuvor, sie wurden zu Flammen, die sich bewegten, und seine Gedanken folgten einer jeden.

Die ersten Flammen führte ihn in ein enges, dunkles Gefängnis. Da saß eine Gefangene, eine schöne Frau, Christians IV. Tochter: Eleonore Ulfeldt, und die Flamme setzte sich wie eine Rose an ihre Brust und blühte mit ihrem Herzen zusammen – dem Herzen der edelsten und besten aller dänischen Frauen.

* Das dänische Wappen besteht aus drei Löwen zwischen neun Herzen.

„Ja, das ist ein Herz in Dänemarks Wappen!" sagte der alte Großvater.

Und seine Gedanken folgten der Flamme, die ihn auf das Meer hinausführte, wo die Kanonen donnerten, wo die Schiffe, in Rauch gehüllt, lagen; und die Flamme heftete sich wie ein Ordensband auf Hvitfeldts Brust, als er zur Errettung der Flotte sich und sein Schiff in die Luft sprengte.

Und die dritte Flamme führte ihn nach Grönlands erbärmlichen Hütten, wo der Pfarrer Hans Egede mit Liebe in Worten und Taten wirkte. Die Flamme war ein Stern auf seiner Brust, ein Herz zum dänischen Wappen.

Und die Gedanken des alten Großvaters gingen der schwebenden Flamme voran, denn sein Geist wußte, wohin die Flamme wollte. In der ärmlichen Stube der Bauersfrau stand König Frederik VI. und schrieb seinen Namen mit Kreide an den Balken. Die Flamme bebte an seiner Brust, bebte in seinem Herzen; in der Bauernstube wurde sein Herz ein Herz im dänischen Wappen. Und der alte Großvater trocknete seine Augen, denn er hatte König Frederik mit den silberweißen Haaren und den ehrlichen blauen Augen gekannt und für ihn gelebt; und er faltete seine Hände und blickte still vor sich hin. Da kam des alten Großvaters Schwiegertochter und sagte, es sei spät, er solle nun ruhen, und der Abendtisch sei gedeckt.

„Aber schön ist es doch, was du da gemacht hast, Großvater", sagte sie. „Holger Danske und unser ganzes altes Wappen! Es ist mir, als hätte ich dieses Gesicht schon früher gesehen!"

„Nein, das hast du wohl nicht", sagte der alte Großvater, „aber ich habe es gesehen, und ich habe mich bemüht, es in Holz zu schneiden, wie ich es in Erinnerung habe. Es war damals, als die Engländer auf Reede lagen, am dänischen zweiten April*, als wir zeigten, daß wir alte Dänen waren! Auf der ,Dänemark', wo ich in Steen Billes Schwadron stand, hatte ich einen Mann zur Seite; es war, als fürchteten sich die Kugeln vor ihm! Lustig sang er alte Lieder und schoß und kämpfte, als wäre er mehr als ein Mensch. Ich entsinne mich seines Gesichtes noch, aber woher er kam

---

* Am 2. April 1801 fand die blutige unentschiedene Seeschlacht zwischen Dänen und Engländern unter Parker und Nelson vor Kopenhagen statt.

und wohin er ging, weiß ich nicht, weiß niemand. Ich habe oft gedacht, es war wohl der alte Holger Danske selbst, der von Kronborg hergeschwommen ist und uns in der Stunde der Gefahr geholfen hat; das war so mein Gedanke, und dort steht sein Bild."

Und es warf seinen großen Schatten an die Wand sogar über einen Teil der Decke; es sah aus, als wäre es der wirkliche Holger Danske selbst, der dahinter stünde, denn der Schatten bewegte sich; aber es konnte auch daher kommen, daß die Flamme der Kerze nicht gleichmäßig brannte. Und die Schwiegertochter küßte den alten Großvater und führte ihn zum großen Lehnstuhl vor dem Tisch. Sie und ihr Mann, der ja des alten Großvaters Sohn und Vater des kleinen Knaben war, der im Bett lag, aßen ihr Abendbrot, und der alte Großvater sprach von den dänischen Löwen und den dänischen Herzen, von der Stärke und Güte; und ganz deutlich erklärte er, daß es noch eine Stärke gebe außer der, die im Schwert liegt; und er zeigte auf das Bord, wo alte Bücher lagen, wo Holbergs sämtliche Komödien lagen, die so oft gelesen wurden, denn sie waren so lustig, man hatte das Gefühl, alle Personen aus alten Tagen darin zu kennen.

„Sieh, der hat auch zu schlagen gewußt", sagte der alte Großvater, „er hat die Tollheit und Torheit der Leute gegeißelt, solange er konnte." Und der Großvater nickte zum Spiegel hin, wo der Kalender mit dem Runden Turm stand, und sagte: „Tycho Brahe war auch einer, der das Schwert gebrauchte, nicht um in Fleisch und Bein zu hauen, sondern um einen deutlicheren Weg zu allen Sternen des Himmels zu schlagen! – Und dann er, dessen Vater meinem Stand angehörte, der Sohn des alten Bildschnitzers, den wir selbst gesehen haben mit dem weißen Haar und den breiten Schultern, der in allen Ländern der Welt genannt wird! Ja, er konnte hauen, ich kann nur schnitzen! Ja, Holger Danske kann in vielen Gestalten kommen, damit man in aller Herren Länder von Dänemarks Stärke hört! Wir wollen auf Bertels* Wohl trinken!"

Aber der kleine Knabe im Bett sah deutlich das alte Kronborg mit dem Öresund, den wirklichen Holger Danske, der tief unten mit dem Bart im Marmortisch festgewachsen war

* Bertel Thorvaldsen.

und von allem träumte, was hier oben geschah. Holger Danske träumte auch von der kleinen ärmlichen Stube, wo der Bildschnitzer saß, er hörte alles, was da gesprochen wurde, und nickte im Traum und sagte: „Ja, denkt nur an mich, ihr dänischen Leute! Behaltet mich in Erinnerung! Ich komme in der Stunde der Not!"

Und vor Kronborg schien der helle Tag, und der Wind trug die Töne des Jägerhorns vom Nachbarland herüber; die Schiffe segelten vorbei und grüßten: „Bum! Bum!", und von Kronborg antwortete es: „Bum! Bum!" Aber Holger Danske erwachte nicht, wie stark sie auch schossen, denn es war ja nur: „Guten Tag!" – „Schönen Dank!" Da muß ganz anders geschossen werden, wenn er erwachen soll, aber er erwacht wohl, denn es ist Mark in Holger Danske!

Das kleine Mädchen mit den Schwefelhölzchen

Es war entsetzlich kalt, es schneite, und der Abend begann zu dunkeln; es war der letzte Abend des Jahres. In dieser Kälte und Dunkelheit ging auf der Straße ein kleines armes Mädchen mit bloßem Kopf und nackten Füßen. Als es das Haus verließ, hatte es freilich Pantoffeln angehabt. Aber was half das! Es waren sehr große Pantoffeln, die seine Mutter bisher getragen hatte, so groß waren sie; und die Kleine verlor sie, als sie über die Straße huschte, weil zwei Wagen schrecklich schnell vorüberrollten. Der eine Pantoffel war nicht wiederzufinden, mit dem andern lief ein Junge fort; er sagte, er könne ihn als Wiege gebrauchen, wenn er selbst Kinder hätte.

Da ging nun das kleine Mädchen auf nackten kleinen Füßen, die rot und blau vor Kälte waren. In einer alten Schürze trug es eine Menge Schwefelhölzchen und ein Bund davon in der Hand. Niemand hatte ihm den ganzen langen Tag etwas abgekauft, niemand hatte ihm einen kleinen Schilling geschenkt; hungrig und verfroren war es und sah so verschüchtert aus, das arme kleine Mädchen!

Die Schneeflocken bedeckten sein langes blondes Haar, das sich so hübsch im Nacken lockte, aber daran dachte es freilich nicht. Aus allen Fenstern glänzten die Lichter, und es roch in der Straße herrlich nach Gänsebraten; es war ja Silvesterabend, und daran dachte es.

In einem Winkel zwischen zwei Häusern, von denen das eine etwas weiter in die Straße vorsprang als das andere, setzte es sich hin und kauerte sich zusammen. Die kleinen Füße hatte es an sich gezogen, aber es fror noch mehr, und nach Hause zu gehen, wagte es nicht. Es hatte ja keine Schwefelhölzchen verkauft und nicht einen einzigen Schilling bekommen, der Vater würde es schlagen. Kalt war es zu Hause auch; über sich hatten sie nur das Dach, durch das der Wind pfiff, wenn auch die größten Spalten mit Stroh und Lumpen zugestopft waren.

Die kleinen Hände waren beinahe vor Kälte erstarrt. Ach! ein Schwefelhölzchen konnte wohl guttun, wenn es nur ein einziges aus dem Bund herausziehen, an die Wand streichen und sich die Finger erwärmen dürfte. Es zog eins heraus, ritsch! wie sprühte, wie brannte es! Es war eine warme helle Flamme, wie ein kleines Licht, als es die Hände darüberhielt. Es war ein wunderbares Licht! Es schien dem kleinen Mädchen, als säße es vor einem großen eisernen Ofen mit blanken Messingkugeln und einer Messingtrommel! Das Feuer brannte so schön und wärmte so gut! Das kleine Mädchen streckte schon die Füße aus, um auch sie zu wärmen – da erlosch die Flamme, der Ofen verschwand, es hatte nur den kleinen Rest des abgebrannten Schwefelhölzchens in der Hand.

Ein neues wurde angestrichen, es brannte, es leuchtete, und wo der Schein auf die Mauer fiel, wurde sie durchsichtig wie ein Schleier. Es konnte gerade in die Stube hineinsehen, wo der Tisch mit einem schneeweißen Tischtuch und feinem Porzellan gedeckt war, und herrlich dampfte die gebratene Gans, mit Äpfeln und Backpflaumen gefüllt. Und was noch prächtiger war, die Gans sprang von der Schüssel herunter und wackelte über den Fußboden, Messer und Gabel im Rücken, gerade auf das arme Mädchen zu. Da erlosch das Schwefelhölzchen, und nur die dicke kalte Mauer war zu sehen.

Es zündete noch ein Hölzchen an. Da saß es unter dem herrlichsten Weihnachtsbaum, der noch größer und geputzter war als der, den es am Heiligabend durch die Glastür bei dem reichen Kaufmann gesehen hatte. Tausende von Lichtern brannten auf den grünen Zweigen, und bunte Bilder, wie sie in Schaufenstern zu sehen waren, sahen herab. Das kleine Mädchen streckte die Hände danach aus – da erlosch das Schwefelhölzchen. Die Weihnachtslieder stiegen höher und höher, und es sah sie jetzt als helle Sterne am Himmel; einer von ihnen fiel herunter und bildete einen langen Feuerstreifen am Himmel.

„Jetzt stirbt jemand!" sagte das kleine Mädchen, denn die alte Großmutter, die einzige, die gut zu ihm gewesen und nun gestorben war, hatte ihm erzählt, daß, wenn ein Stern vom Himmel herunterfällt, eine Seele zu Gott emporsteigt.

Es strich wieder ein Hölzchen an der Mauer an, es leuchtete ringsumher, und in dem Glanz stand die alte Großmutter, so klar, so schimmernd, so mild und liebevoll.

„Großmutter!" rief die Kleine. „Oh, nimm mich mit! Ich weiß, du bist fort, wenn das Schwefelhölzchen erlischt, du verschwindest wie der warme Ofen, wie der herrliche Gänsebraten und der große prächtige Weihnachtsbaum!" Und es strich schnell den ganzen Rest Schwefelhölzchen an, der noch im Bund war, denn es wollte die Großmutter recht festhalten. Und die Schwefelhölzchen leuchteten mit einem solchen Glanz, daß es heller wurde als am hellen Tag. Großmutter war früher nie so schön, so groß gewesen. Sie nahm das kleine Mädchen in ihre Arme, und sie flogen in Glanz und Freude so hoch, so hoch; und dort oben war weder Kälte noch Hunger, noch Angst – sie waren bei Gott.

Aber im Winkel des Hauses saß in der kalten Morgenstunde das kleine Mädchen mit roten Wangen und lächelndem Munde – tot, erfroren am letzten Abend des alten Jahres. Der Neujahrsmorgen ging über dem toten Kinde auf, das dort mit den Schwefelhölzchen saß, von denen ein Bund fast abgebrannt war. „Es hat sich wärmen wollen!" sagte man. Niemand wußte, was es Schönes gesehen hatte, in welchem Glanz es mit der Großmutter zur Neujahrsfreude eingegangen war.

Die alte Straßenlaterne

Hast du schon die Geschichte von der alten Straßenlaterne gehört? Sie ist gar nicht so besonders lustig, aber man kann sie immerhin einmal anhören. Es war eine brave alte Straßenlaterne, die viele, viele Jahre hindurch ihren Dienst versehen hatte, jetzt aber in den Ruhestand versetzt werden sollte. Es war der letzte Abend, den sie auf dem Pfahl saß und die Straße beleuchtete. Ihr war zumute wie einer alten Ballettänzerin, die zum letzten Male tanzt und weiß, daß sie morgen in ihrer Bodenkammer sitzt. Die Laterne hatte große Angst vor dem nächsten Tag, denn sie wußte, daß sie zum erstenmal auf dem Rathaus erscheinen und von Bürgermeister und Rat besichtigt werden sollte, ob sie noch brauchbar sei oder nicht. Da sollte nun beschlossen werden, ob sie auf eine der Brücken geschickt werden sollte, um dort zu leuchten, oder auf das Land in eine Fabrik; vielleicht ging sie geradewegs zu einem Eisengießer, um umgegossen zu werden; da konnte ja alles aus ihr werden, aber es schmerzte sie, daß sie nicht wußte, ob sie dann wohl die Erinnerung daran behalten würde, daß sie früher eine Straßenlaterne gewesen war. Wie es ihr auch gehen mochte, soviel ist gewiß, sie würde vom Wächter und seiner Frau, die sie wie zu ihrer Familie gehörig betrachteten, getrennt werden. Sie wurde zur gleichen Zeit Laterne, als er Wächter wurde. Die Frau wollte damals hoch hinaus. Nur wenn sie abends an der Laterne vorbeiging, sah sie sie an, am Tage aber niemals. Jetzt aber, in den letzten Jahren, wo sie alle drei, der Wächter, die Frau und die Laterne, alt geworden waren, hatte auch die Frau sie gepflegt, geputzt und ihr Öl eingegossen. Ehrlich waren die beiden Eheleute, niemals hatten sie die Laterne um einen Tropfen betrogen. Es war ihr letzter Abend auf der Straße, und morgen sollte sie aufs Rathaus, das waren trübe Gedanken für die Laterne, und so kann man sich wohl denken, wie sie brannte. Aber es gingen auch andere Gedanken durch sie hindurch. Da war so vieles, was sie gesehen, so vieles, was sie beleuchtet hatte, vielleicht ebensoviel wie Bürgermeister und Rat, aber sie sagte es nicht, denn sie war eine brave alte Laterne, die niemandem etwas zuleide tun mochte, am allerwenigsten ihrer

Obrigkeit. Sie erinnerte sich an so vieles, und während die Flamme in ihr loderte, schien ihr ein Gefühl zu sagen: Ja, man wird sich auch meiner erinnern! Da war damals der hübsche junge Mann – ja, es ist nun viele Jahre her –, er hatte einen Brief auf rosarotem Papier, so fein, so fein und mit Goldrand, der von einer Damenhand so zierlich geschrieben war. Der junge Mann las ihn zweimal, und er küßte ihn, und er sah zu mir auf mit seinen Augen, die sagten: Ich bin der glücklichste Mensch! Ja, nur er und ich wußten, was in dem ersten Brief seiner Geliebten stand. – Ich erinnere mich auch an zwei andere Augen, es ist seltsam, wie die Gedanken springen können! Hier in der Straße war ein prächtiges Leichenbegängnis; die junge, schöne Frau lag im Sarg auf dem samtenen Leichenwagen, auf dem so viele Blumen und Kränze waren, so viele Fackeln leuchteten, daß ich gar nicht zu sehen war. Der ganze Bürgersteig war voll von Menschen, die alle dem Leichenzug folgten, aber als die Fackeln außer Sicht waren und ich mich umsah, stand jemand an meinem Pfahl und weinte; niemals vergesse ich die beiden traurigen Augen, die zu mir aufblickten!

So gingen viele Gedanken durch die alte Straßenlaterne, die heute abend zum letztenmal leuchtete. Die Schildwache, die abgelöst wird, kennt doch ihren Nachfolger und kann ihm ein paar Worte sagen, aber die Laterne kannte den ihrigen nicht, sie hätte ihm doch den einen oder andern Wink über Wind und Wetter geben können, wie weit der Mond auf den Bürgersteig schien und von welcher Seite der Wind blies.

Auf dem Rinnsteinbrett standen drei, die sich der Laterne vorgestellt hatten, weil sie glaubten, daß sie das Amt vergäbe; der eine von ihnen war ein Heringskopf, der im Dunkeln leuchtete, und darum meinte er, daß es ja eine große Ölersparnis sein könnte, wenn er auf den Pfahl käme. Der zweite war ein Stück faules Holz, das auch leuchtet, und immer noch mehr als ein Klippfisch, wie es selbst sagte, außerdem sei es das letzte Stück von einem Baum, der einst die Zierde des Waldes gewesen war. Der dritte war ein Johanniswürmchen; woher das gekommen war, begriff die Laterne nicht, das Würmchen war aber da, und es leuchtete auch. Das faule Holz und der Heringskopf schworen aber einen Eid darauf, daß es nur zu bestimmten Zeiten leuchte und daher niemals in Betracht kommen könne.

Die alte Laterne sagte, daß keiner von ihnen hell genug leuchte, um eine Straßenlaterne zu sein, aber das glaubte keiner von ihnen, und als sie hörten, daß die Laterne nicht selbst das Amt zu vergeben hatte, sagten sie, daß dies sehr erfreulich sei, denn sie wäre auch viel zu hinfällig, um die Wahl treffen zu können.

Im selben Augenblick kam der Wind um die Straßenecke und sauste durch das Luftloch der alten Laterne und sagte zu ihr: „Was muß ich hören! Du willst morgen fort? Ist es wirklich der letzte Abend, an dem ich dich hier treffe? Ja, dann sollst du noch ein Geschenk bekommen! Ich blase jetzt in deinen Hirnkasten hinein, so daß du dich nicht nur klar und deutlich an alles erinnern kannst, was du gehört und gesehen hast, sondern auch einen so klaren Kopf bekommst, daß du sogar das siehst, was in deiner Gegenwart erzählt oder gelesen wird."

„Ja, das ist überaus viel!" sagte die alte Laterne. „Vielen Dank! Wenn ich nur nicht umgegossen werde!"

„Das geschieht noch nicht!" sagte der Wind. „Jetzt blase ich dir ins Gedächtnis, und wenn du noch mehr Geschenke bekommst, kannst du einen ganz vergnüglichen Lebensabend haben."

„Wenn ich nur nicht umgegossen werde!" sagte die Laterne. „Oder kannst du mir auch dann mein Gedächtnis sichern?"

„Alte Laterne, sei vernünftig!" sagte der Wind, und dann blies er. Im selben Augenblick kam der Mond hervor. „Was schenken Sie?" fragte der Wind. „Ich schenke nichts!" sagte der. „Ich bin ja im Abnehmen, und die Laternen haben nie für mich, sondern ich habe für die Laternen geleuchtet." Und so ging der Mond wieder hinter die Wolken, denn er wollte nicht belästigt werden. Da fiel gerade in das Luftloch ein Wassertropfen, der wie aus einer Traufe war; aber der Tropfen sagte, er komme aus den grauen Wolken und sei auch ein Geschenk und vielleicht das allerbeste. „Ich dringe in dich ein, so daß du die Fähigkeit bekommst, in einer Nacht, wenn du es wünschst, in Rost überzugehen, ganz zusammenzufallen und zu Staub zu werden."

Aber das schien der Laterne ein schlechtes Geschenk zu sein, und der Wind meinte das auch. „Habt Ihr nichts Besseres? Habt Ihr nichts Besseres?" blies er, so laut er konnte. Da fiel eine glänzende Sternschnuppe, die in einem langen Streifen leuchtete.

„Was war das?" rief der Heringskopf. „Fiel da nicht ein Stern herunter? Ich glaube, der ging in die Laterne! Na, freilich, wenn selbst so Hochstehende sich um dieses Amt bewerben, so können wir gute Nacht sagen und nach Hause gehen." Und das tat er, und die anderen auch; aber die alte Laterne leuchtete mit einemmal so wunderbar helle. „Das war ein herrliches Geschenk!" sagte sie. „Die hellen Sterne, über die ich mich immer so sehr gefreut habe und die so herrlich leuchteten, wie ich es niemals gekonnt habe, obwohl es mein ganzes Sinnen und Trachten war, die haben mir armer alter Laterne Beachtung geschenkt und mir einen von ihnen mit einem Geschenk gesandt, das in der Fähigkeit besteht, daß alles, dessen ich mich selbst entsinne und das ich recht deutlich sehe, auch von denen gesehen werden kann, die ich gern habe. Und das ist erst das wahre Vergnügen, denn wenn man es nicht mit anderen teilen kann, ist es nur die halbe Freude."

„Das ist sehr vornehm gedacht", sagte der Wind, „aber du weißt wohl nicht, daß Wachslichter dazu gehören. Wenn in dir nicht eins angesteckt wird, kann kein anderer etwas durch dich sehen. Das haben die Sterne nicht bedacht, sie glauben nun, daß alles, was da leuchtet, zumindest ein Wachslicht in sich hat. Aber nun bin ich müde", sagte der Wind, „nun will ich mich legen." Und dann legte er sich.

Am nächsten Tag – ja, den nächsten Tag können wir überspringen; am nächsten Abend lag die Laterne im Lehnstuhl, und wo –? Bei dem alten Wächter! Er hatte sich vom Bürgermeister und Rat ausgebeten, für seine langen, treuen Dienste die alte Laterne behalten zu dürfen. Sie lachten ihn aus, als er darum bat, und dann gaben sie sie ihm, und nun lag sie im Lehnstuhl, dicht an dem warmen Ofen, und es war gerade, als sei sie dadurch größer geworden, sie füllte fast den ganzen Stuhl aus. Und die alten Leute saßen bei ihrem Abendbrot und warfen freundliche Blicke auf die alte Laterne, der sie gern einen Platz am Tisch gegönnt hätten.

Freilich wohnten sie nur in einem Keller, zwei Ellen tief in der Erde. Man mußte über eine gepflasterte Diele, um in die Stube hineinzukommen, aber warm war es hier, denn vor die Tür waren Tuchleisten genagelt. Reinlich und hübsch sah es hier aus, Vorhänge hingen vor den Bettstellen und vor den kleinen Fenstern, wo oben auf dem Rahmen zwei wunderliche Blumentöpfe standen, die Matrose Christian ihnen aus Ost- oder Westindien mit nach Hause gebracht hatte; es waren zwei Elefanten aus Ton, denen der Rücken fehlte; statt dessen wuchsen aus der Erde, mit der sie gefüllt waren, in einem der schönste Schnittlauch – das war der Küchengarten der alten Leute –, in dem andern eine große blühende Geranie – das war ihr Blumengarten. An der Wand hing ein großes buntes Bild: der Kongreß zu Wien; da hatten sie alle Könige und Kaiser auf einmal! – Eine Bornholmer Uhr mit schweren Bleigewichten ging „Tick! Tack!" und immer zu geschwind, aber das sei besser, als wenn sie zu langsam ginge, sagten die alten Leute. Sie aßen ihr Abendbrot, und die alte Straßenlaterne lag, wie gesagt, im Lehnstuhl dicht bei dem warmen Ofen. Es schien der Laterne, als sei die ganze Welt um und um gedreht. Aber als der alte Wächter sie ansah und davon sprach, was sie beide zusammen erlebt hatten in Wind und Wetter, in den hellen, kurzen Sommernächten und wenn der Schnee fegte, und daß es gut war, in den Keller zu kommen, da war für die alte Laterne alles wieder in Ordnung. Sie sah alles so deutlich, als ob es noch so sei, ja, der Wind hatte ihr freilich gut aufgeleuchtet.

Sie waren sehr fleißig und rege, die alten Leute, keine Stunde wurde verschlafen. Sonntagnachmittags kam das eine oder andere Buch hervor, am liebsten eine Reisebeschreibung, und der alte Mann las von Afrika vor, von den großen Wäldern und den Elefanten, die dort wild herumlaufen, und die alte Frau hörte gespannt zu und blickte verstohlen zu den Tonelefanten, die Blumentöpfe waren.

„Ich kann es mir beinahe vorstellen!" sagte sie. Und die Laterne wünschte sehnlich, sie hätte ein Wachslicht in sich, das angebrannt werden könnte, dann hätte die alte Frau alles ganz genau sehen können, wie es die Laterne sah, die hohen Bäume, die ineinander verschlungenen Zweige, die nackten, schwarzen Menschen zu Pferde und Scharen von Elefanten, die mit ihren breiten Füßen Rohr und Gebüsch zertraten.

„Was helfen nun alle meine Fähigkeiten, wenn kein Wachslicht da ist!" seufzte die Laterne. „Sie haben nur Öl und Unschlitt, und das genügt nicht!"

Eines Tages gelangte ein ganzer Haufen Wachslichtstückchen hinunter in den Keller, die größten Stücke wurden verbrannt, die kleinen benutzte die alte Frau, um ihren Zwirn zu wachsen, wenn sie nähte; Wachslichter waren da, aber es fiel ihnen nicht ein, ein kleines Stück in die Laterne zu stecken.

„Da stehe ich nun mit meinen seltenen Fähigkeiten", sagte die Laterne. „Ich habe alles in mir, aber ich kann es nicht mit ihnen teilen! Sie wissen nicht, daß ich die weißen Wände in die schönsten Tapeten verwandeln kann, in reiche Wälder, in alles, was sie sich nur wünschen können! Sie wissen es nicht!"

Die Laterne stand im übrigen geputzt und nett in einem Winkel, wo sie immer in die Augen fiel. Die Leute sagten freilich, sie sei Gerümpel, aber darum kümmerten sich die Alten nicht, sie hatten die Laterne lieb.

Eines Tages – es war des alten Wächters Geburtstag – kam die alte Frau zur Laterne, schmunzelte und sagte: „Ich will heute seinetwegen illuminieren!" Und die Laterne knarrte mit der Blechhaube und dachte: ‚Nun geht ihnen doch ein Licht auf!' Aber es kam Öl hinein und kein Wachslicht. Sie brannte den ganzen Abend, wußte aber nun, daß jene Gabe, die die Sterne geschenkt hatten, die beste Gabe von allen, ein toter Schatz für dieses Leben bleiben würde. Da träumte sie – und wenn man solche Fähigkeiten hat, kann man träumen –, daß die alten Leute gestorben wären und sie selbst zum Eisengießer gekommen sei, um umgegossen zu werden. Sie war ebenso ängstlich wie damals, als sie auf das Rathaus sollte, um von Bürgermeister und Rat besichtigt zu werden. Aber obwohl sie hätte in Rost und Staub zerfallen können, wenn sie es nur gewünscht hätte, tat sie es doch nicht, und so kam sie in den Schmelzofen und wurde zu dem schönsten eisernen Leuchter, den man sich für ein Wachslicht nur wünschen konnte. Er hatte die Form eines Engels, der einen Strauß trägt, und mitten in den

Strauß wurde das Wachslicht gesteckt. Der Leuchter bekam seinen Platz auf einem grünen Schreibtisch, und das Zimmer war höchst gemütlich. Es standen dort viele Bücher, es hingen dort herrliche Bilder; es war bei einem Dichter, und alles, was er dachte oder schrieb, das breitete sich rings um ihn aus, und die Stube wurde zu dichten dunklen Wäldern, zu sonnigen Wiesen, wo der Storch einherstolzierte, und zum Schiffsdeck auf dem wogenden Meer.

„Welche Fähigkeiten habe ich doch!" sagte die alte Laterne, als sie erwachte. „Fast könnte ich mich danach sehnen, umgeschmolzen zu werden, doch nein, das darf nicht geschehen, solange die alten Leute leben! Sie lieben mich meiner Person wegen! Ich bin ja wie ihr eigenes Kind, und sie haben mich geputzt und mir Öl gegeben, und ich habe es ebenso gut wie der ‚Kongreß', der doch so etwas Vornehmes ist!"

Und seit dieser Zeit hatte sie mehr innere Ruhe, und das hatte die alte brave Straßenlaterne verdient.

Der Schatten

In den heißen Ländern, dort kann die Sonne brennen! Die Leute werden ganz mahagonibraun; ja in den allerheißesten Ländern werden sie sogar zu Negern gebrannt. Aber ein gelehrter Mann aus den kalten Ländern war nur bis in die heißen Länder gekommen. Der glaubte nun, daß er ebenso herumlaufen könne wie zu Hause, doch das wurde ihm bald abgewöhnt. Er und alle vernünftigen Leute mußten zu Hause bleiben; die Fensterläden und Türen blieben den ganzen Tag geschlossen; es sah aus, als ob das ganze Haus schliefe oder niemand daheim wäre. Die schmale Straße mit den hohen Häusern, wo er wohnte, war aber auch so gebaut, daß die Sonne vom Morgen bis zum Abend darauf liegen mußte; es war wirklich nicht auszuhalten! Der gelehrte Mann aus den kalten Ländern war ein kluger junger Mann. Es kam ihm vor, als säße er in einem glühenden Ofen; das griff ihn sehr an, er wurde ganz mager, selbst sein Schatten schrumpfte zusammen und wurde viel kleiner als zu Hause; die Sonne griff auch ihn an. Sie lebten erst des Abends auf, wenn die Sonne untergegangen war.

Es war ein Vergnügen, das mit anzuschen. Sobald Licht in die Stube gebracht wurde, wuchs der Schatten über die ganze Wand, ja selbst bis an die Decke, so lang machte er sich; er mußte sich strecken, um wieder zu Kräften zu kommen. Der Gelehrte ging auf den Altan, um sich dort auszustrecken, und sobald die Sterne an dem schönen klaren Himmel hervorkamen, war es ihm, als ob er wieder auflebte. Auf allen Altanen in der Straße – und in den warmen Ländern ist vor jedem Fenster ein Altan – kamen nun Leute hervor, denn frische Luft muß man doch haben, wenn man auch daran gewöhnt ist, mahagonibraun zu sein! Dann wurde es lebendig unten und oben. Schuster und Schneider, alle Leute zogen auf die Straße, man brachte Tische und Stühle hinaus, Lichter brannten, ja, über tausend Lichter, und der eine sprach, und der andere sang, und die Leute spazierten, Wagen fuhren, Maultiere trabten, klingelingeling, die hatten Glocken; Leichen wurden mit Gesang begraben, Straßenjungen ließen Sprühteufelchen springen, die Kirchenglocken läuteten, ja, es war wirklich sehr lebhaft auf der Straße. Nur in dem einen Haus, das dem gegenüberlag, in welchem der fremde gelehrte Mann wohnte, war es ganz still. Und doch wohnte dort jemand, denn es standen Blumen auf dem Altan, die blühten so herrlich in der Sonnenhitze, und das hätten sie doch nicht gekonnt, wenn sie nicht begossen worden wären, und jemand mußte sie doch begießen! Leute mußte es da also geben. Die Tür dort oben wurde auch am Abend halb geöffnet, aber dort drinnen war es dunkel, wenigstens in dem vordersten Zimmer; tiefer aus dem Inneren ertönte Musik. Der fremde gelehrte Mann fand sie unvergleichlich schön, aber es konnte auch gut sein, daß er sich das nur einbildete, denn er fand in den warmen Ländern alles unvergleichlich schön, wenn nur keine Sonne dagewesen wäre. Der Wirt des Fremden sagte, daß er nicht wisse, wer das gegenüberliegende Haus gemietet habe, man sehe ja keinen Menschen, und was die Musik angehe, so scheine sie ihm schrecklich langweilig zu sein. „Es ist, als ob jemand dasäße und ein Stück einübe, das er doch nicht herausbringt, immer das gleiche Stück. ‚Ich kriege es doch

259

heraus!' sagt er zu sich, er bringt es aber nicht heraus, wie lange er auch spielt."

Eines Nachts erwachte der Fremde, er schlief bei offener Altantür, der Vorhang bewegte sich im Wind, und es kam ihm vor, als komme ein wunderbarer Glanz von dem Altan des gegenüberliegenden Hauses, alle Blumen leuchteten wie Flammen in den schönsten Farben, und mitten zwischen den Blumen stand eine schlanke, liebliche Jungfrau, es war, als ob auch sie leuchte. Ihm stach es wirklich in die Augen, er hatte sie nun auch schrecklich weit aufgerissen und kam eben erst aus dem Schlaf. Mit einem Sprung war er aus dem Bett, ganz leise schlich er sich hinter den Vorhang, aber die Jungfrau war fort, der Glanz war fort, die Blumen leuchteten nicht mehr, standen aber noch so schön da wie immer. Die Tür war angelehnt, und von innen klang Musik, so weich und schön, daß man dabei wirklich in süße Gedanken versinken konnte. Es war wie ein Zauberwerk, aber wer wohnte da? Wo war der eigentliche Eingang? Im ganzen Erdgeschoß war Laden an Laden, und da konnten die Leute doch nicht immer durchlaufen.

Eines Abends saß der Fremde auf seinem Altan; in der Stube hinter ihm brannte ein Licht, und so war es ja ganz natürlich, daß sein Schatten auf die Wand des gegenüberliegenden Hauses fiel; ja, da saß er gerade zwischen den Blumen auf dem Altan, und wenn der Fremde sich bewegte, so bewegte sich auch der Schatten, denn das tut er immer.

„Ich glaube, mein Schatten ist das einzig Lebendige, was man drüben sieht", sagte der gelehrte Mann. „Sieh, wie hübsch er dort zwischen den Blumen sitzt, die Tür steht nur angelehnt. Nun sollte der Schatten so gescheit sein und hineingehen, sich umsehen, dann zurückkommen und mir erzählen, was er da gesehen hat. Ja, du solltest dich nützlich machen", sagte er wie im Scherz. „Sei so gut und tritt ein! Nun, wirst du gehen?"

Und dann nickte er dem Schatten zu, und der Schatten nickte wieder. „Nun geh nur, aber bleib nicht ganz weg!" Und der Fremde erhob sich, und sein Schatten auf dem Altan gegenüber erhob sich auch; der Fremde drehte sich um, und der Schatten drehte sich auch um, ja, wenn jemand genau darauf achtgegeben hätte, so hätte er deutlich sehen können, wie der Schatten durch die halbgeöffnete Altantür des gegenüberliegenden Hauses hineinging, gerade als der Fremde in seine Stube zurückging und den langen Vorhang hinter sich herabfallen ließ.

Am nächsten Morgen ging der gelehrte Mann aus, um Kaffee zu trinken und Zeitungen zu lesen. „Was ist das!" sagte er, als er in den Sonnenschein kam. „Ich habe ja keinen Schatten mehr! So ist er also wirklich gestern abend fortgegangen und nicht zurückgekommen; das ist ja recht verdrießlich!"

Und das ärgerte ihn; aber nicht so sehr deswegen, weil der Schatten fort war, sondern weil er wußte, daß es eine Geschichte von einem Mann ohne Schatten gab, die alle Leute daheim in den kalten Ländern kannten. Und käme nun der gelehrte Mann nach Hause und erzählte seine eigene Geschichte, so würden sie sagen, er hätte sie nur nachgeahmt, und das hatte er nicht nötig. Er wollte daher nicht davon sprechen, und das war vernünftig von ihm gedacht.

Am Abend ging er wieder auf seinen Altan. Das Licht hatte er sehr richtig hinter sich gesetzt, denn er wußte, daß der Schatten stets seinen Herrn zum Schirm haben will; aber er konnte ihn nicht hervorlocken. Er machte sich klein, er machte sich lang; aber da war kein Schatten, da kam kein Schatten. Er sagte: „Hm, hm!" Aber das half nichts.

Das war ärgerlich. Doch in den warmen Ländern wächst alles so geschwind, und nach acht Tagen merkte er zu seinem großen Vergnügen, daß ihm ein neuer Schatten aus den Beinen wuchs, wenn er in den Sonnenschein kam; die Wurzel mußte also geblieben sein. Nach drei Wochen hatte er einen ganz leidlichen Schatten, der, als er sich heim in die nördlichen Länder begab, auf der Reise mehr und mehr wuchs, so daß er zuletzt so lang und groß war, daß die Hälfte genug gewesen wäre.

So kam der gelehrte Mann nach Hause, und er schrieb Bücher darüber, was es Wahres in der Welt und was es Gutes darin gibt und was da schön ist, und es vergingen Tage, und es vergingen Jahre – es vergingen viele Jahre.

Da saß er eines Abends in seiner Stube, und leise klopfte es an die Tür. „Herein!" sagte er, aber es kam niemand. Da öffnete er die Tür, und vor ihm stand ein so außerordentlich magerer Mensch, daß ihm ganz wunderlich zumute wurde.

Übrigens war der Mensch äußerst fein gekleidet, es mußte ein vornehmer Mann sein.

„Mit wem habe ich die Ehre zu sprechen?" fragte der Gelehrte.

„Ja, das dachte ich mir wohl", sagte der feine Mann, „daß Sie mich nicht kennen würden! Ich bin so sehr Körper geworden, daß ich ordentlich Fleisch und Kleider bekommen habe. Sie haben wohl nie daran gedacht, mich in so gutem Zustand zu sehen? Kennen Sie Ihren alten Schatten nicht mehr? Ja, Sie haben gewiß nicht geglaubt, daß ich wiederkommen würde. Mir ist es außerordentlich gut gegangen, seit ich zuletzt bei Ihnen war, ich bin in jeder Hinsicht sehr vermögend geworden; muß ich mich vom Dienst freikaufen, so kann ich das."

Und dann rasselte er mit einer ganzen Menge kostbarer Berlocken, die an seiner Uhr hingen, und legte seine Hand an die dicke, goldene Kette, die er um den Hals trug; und wie blitzten an allen seinen Fingern Diamantringe! Und alles war echt!

„Nein, ich kann mich nicht fassen!" sagte der gelehrte Mann. „Was ist das alles?"

„Ja, etwas Gewöhnliches nicht", sagte der Schatten. „Aber Sie gehören selbst ja auch nicht zu den Gewöhnlichen, und ich bin, das wissen Sie wohl, von Kindesbeinen an in Ihre Fußtapfen getreten. Sobald Sie fanden, daß ich reif genug sei, um allein in der Welt fortzukommen, ging ich meinen eigenen Weg. Ich bin in den allerbrillantesten Verhältnissen, aber mich überkam eine Art Sehnsucht, Sie noch einmal zu sehen, ehe Sie sterben, denn Sie werden ja sterben! Ich wollte auch gern dieses Land wiedersehen, man hängt doch stets an seinem Vaterland. Ich weiß, daß Sie einen anderen Schatten bekommen haben. Habe ich etwas an ihn oder an Sie zu bezahlen? Sie brauchen es mir nur zu sagen."

„Nein, bist du es wirklich?" sagte der gelehrte Mann. „Das ist doch höchst merkwürdig! Ich hätte nie geglaubt, daß man seinen alten Schatten jemals als Menschen wiedersehen könne!"

„Sagen Sie mir nur, was ich zu bezahlen habe", sagte der Schatten, „denn ich möchte nicht gern in jemandes Schuld stehen."

„Wie kannst du so sprechen?" sagte der gelehrte Mann.
„Von welcher Schuld kann hier die Rede sein? Du bist so
frei wie nur einer! Ich freue mich außerordentlich über dein
Glück! Setz dich nieder, alter Freund, und erzähl mir doch
ein wenig, wie das zugegangen ist und was du dort in den
warmen Ländern, in dem Hause uns gegenüber, gesehen
hast!"

„Ja, das will ich Ihnen erzählen", sagte der Schatten und
setzte sich, „aber dann müssen Sie mir auch versprechen,
niemals irgend jemand hier in der Stadt, wo Sie mich auch
treffen werden, zu sagen, daß ich Ihr Schatten gewesen bin!
Ich habe die Absicht, mich zu verloben; ich kann mehr als
eine Familie ernähren."

„Sei unbesorgt", sagte der gelehrte Mann, „ich werde niemandem sagen, wer du eigentlich bist. Hier ist meine Hand,
ich verspreche es dir, und ein Mann, ein Wort!"

„Ein Wort, ein Schatten!" sagte der Schatten, denn so
mußte der ja sprechen.

Es war übrigens wirklich ganz merkwürdig, wie sehr er
Mensch geworden war. Er war ganz schwarz gekleidet und
trug das feinste schwarze Tuch, lackierte Stiefel und einen
Hut, den man zusammendrücken konnte, so daß er nichts
als Deckel und Krempe war, ganz zu schweigen von dem,
was wir schon wissen, den Berlocken, der goldenen Hals-
kette und den Diamantringen. Ja, der Schatten war außerordentlich gut gekleidet, und das war gerade, was ihn zu
einem ganzen Menschen machte.

„Nun will ich erzählen", sagte der Schatten, und dann
stellte er seine Füße mit den lackierten Stiefeln, so fest er
nur konnte, auf den Arm des neuen Schattens, der dem gelehrten Mann wie ein Pudelhund zu Füßen lag, und das geschah nun entweder aus Hochmut oder vielleicht auch, damit der neue Schatten daran hängenbleiben sollte. Aber der
liegende Schatten verhielt sich still und ruhig, um recht zuhören zu können. Er wollte wohl wissen, wie man loskommen und sich zu seinem eigenen Herrn hinaufdienen
könne.

„Wissen Sie, wer in dem Haus uns gegenüber wohnte?"
fragte der Schatten. „Das war das Herrlichste von allem! Es
war die Poesie! Ich war drei Wochen da, und das wirkt
ebensosehr, als ob man dreitausend Jahre lebte und alles le-

sen könnte, was gedichtet und geschrieben ist, denn das sage ich, und es ist richtig. Ich habe alles gesehen, und ich weiß alles."

„Die Poesie!" rief der gelehrte Mann. „Ja, ja, sie lebt oft als Einsiedlerin in den großen Städten. Die Poesie! Ja, ich habe sie einen einzigen kurzen Augenblick gesehen, aber der Schlaf saß mir in den Augen! Sie stand auf dem Altan und leuchtete, wie das Nordlicht leuchtet! Erzähle, erzähle! Du warst auf dem Altan. Du gingst durch die Tür und dann –"

„Dann war ich im Vorzimmer", sagte der Schatten. „Sie saßen drüben und sahen stets nach dem Vorzimmer hinüber. Dort war kein Licht, dort war eine Art von Halbdunkel, aber eine Tür nach der anderen in einer langen Reihe von Zimmern und Sälen stand offen, und dort war es hell, ich wäre vom Licht glatt erschlagen worden, wäre ich ganz bis zur Jungfrau gekommen. Aber ich war besonnen, ich nahm mir Zeit, und das muß man tun."

„Und was sahst du dann?" fragte der gelehrte Mann.

„Ich sah alles! Und das will ich Ihnen erzählen, aber – es ist wahrlich kein Hochmut von mir – als freier Mann und bei den Kenntnissen, die ich besitze, ganz zu schweigen von meiner guten Stellung, meinen vortrefflichen Vermögensverhältnissen, wünsche ich doch, daß Sie gütigst ‚Sie‘ zu mir sagen möchten."

„Bitte um Verzeihung", sagte der gelehrte Mann; „es ist eine alte Gewohnheit, die festsitzt. Sie haben vollkommen recht, und ich will daran denken. Aber nun erzählen Sie mir alles, was Sie gesehen haben."

„Alles", sagte der Schatten, „denn ich sah alles, und ich weiß alles."

„Wie sah es denn in den inneren Sälen aus?" fragte der gelehrte Mann. „War es dort wie in dem frischen Wald? War es dort wie in einer heiligen Kirche? Waren die Säle wie der sternenhelle Himmel, wenn man auf den hohen Bergen steht?"

„Alles war da", sagte der Schatten, „ich ging zwar nicht ganz hinein, ich blieb in dem vordersten Zimmer im Halbdunkel, aber da stand ich außerordentlich gut. Ich sah alles, und ich weiß alles. Ich bin am Hofe der Poesie im Vorgemach gewesen."

„Aber was sahen Sie denn? Gingen durch die großen Säle alle Götter der Vorzeit? Kämpften dort die alten Helden? Spielten dort liebliche Kinder und erzählten ihre Träume?"

„Ich sage Ihnen, daß ich dagewesen bin, und daher begreifen Sie wohl, daß ich alles sah, was zu sehen war. Wenn Sie dorthin gekommen wären, Sie wären kein Mensch geworden, ich aber wurde einer! Und zugleich lernte ich mein innerstes Wesen, mein Angeborenes, die Verwandtschaft kennen, in der ich zu der Poesie stand. Ja, damals, als ich bei Ihnen war, dachte ich nicht darüber nach; aber immer, das wissen Sie, wenn die Sonne auf- und niederging, wurde ich oft so wunderbar groß, im Mondschein war ich beinahe noch deutlicher als Sie selbst. Ich begriff damals nicht mein innerstes Wesen, im Vorgemach ging es mir auf – ich wurde Mensch! Gereift kam ich wieder heraus, aber Sie waren nicht mehr in den warmen Ländern. Ich schämte mich, als Mensch so zu gehen, wie ich ging; ich brauchte Stiefel, ich brauchte Kleider und diesen ganzen Menschenfirnis, der einen Menschen erkennbar macht. Ich nahm meinen Weg – ja, Ihnen kann ich es wohl sagen, Sie werden es ja nicht in irgendein Buch bringen –, ich nahm meinen Weg unter den Rock der Kuchenfrau, unter den versteckte ich mich. Das Weib dachte nicht daran, wieviel es verbarg; erst am Abend ging ich aus; ich lief im Mondschein auf der Straße umher, ich streckte mich lang an der Mauer hinauf, das kitzelte so herrlich auf dem Rücken! Ich lief hinauf, ich lief hinab, guckte durch die höchsten Fenster in die Säle und auf das Dach, ich guckte, wohin niemand gucken kann, und ich sah, was kein anderer sah, was niemand sehen sollte! Es ist im Grunde eine niederträchtige Welt! Ich würde nicht Mensch sein wollen, wenn es nun einmal nicht für etwas Besonderes gehalten würde, ein Mensch zu sein. Ich sah das Allerunglaublichste bei Frauen und bei Männern und bei Eltern und bei den süßen, unvergleichlichen Kindern. Ich sah, was kein Mensch wissen darf, was sie aber alle gar zu gern wissen möchten: Übles bei den Nachbarn. Hätte ich eine Zeitung geschrieben, sie wäre gelesen worden, aber ich schrieb gleich an die Personen selbst, und es entstand Schrecken in allen Städten, wohin ich kam. Sie hatten solche Angst vor mir, sie hatten mich außerordentlich lieb! Der Professor machte mich zum Professor; der Schneider gab mir neue Kleider, ich bin gut versehen; der Münzmeister schlug Münzen für mich, und die Frauen sagten, ich sei so schön! – Und so wurde ich der Mann, der ich jetzt bin! Und nun sage ich Lebewohl. Hier ist meine Karte, ich wohne auf der Sonnenseite und bin bei Regenwetter stets zu Hause." Und dann ging der Schatten.

„Das war doch merkwürdig!" sagte der gelehrte Mann. Jahr und Tag verging, da kam der Schatten wieder.

„Wie geht es?" fragte er.

„Ach", sagte der gelehrte Mann, „ich schreibe über das Wahre, das Gute und das Schöne, aber niemand mag es hören, ich bin ganz verzweifelt, denn ich nehme mir das zu Herzen!"

„Das tue ich aber nicht", sagte der Schatten, „ich werde dick und fett, und danach muß man doch streben. Sie verstehen sich nicht auf die Welt. Sie werden krank dabei. Sie müssen reisen! Ich will diesen Sommer eine Reise machen, wollen Sie mit? Ich möchte wohl einen Reisekameraden haben, wollen Sie als Schatten mitreisen? Es soll mir ein großes Vergnügen sein, Sie mitzunehmen! Ich bezahle die Reise!"

„Das geht zu weit!" sagte der gelehrte Mann.

„Wie man's nimmt", sagte der Schatten. „Eine Reise wird Ihnen sehr guttun. Wollen Sie mein Schatten sein? Dann sollen Sie alles auf der Reise frei haben."

„Das ist zu toll!" sagte der gelehrte Mann.

„Aber so ist nun einmal die Welt", sagte der Schatten, „und so wird sie auch bleiben!" Und dann entfernte er sich.

Dem gelehrten Mann ging es gar nicht gut, Sorgen und Kummer verfolgten ihn, und was er von dem Wahren, dem Guten und dem Schönen sprach, das war für die meisten, was Rosen für die Kuh sind. Er war zuletzt ganz krank.

„Sie sehen wirklich aus wie ein Schatten!" sagten die Leute zu ihm, und den gelehrten Mann überlief ein Schauer, denn er hatte dabei seine eigenen Gedanken.

„Sie müssen in ein Bad!" sagte der Schatten, der ihm einen Besuch machte. „Es gibt keine andere Hilfe für Sie. Ich will Sie um unserer alten Bekanntschaft willen mitnehmen. Ich bezahle die Reise, und Sie machen eine Beschreibung davon und vertreiben mir damit die Zeit unterwegs. Ich will in ein Bad. Mein Bart wächst nicht so recht, wie er sollte, das ist auch eine Krankheit, und einen Bart muß man doch haben. Seien Sie vernünftig und nehmen Sie mein Anerbieten an, wir reisen ja als Kameraden."

Und dann reisten sie. Der Schatten war nun Herr, und der Herr war Schatten. Sie fuhren miteinander, sie ritten und gingen miteinander, nebeneinander, vor- und hintereinander, wie die Sonne eben stand. Der Schatten wußte stets den Ehrenplatz einzunehmen; darüber dachte der gelehrte Mann nun nicht weiter nach. Er hatte ein sehr gutes Herz und war außerordentlich mild und freundlich, und da sagte er eines Tages zum Schatten: „Da wir nun auf solche Weise Reisekameraden geworden sind, wollen wir da nicht Brüderschaft trinken? Das ist doch viel vertraulicher."

„Sie sagten da etwas", sagte der Schatten, der ja nun der eigentliche Herr war, „was sehr geradezu und wohlwollend gesagt ist, ich will nur ebenso wohlwollend und geradezu sein. Sie als ein gelehrter Mann wissen wohl, wie wunderlich die Natur ist. Manche Menschen können es nicht vertragen, graues Papier anzufassen, denn davon wird ihnen übel; anderen fährt es durch alle Glieder, wenn man mit einem Nagel über eine Glasscheibe fährt. Ich habe ein ähnliches Gefühl, wenn ich Sie ‚du' zu mir sagen höre, ich fühle mich dadurch zu Boden gedrückt, wie in meiner ersten Stellung bei Ihnen. Sie sehen, daß dies ein Gefühl ist, kein Stolz. Ich kann Sie nicht ‚du' zu mir sagen lassen, aber ich will gern ‚du' zu Ihnen sagen, dann wird Ihr Wunsch doch zur Hälfte erfüllt."

Und nun sagte der Schatten ‚du' zu seinem früheren Herrn.

‚Es ist doch allzu toll', dachte dieser, ‚daß ich ›Sie‹ sagen muß, und er sagt ›du‹!' Doch er mußte es sich gefallen lassen.

Sie kamen in ein Bad, wo viele Fremde waren und darunter eine wunderschöne Königstochter, welche die Krankheit hatte, daß sie allzu scharf sah, und das war sehr beängstigend.

Sogleich merkte sie, daß der Neuangekommene eine ganz andere Person war als alle andern. „Man sagt, daß er hier ist, damit sein Bart wächst, aber ich sehe die rechte Ursache, er kann keinen Schatten werfen!"

Nun war sie neugierig geworden, und daher ließ sie sich

auf der Promenade mit dem fremden Herrn sogleich in ein Gespräch ein. Als eine Königstochter brauchte sie nicht erst viel Umstände zu machen, darum sagte sie zu ihm: „Ihre Krankheit besteht darin, daß Sie keinen Schatten werfen können."

„Ihre Königliche Hoheit müssen entschieden auf dem Wege der Besserung sein", sagte der Schatten. „Ich weiß, Ihr Übel besteht darin, daß Sie allzu gut sehen, aber das hat sich gegeben, Sie sind geheilt. Ich habe gerade einen ganz ungewöhnlichen Schatten. Sehen Sie nicht die Person, die stets neben mir geht? Andere Menschen haben einen gewöhnlichen Schatten, aber ich liebe das Gewöhnliche nicht. Man gibt seinen Dienern feineres Tuch zur Livree, als man selbst trägt, und so habe ich meinen Schatten zu einem Menschen herausputzen lassen! Ja, Sie sehen, daß ich ihm sogar einen Schatten gegeben habe. Das ist sehr kostspielig, aber ich liebe es, etwas Besonderes zu haben."

‚Wie', dachte die Prinzessin, ‚sollte ich mich wirklich erholt haben? Dieses Bad ist das beste, das es gibt; das Wasser hat in unserer Zeit ganz wunderbare Kräfte. Aber ich reise noch nicht fort, denn jetzt wird es hier erst amüsant; der Fremde gefällt mir außerordentlich gut. Wenn nur sein Bart nicht wächst, denn dann reist er wieder ab.'

Am Abend tanzten die Königstochter und der Schatten zusammen in dem großen Ballsaal. Sie war leicht, aber er war noch leichter, einen solchen Tänzer hatte sie noch nie gehabt. Sie sagte ihm, aus welchem Land sie sei, und er kannte das Land; er war dagewesen, aber damals war sie nicht zu Hause; er hatte durch die Fenster des Schlosses geguckt, von unten und von oben, er hatte das eine und das andere gesehen, und daher konnte er der Königstochter antworten und Anspielungen machen, so daß sie ganz erstaunt war. Er mußte der klügste Mann der ganzen Erde sein; sie bekam eine große Achtung vor dem, was er wußte. Und als sie wieder tanzten, verliebte sie sich in ihn, und das konnte der Schatten gut merken, denn sie hätte beinahe durch ihn hindurchgesehen. Sie tanzten noch einmal, und sie war nahe daran, es ihm zu sagen, aber sie war besonnen, sie dachte an ihr Land und Reich und an die vielen Menschen, über die sie regieren sollte. ‚Ein weiser Mann ist er', sagte sie zu sich selbst, ‚das ist gut! Und ganz herrlich tanzt er, das ist auch gut. Aber ob er wohl gründliche Kenntnisse hat? Das ist ebenso wichtig! Er muß examiniert werden.' Und nun richtete sie sogleich eine schwierige Frage an ihn, die sie selbst nicht hätte beantworten können; und der Schatten machte ein ganz sonderbares Gesicht.

„Darauf können Sie mir nicht antworten", sagte die Königstochter.

„Das habe ich schon in meiner Schulzeit gehört", sagte der Schatten, „ich glaube, sogar mein Schatten dort an der Tür würde darauf antworten können."

„Ihr Schatten?" sagte die Königstochter, „das wäre höchst merkwürdig."

„Ich sage nicht bestimmt, daß er es kann", sagte der Schatten, „aber ich möchte es glauben. Er ist mir schon so manches Jahr gefolgt und hat viel von mir gehört, ich möchte es glauben. Aber Ihre Königliche Hoheit erlauben mir, Sie darauf aufmerksam zu machen, daß er so stolz darauf ist, für einen Menschen zu gelten, daß man ihn, wenn er bei guter Laune sein soll – und das muß er sein, um richtig zu antworten –, ganz wie einen Menschen behandeln muß."

„Das gefällt mir!" sagte die Königstochter.

Und nun ging sie zu dem gelehrten Mann an der Tür und sprach mit ihm von Sonne und Mond und vom Äußeren und Inneren des Menschen, und er antwortete sehr klug und gut.

‚Was das für ein Mann sein muß, der einen so klugen Schatten hat!' dachte sie. ‚Es würde ein wahrer Segen für mein Volk und mein Reich sein, wenn ich ihn zu meinem Gemahl erwählte – ich tue es!'

Und sie wurden bald einig, die Königstochter und der Schatten, aber niemand sollte etwas davon wissen, bevor sie in ihr Reich heimgekehrt war.

„Niemand, nicht einmal mein Schatten!" sagte der Schatten, und dabei hatte er seine eigenen Gedanken.

Sie kamen in das Land, wo die Königstochter regierte, wenn sie zu Hause war.

„Höre, mein guter Freund", sagte der Schatten zu dem gelehrten Mann, „nun bin ich so glücklich und mächtig, wie nur jemand es werden kann, nun will ich auch etwas Besonderes für dich tun. Du sollst immer bei mir auf dem Schloß wohnen, mit mir in meinem königlichen Wagen fahren und hunderttausend Reichstaler jährlich bekommen, aber du mußt dich von allen und jedem Schatten nennen lassen und darfst nicht sagen, daß du jemals Mensch gewesen bist; und dann mußt du einmal im Jahr, wenn ich auf dem Altan im Sonnenscheine sitze und mich sehen lasse, zu meinen Füßen liegen, wie es einem Schatten gebührt. Denn ich will dir sagen, ich heirate die Königstochter, und heute abend soll die Hochzeit sein!"

„Nein, das ist doch zu toll!" sagte der gelehrte Mann. „Das will ich nicht, das tue ich nicht, das heißt das ganze Land betrügen und die Königstochter dazu! Ich werde alles sagen, daß ich Mensch bin und du der Schatten und daß du nur angezogen bist!"

„Das würde niemand glauben", sagte der Schatten, „sei vernünftig, oder ich lasse die Wache rufen!"

„Ich gehe geradewegs zur Königstochter!" sagte der gelehrte Mann.

„Aber ich gehe zuerst", sagte der Schatten, „und du gehst ins Gefängnis!" Und das mußte er, denn die Schildwachen gehorchten dem, von dem sie wußten, daß die Königstochter ihn haben wollte.

„Du zitterst?" sagte die Königstochter, als der Schatten zu ihr kam. „Ist etwas vorgefallen? Du darfst heute abend nicht krank werden, jetzt, wo wir Hochzeit halten wollen!"

„Ich habe das Fürchterlichste erlebt, was man erleben kann!" sagte der Schatten. „Denk dir – ja, so ein armes Schattengehirn kann nicht viel vertragen! Denk dir, mein Schatten ist verrückt geworden, er glaubt, daß er Mensch geworden sei und daß – denk dir nur! daß ich sein Schatten sei!"

„Das ist ja schrecklich!" sagte die Prinzessin. „Er ist doch eingesperrt?"

„Das ist er! Ich fürchte, daß er sich nie wieder erholen wird."

„Der arme Schatten!" rief die Prinzessin. „Er ist sehr unglücklich; es ist eine wahre Wohltat, ihn von dem bißchen Leben, das er hat, zu befreien, und wenn ich recht darüber nachdenke, so scheint es mir nötig zu sein, daß man ihn in aller Stille beiseite schafft."

„Das ist freilich hart, denn er war ein treuer Diener", sagte der Schatten, und er tat, als ob er seufzte.

270

„Du bist ein edler Charakter!" sagte die Königstochter.

Am Abend war die ganze Stadt illuminiert, die Kanonen wurden abgefeuert: Bum! Und die Soldaten präsentierten die Gewehre. Das war eine Hochzeit! Die Königstochter und der Schatten traten auf den Altan, um sich sehen zu lassen und noch einmal ein Hurra entgegenzunehmen.

Der gelehrte Mann hörte nichts von all diesen Herrlichkeiten – denn man hatte ihm das Leben genommen.

Der Wassertropfen

Du kennst doch ein Vergrößerungsglas, so ein rundes Brillenglas, das alles hundertmal größer macht, als es ist? Wenn man es vors Auge hält und auf einen Wassertropfen aus dem Teich draußen sieht, dann erblickt man über tausend wunderbare Tiere, die man sonst niemals im Wasser sieht. Aber sie sind da, und es ist keine Täuschung. Es sieht beinahe aus wie ein Teller voll Krabben, die durcheinanderspringen, und sie sind so wild, sie reißen sich Arme und Beine, Ecken und Enden aus und sind doch auf ihre Art froh und vergnügt.

Es war nun einmal ein alter Mann, den alle Leute Kribbel-Krabbel nannten, denn so hieß er. Er wollte stets von jeder Sache das Beste haben, und wenn es durchaus nicht gehen wollte, so nahm er es durch Zauberei.

Da saß er nun eines Tages und hielt sein Vergrößerungsglas vor das Auge und sah auf einen Wassertropfen, der aus einer Wasserpfütze im Graben genommen war. Ei, wie kribbelte und krabbelte es da! All die Tausende von kleinen Tieren hüpften und sprangen, zerrten einander und fraßen voneinander.

„Das ist aber doch abscheulich!" sagte der alte Kribbel-Krabbel, „kann man sie denn nicht dazu bringen, in Ruhe und Frieden zu leben, so daß sich jeder nur um sich selbst kümmert?" Er sann und sann, aber es wollte nicht gehen, und so mußte er zaubern. „Ich muß ihnen Farbe geben, so daß sie deutlicher zu sehen sind", sagte er; da goß er etwas wie ein Tröpfchen roten Wein in den Wassertropfen, aber es war Hexenblut von der feinsten Sorte zu zwei Schilling.

Und nun wurden all die wunderlichen Tierchen am ganzen Körper rosenrot; es sah aus wie eine ganze Stadt voll nackter wilder Männer.

„Was hast du da?" fragte ein anderer Zauberer, der keinen Namen hatte, und das war gerade das Feine an ihm.

„Ja, wenn du raten kannst, was das ist", sagte Kribbel-Krabbel, „dann werde ich es dir schenken. Aber es ist nicht leicht herauszufinden, wenn man es nicht weiß!"

Und der Zauberer, der keinen Namen hatte, sah durch das Vergrößerungsglas. Es sah wirklich aus wie eine Stadt, in der alle Menschen ohne Kleider umherliefen! Es war grausig, aber noch grausiger war es, zu sehen, wie der eine den andern puffte und stieß, zwickte und zwackte, biß und zerrte. Was unten war, sollte nach oben, und was oben war, sollte nach unten! „Sieh, sieh! Sein Bein ist länger als meins! Baff! Weg damit! Da ist einer, der hat ein Beulchen hinter dem Ohr, ein unschuldiges Beulchen, aber das tut ihm weh, und deshalb soll es noch mehr weh tun!" Und sie hackten ihn, und sie zerrten ihn, und sie fraßen ihn wegen des Beulchens auf. Da saß eine so still wie eine kleine Jungfer und wollte nur Ruhe und Frieden, aber nun mußte die Jungfer hervor, und sie zerrten sie, und sie rissen sie, und sie fraßen sie!

„Das ist außerordentlich spaßig!" sagte der Zauberer.

„Ja, aber was meinst du denn, was das ist?" fragte Kribbel-Krabbel. „Kannst du es herausfinden?"

„Das ist leicht zu erkennen!" sagte der andere. „Das ist ja Paris oder eine andere große Stadt – sie gleichen einander ja alle. Eine große Stadt ist es!"

„Das ist Grabenwasser!" sagte Kribbel-Krabbel.

Die glückliche Familie

Das größte grüne Blatt hierzulande ist doch gewiß das Klettenblatt; hält man eins vor sein Bäuchlein, so ist es wie eine Schürze, und legt man es auf seinen Kopf, so ist es bei Regenwetter beinahe so gut wie ein Regenschirm, denn es ist gewaltig groß. Niemals wächst eine Klette allein, nein, wo eine wächst, wachsen auch mehrere, es ist eine wahre

Pracht! Und all diese Pracht ist Schneckenkost. Die großen weißen Schnecken, aus denen vornehme Leute in alten Tagen Frikassee bereiten ließen, es aßen und sagten: „Hm! Wie das schmeckt!" – denn sie glaubten nun einmal, daß es herrlich schmecke –, die lebten von Klettenblättern, und darum wurden Kletten gesät.

Nun gab es einen alten Herrenhof, wo man keine Schnecken mehr aß, die waren ausgestorben, aber die Kletten nicht, die wuchsen und wuchsen über alle Wege und alle Beete, man konnte mit ihnen nicht mehr fertig werden, es war ein ganzer Klettenwald; hier und da stand ein Apfel- und ein Pflaumenbaum, sonst hätte man wohl niemals glauben können, daß es ein Garten war; alles war Klette – und darin wohnten die beiden letzten uralten Schnecken.

Sie wußten selbst nicht, wie alt sie waren; aber sie konnten sich sehr gut erinnern, daß sie viel mehr gewesen, daß sie von einer Familie aus fremden Landen abstammten und daß für sie und die Ihrigen der ganze Wald gepflanzt worden war. Sie waren niemals draußen gewesen, aber sie wußten, daß es noch etwas in der Welt gab, das Herrenhof hieß, und da oben wurde man gekocht, und dann wurde man schwarz, und dann wurde man in eine silberne Schüssel gelegt, aber was dann weiter geschah, das wußten sie nicht. Wie das übrigens ist, wenn man gekocht wird und in einer silbernen Schüssel liegt, konnten sie sich nicht denken, aber herrlich sollte es sein und besonders vornehm! Weder der Maikäfer, die Kröte noch der Regenwurm, die sie darum befragten, konnten ihnen Bescheid geben, keiner von ihnen war gekocht worden oder hatte in einer silbernen Schüssel gelegen.

Die alten weißen Schnecken waren die vornehmsten in der Welt, das wußten sie. Der Wald war ihretwegen da und der Herrenhof auch, damit sie gekocht werden und in einer silbernen Schüssel liegen könnten.

Sie lebten nun sehr einsam und glücklich, und da sie selbst kinderlos waren, so hatten sie eine kleine gewöhnliche Schnecke zu sich genommen, die sie wie ihr eigenes Kind erzogen. Allein der Kleine wollte nicht wachsen, denn er war eine gewöhnliche Schnecke; aber die Alten, besonders die Mutter, die Schneckenmutter, meinten, sie könne doch bemerken, wie er zunehme, und sie bat den Vater, wenn er es nicht sehen könne, so solle er doch nur das kleine Schneckenhaus befühlen; und dann befühlte er es und fand, daß Mutter recht hatte.

Eines Tages gab es starken Regen.

„Höre, wie es auf den Klettenblättern trommerommerommelt!" sagte Schneckenvater.

„Da kommen auch Tropfen!" sagte Schneckenmutter. „Es läuft ja am Stengel herunter! Du sollst sehn, es wird hier naß. Ich freue mich nur, daß wir unsere guten Häuser haben und daß der Kleine auch seins hat! Es ist doch wirklich mehr für uns getan als für alle anderen Geschöpfe; da kann man sehen, daß wir die Herrschaft in der Welt sind! Wir haben von Geburt an Häuser, und der Klettenwald ist unseretwegen gesät! Ich möchte wissen, wie weit er sich erstreckt und was draußen ist."

„Da draußen ist nichts", sagte Schneckenvater, „besser als bei uns kann es nirgends sein, und ich habe gar nichts zu wünschen."

„Ja!" sagte Mutter. „Ich möchte wohl zum Herrenhof kommen, gekocht und in eine silberne Schüssel gelegt werden, das ist mit all unseren Vorfahren geschehen, und du kannst glauben, dabei ist etwas ganz Besonderes!"

„Der Herrenhof ist vielleicht eingestürzt", sagte Schneckenvater; „oder der Klettenwald ist darübergewachsen, so daß die Menschen nicht herauskommen können. Das hat doch auch gar keine Eile, aber du eilst immer so entsetzlich, und der Kleine fängt das nun auch schon an; ist er nicht in drei Tagen den Stiel hinaufgekrochen? Mir wird ganz schwindlig im Kopf, wenn ich zu ihm aufsehe."

„Du mußt nicht schelten!" sagte Schneckenmutter. „Er kriecht so besonnen, wir werden gewiß viel Freude an ihm erleben, und wir Alten haben ja nichts anderes, wofür wir leben. Aber hast du schon darüber nachgedacht, woher wir eine Frau für ihn bekommen? Glaubst du nicht, daß dort weiter in den Klettenwald hinein noch ein paar unserer Art sein könnten?"

„Schwarze Schnecken werden wohl dasein, denke ich", sagte der Alte, „schwarze Schnecken ohne Haus, aber das ist zu gewöhnlich, und doch bilden sie sich etwas ein; wir könnten aber den Ameisen den Auftrag geben; die laufen

274

hin und her, als ob sie Geschäfte hätten; die wissen gewiß eine Frau für unsern kleinen Schneck!"

„Wir wüßten freilich die allerschönste", sagten die Ameisen, „aber wir fürchten, es geht nicht an, denn sie ist Königin!"

„Das macht nichts!" sagten die Alten. „Hat sie ein Haus?"

„Sie hat ein Schloß!" sagten die Ameisen; „das schönste Ameisenschloß mit siebenhundert Gängen!"

„Vielen Dank!" sagte Schneckenmutter. „Unser Sohn soll nicht in einen Ameisenhügel. Wißt ihr nichts Besseres, so geben wir den weißen Mücken den Auftrag; die fliegen weit umher in Regen und Sonnenschein; die kennen den Klettenwald von innen und außen."

„Wir haben eine Frau für ihn!" sagten die Mücken. „Hundert Menschenschritte von hier sitzt auf einem Stachelbeerbusch eine kleine Schnecke mit Haus; sie ist ganz einsam und alt genug, sich zu verheiraten. Es ist nur hundert Menschenschritte von hier!"

„Ja, laß sie zu ihm kommen!" sagten die Alten. „Er hat einen Klettenwald, sie hat nur einen Busch."

Und nun holten sie das kleine Schneckenfräulein. Es dauerte acht Tage, bis es kam; aber das war ja eben das Besondere dabei, so konnte man sehen, daß es von der rechten Art war.

Und dann hielten sie Hochzeit. Sechs Johanniswürmchen leuchteten, so gut sie konnten; sonst ging das Ganze still vor sich, denn die alten Schneckenleute konnten Zecherei und Lustigkeit nicht vertragen. Aber eine herrliche Rede wurde von Schneckenmutter gehalten, Vater konnte nicht, er war zu gerührt, und dann gaben sie ihnen als Erbschaft den ganzen Klettenwald und sagten, was sie stets gesagt hatten, daß er das Beste in der Welt sei, und wenn sie rechtschaffen und ehrbar lebten und sich vermehrten, würden sie einmal mit ihren Kindern auf den Herrenhof kommen, schwarz gekocht und in eine silberne Schüssel gelegt werden. Und als die Rede gehalten war, krochen die Alten in ihr Haus hinein und kamen niemals mehr heraus; sie schliefen. Das junge Schneckenpaar regierte nun im Wald und bekam eine große Nachkommenschaft; aber sie wurden niemals gekocht, und sie kamen niemals in die silberne Schüssel; so schlossen sie daraus, daß der Herrenhof eingestürzt

275

und daß alle Menschen in der Welt ausgestorben seien, und da niemand ihnen widersprach, so mußte es ja wahr sein. Und der Regen fiel auf die Klettenblätter, um ihretwegen Trommelmusik zu machen, die Sonne schien, um dem Klettenwald ihretwegen Farbe zu geben; und sie waren sehr glücklich, und die ganze Familie war glücklich, das war sie wirklich.

Die Geschichte einer Mutter

Eine Mutter saß bei ihrem kleinen Kind; sie war sehr betrübt und fürchtete, daß es sterben würde. Es war so bleich, die kleinen Augen hatten sich geschlossen, es atmete schwer und zuweilen so tief, als ob es seufzte, und die Mutter sah noch trauriger auf das kleine Wesen.

Da klopfte es an die Tür, und ein armer alter Mann kam herein, der in eine große Pferdedecke gehüllt war; die hält warm, und das hatte er nötig, denn es war ja kalter Winter. Draußen war alles mit Schnee und Eis bedeckt, und der Wind blies, daß es ins Gesicht schnitt.

Und da der alte Mann vor Kälte zitterte und das kleine Kind einen Augenblick schlief, stellte die Mutter Bier in einem kleinen Topf in den Ofen, um es für ihn zu wärmen, und der alte Mann setzte sich und wiegte, und die Mutter setzte sich auf den Stuhl neben ihn, sah auf ihr krankes Kind, das so tief atmete, und hob die kleine Hand empor.

„Glaubst du nicht auch, daß ich es behalten werde?" fragte sie. „Der liebe Gott wird es nicht von mir nehmen!"

Und der alte Mann – es war der Tod – nickte so seltsam, daß es ebensogut ja wie nein bedeuten konnte. Und die Mutter schlug die Augen nieder, und Tränen rollten ihr die Wangen herab – der Kopf wurde ihr so schwer, drei Tage und Nächte hatte sie kein Auge geschlossen, und nun schlief sie, aber nur einen Augenblick, dann fuhr sie auf und bebte vor Kälte.

„Was ist das?" fragte sie und sah nach allen Seiten; aber der alte Mann war fort, und ihr kleines Kind war fort, er hatte es mit sich genommen; und in der Ecke schnurrte und schnurrte die alte Uhr; das schwere Bleigewicht lief bis auf den Boden herab, bum! – und da stand auch die Uhr still.

Aber die arme Mutter lief aus dem Haus und rief nach ihrem Kind.

Draußen, mitten im Schnee, saß eine Frau in langen, schwarzen Kleidern und sagte: „Der Tod ist in deiner Stube gewesen, ich sah ihn mit deinem kleinen Kind davoneilen; er schreitet schneller als der Wind, niemals bringt er wieder, was er nahm!"

„Sag mir nur, welchen Weg er ging!" sagte die Mutter. „Sage mir den Weg, und ich werde ihn finden!"

„Ich kenne ihn", sagte die Frau in den schwarzen Kleidern; „aber bevor ich ihn dir sage, mußt du mir erst all die Lieder vorsingen, die du deinem Kind vorgesungen hast. Ich liebe sie, ich habe sie früher gehört, ich bin die Nacht, ich sah deine Tränen, als du sie sangst."

„Ich will sie alle, alle singen!" sagte die Mutter. „Aber halte mich nicht auf, damit ich ihn erreichen, damit ich mein Kind wiederfinden kann!"

Aber die Nacht saß stumm und still, da rang die Mutter die Hände, sang und weinte, und es waren viele Lieder, aber noch mehr Tränen; und dann sagte die Nacht: „Geh nach rechts in den dunklen Tannenwald, dahin sah ich den Tod mit deinem kleinen Kind gehen."

Tief im Wald gabelte sich der Weg, und sie wußte nicht mehr, welche Richtung sie einschlagen sollte; da stand ein Dornbusch, der weder Blätter noch Blüten hatte, es war ja auch in der kalten Winterszeit, und Eiszapfen hingen an den Zweigen.

„Hast du nicht den Tod mit meinem kleinen Kind vorbeigehen sehen?"

„Ja", sagte der Dornbusch; „aber ich sage dir nicht, welchen Weg er genommen hat, wenn du mich nicht zuvor an deinem Herzen erwärmen willst! Ich friere hier tot, ich werde zu lauter Eis!"

Und sie drückte den Dornbusch fest an ihre Brust, daß er recht erwärmt werde, und die Dornen drangen in ihr Fleisch, und ihr Blut floß in großen Tropfen, aber der Dornbusch trieb frische grüne Blätter und bekam Blüten in der kalten Winternacht; so warm ist es am Herzen einer betrübten Mutter; und der Dornbusch sagte ihr den Weg, den sie gehen sollte.

Da kam sie an einen großen See, wo weder Schiff noch Boot war. Der See war nicht genug gefroren, um sie zu tragen, und auch nicht offen und flach genug, daß sie hindurchwaten konnte, und doch mußte sie hinüber, wollte sie ihr Kind finden. Da legte sie sich nieder, um den See auszutrinken, und das war ja unmöglich für einen Menschen. Aber die betrübte Mutter dachte, daß doch ein Wunder geschehen könnte.

„Nein, das wird niemals gehen!" sagte der See. „Laß uns beide lieber sehen, daß wir einig werden. Ich liebe Perlen, und deine Augen sind zwei der klarsten, die ich je gesehen; willst du sie in mich ausweinen, dann will ich dich zum großen Treibhaus hinübertragen, wo der Tod wohnt und Blumen und Bäume pflegt; jeder von ihnen ist ein Menschenleben."

„Oh, was gebe ich nicht, um zu meinem Kind zu kommen!" sagte die verweinte Mutter, und sie weinte noch mehr, und ihre Augen sanken auf den Grund des Sees und wurden zwei kostbare Perlen; aber der See hob sie empor, als säße sie in einer Schaukel, und in einem Schwung flog sie an das jenseitige Ufer, wo ein meilenlanges, wunderbares Haus stand; man wußte nicht, ob es ein Berg mit Wäldern und Höhlen oder ob es gezimmert war, aber die arme Mutter konnte es nicht sehen, sie hatte ja ihre Augen ausgeweint.

„Wo werde ich den Tod finden, der mit meinem kleinen Kind davonging?" fragte sie.

„Hier ist er noch nicht angekommen!" sagte die alte Gräberfrau, die dort umherging und auf das große Treibhaus des Todes achten mußte. „Wie hast du hierhergefunden, und wer hat dir geholfen?"

„Der liebe Gott hat mir geholfen!" antwortete sie. „Er ist barmherzig, und das wirst du auch sein. Wo werde ich mein kleines Kind finden?"

„Ich kenne es nicht", sagte die Frau, „und du kannst ja nicht sehen! – Viele Blumen und Bäume sind diese Nacht verwelkt, der Tod wird bald kommen, sie umzupflanzen. Du weißt wohl, daß jeder Mensch seinen Lebensbaum oder seine Lebensblume hat, jeder nach seiner Art; sie sehen aus wie andere Gewächse, aber ihre Herzen schlagen; Kinder-

278

herzen können auch schlagen! Danach richte dich, vielleicht erkennst du den Herzschlag deines Kindes. Aber was gibst du mir, wenn ich dir sage, was du noch mehr tun mußt?"

„Ich habe nichts zu geben", sagte die betrübte Mutter. „Aber ich will für dich bis ans Ende der Welt gehen."

„Ja, dort habe ich nichts zu tun", sagte die Frau; „aber du kannst mir dein langes schwarzes Haar geben; du weißt wohl selbst, daß es schön ist, und es gefällt mir. Du kannst mein weißes dafür bekommen, das ist doch immerhin etwas."

„Verlangst du nichts anderes", sagte sie, „das gebe ich dir mit Freuden!"

Und sie gab ihr ihr schönes Haar und bekam dafür das schneeweiße der Alten.

Und dann gingen sie in das große Treibhaus des Todes, wo Blumen und Bäume wunderbar durcheinanderwuchsen. Da standen feine Hyazinthen unter Glasglocken, und dort standen große, baumstarke Pfingstrosen; da wuchsen Wasserpflanzen, einige ganz frisch, andere halb krank, Wasserschlangen legten sich auf sie, und schwarze Krebse klemmten sich am Stiel fest. Da stand herrliche Palmen, Eichen und Platanen, dort stand Petersilie und blühender Thymian. Alle Bäume und Blumen hatten ihre Namen, sie waren jeder ein Menschenleben; die Menschen lebten noch, der eine in China, der andere in Grönland, rundumher in der Welt. Da waren große Bäume in kleinen Töpfen, die sehr beengt standen und den Topf fast sprengten; an manchen Stellen war auch eine kleine, schwächliche Blume in fetter Erde, mit Moos ringsum und gewartet und gepflegt. Aber die betrübte Mutter beugte sich über all die Pflanzen, die am kleinsten waren, und hörte in jeder das Menschenherz schlagen, und aus Millionen kannte sie das ihres Kindes heraus.

„Da ist es!" rief sie und streckte die Hand nach einem kleinen blauen Krokus aus, der ganz krank nach einer Seite überhing.

„Rühre die Blume nicht an!" sagte die alte Frau. „Aber stell dich hierher, und wenn dann der Tod kommt – ich erwarte ihn jeden Augenblick –, laß ihn die Pflanze nicht herausreißen, sondern drohe ihm, du würdest es mit den andern Blumen tun, dann wird ihm bange! Er muß dem lieben Gott dafür einstehn, keine darf herausgerissen werden, bevor er die Erlaubnis dazu gibt!"

Da sauste es mit einemmal eiskalt durch den Saal, und die blinde Mutter fühlte, daß der Tod kam.

„Wie hast du den Weg hierher finden können?" fragte er.

„Wie konntest du schneller hierherkommen als ich?"

„Ich bin eine Mutter!" sagte sie.

Und der Tod streckte seine lange Hand nach der kleinen zarten Blume aus, aber sie hielt ihre Hände fest um sie, so dicht und doch voll Furcht, sie könne eines der Blätter berühren. Da blies der Tod auf ihre Hände, und sie fühlte, daß es kälter war als der kalte Wind, und ihre Hände fielen matt herab.

„Gegen mich kannst du doch nichts tun!" sagte der Tod.

„Aber der liebe Gott kann es!" sagte sie.

„Ich tue nur, was er will", sagte der Tod. „Ich bin sein Gärtner. Ich nehme all seine Blumen und Bäume und verpflanze sie in den großen Paradiesgarten in dem unbekannten Land, aber wie sie dort gedeihen und wie es dort ist, darf ich dir nicht sagen."

„Gib mir mein Kind zurück!" sagte die Mutter und weinte und bat. Mit einemmal ergriff sie mit jeder Hand zwei hübsche Blumen neben sich und rief dem Tod zu: „Ich reiße alle deine Blumen ab, denn ich bin in Verzweiflung!"

„Rühr sie nicht an!" sagte der Tod. „Du sagst, du bist so unglücklich, und nun willst du eine andere Mutter ebenso unglücklich machen?"

„Eine andere Mutter!" sagte die arme Frau und ließ sogleich beide Blumen los.

„Da hast du deine Augen", sagte der Tod. „Ich habe sie aus dem See gefischt, sie leuchteten so hell; ich wußte nicht, daß es die deinigen waren. Nimm sie zurück, sie sind jetzt noch klarer als früher; dann sieh hinab in den tiefen Brunnen hier nebenan. Ich will die Namen der zwei Blumen nennen, die du ausreißen wolltest, und du wirst ihre ganze Zukunft, ihr ganzes Menschenleben sehen, das du zerstören und vernichten wolltest!"

Und sie sah in den Brunnen hinab; und es war ein herrlicher Anblick, wie die eine ein Segen für die Welt wurde, wieviel Glück und Freude sie verbreitete. Und sie sah das

Leben der anderen, und das war Sorge und Not, Jammer und Elend.

„Beides ist Gottes Wille!" sagte der Tod.

„Welche von ihnen ist die Blume des Unglücks und welche die des Segens?" fragte sie.

„Das sage ich dir nicht", antwortete der Tod; „aber das sollst du von mir erfahren, daß eine der Blumen die deines eigenen Kindes ist. Es war das Schicksal deines Kindes, was du sahst, die Zukunft deines eigenen Kindes!"

Da schrie die Mutter auf vor Schrecken. „Welches von ihnen ist mein Kind? Sag mir das! Erlöse das unschuldige Kind! Erlöse mein Kind von all dem Elend! Trag es lieber fort! Trag es in Gottes Reich! Vergiß meine Tränen, vergiß mein Flehen und alles, was ich gesagt und getan habe!"

„Ich verstehe dich nicht", sagte der Tod. „Willst du dein Kind zurückhaben, oder soll ich mit ihm nach jenem Ort gehen, den du nicht kennst?"

Da rang die Mutter die Hände, fiel auf die Knie und bat den lieben Gott: „Erhöre mich nicht, wenn ich dich gegen deinen Willen bitte, der allezeit der beste ist! Erhöre mich nicht! Erhöre mich nicht!"

Und sie senkte den Kopf auf die Brust.

Und der Tod ging mit ihrem Kind in das unbekannte Land.

Der Halskragen

Es war einmal ein feiner Kavalier, dessen ganze Habe aus einem Stiefelknecht und einem Kamm bestand, aber er hatte den schönsten Halskragen der Welt, und von diesem Halskragen werden wir eine Geschichte hören. — Der war nun so alt, daß er daran dachte, sich zu verheiraten, und da traf es sich, daß er mit einem Strumpfband zusammen in die Wäsche kam.

„Potztausend!" sagte der Halskragen, „ich habe noch niemals etwas so Schlankes und Feines, so Zartes und Niedliches gesehen! Darf ich nach Ihrem Namen fragen?"

„Den sage ich nicht!" sagte das Strumpfband.

„Wo sind Sie denn zu Hause?" fragte der Halskragen.

Aber das Strumpfband war so schüchtern, und es schien ihm etwas sonderbar, darauf zu antworten.

„Sie sind wohl ein Gürtel?" fragte der Halskragen, „so ein inwendiger Gürtel? Ich sehe schon, daß Sie sowohl zum Nutzen wie zum Schmuck dienen, mein kleines Fräulein!"

„Sie dürfen nicht mit mir sprechen", sagte das Strumpfband, „ich meine, daß ich dazu durchaus keine Veranlassung gegeben habe!"

„Doch, wenn man so schön ist wie Sie!" sagte der Halskragen. „Das ist Veranlassung genug!"

„Kommen Sie mir nicht zu nahe!" sagte das Strumpfband. „Sie sehen so männlich aus!"

„Ich bin auch ein feiner Kavalier", sagte der Halskragen, „ich besitze einen Stiefelknecht und einen Kamm!"

Das war gar nicht wahr, der Besitzer war ja sein Herr, aber er prahlte.

„Kommen Sie mir nicht zu nahe!" sagte das Strumpfband. „Ich bin das nicht gewohnt!"

„Zimperliese!" sagte der Halskragen. Und dann wurden sie aus der Wäsche genommen, wurden gestärkt, über einen Stuhl im Sonnenschein aufgehängt und dann auf das Plättbrett gelegt. Nun kam das heiße Eisen.

„Gnädige Frau", sagte der Halskragen, „liebe Frau Witwe, mir wird ganz warm! Ich werde ein ganz anderer, ich komme ganz aus den Falten, Sie brennen ein Loch in mich! Uh! Ich halte um Sie an!"

„Lump!" sagte das Plätteisen und fuhr stolz über den Halskragen hin; denn es bildete sich ein, es sei ein Dampfkessel, der für die Eisenbahn bestimmt sei und Wagen ziehen sollte.

„Lump!" sagte es.

Der Halskragen war an den Kanten ein wenig ausgefranst, deshalb kam die Papierschere und sollte die Fransen abschneiden.

„Oh", sagte der Halskragen. „Sie sind wohl erste Tänzerin? Wie können Sie die Beine ausstrecken! Das ist das Reizendste, was ich jemals gesehen habe! Das kann Ihnen kein Mensch nachmachen!"

„Das weiß ich!" sagte die Schere.

„Sie verdienten Gräfin zu sein!" sagte der Halskragen. „Alles, was ich besitze, ist ein feiner Kavalier, ein Stiefel-

282

knecht und ein Kamm. Hätte ich doch nur eine Graf-
schaft!"

„Will Er etwa freien?" sagte die Schere, denn sie wurde
böse und gab ihm einen ordentlichen Schnitt, so daß er ab-
danken mußte.

‚Ich werde wohl um den Kamm freien müssen!' dachte der
Halskragen. „Es ist merkwürdig, daß Sie alle Ihre Zähne behalten haben, mein kleines Fräulein! Haben Sie nie daran
gedacht, sich zu verloben?"

„Ja, das können Sie sich wohl denken!" antwortete der
Kamm; „ich bin ja mit dem Stiefelknecht verlobt!"

„Verlobt?" rief der Halskragen. Nun war niemand mehr da,
um den er freien konnte, und darum verachtete er jetzt das
Freien.

Eine lange Zeit verging, da kam der Halskragen in den
Sack des Papiermüllers. Dort war große Lumpengesell-
schaft, die feinen für sich, die groben für sich, wie sich das
gehört. Sie hatten alle viel zu erzählen, aber der Halskragen am meisten, denn er war ein richtiger Prahlhans. „Ich
habe ungeheuer viele Liebschaften gehabt!" sagte der Halskragen. „Man ließ mir keine Ruhe. Ich war aber auch ein
feiner Kavalier, mit Stärke! Ich hatte sowohl einen Stiefelknecht als auch einen Kamm und habe sie nie gebraucht!
— Sie hätten mich damals nur sehen sollen, mich sehen sollen, wenn ich auf der Seite lag! — Niemals vergesse ich
meine erste Liebe! Sie war ein Gürtel, so fein, so weich, so
niedlich, sie stürzte sich meinetwegen in einen Waschkübel! — Da war auch eine Witwe, die glühte für mich, aber
ich ließ sie stehen, daß sie schwarz wurde. Dann war da
die erste Tänzerin, die brachte mir die Wunde bei, mit der
ich jetzt umhergehe, sie war sehr schneidig! Mein eigener
Kamm war in mich verliebt, er verlor alle Zähne aus Lie-
besschmerz. Ja, ich habe vieles dieser Art erlebt; aber am
meisten tut es mir um das Strumpfband leid — ich meine,
um den Gürtel, der sich in den Waschkübel stürzte. Ich
habe viele auf dem Gewissen, es drängt mich danach, weißes Papier zu werden!"

Und das wurde er; alle Lumpen wurden weißes Papier, aber
der Halskragen wurde gerade zu dem Stück weißen Papier,
das wir hier sehen und worauf diese Geschichte gedruckt
worden ist, und das geschah, weil er so schrecklich mit dem

prahlte, was niemals wahr gewesen ist; und daran wollen wir denken, damit wir es nicht genauso machen; denn wir können freilich niemals wissen, ob wir nicht auch einmal in den Lumpensack kommen und zu weißem Papier werden und unsere ganze Geschichte, selbst die allergeheimste, gedruckt bekommen und ebenso umherlaufen und sie erzählen müssen wie der Halskragen.

Der Flachs

Der Flachs stand in Blüte. Er hatte so herrliche blaue Blüten, so zart wie die Flügel einer Motte und noch viel feiner! Die Sonne schien auf den Flachs, und die Regenwolken begossen ihn, und das war ebenso gut für ihn, wie es für kleine Kinder ist, gewaschen zu werden und dann einen Kuß von der Mutter zu bekommen; sie werden davon ja viel schöner. Und der Flachs wurde es auch.
„Die Leute sagen, daß ich ausgezeichnet stehe", sagte der Flachs, „und so schön lang werde, daß ich einst ein prächtiges Stück Leinwand abgebe. Nein, wie glücklich bin ich! Ich bin bestimmt der Allerglücklichste von allen! Ich habe es so gut, und aus mir wird auch etwas. Wie der Sonnenschein belebt und wie der Regen schmeckt und erfrischt! Ich bin grenzenlos glücklich, ich bin der Allerglücklichste!"
„Ja, ja, ja!" sagten die Zaunpfähle, „du kennst die Welt nicht, aber wir kennen sie, denn in uns stecken Knorren", und dann knarrte es so jämmerlich:

„Schnipp-schnapp-schnurre,
Basselurre,
Aus ist das Lied!"

„Nein, es ist nicht aus!" sagte der Flachs. „Morgen scheint die Sonne, und der Regen tut so gut, ich höre, wie ich wachse; ich fühle, daß ich in Blüte stehe! Ich bin der Allerglücklichste!"
Aber eines Tages kamen Leute, die nahmen den Flachs beim Schopf und zogen ihn mit der Wurzel aus, das tat weh; er wurde ins Wasser gelegt, als ob er ertränkt werden

sollte, und dann kam er über das Feuer, als ob er gebraten werden sollte, es war grausig!

„Man kann es nicht immer gut haben!" sagte der Flachs. „Man muß etwas durchmachen, dann weiß man etwas!" Aber es wurde wahrlich schlimm. Der Flachs wurde geknickt und gebrochen, gedörrt und gehechelt – ja, was wußte er, wie das hieß. Er kam auf den Spinnrocken, schnurr, schnurr! – Da war es nicht möglich, die Gedanken beisammenzuhalten.

‚Ich bin außerordentlich glücklich gewesen!' dachte er in all seinem Schmerz; ‚man muß froh sein über das Gute, das man gehabt hat! Froh, froh, oh!' Und das sagte er noch, als er auf den Webstuhl kam – und so wurde er zu einem schönen, großen Stück Leinwand. Aller Flachs, jedes einzelne Pflänzchen, wurde zu dem einen Stück.

„Aber das ist ja unvergleichlich! Das hätte ich nie geglaubt! Nein, was für ein Glück habe ich! Ja, der Zaunpfahl wußte wirklich gut Bescheid mit seinem ‚Schnipp-schnapp-schnurre, Basselurre'.

Das Lied ist keineswegs aus! Nun fängt es erst richtig an! Das ist unvergleichlich! Wenn ich auch ein bißchen leiden mußte, so ist doch etwas aus mir geworden! Ich bin der Glücklichste von allen! Ich bin so stark und so weich, so weiß und so lang! Das ist etwas anderes, als nur eine Pflanze zu sein, selbst wenn man Blüten trägt; man wird nicht gepflegt, und Wasser bekommt man nur, wenn es regnet. Jetzt habe ich Pflege! Die Magd wendet mich jeden Morgen um, und aus der Gießkanne bekomme ich jeden Abend ein Regenbad; ja, die Frau Pastor hat selbst eine Rede über mich gehalten und gesagt, daß ich das beste Stück im ganzen Kirchspiel sei. Ich kann nicht glücklicher werden!"

Nun kam die Leinwand ins Haus, dann unter die Schere; nein, wie man schnitt und riß, wie man mit Nähnadeln stach! Ja, das tat man! Das war kein Vergnügen; aber aus der Leinwand wurden zwölf Stück Wäsche von der Sorte, die man nicht gern nennt, die aber alle Menschen haben müssen; ein ganzes Dutzend wurde daraus gemacht.

„Nein, seht doch, nun bin ich erst etwas geworden! Also das war meine Bestimmung! Das ist ja ein Segen! Nun schaffe ich Nutzen in der Welt, und das soll man tun, das ist das wahre Vergnügen! Wir sind zwölf Stück geworden, aber wir sind doch alle ein und dasselbe, wir sind ein Dutzend! Was für ein ordentliches Glück ist das!"

Jahre vergingen – und nun hielten sie nicht länger. „Einmal muß es ja vorbei sein", sagte jedes Stück. „Ich hätte gern etwas länger gehalten, aber man darf nichts Unmögliches verlangen!"

Jetzt wurden sie in Stücke und Fetzen zerrissen. Sie glaubten, daß es nun ganz vorbei sei, denn sie wurden zerhackt, zerquetscht und gekocht, ja, sie wußten selbst nicht, was alles – und dann wurden sie schönes, feines, weißes Papier.

„Nein, das ist eine Überraschung, und eine herrliche Überraschung!" sagte das Papier. „Nun bin ich feiner als vorher, und nun wird man auf mir schreiben. Was kann da nicht alles geschrieben werden! Das ist doch ein unvergleichliches Glück!"

Und es wurden wirklich die allerschönsten Geschichten darauf geschrieben, und die Leute hörten, was darauf stand, und es war richtig und gut und machte die Menschen viel klüger und besser; es war ein großer Segen, der dem Papier im Wort gegeben war.

„Das ist mehr, als ich mir träumen ließ, da ich noch eine kleine blaue Blume auf dem Feld war! Wie hätte es mir einfallen sollen, daß ich es so weit brächte, den Menschen Freude und Erkenntnis zu geben! Ich kann es selbst noch nicht begreifen; aber es ist nun einmal wirklich so! Der liebe Gott weiß, daß ich selbst nichts getan habe, als was ich nach schwachen Kräften für mein Dasein tun mußte; und doch trägt er mich auf diese Weise von der einen Freude und Ehre zur andern. Jedesmal, wenn ich denke: ,Aus ist das Lied!', geht es wieder zu etwas viel Höherem und Besserem. Nun soll ich gewiß auf die Reise, in die ganze Welt geschickt werden, damit alle Menschen mich lesen können. Das ist das wahrscheinlichste! Früher hatte ich blaue Blüten, nun habe ich für jede Blüte die herrlichsten Gedanken! Ich bin der Allerglücklichste!"

Aber das Papier kam nicht auf die Reise, es kam zum Buchdrucker, und dort wurde alles, was darauf geschrieben stand, gedruckt und ein Buch daraus gemacht, ja, viele hundert Bücher, denn so konnten unendlich viel mehr Menschen Nutzen und Freude davon haben, als wenn das einzelne Papier, auf dem das Geschriebene stand, um die Welt gelaufen und auf halbem Weg abgenutzt worden wäre.

‚Ja, das ist nun das Allervernünftigste!‘ dachte das beschriebene Papier. ‚Das ist mir gar nicht eingefallen! Ich bleibe zu Hause und werde in Ehren gehalten wie ein alter Großvater. Ich bin es, auf dem geschrieben wurde, die Worte sind aus der Feder gerade in mich hineingeflossen! Ich bleibe, und die Bücher laufen umher. Nun läßt sich freilich etwas machen! Nein, wie bin ich froh, wie bin ich glücklich!‘

Dann wurde das Papier in ein Bündel zusammengebunden und auf ein Bord gelegt. „Nach vollbrachter Tat ist gut ruhen!" sagte das Papier. „Es ist sehr weise, daß man sich sammelt und über das, was man in sich trägt, zum Nachdenken kommt! Nun erst weiß ich richtig, was auf mir steht! Und sich selbst erkennen, das ist der eigentliche Fortschritt. Was mag nun wohl kommen? Vorwärts wird es gehen, es geht allezeit vorwärts!"

Eines Tages wurde alles Papier auf den Herd gelegt, es sollte verbrannt werden, denn es durfte nicht an den Krämer verkauft werden, um Butter und Puderzucker darin einzuwickeln. Und alle Kinder im Haus standen rundherum, denn sie wollten es auflodern sehen, sie wollten in der Asche die vielen roten Funken sehen, die gleichsam davonlaufen und dann erlöschen, einer nach dem andern, ganz geschwind – das sind die Kinder, die aus der Schule kommen, und der allerletzte Funke ist der Schulmeister; oft glaubt man, er sei schon weg, aber dann kommt er kurz hinter allen anderen.

Und alles Papier lag in einem Bündel im Feuer. Uh, wie es aufloderte! „Uh!" sagte es und wurde plötzlich eine Flamme; es ging so hoch empor, wie der Flachs niemals seine kleinen blauen Blüten hatte erheben können, und leuchtete, wie die weiße Leinwand niemals hatte leuchten können; alle geschriebenen Buchstaben wurden einen Augenblick ganz rot, und alle Worte und Gedanken gingen in Flammen auf. „Nun steige ich geradewegs zur Sonne!" sagte es in der Flamme, und es war, als ob tausend Stimmen es auf einmal sagten, und die Flammen schlugen durch den Schornstein hoch hinaus – und feiner als die Flammen, ganz unsichtbar für menschliche Augen, schwebten da winzig kleine Wesen, ebenso viele, wie Blüten auf dem Flachs gewesen waren. Sie waren noch leichter als die Flamme, die sie geboren hatte, und als sie erlosch und von dem Papier nur die schwarze Asche übrig war, tanzten sie noch einmal darüber hin, und wo sie sie berührten, sah man ihre Spuren, das waren die roten Funken: Die Kinder kamen aus der Schule, und der Schulmeister war der letzte! Das war ein Vergnügen, und die Kinder sangen bei der toten Asche:

> „Schnipp-schnapp-schnurre,
> Basselurre,
> Aus ist das Lied!“

Aber die kleinen unsichtbaren Wesen sagten alle: „Das Lied ist niemals aus! Das ist das Schönste vom Ganzen. Ich weiß es, und darum bin ich der Allerglücklichste!“ Aber das konnten die Kinder weder hören noch verstehen, und das sollten sie auch nicht, denn die Kinder dürfen nicht alles wissen.

Die Geschichte des Jahres

Es war Ende Januar, ein furchtbarer Schneesturm tobte; der Schnee flog wirbelnd durch Straßen und Gassen; die Fensterscheiben waren von außen wie mit Schnee überklebt, von den Dächern stürzte er in Massen, und die Leute waren wie auf der Flucht, sie liefen, sie flogen und fielen einander in die Arme, hielten sich einen Augenblick fest und standen so lange sicher. Kutschen und Pferde waren wie überpudert, die Diener standen mit dem Rücken gegen die Kutsche und fuhren rückwärts gegen den Wind, der Fußgänger hielt sich beständig im Schutz der Wagen, die nur langsam in dem tiefen Schnee vorwärts glitten; und als sich endlich der Sturm legte und an den Häusern entlang ein schmaler Steg geschaufelt wurde, blieben die Leute doch stehen, wenn sie sich begegneten; keiner hatte Lust, den ersten Schritt zu tun und in den tiefen Schnee zu treten, damit der andere vorbeischlüpfen könne. Schweigend standen sie da, bis endlich wie in stiller Übereinkunft jeder ein Bein preisgab und es in den Schneehaufen steigen ließ.

Gegen Abend war es windstill, der Himmel sah aus, als ob er gefegt und höher und durchsichtiger geworden sei, die Sterne schienen nagelneu zu sein, und einige waren hell und klar – es fror, daß es knackte –, da konnte wohl die oberste Schneeschicht so stark werden, daß sie in der Morgenstunde die Sperlinge trug; diese hüpften bald auf, bald nieder, wo geschaufelt war, aber viel Futter war nicht zu finden, und sie froren tüchtig.

„Piep!" sagte der eine zum andern, „das nennt man nun das neue Jahr! Es ist ja schlimmer als das alte! Da hätten wir es ebensogut behalten können. Ich bin verstimmt und habe Grund dazu!"

„Ja, da liefen nun die Menschen umher und schossen das neue Jahr ein", sagte ein kleiner verfrorener Sperling, „sie schlugen Töpfe gegen die Türen und waren vor Freude ganz außer sich, weil nun das alte Jahr fortging! Ich war auch froh darüber, denn ich habe erwartet, daß wir dann warme Tage bekämen, aber daraus ist nichts geworden, es friert viel strenger als vorher; die Menschen haben sich in der Zeitrechnung geirrt!"

„Das haben sie!" sagte ein dritter, der alt und weiß am Schopf war; sie haben da etwas, was sie den Kalender nennen, der ist so ihre eigene Erfindung, und alles soll sich darum nach ihm richten, aber das tut es nicht! Wenn der Frühling kommt, dann beginnt das Jahr, das ist der Lauf der Natur, und danach rechne ich!"

„Aber wann kommt der Frühling?" fragten die andern.

„Der kommt, wenn der Storch wiederkehrt, aber mit dem ist es sehr unbestimmt, und hier in der Stadt weiß niemand etwas davon, auf dem Lande wissen sie es besser, wollen wir dorthin fliegen und warten? Dort ist man dem Frühling näher."

„Ja, das mag ganz gut sein!" sagte einer von den Sperlingen, der lange umhergehüpft war und gepiept hatte, ohne eigentlich etwas gesagt zu haben. „Ich habe hier in der Stadt einige Bequemlichkeiten gefunden, und ich befürchte, daß ich sie draußen vermissen werde. Hier drüben auf einem Hof wohnte eine Menschenfamilie, die den sehr vernünftigen Einfall hatte, drei, vier Blumentöpfe mit der großen Öffnung nach innen und dem Boden nach außen an der Wand zu befestigen, in jeden ist ein Loch geschnitten, so groß, daß ich ein und aus fliegen kann; dort haben ich und mein Mann unser Nest, und alle unsere Jungen sind von dort ausgeflogen. Die Menschenfamilie hat das Ganze natürlich eingerichtet, um das Vergnügen zu haben, uns zu sehen, sonst hätten sie es gewiß nicht getan. Ihres Vergnügens wegen streuen sie auch Brotkrumen aus, und wir haben das Futter, es ist gleichsam für uns gesorgt – und darum glaube ich, daß ich und mein Mann bleiben, obwohl wir sehr unzufrieden sind – aber wir bleiben!"

„Und wir fliegen aufs Land, um zu sehen, ob nicht der Frühling kommt!" Und dann flogen sie los.

Draußen auf dem Lande war richtiger Winter, es fror einige Grade stärker als in der Stadt. Der scharfe Wind blies über die schneebedeckten Felder. Der Bauer saß mit großen Fausthandschuhen in seinem Schlitten und schlug die Arme um den Leib, um die Kälte auszutreiben; die Peitsche lag auf dem Schoß, die mageren Pferde liefen, daß sie dampften, der Schnee knirschte, und die Sperlinge hüpften in den Räderspuren und froren. „Piep! Wann kommt der Frühling? Es dauert sehr lange!"

„Sehr lange!" klang es von dem größten schneebedeckten Hügel über das Feld; es konnte das Echo sein, was man hörte, aber es konnte auch die Rede des wunderlichen alten Mannes sein, der in Wind und Wetter hoch oben auf dem Schneehaufen saß; er war ganz weiß wie ein Bauer im weißen Friesrock, mit langem weißem Haar, weißem Bart, ganz bleich und mit großen klaren Augen.

„Wer ist der Alte dort?" fragten die Sperlinge.

„Das weiß ich", sagte ein alter Rabe, der auf dem Zaunpfahl saß und herablassend genug war, um anzuerkennen, daß wir alle vor dem lieben Gott kleine Vögel sind, und sich darum auch mit den Sperlingen einließ und Aufklärung gab. „Ich weiß, wer der Alte ist. Es ist der Winter, der alte Mann vom vorigen Jahr, er ist nicht tot, wie der Kalender sagt, sondern Vormund des kleinen Prinzen Frühling, der kommt. Ja, der Winter führt das Regiment! Hu! ihr klappert ja richtig, ihr Kleinen."

„Ja, ist es nicht so, wie ich sage?" äußerte der Kleinste. „Der Kalender ist nur Menschenerfindung, er ist nicht der Natur angepaßt! Das sollten sie uns überlassen, die wir feiner geschaffen sind!"

Und eine Woche verging, es vergingen fast zwei; der Wald war schwarz, der gefrorene See lag starr und sah aus wie geronnenes Blei; statt der Wolken hingen feuchte, eiskalte Nebel über dem Land; die großen schwarzen Krähen flogen in Scharen ohne Geschrei dahin, es war, als ob alles schliefe. – Da glitt ein Sonnenstrahl über den See, und der glänzte wie geschmolzenes Zinn. Die Schneedecke auf dem Feld und auf dem Hügel schimmerte nicht mehr wie früher, aber die weiße Gestalt, der Winter selbst, saß noch dort, den Blick beständig nach Süden gerichtet; er merkte gar nicht, daß der Schneeteppich gleichsam in die Erde sank, daß hier und dort ein kleiner grasgrüner Fleck hervorkam, wo es dann von Sperlingen wimmelte.

„Quivit! Quivit! Kommt nun der Frühling?"

„Der Frühling!" klang es über Feld und Flur und durch die schwarzbraunen Wälder, wo das Moos frisch grün an den Baumstämmen glänzte; und aus dem Süden kamen die beiden ersten Störche durch die Luft geflogen; auf dem Rücken eines jeden saß ein kleines liebliches Kind, ein Knabe und ein Mädchen; sie küßten die Erde zum Gruß, und wohin sie ihre Füße setzten, wuchsen weiße Blumen unter dem Schnee hervor, Hand in Hand gingen sie zu dem alten Eismann, dem Winter, schmiegten sich zu neuer Begrüßung an seine Brust, und im selben Augenblick waren sie alle drei und die ganze Landschaft verborgen; ein dicker, feuchter Nebel, so dicht und schwer, verhüllte alles. – Ein wenig später wehte es, der Wind fuhr dahin, er kam mit heftigen Stößen und verjagte den Nebel, warm schien die Sonne – der Winter selbst war verschwunden, die lieblichen Kinder des Frühlings saßen auf dem Thron des Jahres.

„Das nenne ich Neujahr!" sagten die Sperlinge. „Nun bekommen wir wohl unser Recht und die Vergütung für den strengen Winter!"

Wohin die beiden Kinder sich wandten, brachen grüne Knospen an Büschen und Bäumen hervor, schoß das Gras in die Höhe, ergrünte das Saatfeld immer lieblicher. Und ringsumher streute das kleine Mädchen Blumen aus; es hatte sie im Überfluß in seiner Schürze, sie schienen dort hervorzuquellen, die Schürze war immer voll, wie eifrig es auch streute – In seinem Eifer schüttete es einen ganzen Blütenschnee über Apfel- und Pfirsichbäume, so daß sie in voller Pracht standen, ehe sie richtig grüne Blätter treiben konnten.

Und es klatschte in die Hände und der Knabe auch, und dann kamen Vögel hervor, man wußte nicht, woher, und alle zwitscherten und sangen: „Der Frühling ist gekommen!"

Das war ein herrlicher Anblick. Und manches alte Mütterchen trat aus der Tür in den Sonnenschein hinaus, schüttelte sich, sah auf die gelben Blumen, die überall auf dem Feld prangten, gerade wie in seinen Jugendtagen; die Welt wurde wieder jung. „Heute ist es schön hier draußen!" sagte es.

Und der Wald stand noch braungrün, Knospe an Knospe; aber der Waldmeister war schon da, so frisch und so duftend, Veilchen standen in Fülle, Anemonen und Schlüsselblumen sproßten, in jedem Grashalm war Saft und Kraft, das war wirklich ein Prachtteppich zum Sitzen, und dort saß auch das junge Paar des Frühlings Hand in Hand, sang, lächelte und wuchs mehr und mehr.

Ein milder Regen fiel vom Himmel auf sie herab, sie merkten es nicht, Regentropfen und Freudenträne verschmolzen in einen Tropfen. Braut und Bräutigam küßten sich, und im Nu schlug der Wald aus. Als die Sonne aufging, waren alle Wälder grün!

Und Hand in Hand schritt das Brautpaar unter dem frischen, hängenden Laubdach einher, wo nur die Strahlen des Sonnenlichts und die Schlagschatten dem Grün einen Farbunterschied gaben. Eine jungfräuliche Reinheit und ein erfrischender Duft war in den feinen Blättern! Klar und lebendig rieselten Fluß und Bach zwischen dem samtgrünen Schilf und über die bunten Steine. „Ewig und immer ist es und bleibt es!" sagte die ganze Natur. Und der Kuckuck rief, und die Lerche sang, es war ein herrlicher Frühling; doch die Weiden hatten wollene Fausthandschuhe um ihre Blüten; sie waren schrecklich vorsichtig, und das ist langweilig!

Es vergingen Tage und es vergingen Wochen, die Wärme wälzte sich gleichsam herab; heiße Luftwellen gingen durch das Korn, das immer gelber und gelber wurde. Der weiße Lotos des Nordens breitete seine großen grünen Blätter auf dem Wasserspiegel der Waldseen aus, und die Fische such-

ten den Schatten darunter; und an der windgeschützten
Seite des Waldes, wo die Sonne auf die Wand des Bauern-
hauses brannte und die entfalteten Rosen ordentlich durch-
wärmte und wo die Kirschbäume voll saftiger, schwarzer,
beinahe sonnenheißer Beeren hingen, saß das herrliche
Weib des Sommers, das wir als Kind und als Braut sahen;
und es sah auf zu den steigenden dunklen Wolken, die wel-
lenförmig wie Berge sich höher und höher türmten,
schwarzblau und schwer; sie kamen von drei Seiten; wie ein
versteinertes umgekehrtes Meer näherten sie sich immer
mehr dem Wald, wo alles wie durch einen Zauber verstummt war; jeder Luftzug hatte sich gelegt, jeder Vogel
schwieg, es war ein Ernst, eine Erwartung in der ganzen
Natur, aber auf Wegen und Stegen eilten Fahrende, Rei-
tende und Gehende, um unter Dach zu kommen. – Da
leuchtete es plötzlich, als ob die Sonne hervorbräche, blit-
zend, blendend, alles verbrennend; und während der Donner rollte, wurde es wieder finster; das Wasser stürzte in
Strömen nieder; es wurde Nacht und es wurde Licht, es war
Stille und es war Lärm. Das junge braungefiederte Röhricht
im Moor bewegte sich in langen Wogen, die Zweige des
Waldes verbargen sich im Wassernebel, die Finsternis kam
und das Licht kam, Stille und Lärm wechselten. – Gras und
Korn lagen wie niedergeschlagen, wie hingeschwemmt, als
sollten sie sich nie wieder erheben. – Plötzlich wurde der
Regen zu einzelnen Tropfen, die Sonne schien, und an
Halm und Blatt glänzten die Wassertropfen wie Perlen, die
Vögel sangen, die Fische schnellten aus dem Bach, die Mük-
ken tanzten, und draußen auf dem Stein, im salzigen ge-
peitschten Meerwasser, saß der Sommer selbst, der kräftige
Mann, mit vollen Gliedern, mit nassem, triefendem Haar –
verjüngt von dem frischen Bad, saß er im warmen Sonnenschein. Die ganze Natur ringsumher war verjüngt, alles
stand üppig, kräftig und schön; es war Sommer, warmer,
herrlicher Sommer.
Und lieblich und süß war der Duft, der aus dem üppigen
Kleefeld strömte, die Bienen summten dort um die alte
Thingstätte; die Brombeerranke schlängelte sich um den Al
tarstein, der, von Regen gewaschen, im Sonnenlicht glänzte,
dorthin flog die Bienenkönigin mit ihrem Schwarm und
setzte Wachs und Honig an. Niemand sah es außer dem

Sommer und seinem kräftigen Weib; für sie stand der Altartisch mit den Opfergaben der Natur gedeckt.

Und der Abendhimmel leuchtete wie Gold, keine Kirchenkuppel glänzt so reich, und der Mond schien zwischen Abendröte und Morgenröte, es war Sommer!

Und es vergingen Tage und es vergingen Wochen. – Die blanken Sensen der Schnitter blinkten in den Kornfeldern, die Zweige des Apfelbaumes bogen sich schwer unter roten und gelben Früchten; der Hopfen duftete lieblich und hing in großen Büscheln, und unter den Haselsträuchern, wo die Nüsse in schweren Dolden saßen, ruhten Mann und Frau, der Sommer mit seinem ernsten Weib.

„Welch ein Reichtum!" sagte sie. „Ringsumher Segen, heimisch und gut, und doch, ich weiß es selbst nicht, ich sehne mich nach – Stille – Ruhe, ich weiß kein Wort dafür! – Nun pflügen sie schon wieder auf dem Feld! Mehr und immer mehr wollen die Menschen gewinnen! Sieh, die Störche kommen in Scharen und folgen in einiger Entfernung dem Pflug; der Vogel Ägyptens, der uns durch die Luft trug! Erinnerst du dich noch, wie wir beide als Kinder hierher in das Land des Nordens kamen? – Blumen brachten wir, herrlichen Sonnenschein und grüne Wälder; der Wind verfährt nun hart mit ihnen, sie bräunen und dunkeln wie die Bäume des Südens, aber tragen nicht goldene Früchte wie sie!"

„Willst du sie sehen?" fragte der Sommer. „So freue dich denn!" Er hob seinen Arm, und die Blätter des Waldes färbten sich rot und golden, Farbenpracht kam über alle Wälder; die Rosenhecke glänzte mit feuerroten Hagebutten, die Fliederzweige hingen voll schwerer, großer schwarzbrauner Beeren, die wilden Kastanien fielen reif aus den schwarzgrünen Schalen, und im Waldesgrund blühten die Veilchen zum zweitenmal.

Aber die Königin des Jahres wurde immer stiller und bleicher. „Es weht kalt!" sagte sie, „die Nacht bringt feuchte Nebel! – Ich sehne mich nach dem – Land der Kindheit!"

Und sie sah die Störche fortfliegen, jeden einzelnen, und sie streckte die Hände nach ihnen aus. Sie sah zu den Nestern hinauf, die leer waren, in dem einen wuchs die langstielige Kornblume, in einem anderen der gelbe Rübsamen, als ob das Nest nur zu ihrem Schutz und Schirm dasei, und die Sperlinge flogen hinauf.

„Piep! Wo ist die Herrschaft geblieben! Sie kann wohl nicht vertragen, wenn es weht, und deshalb hat sie das Land verlassen! Glückliche Reise!"

Und die Blätter des Waldes wurden gelber und gelber, und Laub fiel auf Laub, die Herbststürme brausten, es war Spätherbst, und auf der gelben Laubdecke ruhte die Königin des Jahres und sah mit sanften Augen nach dem schimmernden Stern, und ihr Mann stand bei ihr. Ein Windstoß wirbelte im Laub – es fiel wieder, da war sie verschwunden, aber ein Schmetterling, der letzte des Jahres, flog durch die kalte Luft.

Und die feuchten Nebel kamen, der eisige Wind und die dunklen, längsten Nächte. Der Herrscher des Jahres stand da mit schneeweißem Haar; aber er selbst wußte es nicht, er glaubte, es seien Schneeflocken, die aus den Wolken fielen; eine dünne Schneedecke lag über dem grünen Feld.

Und die Kirchenglocken läuteten die Weihnachtszeit ein. „Die Glocken der Geburt läuten!" sagte der Herrscher des Jahres. „Bald wird das neue Herrscherpaar geboren, und ich gehe zur Ruhe wie sie! Zur Ruhe im leuchtenden Stern!"

Und im frischen grünen Tannenwald, wo der Schnee lag, stand der Weihnachtsengel und weihte die jungen Bäume ein, die für sein Fest bestimmt waren.

„Freude im Zimmer und unter den grünen Zweigen!" sagte der alte Herrscher des Jahres, die Wochen hatten ihn zu einem schneeweißen Greis altern lassen. „Meine Ruhezeit naht, das junge Paar des Jahres erhält nun Krone und Zepter!"

„Die Macht ist doch dein", sagte der Weihnachtsengel, „die Macht und nicht die Ruhe! Laß den Schnee wärmend auf der jungen Saat liegen! Lerne ertragen, daß einem anderen gehuldigt wird und du doch Herrscher bist! Lerne, vergessen zu sein und doch zu leben! Die Stunde deiner Freiheit kommt, wenn der Frühling erscheint!"

„Wann kommt der Frühling?" fragte der Winter.

„Er kommt, wenn der Storch wiederkehrt!"

Und mit weißen Locken und schneeweißem Bart saß der Winter eiskalt, alt und gebeugt, aber stark wie der Wintersturm und die Macht des Eises hoch auf der Schneewehe des Hügels und schaute gen Süden, wie der vorige Winter dort gesessen und ausgeschaut hatte. – Das Eis krachte, der Schnee knirschte, die Schlittschuhläufer kreisten auf den blanken Seen, und Raben und Krähen nahmen sich auf dem weißen Grund gut aus, kein Wind rührte sich. Und in der stillen Luft ballte der Winter die Fäuste, und das Eis war klafterdick zwischen Land und Land.

Da kamen die Sperlinge wieder aus der Stadt und fragten: „Wer ist der alte Mann dort?" Und der Rabe saß wieder da, oder ein Sohn von ihm, was ja dasselbe ist, der sagte ihnen: „Das ist der Winter! Der alte Mann vom vorigen Jahr. Er ist nicht tot, wie der Kalender sagt, sondern Vormund des Frühlings, der kommt!"

„Wann kommt der Frühling?" fragten die Sperlinge. „Dann bekommen wir gute Zeit und besseres Regiment! Das alte taugte nicht."

Und in stillen Gedanken nickte der Winter dem blattlosen, schwarzen Wald zu, wo jeder Baum die liebliche Form und Biegung der Zweige zeigte, und im Winterschlaf senkten sich die eiskalten Nebel der Wolken – der Herrscher träumte von der Zeit seiner Jugend und seines Mannesalters, und beim Tagesgrauen stand der ganze Wald in blitzendem Reif, das war der Sommertraum des Winters, der Sonnenschein streute Reif von den Zweigen.

„Wann kommt der Frühling?" fragten die Sperlinge.

„Der Frühling!" klang es wie ein Echo von den Hügeln, auf welchen der Schnee lag. Die Sonne schien wärmer und wärmer, der Schnee schmolz, die Vögel zwitscherten: „Der Frühling kommt!"

Und hoch durch die Luft kam der erste Storch, der zweite folgte; ein liebliches Kind saß auf dem Rücken eines jeden, und sie ließen sich nieder auf das offene Feld, küßten die Erde und küßten den alten stillen Mann, und wie Moses auf dem Berg verschwand er im Wolkennebel.

Die Geschichte des Jahres war zu Ende.

„Das ist sehr richtig", sagten die Sperlinge, „es ist auch sehr schön, aber es ist nicht nach dem Kalender, und darum ist es falsch!"

Es ist ganz gewiß

„Das ist eine entsetzliche Geschichte!" sagte eine
Henne, und zwar auf der Seite des Dorfes, wo die Geschichte nicht passiert war. „Das ist eine entsetzliche Geschichte im Hühnerhaus! Ich wage heute nacht nicht allein
zu schlafen! Es ist gut, daß wir zu so vielen auf der Stiege
sitzen!"
Und dann erzählte sie, so daß die Federn der andern Hühner sich sträubten und der Hahn den Kamm fallen ließ. Es
ist ganz gewiß!
Aber wir wollen mit dem Anfang beginnen, und der war in
einem Hühnerhaus auf der anderen Seite des Dorfes. Die
Sonne ging unter, und die Hühner flogen auf; eine Henne,
weißgefiedert und kurzbeinig, legte ihre vorschriftsmäßigen
Eier und war als Henne in jeder Weise respektabel; als sie
auf die Stiege flog, zupfte sie sich mit dem Schnabel, und
eine kleine Feder fiel ihr aus.
„Da geht sie hin!" sagte sie, „je mehr ich mich zupfe, um so
schöner werde ich!" Und das war nur im Scherz gesagt,
denn sie war der Spaßvogel unter den Hühnern, übrigens,
wie gesagt, sehr respektabel; darauf schlief sie ein.
Dunkel war es ringsumher, Henne saß bei Henne, aber die,
die ihr am nächsten saß, schlief nicht; sie hörte und hörte
auch nicht, wie es ja in dieser Welt sein soll, wenn man
seine Ruhe haben will; aber ihrer anderen Nachbarin mußte
sie es doch erzählen: „Hast du gehört, was hier gesagt
wurde? Ich nenne keinen, aber hier ist eine Henne, die sich
rupfen will, um gut auszusehen! Wäre ich ein Hahn, ich
würde sie verachten!"
Und gerade über den Hühnern saß die Eule mit dem Eulen-
mann und den Eulenkindern; diese Familie hat scharfe Ohren, sie hörten jedes Wort, das die Nachbarhenne sagte;
sie rollten mit den Augen, und die Eulenmutter schlug mit
den Flügeln und sprach: „Hört nur nicht darauf! Aber ihr
habt wohl doch gehört, was dort gesagt wurde? Ich hörte
es mit meinen eigenen Ohren, und man muß viel hören,
ehe sie einem abfallen! Da ist eine unter den Hennen, die
in solchem Grade vergessen hat, was sich für eine Henne
schickt, daß sie sich alle Federn ausrupft und es den Hahn
sehen läßt!"

297

„Prenez garde aux enfants!" sagte der Eulenvater, „das ist nichts für die Kinder!"

„Ich will es doch der Nachbareule erzählen, das ist eine sehr achtbare Eule im Umgang!" Und darauf flog die Mutter davon.

„Huhu! Huhu!" schrien die beiden in den Taubenschlag des Nachbarn zu den Tauben hinein. „Habt ihr's gehört? Habt ihr's gehört? Uhuh! Da ist eine Henne, die sich des Hahnes wegen alle Federn ausgerupft hat; sie wird erfrieren, wenn sie nicht schon erfroren ist. Uhuh!"

„Wo? Wo?" gurrten die Tauben.

„Im Hof des Nachbarn! Ich habe es so gut wie selbst gesehen! Es ist beinahe unpassend, die Geschichte zu erzählen. Es ist ganz gewiß!"

„Glaubt, glaubt jedes einzelne Wort!" sagten die Tauben und gurrten in ihren Hühnerhof hinunter: „Da ist eine Henne, ja, einige sagen, daß es zwei sind, die sich alle Federn ausgerupft haben, um nicht so wie die andern auszusehen und um die Aufmerksamkeit des Hahnes zu erwecken. Das ist ein gewagtes Spiel, man kann sich erkälten und am Fieber sterben, und sie sind beide gestorben!"

„Wacht auf! Wacht auf!" krähte der Hahn und flog auf die Planke; der Schlaf saß ihm noch in den Augen, aber er krähte dennoch: „Da sind drei Hennen vor unglücklicher Liebe zu einem Hahn gestorben! Sie hatten sich alle Federn ausgerupft! Das ist eine häßliche Geschichte; ich will sie nicht für mich behalten, laßt sie weitergehen!"

„Laßt sie weitergehen!" pfiffen die Fledermäuse, und die Hühner gluckten, und die Hähne krähten: „Laßt sie weitergehen! Laßt sie weitergehen!" Und so ging die Geschichte von Hühnerhaus zu Hühnerhaus und kehrte zuletzt an die Stelle zurück, von der sie eigentlich ausgegangen war.

„Da sind fünf Hühner", hieß es, „die haben sich alle Federn ausgerupft, um zu zeigen, welche von ihnen aus Liebesgram um den Hahn am magersten geworden sei – und dann hackten sie sich gegenseitig blutig und fielen tot nieder, zu Schimpf und Schande für ihre Familie und zum großen Verlust des Besitzers!"

Die Henne, welche die lose kleine Feder verloren hatte, kannte natürlich ihre eigene Geschichte nicht wieder, und da sie eine respektable Henne war, sagte sie: „Ich verachte jene Hühner; aber es gibt mehrere dieser Art! So etwas soll man nicht verschweigen, und ich werde das Meinige dazu tun, daß die Geschichte in die Zeitung kommt, dann verbreitet sie sich im ganzen Land; das haben diese Hühner verdient, und ihre Familie auch."

Es kam in die Zeitung, und es wurde gedruckt, und es ist ganz gewiß: Eine kleine Feder kann wohl zu fünf Hühnern werden!

Der Kobold
bei dem Höker

Es war einmal ein richtiger Student, der wohnte in einer Dachkammer und besaß nichts. Und es war einmal ein richtiger Höker, der wohnte zu ebener Erde und besaß das ganze Haus, und zu ihm hielt sich der Kobold, denn hier bekam er jeden Weihnachtsabend eine Schüssel Grütze mit einem großen Klumpen Butter! Das konnte der Höker geben; und darum blieb der Kobold im Hökerladen, und das war sehr lehrreich.

Eines Abends kam der Student durch die Hintertür, um selbst Licht und Käse zu kaufen; er hatte niemand zum Schicken, und so ging er selbst; er bekam, was er verlangte, er bezahlte es, und der Höker und die Madam nickten ihm guten Abend zu, und sie war eine Frau, die mehr als nur nicken konnte, sie hatte Beredsamkeit! – Und der Student nickte wieder und blieb stehen und begann das Papier zu lesen, in das der Käse eingewickelt war. Es war ein Blatt, aus einem alten Buch herausgerissen, das nicht verdiente, zerrissen zu werden, ein altes Buch voller Poesie.

„Dort liegt noch mehr davon", sagte der Höker, „ich habe einer alten Frau ein paar Kaffeebohnen dafür gegeben; wenn Sie mir acht Schillinge geben, sollen Sie den Rest haben."

„Danke", sagte der Student, „geben Sie mir das Buch anstatt des Käses! Ich kann mein Butterbrot ohne Käse essen! Es wäre ja Sünde, wenn das ganze Buch in Fetzen zerrissen würde. Sie sind ein prächtiger Mann, ein praktischer Mann, aber von Poesie verstehen Sie nicht mehr als das Faß dort."

Und das war unartig gesprochen, besonders gegen das Faß, aber der Höker lachte, und der Student lachte, es war ja nur aus Spaß gesagt. Doch der Kobold ärgerte sich, daß man einem Höker, der Hauswirt war und die beste Butter verkaufte, so etwas zu sagen wagte.

Als es Nacht wurde, der Laden geschlossen war und bis auf den Studenten alle zu Bett waren, ging der Kobold hinein und nahm Madam das Mundwerk ab; das brauchte sie nicht, wenn sie schlief; und wenn er es irgendeinem Gegenstand in der Stube aufsetzte, bekam dieser Sprache und Stimme und konnte seine Gedanken und Gefühle ebenso gut aussprechen wie Madam, aber immer nur einer konnte es haben, und das war eine Wohltat, sie hätten sonst alle durcheinandergeredet.

Und der Kobold legte das Mundwerk auf das Faß, worin die alten Zeitungen lagen. „Ist es wirklich wahr", fragte er, „daß Sie nicht wissen, was Poesie ist?"

„Doch, ich weiß es", sagte das Faß, „das ist so etwas, was in den Zeitungen unter dem Strich steht und ausgeschnitten wird! Ich möchte behaupten, daß ich mehr davon in mir habe als der Student, und ich bin doch nur ein geringes Faß gegen den Höker."

Und der Kobold setzte der Kaffeemühle das Mundwerk auf, nein, wie die ging! Und er setzte es dem Butterfaß und dem Geldkasten auf – alle waren sie derselben Ansicht wie das Faß, und das, worüber die Mehrzahl einig ist, muß man respektieren.

„Nun will ich es dem Studenten zeigen!" Und damit ging der Kobold ganz leise die Hintertreppe zur Dachkammer hinauf, wo der Student wohnte. Dort war noch Licht, und der Kobold guckte durchs Schlüsselloch und sah den Studenten in dem zerrissenen Buch aus dem Laden lesen. Aber wie hell es darin war! Aus dem Buch kam ein heller Strahl, der wuchs zu einem Stamm, zu einem mächtigen Baum empor, der seine Zweige weit über den Studenten ausbreitete. Jedes Blatt war frisch, und jede Blüte war ein schöner Mädchenkopf, einige mit Augen, dunkel und strahlend, andere mit blauen und wunderbar klaren; jede Frucht war ein glänzender Stern, und es sang und klang gar wunderherrlich.

Nein, an eine solche Herrlichkeit hatte der kleine Kobold

noch nie gedacht, geschweige denn sie gesehen und vernommen. Er blieb auf den Zehenspitzen stehn, guckte und
guckte – bis drinnen das Licht erlosch; der Student blies
seine Lampe aus und ging zu Bett, aber der kleine Kobold
blieb trotzdem stehen, denn der Gesang ertönte noch immer weich und herrlich, ein liebliches Wiegenlied für den
Studenten, der sich zur Ruhe gelegt hatte.

„Hier ist es doch unvergleichlich!" sagte der Kobold, „das
hätte ich nicht erwartet! Ich möchte bei dem Studenten
bleiben!" Und er dachte – und dachte vernünftig, und
dann seufzte er: „Der Student hat keine Grütze!" Und darauf ging er – ja, dann ging er wieder zum Höker hinunter;
und es war gut, daß er kam, denn das Faß hatte Madams
Mundwerk fast ganz verbraucht, es hatte von der einen
Seite schon alles, was es in sich faßte, ausgesprochen und
war im Begriff, sich umzukehren, um dasselbe von der andern Seite von sich zu geben, als der Kobold kam und Madam das Mundwerk wieder anlegte. Aber der ganze Laden, vom Geldkasten bis zum Kienholz, war von der Zeit
an derselben Ansicht wie das Faß, und alle achteten es in
hohem Grade und trauten ihm so viel zu, daß sie glaubten, es käme aus dem Faß, wenn später der Höker des
Abends die Kunst- und Theaterkritiken aus seiner Zeitung
vorlas.

Aber der kleine Kobold saß nicht länger ruhig und lauschte
nur all der Weisheit und dem Verstand dort unten, nein,
sobald das Licht aus der Dachkammer schimmerte, war ihm
zumute, als wären die Strahlen starke Ankertaue, die ihn
hinaufzögen, und er mußte fort und durchs Schlüsselloch
gucken, und dort umbrauste ihn eine Größe, wie wir sie
am rollenden Meer empfinden, wenn Gott im Sturm darüber hinfährt, und er brach in Tränen aus, er wußte selbst
nicht, warum er weinte, aber in diesen Tränen war so etwas
Wohltuendes! – Wie unvergleichlich schön mußte es doch
sein, mit dem Studenten unter jenem Baum zu sitzen, aber
das konnte nicht geschehen – er war schon froh am Schlüsselloch. Dort stand er noch auf dem kalten Flur, als der
Herbstwind durch die Bodenluke blies, und es war kalt,
sehr kalt, aber das empfand der Kleine erst, wenn das Licht
in der Dachkammer erlosch und die Töne vor dem Wind
erstarben. Hu! dann fror er und kroch wieder hinab in sei-

nen warmen Winkel; dort war es gemütlich und behaglich! – Und als die Weihnachtsgrütze mit dem großen Klumpen Butter kam – ja, da war der Höker obenauf!

Aber mitten in der Nacht erwachte der Kobold durch einen entsetzlichen Radau an den Fensterläden. Leute donnerten dagegen, der Nachtwächter pfiff, es war eine große Feuersbrunst; die ganze Straße stand in hellen Flammen. War es hier im Hause oder bei dem Nachbarn? Wo? Das war ein Schreck! Die Hökermadam war so verdutzt, daß sie ihre goldenen Ohrringe aus den Ohren nahm und sie in die Tasche steckte, um doch etwas zu retten; der Höker lief nach seinen Obligationen und die Magd nach ihrem Seidenumhang, denn den konnte sie sich leisten. Jeder wollte das Beste retten, und das wollte auch der kleine Kobold, und in wenigen Sprüngen war er die Treppe hinauf und drinnen beim Studenten, der ganz ruhig am offenen Fenster stand und auf das Feuer sah, das im Nachbarhof gegenüber wütete. Der kleine Kobold ergriff das wunderbare Buch vom Tisch, steckte es in seine rote Mütze und hielt sie mit beiden Händen fest; der beste Schatz des Hauses war gerettet! Und nun eilte er auf und davon, auf das Dach hinaus, ganz nach oben auf den Schornstein, und dort saß er, beleuchtet von dem brennenden Haus gegenüber, beide Hände fest um seine rote Mütze gepreßt, in welcher der Schatz lag. Nun kannte er die wahre Neigung seines Herzens, wußte, wem es eigentlich gehörte. Aber als das Feuer gelöscht war und er wieder zur Besinnung kam – ja: „Ich will mich zwischen beide teilen", sagte er, „ich kann den Höker nicht ganz aufgeben, der Grütze wegen!"

Und das war ganz menschlich. Wir andern gehen auch zum Höker – der Grütze wegen.

In Jahrtausenden

Ja, in Jahrtausenden kommen sie auf den Flügeln des Dampfes durch die Luft über das Weltmeer herüber. Die jungen Bewohner Amerikas besuchen das alte Europa. Sie kommen zu den Denkmälern und den versinkenden Städten, wie wir in unserer Zeit zu den verfallenden Herrlichkeiten Südasiens ziehen.

In Jahrtausenden kommen sie!

Die Themse, die Donau, der Rhein rollen noch dahin, der Montblanc steht noch mit seinem Schneegipfel da, die Nordlichter strahlen noch über die Länder des Nordens; aber Geschlecht auf Geschlecht ist Staub geworden, ganze Reihen der Mächtigen des Augenblicks sind vergessen, wie jene, die nun schon unter dem Hügel schlummern, wo der wohlhabende Mehlhändler, auf dessen Grund er sich befindet, eine Bank gezimmert hat, um dort zu sitzen und über sein flaches wogendes Kornfeld zu sehen.

„Nach Europa!" rufen die jungen Söhne Amerikas. „Nach dem Land der Väter, dem herrlichen Land der Denkmäler und der Phantasie, nach Europa!"

Das Luftschiff kommt; es ist mit Reisenden überfüllt, denn die Fahrt ist schneller als zur See, der elektromagnetische Draht unter dem Weltmeer hat bereits telegraphiert, wie groß die Luftkarawane ist. Schon ist Europa in Sicht, es ist die Küste von Irland, die man überblickt, aber die Passagiere schlafen noch, sie wollten erst geweckt werden, wenn sie über England sind; dort betreten sie den Boden Europas im Lande Shakespeares, wie es bei den Söhnen des Geistes heißt, im Lande der Politik, im Lande der Maschinen, so nennen es andere.

Hier verweilt man einen ganzen Tag, so viel Zeit hat das geschäftige Geschlecht auf das große England und Schottland zu verwenden.

Die Fahrt geht weiter durch den Kanaltunnel nach Frankreich, dem Land Karls des Großen und Napoleons; Molière wird genannt, die Gelehrten sprechen von einer klassischen und romantischen Schule des fernen Altertums, und man jubelt Helden, Dichtern und Männern der Wissenschaft zu, die unsere Zeit nicht kennt, die aber auf dem Krater Europas, Paris, geboren werden.

Der Luftdampfer fliegt über das Land, von dem Columbus auszog, wo Cortez geboren wurde und wo Calderon Dramen in wogenden Versen sang; herrliche, schwarzäugige Frauen wohnen noch in den blühenden Tälern, und die ältesten Lieder nennen den Cid und die Alhambra.

Durch die Luft über das Meer nach Italien, dorthin, wo das

alte, ewige Rom lag, es ist ausgelöscht, die Campagna eine
Wüste; von der Peterskirche wird ein einsamer Mauerrest
gezeigt, aber man zweifelt an seiner Echtheit.
Nach Griechenland, um eine Nacht in dem reichen Hotel
hoch auf dem Gipfel des Olymps zu schlafen, dann ist man
dagewesen; die Fahrt geht weiter zum Bosporus, um dort
einige Stunden auszuruhen und die Stätte zu sehen, wo By-
zanz lag; dort, wo die Sage vom Garten des Harems zur Zeit
der Türken erzählt, legen arme Fischer ihre Netze aus.
Über die Reste mächtiger Städte an der gewaltigen Donau,
Städte, die unsere Zeit nicht kannte, fliegt man dahin, aber
hier und da – an erinnerungsreichen Stätten, die entstehen
und von der Zeit geboren werden –, hier und da läßt die
Luftkarawane sich nieder und erhebt sich wieder.
Dort unten liegt Deutschland – das einst von dem dichtesten Netz von Eisenbahnen und Kanälen umspannt war –,
die Länder, wo Luther sprach, Goethe sang und Mozart zu
seiner Zeit das Zepter der Töne trug! Große Namen leuchten in Wissenschaft und Kunst, Namen, die wir nicht kennen. Einen Tag Aufenthalt für Deutschland und einen Tag
für den Norden, für das Vaterland Örsteds und für das Lin-
nés und für Norwegen, das Land der alten Helden und der
jungen Norweger. Island wird auf der Rückfahrt mitgenommen; der Geiser kocht nicht mehr, die Hekla ist erloschen,
aber eine ewige Steintafel der Saga, steht die starke Felseninsel inmitten des brausenden Meeres.
„In Europa ist viel zu sehen!" sagt der junge Amerikaner;
„und wir haben es in acht Tagen gesehen, und das läßt sich
machen, wie der große Reisende" – ein Name wird genannt, der in ihre Zeit gehört – „in seinem berühmten
Werk ‚Europa in acht Tagen gesehen' gezeigt hat."

Unter dem Weidenbaum

Die Gegend um Köge ist sehr kahl; die Stadt liegt zwar
am Meeresstrand, und das ist immer schön, aber dort
könnte es doch schöner sein, als es ist: ringsumher flache
Felder, und bis zum Wald ist es weit. Doch wenn man an
einem Ort recht zu Hause ist, so findet man dort immer

irgend etwas Schönes, nach dem man sich später am schönsten Ort der Welt sehnen kann. Und wir müssen auch gestehen, daß es im Sommer ganz lieblich am Rande von Köge sein kann, wo sich ein paar ärmliche Gärten bis zu dem kleinen Bach erstrecken, der dort ins Meer mündet; und das fanden besonders die beiden Nachbarskinder Knud und Johanne, die hier spielten und durch die Stachelbeersträucher zueinander krochen. In dem einen Garten stand ein Fliederbaum, in dem andern ein alter Weidenbaum, und unter diesem spielten die Kinder besonders gern, und das war ihnen erlaubt, obwohl der Baum in der Nähe des Baches stand und sie leicht ins Wasser fallen konnten; aber das Auge Gottes ruht ja auf den Kleinen – sonst sähe es schlimm aus! Sie waren auch sehr vorsichtig, ja der Knabe war so wasserscheu, daß man ihn im Sommer nicht an den Strand locken konnte, wo doch die andern Kinder so gern umherplantschten; er wurde darum auch verspottet und mußte es sich gefallen lassen. Einmal träumte Nachbars kleine Johanne, sie segele in einem Boot in der Kögebucht und Knud wate zu ihr hinaus, und das Wasser stieg ihm erst bis an den Hals und dann bis über den Kopf; und von dem Augenblick an, wo Knud diesen Traum erfuhr, duldete er nicht länger, daß man ihn wasserscheu nannte, sondern wies nur auf Johannes Traum hin; der war sein Stolz, aber ins Wasser ging er nicht.

Die armen Eltern kamen oft zusammen, und Knud und Johanne spielten in den Gärten und auf der Landstraße, die an den Gräben entlang mit einer ganzen Reihe von Weidenbäumen bestanden war; schön waren sie nicht, denn ihre Kronen waren wie abgehackt, aber sie standen dort nicht zum Schmuck, sondern um Nutzen zu bringen; schöner war die alte Weide im Garten, und unter ihr saßen sie manches liebe Mal, wie man sagt. – In Köge selbst ist ein großer Marktplatz, und zur Jahrmarktzeit standen dort ganze Straßen von Zelten, mit seidenen Bändern, Stiefeln und allem möglichen; es war ein Gedränge und gewöhnlich Regenwetter, und dann roch man den Dunst der Bauernröcke, aber auch den schönen Duft der Honigkuchen, von denen eine ganze Bude voll dastand, und was das herrlichste war: der Mann, der sie verkaufte, wohnte in der Jahrmarktzeit immer bei den Eltern des kleinen Knud, und dann gab es natürlich einen kleinen Honigkuchen, von dem auch Johanne ihren Anteil bekam; aber was fast noch schöner war: der Honigkuchenhändler wußte fast von allen Dingen Geschichten zu erzählen, selbst von seinen Honigkuchen; ja von denen erzählte er eines Abends eine Geschichte, die einen so tiefen Eindruck auf die beiden Kinder machte, daß sie sie niemals wieder vergaßen, und darum ist es wohl am besten, daß wir sie auch hören, um so mehr, da sie nur kurz ist.

„Auf dem Ladentisch", erzählte er, „lagen zwei Honigkuchen, der eine sah aus wie ein Mann mit Hut, der andere wie ein Frauenzimmer ohne Hut, aber mit einem Klecks Goldschaum auf dem Kopf; sie hatten das Gesicht auf der Seite, die nach oben gekehrt war, und von der sollte man sie auch ansehen, nicht von der Kehrseite, von der man niemals einen Menschen ansehen soll. Der Mann hatte auf der linken Seite eine bittere Mandel, die sein Herz war, das Frauenzimmer dagegen war lauter Honigkuchen; sie lagen beide als Proben auf dem Ladentisch, lagen dort lange, und dann liebten sie einander; aber keiner sagte es dem andern, und das muß man, wenn etwas daraus werden soll.

‚Er ist ein Mann, er muß das erste Wort sagen', dachte sie, aber wäre doch schon zufrieden gewesen, wenn sie nur gewußt hätte, daß ihre Liebe erwidert würde.

Seine Gedanken waren nun viel raubgieriger, und das sind die Mannsleute immer; er träumte, er sei ein lebendiger Straßenjunge und besitze vier Schillinge und kaufe das Frauenzimmer und esse es auf.

Und so lagen sie Tage und Wochen auf dem Ladentisch und wurden trocken, und die Gedanken des Frauenzimmers wurden immer zarter und weiblicher: ‚Es genügt mir schon, daß ich mit ihm auf dem Tisch gelegen habe!' dachte sie und brach mitten durch.

‚Hätte sie nur meine Liebe gekannt, sie hätte wohl etwas länger gehalten!' dachte er.

Und das ist die Geschichte, und hier sind sie alle beide", sagte der Kuchenhändler. „Sie sind bemerkenswert durch ihren Lebenslauf und die stumme Liebe, die nie zu etwas führt. Seht, da habt ihr sie!"

Und damit gab er Johanne den Mann, der heil war, und Knud bekam das zerbrochene Frauenzimmer; aber die

Kinder waren so von der Geschichte ergriffen, daß sie es nicht übers Herz brachten, die Liebesleute aufzuessen.

Am folgenden Tag gingen sie mit ihnen auf den Friedhof, wo die Kirchenmauer mit dem herrlichsten Efeu überwachsen ist, der Sommer und Winter wie ein reicher Teppich über die Mauer hängt; hier stellten sie die Honigkuchen zwischen die grünen Ranken in den Sonnenschein und erzählten nun einer Schar anderer Kinder die Geschichte von der stummen Liebe, die nichts wert sei, das heißt die Liebe, denn die Geschichte sei allerliebst, der Meinung waren sie alle; und als sie wieder auf das Honigkuchenpaar sahen, ja, da hatte ein großer Knabe – und zwar aus Bosheit – das zerbrochene Frauenzimmer aufgegessen; die Kinder weinten darüber, und nachher – das geschah wahrscheinlich, damit der arme Mann nicht allein in der Welt stehen sollte –, nachher aßen sie auch ihn auf, doch die Geschichte vergaßen sie nie.

Immer waren die Kinder beisammen am Fliederbaum und unter dem Weidenbaum, und das kleine Mädchen sang mit silberglockenklarer Stimme die schönsten Lieder, in Knud dagegen steckten keine Töne, aber er wußte die Worte, und das ist immerhin etwas. Die Leute in Köge, selbst die Eisenkrämermadam, standen still und hörten Johanne zu. „Sie hat eine süße Stimme, die Kleine!" sagten sie.

Es waren herrliche Tage, aber sie währten nicht ewig. Die Nachbarn trennten sich; die Mutter des kleinen Mädchens war gestorben, der Vater wollte sich in Kopenhagen wieder verheiraten und konnte dort Arbeit finden; er sollte Bote werden, und das würde ein sehr einträgliches Amt sein. Und die Nachbarn trennten sich unter Tränen, und besonders weinten die Kinder, aber die Eltern gelobten sich, einander wenigstens einmal jährlich zu schreiben.

Und Knud kam in die Schuhmacherlehre; denn sie konnten doch den großen Knaben nicht länger faulenzen lassen. Und er wurde nun auch konfirmiert.

Ach, wie gern wäre er an diesem Festtag in Kopenhagen gewesen, um die kleine Johanne zu sehen, aber er kam nicht dorthin und war nie dort gewesen, obwohl es nur fünf Meilen von Köge entfernt ist; doch über die Bucht hatte Knud bei klarem Wetter die Türme gesehen, und am Konfirma-

tionstag sah er deutlich das goldene Kreuz auf der Frauen-
kirche glänzen.

Ach, wie dachte er an Johanne! Ob sie sich seiner wohl erinnerte? Ja! – Gegen Weihnachten kam ein Brief von ihrem
Vater an Knuds Eltern, es gehe ihnen sehr gut in Kopenhagen, und Johanne würde durch ihre schöne Stimme ein großes Glück zuteil; sie sei am Theater, in dem gesungen wird,
angestellt, etwas Geld verdiene sie schon dabei, und davon
sende sie den lieben Nachbarsleuten in Köge einen ganzen
Taler für einen vergnügten Weihnachtsabend; sie sollten
auf ihre Gesundheit trinken, und das hatte sie eigenhändig
in einer Nachschrift hinzugefügt, darin stand: „Freundlichen Gruß an Knud!"

Sie weinten alle, und doch war das Ganze ja sehr erfreulich,
aber sie weinten vor Freude. Jeden Tag war Johanne in
Knuds Gedanken gewesen, und nun sah er, daß sie auch an
ihn dachte, und je näher die Zeit heranrückte, wo er Geselle werden sollte, um so klarer stand es vor ihm, daß er Johanne sehr liebhatte und daß sie seine Frau werden müsse,
und dabei spielte ein Lächeln um seine Lippen, und er zog
den Draht noch rascher, während der Fuß den Knieriemen
spannte; er stach den Pfriemen tief in den einen Finger,
aber das tat nichts! Er würde gewiß nicht stumm sein wie
die beiden Honigkuchen, die Geschichte war ihm eine gute
Lehre.

Und dann wurde er Geselle, und das Ränzel war geschnürt.
Endlich, zum erstenmal in seinem Leben, sollte er nach Kopenhagen, und dort hatte er schon einen Meister. Wie
würde Johanne überrascht und erfreut sein! Sie zählte jetzt
siebzehn Jahre und er neunzehn.

Schon in Köge wollte er einen goldenen Ring für sie kaufen, aber dann bedachte er, daß man ihn gewiß viel schöner
in Kopenhagen bekäme; und nun wurde Abschied von den
Eltern genommen, und an einem Herbsttag machte er sich
zu Fuß bei Regen auf den Weg; die Blätter fielen von den
Bäumen, bis auf die Haut durchnäßt kam er im großen Kopenhagen und bei seinem neuen Meister an.

Am nächsten Sonntag wollte er Besuch bei Johannes Vater
machen. Die neuen Gesellenkleider wurden hervorgeholt
und auch der neue Hut aus Köge, der ihm so gut stand, früher hatte er immer nur eine Mütze getragen. Und er fand

das Haus, das er suchte, stieg die vielen Stufen hinauf, es war zum Schwindligwerden, wie die Menschen in dieser verworrenen Stadt übereinandergepackt waren.

In der Stube sah es ganz wohlhabend aus, und Johannes Vater empfing ihn sehr freundlich, der Frau jedoch war er fremd, aber sie reichte ihm die Hand und schenkte ihm Kaffee ein.

„Johanne wird sich freuen, dich zu sehen", sagte der Vater, „du bist ja ein sehr netter junger Mann geworden! – Nun sollst du sie sehen; ja, sie ist ein Mädchen, das mir Freude macht und mit Gottes Hilfe noch mehr machen wird. Sie hat ihre eigene Stube, und die bezahlt sie uns." Und der Vater selbst klopfte ganz höflich an die Tür, als wäre er ein fremder Mann, und darauf traten sie ein – wie hübsch war es dort! Ein solches Stübchen gab es sicher in ganz Köge nicht, die Königin selbst konnte es nicht schöner haben! Da waren Teppiche, da waren Fenstervorhänge bis zum Fußboden herab, ein wirklicher Samtstuhl und ringsum Blumen und Gemälde und ein Spiegel, in den man fast hineingetreten wäre, denn er war so groß wie eine Tür. Knud sah das alles mit einem Blick und sah doch nur Johanne; sie war ein erwachsenes Mädchen und ganz anders, als Knud sich gedacht hatte, aber viel schöner; in ganz Köge gab es kein einziges Mädchen wie sie, und wie fein war sie! Aber wie wunderlich fremd blickte sie Knud an, doch nur einen Augenblick, dann stürzte sie auf ihn zu, als wollte sie ihn küssen, sie tat es zwar nicht, aber war nahe daran. Ja, sie war richtig froh, den Freund ihrer Kindheit zu sehen! Standen nicht Tränen in ihren Augen? Und dann hatte sie so viel zu fragen und zu erzählen, von Knuds Eltern bis zum Flieder- und Weidenbaum, und sie nannte sie Fliedermutter und Weidenvater, als ob sie auch Menschen wären, doch das konnten sie auch ebensogut sein wie die Honigkuchen; von diesen sprach sie auch und von deren stummer Liebe, wie sie auf dem Ladentisch lagen und entzweigingen, und dabei lachte sie herzlich – aber das Blut brannte in Knuds Wangen, und sein Herz schlug stärker als sonst! – Nein, sie war gar nicht stolz geworden! – Sie war auch schuld daran – das merkte er wohl –, daß ihre Eltern ihn baten, den ganzen Abend dort zu bleiben, und sie schenkte den Tee ein und reichte ihm selbst eine Tasse, und später nahm sie ein Buch zur Hand und las vor, und es war Knud, als wenn das, was sie las, gerade von seiner Liebe handele, so sehr stimmte es mit all seinen Gedanken überein; und dann sang sie ein einfaches Lied, aber es wurde durch sie zu einer ganzen Geschichte, es war, als ströme ihr eigenes Herz davon über. Ja, sie hatte Knud gewiß lieb. Die Tränen rollten ihm über die Wangen, er konnte nicht dafür, und er konnte kein einziges Wort sagen, er kam sich selbst sehr dumm vor, und doch drückte sie ihm die Hand und sagte: „Du hast ein gutes Herz, Knud! Bleibe immer, wie du bist!"

Das war ein unvergleichlich schöner Abend; darauf zu schlafen war unmöglich, und Knud schlief auch nicht.

Beim Abschied hatte Johannes Vater gesagt: „Ja, nun wirst du uns doch nicht ganz vergessen! Laß nicht den ganzen Winter verstreichen, bis du uns wieder besuchst!" Und so konnte er ja gut am Sonntag wiederkommen, und das wollte er auch. Aber jeden Abend nach der Arbeit, und es wurde auch noch bei Licht gearbeitet, ging Knud in die Stadt; er ging durch die Straße, wo Johanne wohnte, sah zu ihrem Fenster hinauf, das fast immer erleuchtet war, und an einem Abend sah er ganz deutlich den Schatten ihres Gesichtes am Fenstervorhang – das war ein schöner Abend. Die Frau Meisterin liebte es nicht, daß er immer des Abends unterwegs sein müsse, wie sie es nannte, und sie schüttelte den Kopf, aber der Meister lächelte. „Er ist ein junger Mensch!" sagte er.

„Am Sonntag sehen wir uns, und ich sage ihr, daß sie in all meinen Gedanken ist und daß sie meine Frau werden muß; ich bin zwar nur ein armer Schuhmachergesell, aber ich kann Meister werden, ich werde arbeiten und streben – ja, ich sage es ihr; es kommt nichts bei der stummen Liebe heraus, das habe ich von den Honigkuchen gelernt!"

Und der Sonntag kam, und Knud kam, aber wie unglücklich; alle waren eingeladen, und sie mußten es ihm sagen. Johanne drückte seine Hand und fragte: „Bist du im Theater gewesen? Du mußt einmal hingehen. Ich singe Mittwoch, und wenn du da Zeit hast, dann will ich dir ein Billett senden, mein Vater weiß, wo dein Meister wohnt!"

Wie liebevoll war das von ihr! Und am Mittwoch kam auch ein versiegeltes Papier ohne Worte, aber das Billett lag darin, und am Abend ging Knud zum erstenmal in seinem

Leben ins Theater, und was sah er? – ja, er sah Johanne, so schön, so anmutig; sie wurde zwar an eine fremde Person verheiratet, aber das war Komödie, etwas, was sie vorstellten, das wußte Knud, sonst hätte sie es auch nicht übers Herz gebracht, ihm ein Billett zu senden, damit er es sehe; und alle Leute klatschten und riefen laut, und Knud rief hurra!

Selbst der König lächelte Johanne zu, als wenn er seine Freude an ihr hätte. Gott, wie fühlte Knud sich so klein, aber er liebte sie so innig, und sie hatte ja auch ihn lieb, aber der Mann muß das erste Wort sagen, so dachte ja auch die Honigkuchenjungfrau; in dieser Geschichte lag sehr viel.

Sobald der Sonntag kam, ging Knud wieder dorthin, er war feierlich gestimmt wie beim Abendmahl. Johanne war allein und empfing ihn, er konnte es nicht glücklicher treffen.

„Es ist gut, daß du kommst", sagte sie, „fast hätte ich Vater zu dir geschickt, aber ich ahnte, daß du heute abend noch kommen würdest; ich muß dir sagen, daß ich am Freitag nach Frankreich reise; ich muß es, damit etwas Tüchtiges aus mir wird!"

Und Knud schien es, als drehe sich die Stube, als wolle sein Herz zerspringen; zwar trat keine Träne in seine Augen, aber es war deutlich zu sehen, wie betrübt er wurde. „Du ehrliche treue Seele!" sprach sie – und damit war Knuds Zunge gelöst, und er sagte ihr, wie innig lieb er sie habe und daß sie seine Frau werden müsse; und als er das sagte, sah er Johanne erblassen, sie ließ seine Hand fallen und sagte ernst und betrübt: „Mach nicht dich selbst und mich unglücklich, Knud! Ich werde dir stets eine gute Schwester sein, auf die du dich verlassen kannst – aber auch nicht mehr!" Und sie strich mit ihrer weichen Hand über seine heiße Stirn. „Gott gibt uns zu vielem Kraft, wenn wir nur selbst wollen!"

Da trat im selben Augenblick ihre Stiefmutter ins Zimmer.

„Knud ist ganz außer sich, weil ich verreise!" sagte Johanne. „Sei doch ein Mann!" Und dabei klopfte sie ihm auf die Schulter; es war, als hätten sie nur von der Reise und von nichts anderem gesprochen. „Kind!" sagte sie. „Und nun mußt du gut und vernünftig sein, wie unter dem Weidenbaum, als wir noch Kinder waren!"

Und Knud war es, als sei die Welt aus den Fugen gegangen, seine Gedanken waren wie ein loser Faden, der im Winde hin und her flattert. Er blieb, er wußte nicht, ob sie ihn darum gebeten hatten; aber sie waren freundlich und gut, und Johanne schenkte ihm den Tee ein und sang; es war nicht der alte Klang und doch so unendlich schön, das Herz hätte ihm zerspringen können; darauf trennten sie sich. Knud reichte ihr nicht die Hand, aber sie ergriff die seinige und sagte: „Du gibst doch deiner Schwester die Hand zum Abschied, mein alter Spielbruder!" Und sie lächelte unter Tränen, die ihr über die Wangen rollten, und sie wiederholte das Wort Bruder. Ja, das war ein schöner Trost. – So war der Abschied.

Sie fuhr nach Frankreich, Knud ging auf den schmutzigen Straßen Kopenhagens umher. – Die anderen Gesellen in der Werkstatt fragten ihn, weshalb er so grübelnd umhergehe, er solle mit ihnen zu einem Vergnügen gehen, er sei ja ein junges Blut.

Und sie gingen zusammen auf den Tanzboden; und dort waren viele schöne Mädchen, aber freilich keins wie Johanne, und hier, wo er gehofft, sie zu vergessen, gerade hier stand sie am lebhaftesten vor seinen Gedanken; „Gott gibt uns zu vielem Kraft, wenn wir nur selbst wollen!" hatte sie gesagt, und eine Andacht kam in seinen Sinn, er faltete die Hände – und die Violinen spielten auf, und die Mädchen tanzten im Kreis herum; er erschrak, es schien ihm, als wäre er an einem Ort, wohin er Johanne nicht führen könnte, denn sie war doch mit ihm in seinem Herzen – und so ging er hinaus, lief durch die Straßen und ging an dem Haus vorüber, wo sie gewohnt hatte; dort war es dunkel, überall war es dunkel, leer und einsam; die Welt ging ihren Gang und Knud den seinigen.

Und es wurde Winter, und die Gewässer froren zu, es war, als wenn alles sich zum Begräbnis einrichtete.

Als aber der Frühling kam und das erste Dampfschiff ging, da ergriff ihn eine Sehnsucht, weit, weit in die Welt zu wandern, aber nicht nach Frankreich.

Er schnürte sein Ränzel und wanderte nach Deutschland, von Stadt zu Stadt, ohne Rast und Ruh; als er zur alten prächtigen Stadt Nürnberg kam, war es, als würde er wieder Herr seiner Füße; dort konnte er bleiben.

Das ist eine wunderbare alte Stadt, wie aus einer Bilder-
chronik ausgeschnitten. Die Straßen liegen, wie sie wollen;
die Häuser lieben es nicht, in Reih und Glied zu stehen; Erker mit kleinen Türmen, Schnörkeln und Bildsäulen springen über den Bürgersteig vor, und hoch von den wunderlich gespitzten Dächern laufen Dachrinnen bis über die
Mitte der Straße, geformt wie Drachen und Hunde mit langen Leibern.

Auf dem Marktplatz stand Knud mit dem Ränzel auf dem
Rücken; er stand an einem der alten Brunnen, wo die herrlichen biblischen und historischen Erzfiguren zwischen den
springenden Wasserstrahlen stehen. Ein schönes Dienstmädchen schöpfte eben Wasser, es gab Knud einen Labe-
trunk; und da es die Hand voll Rosen hatte, gab es ihm auch
eine Rose, und das schien ihm ein gutes Vorzeichen zu
sein.

Von der nahen Kirche braußten Orgeltöne zu ihm hinaus,
sie klangen so heimatlich, als kämen sie aus der Kirche zu
Köge, und er trat in den großen Dom; die Sonne schien
durch die gemalten Scheiben zwischen die hohen, schlanken Säulen; Andacht erfüllte seine Gedanken, und stiller
Friede kam in seinen Sinn.

Er suchte und fand einen guten Meister in Nürnberg, bei
ihm blieb er und erlernte die Sprache.

Die alten Gräben um die Stadt sind in kleine Gemüsegärten
verwandelt, aber die hohen Mauern stehen noch da mit
ihren schweren Türmen. Der Seiler dreht sein Seil auf dem
von Balken erbauten Gang, der an der Mauer entlang in die
Stadt führt, und hier, ringsum aus Ritzen und Spalten,
wächst der Flieder; er streckt seine Zweige über die kleinen, niedrigen Häuser, die unten liegen, und in einem von
ihnen wohnte der Meister, bei dem Knud arbeitete; über
das kleine Dachfenster, unter dem Knud schlief, senkte der
Fliederbaum seine Zweige.

Hier wohnte er einen Sommer und einen Winter, aber als
der Frühling kam, konnte er es nicht länger aushalten; der
Flieder blühte und duftete so heimatlich, daß es ihm war,
als sei er wieder im Garten von Köge – und da zog Knud
von seinem Meister fort zu einem andern, weiter in die
Stadt hinein, wo kein Fliederbaum stand.

Seine Werkstatt lag in der Nähe einer der alten gemauerten

Brücken, gerade über einer immer brausenden niedrigen Wassermühle; draußen floß nur ein reißender Fluß, eingezwängt von Häusern, die alle mit alten, morschen Erkern behängt waren; es sah aus, als wollten sie die ins Wasser schütteln. Hier wuchs kein Flieder, hier stand nicht einmal ein Blumentopf mit etwas Grün, aber genau gegenüber stand ein großer alter Weidenbaum, der sich gleichsam am Hause festhielt, um nicht vom Fluß fortgerissen zu werden; er streckte seine Zweige über den Fluß, gerade wie der Weidenbaum im Garten bei Köge über den Bach.

Ja, er war nun freilich von der Fliedermutter zum Weidenvater gezogen; der Baum hier hatte besonders an Mondscheinabenden etwas, wobei er sich fühlte „so dänisch im Sinn, im Mondenschein". Aber es war durchaus nicht der Mondenschein, sondern der alte Weidenbaum.

Er konnte es nicht aushalten – und warum nicht? Frag die Weide, frag den blühenden Flieder! Und so sagte er dem Meister und Nürnberg Lebewohl und zog weiter.

Zu niemandem sprach er von Johanne, in seinem Innern verbarg er seinen Kummer, und eine tiefe Bedeutung legte er der Geschichte von den Honigkuchen bei; jetzt verstand er, warum dieser Mann eine bittere Mandel auf der linken Seite hatte, er selbst hatte einen bitteren Geschmack davon, und Johanne, die stets so mild und freundlich war, sie war lauter Honigkuchen. Es war, als schnüre ihn der Riemen seines Ränzels so, daß er kaum atmen konnte; er löste ihn, aber es half nichts; nur die halbe Welt sah er um sich, die andere Hälfte trug er in sich, so stand es mit ihm!

Erst als er die hohen Berge erblickte, wurde die Welt für ihn größer, seine Gedanken wandten sich nach außen, Tränen traten in seine Augen. Die Alpen schienen ihm die zusammengefalteten Flügel der Erde zu sein – als ob sie sich entfaltete, die großen Schwingen ausbreitete mit ihren bunten Bildern von schwarzen Wäldern, brausenden Wassern, Wolken und Schneemassen! „Am Jüngsten Tage erhebt die Erde die großen Flügel, fliegt zu Gott und zerplatzt wie eine Seifenblase in seinen hellen Strahlen. Oh, wäre es nur der Jüngste Tag!" seufzte er.

Still wanderte er durch das Land, das ihm wie ein rasenbedeckter Obstgarten erschien; von den hölzernen Altanen der Häuser nickten ihm klöppelnde Mädchen zu, die Berggipfel glühten in der roten Abendsonne, und als er die grünen Seen zwischen den dunklen Bäumen sah – da dachte er an die Küste der Kögebucht, und Wehmut, aber nicht Schmerz, erfüllte seine Brust.

Dort, wo der Rhein wie eine lange Woge dahinrollt, stürzt, zerstäubt und sich in schneeweiße, klare Wolkenmassen verwandelt, als wäre hier die Schöpfung der Wolken – der Regenbogen flattert wie ein loses Band darüber hin –, da dachte er an die Wassermühle bei Köge, wo das Wasser brauste und schäumte.

Gern wäre er in der stillen Rheinstadt geblieben, aber es gab hier zu viele Flieder- und Weidenbäume, und so zog er weiter über die hohen, mächtigen Berge, durch zersprengte Felswände und auf Wegen, die wie Schwalbennester an der Bergwand klebten. Das Wasser brauste in der Tiefe, die Wolken lagen unter ihm; über blanke Disteln, Alpenrosen und Schnee ging er in der warmen Sommersonne dahin – und dann sagte er den Ländern des Nordens Lebewohl und kam unter blühende Kastanienbäume, durch Weingärten und Maisfelder. Die Berge waren eine Mauer zwischen ihm und all seinen Erinnerungen, und so sollte es sein.

Vor ihm lag eine große, prächtige Stadt, sie nannten sie Milano, und hier fand er einen deutschen Meister, der ihn in Arbeit nahm; es war ein altes, ehrsames Ehepaar, in dessen Werkstatt er arbeitete. Und die beiden Alten gewannen den stillen Gesellen lieb, der wenig sprach, aber desto mehr arbeitete und fromm und christlich war. Ihm schien es auch, als habe Gott die schwere Last von seinem Herzen genommen.

Seine größte Freude war es, dann und wann auf die mächtige Marmorkirche zu steigen, die schien ihm wie aus dem Schnee der Heimat geschaffen und zu Bildern, spitzen Türmen, buntgeschmückten, offenen Hallen geformt; von jedem Winkel, jeder Spitze, jedem Bogen lächelten ihn die weißen Bildsäulen an. Über sich hatte er den blauen Himmel, unter sich die Stadt und die weitgedehnte, grüne lombardische Ebene und gegen Norden die hohen Berge mit dem ewigen Schnee – da dachte er an die Kirche von Köge mit ihren roten, von Efeu umrankten Mauern, aber er sehnte sich nicht fort; hier hinter den Bergen wollte er begraben sein.

315

Ein Jahr hatte er hier gelebt, es waren drei Jahre vergangen, seitdem er die Heimat verließ; da führte sein Meister ihn eines Tages in die Stadt, nicht zur Arena, um die Kunstreiter zu sehen, nein, in die große Oper – und dort war auch ein Saal, der sehenswert war. In sieben Rängen hingen dort seidene Vorhänge, und vom Fußboden bis schwindelnd hoch zur Decke hinauf saßen die feinsten Damen mit Blumensträußen in den Händen, als wenn sie zum Ball gehen wollten, und die Herren waren in vollem Staat und viele von ihnen mit Gold und Silber geschmückt; es war dort so hell wie im klarsten Sonnenschein, und die Musik brauste so stark und herrlich, es war viel prächtiger als das Theater in Kopenhagen, aber dort war Johanne, und hier – ja, es war wie ein Zauber, der Vorhang ging auf, und auch hier stand Johanne in Gold und Seide, mit der Goldkrone auf dem Kopf, sie sang, wie nur ein Engel Gottes singen kann, sie trat so weit hervor, wie sie konnte, sie lächelte, wie nur Johanne lächeln konnte; sie sah gerade auf Knud herab.

Der arme Knud ergriff die Hand seines Meisters und rief laut „Johanne!", doch kein anderer hörte es, die Musik übertönte alles, nur der Meister nickte mit dem Kopf. „Ja, gewiß, sie heißt Johanne!", und dabei zog er ein gedrucktes Blatt hervor und zeigte Knud ihren Namen, ihren vollen Namen.

Nein, es war kein Traum! Und alle Menschen jubelten und warfen ihr Blumen und Kränze zu, und jedesmal, wenn sie abging, riefen sie wieder nach ihr; sie ging und kam immer wieder.

Auf der Straße scharten die Menschen sich um ihren Wagen und zogen ihn davon. Und Knud war in der vordersten Reihe und am allerglücklichsten; und als sie zu ihrem prächtig erleuchteten Haus kamen, stand Knud an der Wagentür, die wurde geöffnet, und sie trat heraus, und das Licht schien gerade auf ihr liebes Gesicht, und sie lächelte und dankte freundlich und war tief gerührt; und Knud blickte ihr gerade in das Gesicht, und sie blickte Knud gerade in das Gesicht – aber sie erkannte ihn nicht. Ein Herr mit einem Stern auf der Brust reichte ihr den Arm – sie seien verlobt, sagte man.

Und dann ging Knud nach Hause und schnürte sein Ränzel; er wollte, er mußte heim, zum Flieder, zur Weide – ach, unter den Weidenbaum! In einer Stunde kann man ein ganzes Menschenleben durchlaufen.

Sie baten ihn zu bleiben; kein Wort konnte ihn zurückhalten, sie sagten ihm, daß der Winter komme, daß der Schnee schon in den Bergen gefallen sei; aber in der Spur des langsam fahrenden Wagens – und dem mußte doch der Weg gebahnt werden – könne er gehen, mit dem Ränzel auf dem Rücken, gestützt auf seinen Stab.

Und er ging in die Berge, hinauf und hinab; müde war er und sah noch kein Dorf, kein Haus; er schritt gegen Norden. Die Sterne blinkten über ihm, es wankten ihm die Füße, es schwindelte ihm der Kopf; tief im Tal blinkten auch Sterne, es war, als hätte sich der Himmel auch unter ihm ausgestreckt. Er fühlte sich krank. Die Sterne dort unten wurden mehr und mehr und immer heller, sie bewegten sich hin und her. Es war eine kleine Stadt, in der die Lichter flimmerten, und als er das erkannte, strengte er seine letzten Kräfte an und erreichte dort eine ärmliche Herberge.

Eine ganze Nacht und einen Tag blieb er dort, denn sein Körper brauchte Ruhe und Pflege; es taute und es regnete im Tal. Am Morgen kam ein Leiermann, der spielte eine Melodie von daheim aus Dänemark, und dann konnte Knud es nicht länger aushalten – er ging Tage, viele Tage lang mit einer Hast, als gelte es, heimzukommen, bevor dort alle gestorben seien; aber zu niemandem sprach er von seiner Sehnsucht, niemand hätte ihm den Kummer seines Herzens, den tiefsten, den man haben kann, geglaubt, denn der ist nicht für die Welt, er ist nicht lustig, nicht einmal für die Freunde, und er hatte keine Freunde. Fremd ging er durch fremdes Land heim nach Norden. In dem einzigen Brief von zu Hause, den die Eltern vor Jahr und Tag geschrieben hatten, stand: „Du bist kein rechter Däne wie wir andern hier! Wir sind es so ungeheuer! Du liebst nur fremde Länder!" So konnten die Eltern schreiben – ja, wie wenig kannten sie ihn!

Es war Abend; er ging auf der offenen Landstraße, es begann zu frieren, das Land selbst wurde immer flacher mit Feldern und Wiesen; da stand am Weg ein großer Weidenbaum; alles sah so heimatlich, so dänisch aus, er setzte sich unter den Baum, er fühlte sich sehr ermüdet, sein Kopf senkte sich, seine Augen schlossen sich zur Ruhe, aber er empfand doch, wie der Weidenbaum seine Zweige über ihn breitete; der Baum schien ihm ein alter, mächtiger Mann zu sein, es war der Weidenvater selbst, der ihn auf seine Arme hob und ihn, den müden Sohn, heimtrug in das dänische Land, an den offenen, hellen Strand, nach Köge, in den Garten seiner Kindheit. Ja, es war der Weidenbaum von Köge selbst, der in die Welt gewandert war, um ihn zu suchen und zu finden; und nun hatte er ihn gefunden und in den kleinen Garten am Bach heimgebracht, und hier stand Johanne in all ihrer Pracht mit der Goldkrone auf dem Kopf, wie er sie zuletzt gesehen, und rief: „Willkommen!"

Und gerade vor ihm standen zwei wunderliche Gestalten, aber sie sahen viel menschlicher aus als in seiner Kindheit, auch sie hatten sich verändert; es waren die zwei Honigkuchen, der Mann und das Frauenzimmer, die wendeten ihm die rechte Seite zu und sahen gut aus.

„Wir danken dir", sagten die beiden zu Knud, „du hast uns die Zunge gelöst, du hast uns gelehrt, daß man seine Gedanken aussprechen soll, sonst kommt nichts dabei heraus, und nun ist etwas dabei herausgekommen: wir sind verlobt!"

Und dann gingen sie Hand in Hand durch die Straßen von Köge und sahen auch sehr anständig auf der Kehrseite aus, da war nichts an ihnen auszusetzen. Und sie schritten gerade auf die Kirche zu, und Knud und Johanne folgten; auch sie gingen Hand in Hand, und die Kirche stand da wie früher mit ihren roten Mauern und dem herrlichen Efeu, und die große Tür der Kirche öffnete sich nach beiden Seiten, die Orgel brauste, und die Mannsleute und die Frauenzimmer schritten den Kirchengang entlang. „Die Herrschaften zuerst!" sagten sie, die Honigkuchenbrautleute machten Knud und Johanne Platz, und die beiden knieten am Altar nieder; sie beugte ihr Haupt über sein Antlitz, und eiskalte Tränen rollten aus ihren Augen, es war das Eis um ihr Herz, das durch seine starke Liebe schmolz; die Tränen fielen auf seine brennenden Wangen, und – er erwachte dabei und saß unter dem alten Weidenbaum im fremden Land, am winterkalten Abend; aus den Wolken fiel eisiger Hagel und peitschte sein Gesicht.

„Das war die schönste Stunde meines Lebens!" sagte er, „und sie war ein Traum! – Gott, laß mich ihn wieder träumen!" Und er schloß die Augen, er schlief, er träumte. Gegen Morgen fiel Schnee und stiebte über seine Füße, er schlief. Dorfleute gingen zur Kirche; dort saß ein Handwerksbursche, er war tot, erfroren – unter dem Weidenbaum.

Fünf aus einer Schote

Es waren fünf Erbsen in einer Schote, die waren grün, und die Schote war grün, also glaubten sie, die ganze Welt sei grün, und das war ganz richtig! Die Schote wuchs, und die Erbsen wuchsen; sie richteten sich nach der Lage der Wohnung ein, gerade in einer Reihe saßen sie. – Draußen schien die Sonne und erwärmte die Schote, der Regen machte sie klar; es war warm und gemütlich, hell am Tage und dunkel des Nachts, wie es sein sollte. Die Erbsen wurden, wie sie so dasaßen, größer und immer nachdenklicher, denn etwas mußten sie doch tun.

„Müssen wir denn ewig hier sitzen bleiben?" fragten sie. „Wenn wir nur nicht durch das lange Sitzen hart werden. Ist uns doch, als gäbe es draußen irgend etwas, wir haben so ein Gefühl davon."

Und Wochen vergingen, die Erbsen wurden gelb, und die Schote wurde gelb. „Die ganze Welt wird gelb!" sagten sie, und das durften sie wohl behaupten.

Plötzlich spürten sie einen Ruck in der Schote; sie wurden abgerissen, sie kamen in Menschenhände und rutschten in eine Jackentasche hinab mit mehreren andern gefüllten Schoten. „Nun wird bald aufgemacht!" sagten sie, und darauf warteten sie.

„Wissen möchte ich nun, wer es von uns am weitesten bringt!" sagte die kleinste der fünf. „Ja, das wird sich jetzt bald zeigen."

„Es komme, was kommen muß!" sagte die größte Krach! die Schote platzte, und alle fünf Erbsen rollten hinaus in den hellen Sonnenschein. Da lagen sie in einer Kinderhand, ein kleiner Knabe hielt sie fest und sagte, es seien ordentliche Erbsen für seine Knallbüchse, und sogleich tat er eine hinein und schoß sie weg.

„Jetzt fliege ich in die weite Welt! Hasche mich, wenn du kannst!" Und damit war sie davon.

„Ich", sagte die zweite, „ich fliege gerade in die Sonne hinein; das ist eine richtige Schote und gerade passend für mich!"

Weg war sie.

„Wir schlafen, wohin wir kommen", sagten die zwei nächsten, „aber wir werden schon vorwärts rollen!" Und dann rollten sie erst auf den Boden, bevor sie in die Knallbüchse kamen, aber hinein kamen sie doch. „Wir werden es am weitesten bringen!"

„Es komme, was kommen muß!" sagte die letzte und wurde in die Luft geschossen, und sie flog hinauf zu dem alten Brett unter dem Dachkammerfenster, in eine Ritze, die mit Moos und weicher Erde ausgefüllt war, und das Moos schloß sich um sie zusammen; da lag sie verborgen, aber nicht vergessen vom lieben Gott.

„Es komme, was kommen muß!" sagte sie.

Drinnen in der kleinen Dachkammer wohnte eine arme Frau, die am Tag ausging, um Öfen auszuputzen, Holz zu sägen und schwere Arbeit zu tun, denn sie war stark und auch fleißig; aber sie blieb doch immer arm. Zu Hause in der kleinen Kammer lag ihre halberwachsene einzige Tochter, die sehr fein und zart war; ein ganzes Jahr hatte sie zu Bett gelegen und schien weder leben noch sterben zu können.

„Sie geht zu ihrer kleinen Schwester!" sagte die Frau. „Ich hatte nur zwei Kinder, und es war schwer genug, für beide zu sorgen, aber der liebe Gott teilte mit mir und nahm das eine zu sich; nun möchte ich doch das andere behalten, das mir noch geblieben ist, aber er will sie wohl nicht getrennt sehen, und es wird zu seiner kleinen Schwester dort oben gehen!"

Aber das kranke Mädchen blieb, wo es war; es lag geduldig und still den langen Tag, während die Mutter außer Haus ihrem Verdienst nachging.

Es war Frühling, und in einer frühen Morgenstunde, gerade als die Mutter zur Arbeit gehen wollte, schien die Sonne so schön durch das kleine Fenster auf den Fußboden, und das kranke Mädchen sah auf die unterste Glasscheibe.

„Was mag doch das Grüne sein, das dort an der Scheibe her-
vorguckt? Es bewegt sich im Wind!"
Die Mutter ging an das Fenster und öffnete es halb. „Ach!"
sagte sie, „das ist wahrhaftig eine kleine Erbse, die hier ge-
keimt hat und ihre grünen Blätter treibt. Wie mag die in die
Ritze gekommen sein? Da hast du ja einen kleinen Garten,
an dem du dich erfreuen kannst!"
Das Bett der Kranken wurde näher ans Fenster gerückt, damit sie die sprossende Erbse sehen könnte, und die Mutter
ging zur Arbeit.
„Mutter, ich glaube, ich werde wieder gesund!" sagte am
Abend das kleine Mädchen. „Die Sonne hat heute so warm
zu mir hereingeschienen. Die kleine Erbse gedeiht so gut,
und ich werde wohl auch gedeihen und aufstehen und hinaus in den Sonnenschein kommen!"
„Möge es nur so sein!" sagte die Mutter, aber sie glaubte
nicht, daß es geschehen würde; doch das sprießende Grün,
das dem Kind die frohen Lebensgedanken eingegeben
hatte, stützte sie mit einem Stäbchen, damit es nicht vom
Wind geknickt würde; sie band ein Endchen Bindfaden an
das Fensterbrett und an den oberen Teil des Rahmens, damit die Erbsenranke etwas hatte, an dem sie sich halten
konnte, wenn sie emporschoß, und das tat sie; man konnte
sehen, wie sie mit jedem Tag wuchs.
„Nein, sie setzt ja Blüten an!" sagte die Frau eines Morgens,
und nun hoffte und glaubte auch sie, daß das kleine kranke
Mädchen genesen werde; sie entsann sich, daß das Kind in
der letzten Zeit lebhafter gesprochen hatte, daß es sich
selbst die letzten Tage im Bett aufgerichtet und dort gesessen und mit strahlenden Augen den kleinen Erbsengarten
aus einer einzigen Erbse betrachtet hatte. Eine Woche später blieb die Kranke zum erstenmal eine volle Stunde auf.
Glücklich saß sie im warmen Sonnenschein; das Fenster
war geöffnet, und draußen stand eine weißrote Erbsenblüte, völlig aufgesprungen. Das kleine Mädchen beugte
sich herab und küßte leise die zarten Blätter. Dieser Tag
war wie ein Festtag.
„Der liebe Gott selbst hat sie gepflanzt und gedeihen lassen, um dir, mein liebes Kind, und auch mir Hoffnung und
Freude zu geben!" sagte die frohe Mutter und lächelte die
Blüte an, als sei sie ein guter Engel Gottes.

Aber nun die andern Erbsen! – Ja, die hinaus in die weite Welt flog: „Hasch mich, wenn du kannst!", fiel in die Dachrinne und kam in einen Taubenkropf, und dort lag sie wie Jonas im Walfischbauch. Die zwei Faulen brachten es ebenso weit, auch sie wurden von Tauben verschluckt, und das heißt wenigstens auf solide Weise nützen; aber die vierte, die hinauf in die Sonne wollte – die fiel in den Rinnstein und blieb dort im schmutzigen Wasser Tage und Wochen liegen und quoll richtig auf.

„Ich werde so herrlich dick!" sagte die Erbse. „Ich zerplatze dabei, und weiter, glaube ich, hat es keine Erbse gebracht oder wird es je bringen. Ich bin die merkwürdigste von den fünfen aus der Schote!"

Und der Rinnstein stimmte ihr zu.

Aber das junge Mädchen am Dachfenster stand dort mit leuchtenden Augen, den rosigen Schimmer der Gesundheit auf den Wangen, und faltete seine zarten Hände über der Erbsenblüte und dankte dem lieben Gott für sie.

„Ich lobe mir meine Erbse!" sagte der Rinnstein.

Das Geldschwein

In der Kinderstube lag eine Menge Spielzeug umher; ganz oben auf dem Schrank stand die Sparbüchse, die war aus Ton und hatte die Gestalt eines Schweines, das natürlich einen Spalt im Rücken hatte, und mit einem Messer war dieser Spalt so erweitert worden, daß auch Silbertaler hineingingen, und es waren auch schon außer vielen Schillingen zwei hineingegangen. Das Geldschwein war so vollgestopft, daß es nicht mehr klappern konnte, und das ist das Höchste, wozu es ein Geldschwein bringen kann. Da stand es nun oben auf dem Schrank und blickte auf alles in der Stube herab; es wußte wohl, daß es mit dem, was es im Magen hatte, das Ganze kaufen könnte, und das nennt man ein gutes Bewußtsein haben.

Daran dachten auch die andern Dinge, wenn sie es auch nicht aussprachen; es gab ja manches andere zu besprechen. Der Kommodenkasten war halb aufgezogen, und darin erhob sich eine große Puppe, die schon alt und am Hals genietet war; sie schaute heraus und sagte: „Jetzt wollen wir Menschen spielen, das ist doch immer etwas!" Und nun geriet alles in Aufruhr, selbst die Bilder an der Wand drehten sich um und zeigten, daß sie auch eine Kehrseite hatten, und dagegen ließ sich nichts sagen.

Es war mitten in der Nacht, der Mond schien durch das Fenster und gab freie Beleuchtung. Nun sollte das Spiel beginnen, und alle wurden eingeladen, selbst der Kinderwagen, der doch zu dem gröberen Spielzeug zählte. „Jeder hat seinen besonderen Wert", sagte er, „wir können nicht alle von Adel sein! Einer muß Nutzen bringen, wie man sagt."

Das Geldschwein war das einzige, das eine schriftliche Einladung bekam, es stand zu hoch, als daß man glauben konnte, es würde die mündliche Einladung hören, es gab auch keine Antwort, ob es käme, und es kam auch nicht; wenn es mit dabeisein solle, müsse es das Spiel vom Hause aus genießen, danach könnten sie sich richten, und das taten sie denn.

Das kleine Puppentheater wurde nun schnell so aufgestellt, daß das Geldschwein gerade hineinschauen konnte; sie wollten mit Theater anfangen, und nachher sollte es Teegesellschaft und Verstandesübung geben, und sie begannen gleich damit; das Schaukelpferd sprach von Training und Vollblut, der Kinderwagen von Eisenbahnen und Dampfkraft – das war doch alles etwas, was in ihr Fach gehörte und worüber sie sprechen konnten. Die Stubenuhr sprach von Politik – tik – tik! Sie wußte, was die Glocke geschlagen hatte, aber man sagte, sie ginge nicht richtig; der Rohrstock stand da und war stolz auf seine Messingzwinge und auf seinen silbernen Knauf, er war doch oben und unten beschlagen; auf dem Sofa lagen zwei gestickte Kissen, niedlich und dumm – und so konnte die Komödie beginnen.

Alle saßen da und schauten zu, und es wurde gebeten, man möge knallen, klatschen und lärmen, wenn man daran Vergnügen finde. Aber die Reitpeitsche sagte, sie knalle nie für die Alten, immer nur für die Unverlobten. „Ich knalle für alles", sagte die Knallerbse. „Irgendwo muß man doch sein!" meinte der Spucknapf. Das waren so die Gedanken, die jeder hegte, während er der Komödie zuschaute. Das Stück taugte nichts, aber es wurde gut gespielt; sämtliche Spieler kehrten die bemalte Seite nach außen, sie waren so gemacht, daß man

sie nur von dieser Seite und nicht von der Kehrseite sehen
durfte; und sie spielten alle ausgezeichnet, sogar vor der
Rampe, der Draht war ein wenig zu lang, aber so konnte man
sie besser sehen. Die genietete Puppe war so gerührt, daß sich
der Niet löste, und das Geldschwein war auf seine Weise so
gerührt, daß es beschloß, etwas für einen der Künstler zu tun
und ihn in seinem Testament zu bedenken als denjenigen,
der mit ihm zusammen in der Familiengruft beigesetzt werden sollte, wenn die Zeit gekommen war.

Es war ein solcher Genuß, daß man auf den Tee verzichtete
und es bei der Verstandesübung bewenden ließ; das nannte
man Menschen spielen, und darin lag durchaus keine Bosheit, denn sie spielten nur – und jeder dachte an sich und
daran, was wohl das Geldschwein dächte, und das Geldschwein dachte am längsten, es dachte ja an Testament und
Begräbnis und wann es wohl soweit wäre – immerhin viel
eher, als man es erwartete. – Knack! Da fiel es vom Schrank
herunter, fiel auf den Fußboden und zersprang in Scherben, und die Schillinge tanzten und hüpften, die kleinsten
schnurrten, die großen rollten umher, besonders der eine
Silbertaler wollte richtig in die Welt hinaus: Und das kam er
auch, und das kamen sie alle, und die Scherben des Geld-
schweins kamen in das Kehrichtfaß, aber auf dem Schrank
stand am nächsten Tag wieder ein neues Geldschwein aus
Ton; es hatte noch nicht einen Schilling in seinem Innern,
weshalb es auch nicht klappern konnte, und hierin glich es
dem anderen, das war immerhin ein Anfang – und mit dem
wollen wir ein Ende machen.

Tölpel-Hans

Eine alte Geschichte neu erzählt

Draußen auf dem Lande lag ein alter Herrenhof; dort
lebte ein alter Gutsherr, der zwei Söhne hatte, die so witzig
waren, daß die Hälfte genügt hätte; diese wollten um die
Königstochter freien, und das durften sie; denn sie hatte
kundtun lassen, sie wolle denjenigen zum Ehegemahl nehmen, der seine Worte am besten zu setzen wisse.

Die beiden bereiteten sich nun acht Tage lang vor, das war die längste Zeit, die ihnen dafür vergönnt war, aber das war auch genug, denn sie hatten Vorkenntnisse, und die sind nützlich. Der eine wußte das ganze lateinische Wörterbuch und drei Jahrgänge der Stadtzeitung auswendig, und das von vorn und von hinten. Der andere hatte sich mit allen Artikeln der Zunftordnung und mit dem, was jeder Alderman wissen muß, bekannt gemacht; so konnte er von Staatsdingen mitreden, meinte er, außerdem verstand er Gurte zu besticken, denn er war fein und fingerfertig.

„Ich bekomme die Königstochter!" sagten sie alle beide, und darum gab ihr Vater jedem ein prächtiges Pferd. Der, welcher das Wörterbuch und die Zeitungen auswendig konnte, bekam ein kohlschwarzes, der Aldermanskluge, der sticken konnte, ein milchweißes, und dann schmierten sie sich die Mundwinkel mit Lebertran ein, damit sie recht geschmeidig würden. Alle Dienstleute waren im Hof, um sie zu Pferde steigen zu sehen; da kam auch der dritte Bruder hinzu, denn es waren ihrer drei, aber niemand zählte ihn mit zu den Brüdern, weil er nicht so gelehrt war wie die beiden andern, und man nannte ihn Tölpel-Hans.

„Wo wollt ihr hin in eurem Sonntagsstaat?" fragte er.

„An den Hof, uns die Königstochter zu erschwatzen! Hast du nicht gehört, was im ganzen Land ausgetrommelt wird?" Und nun erzählten sie es ihm.

„Potztausend, da muß ich mit dabeisein!" sagte Tölpel-Hans; und die Brüder lachten ihn aus und ritten davon.

„Vater, gib mir ein Pferd!" rief Tölpel-Hans. „Ich bekomme solch eine Lust zum Heiraten! Nimmt sie mich, so nimmt sie mich, und nimmt sie mich nicht, so nehm ich sie trotzdem!"

„Das ist Geschwätz!" sagte der Vater. „Dir gebe ich kein Pferd. Du kannst ja nicht reden! Nein, deine Brüder, das sind Prachtkerle!"

„Wenn ich kein Pferd haben kann", sagte Tölpel-Hans, „dann nehme ich den Ziegenbock, der gehört mir und der kann mich gut tragen." Und so setzte er sich rittlings auf den Ziegenbock, stieß ihm die Hacken in die Weichen und sprengte auf der Landstraße davon. Hui, wie das ging! „Hier komme ich!" sagte Tölpel-Hans, und dann sang er, daß es widerhallte.

Aber die Brüder ritten ganz still voraus; sie sprachen kein Wort, sie mußten sich all die guten Einfälle überlegen, die sie vorbringen wollten, denn es sollte wohl durchdacht sein!

„Hallo!" rief Tölpel-Hans, „hier komme ich! Seht mal, was ich auf der Landstraße gefunden habe!" Und er zeigte ihnen eine tote Krähe, die er gefunden hatte.

„Tölpel", sagten sie, „was willst du mit der?"

„Die will ich der Königstochter schenken!"

„Ja, das tu nur!" sagten sie, lachten und ritten weiter.

„Hallo! Hier komme ich! Seht, was ich jetzt gefunden habe, das findet man nicht jeden Tag auf der Landstraße!"

Und die Brüder kehrten um und wollten sehen, was es war.

„Tölpel", sagten sie, „das ist ja ein alter Holzschuh, dem das Oberteil fehlt; soll die Königstochter das auch haben?"

„Das soll sie!" sagte Tölpel-Hans; und die Brüder lachten, und sie ritten und kamen weit voran.

„Hallo! Hier bin ich!" rief Tölpel-Hans, „nein, es wird immer ärger! Holla! Das ist unvergleichlich!"

„Was hast du nun wieder gefunden?" fragten die Brüder.

„Oh", sagte Tölpel-Hans, „das ist gar nicht zu sagen! Wie wird sie sich freuen, die Königstochter!"

„Pfui!" sagten die Brüder, „das ist ja Schlamm, der gerade aus dem Graben geworfen ist!"

„Ja, freilich ist es das!" sagte Tölpel-Hans, „und es ist die feinste Sorte, man kann ihn gar nicht halten!" Und dann füllte er seine Tasche damit.

Aber die Brüder ritten, was das Zeug hielt, und darum kamen sie eine ganze Stunde früher an und hielten am Stadttor; dort bekamen alle Freier Nummern, je nach ihrer Ankunft, und wurden in Reih und Glied gestellt, sechs in jede Reihe, und so dicht, daß sie die Arme nicht bewegen konnten, und das war nun sehr gut, denn sonst hätten sie einander wohl die Kleider in Fetzen gerissen, nur weil der eine vor dem andern stand.

Alle übrigen Bewohner des Landes standen rings um das königliche Schloß, gerade bis zu den Fenstern, um die Königstochter die Freier empfangen zu sehen; und sobald einer von diesen in den Saal trat, versagte seine Redegabe.

„Taugt nichts!" sagte die Königstochter. „Weg!"

Nun kam die Reihe an denjenigen der Brüder, der das Wörterbuch auswendig konnte, aber er hatte es ganz vergessen, als er in Reih und Glied stand; und der Fußboden knarrte, und die Decke war aus Spiegelglas, so daß er sich selber auf dem Kopf sah, und an jedem Fenster standen drei Schreiber und ein Alderman, und jeder schrieb alles nieder, was gesprochen wurde, damit es sofort in die Zeitung käme und für zwei Schillinge an der Straßenecke verkauft würde. Es war entsetzlich, und dabei hatten sie so in den Ofen hineingefeuert, daß er glühte.

„Hier ist eine drückende Hitze!" sagte der Freier.

„Das kommt daher, weil mein Vater heute junge Hähne brät!" sagte die Königstochter.

„Bäh!" Da stand er, diese Rede hatte er nicht erwartet; kein Wort wußte er zu sagen, obwohl er etwas Witziges hatte sagen wollen. „Bäh!"

„Taugt nichts!" sprach die Königstochter. „Weg!" Und so mußte er hinaus. Nun kam der andere Bruder.

„Hier ist eine entsetzliche Hitze!" sagte er.

„Ja, wir braten heute junge Hähne!" sagte die Königstochter.

„Wie bi – wie?" sagte er, und alle Schreiber schrieben: wie bi – wie!

„Taugt nichts!" sagte die Königstochter. „Weg!"

Nun war Tölpel-Hans an der Reihe; er ritt auf dem Ziegenbock gerade in den Saal hinein. „Das ist ja eine glühende Hitze hier!" sagte er.

„Das kommt daher, weil ich junge Hähne brate!" sagte die Königstochter.

„Das ist ja schön", sagte Tölpel-Hans, „dann kann ich wohl eine Krähe gebraten bekommen?"

„Das können Sie gern", sagte die Königstochter, „aber haben Sie etwas, worin sie gebraten werden kann, denn ich habe weder Topf noch Tiegel."

„Das habe ich", sagte Tölpel-Hans. „Hier ist ein Kochgeschirr mit Zinnbügel", und da zog er den alten Holzschuh hervor und legte die Krähe mitten hinein.

„Das ist ja eine ganze Mahlzeit", sagte die Königstochter, „aber wo nehmen wir die Brühe her?"

„Die habe ich in der Tasche!" sagte Tölpel-Hans. „Ich habe so viel, daß ich sogar etwas davon wegwerfen kann!" Und nun goß er etwas Schlamm aus der Tasche.

„Das gefällt mir!" sagte die Königstochter. „Du kannst doch

antworten und du kannst reden, und dich will ich zum Mann haben! – Aber weißt du auch, daß jedes Wort, das wir sprechen und gesprochen haben, niedergeschrieben wird und morgen in die Zeitung kommt? An jedem Fenster siehst du drei Schreiber und einen alten Alderman stehen, und dieser alte Alderman ist der schlimmste, denn er kann nichts verstehen!" Und das sagte sie nur, um ihn bange zu machen. Und alle Schreiber wieherten und spritzten einen Tintenklecks auf den Fußboden.

„Das ist also die Herrschaft!" sagte Tölpel-Hans. „Nun, so werde ich dem Alderman das Beste geben!" Und damit kehrte er seine Taschen um und warf ihm den Schlamm gerade ins Gesicht.

„Das war fein gemacht!" sagte die Königstochter. „Das hätte ich nicht tun können! Aber ich werde es schon lernen!"

Und so wurde Tölpel-Hans König, bekam eine Frau und eine Krone und saß auf einem Thron, und das haben wir gerade aus der Zeitung des Aldermans – und auf die ist nicht zu bauen.

Der Dornenpfad der Ehre

Es gibt ein altes Märchen: „Der Dornenpfad der Ehre, von einem Schützen namens Bryde, der wohl zu großen Ehren und Würden kam, aber erst nach langen und vielen Widerwärtigkeiten und Fährnissen des Lebens". Mancher von uns hat es gewiß als Kind gehört, als Erwachsener vielleicht gelesen und seines eigenen stillen Dornenpfades und seiner vielen „Widerwärtigkeiten" gedacht. Das Märchen und die Wirklichkeit liegen einander so nahe, aber das Märchen hat seine harmonische Auflösung hier auf Erden, die Wirklichkeit schiebt sie meist über das Erdenleben in Zeit und Ewigkeit hinaus.

Die Weltgeschichte ist eine Laterna magica, die uns auf Lichtbildern den dunklen Grund der Gegenwart zeigt, wie die Wohltäter der Menschheit, die Märtyrer der Weisheit, den Dornenpfad der Ehre wandern.

Aus allen Zeiten, aus allen Ländern leuchten diese Glanzbilder hervor, jedes nur einen Augenblick, aber doch als ein

ganzes Leben, ein Lebensalter mit seinen Kämpfen und Siegen. Laßt uns hier und dort einzelne aus dieser Märtyrerschar, die nicht endet, ehe die Erde vergeht, betrachten.
Wir sehen ein gefülltes Amphitheater. Die „Wolken" des Aristophanes schicken Ströme von Spott und Heiterkeit in die Menge; auf der Bühne wird der bemerkenswerteste Mann Athens, der dem Volk ein Schild gegen die dreißig Tyrannen war, geistig und körperlich lächerlich gemacht: Sokrates, er, der im Getümmel der Schlacht Alkibiades und Xenophon rettete, er, dessen Geist sich über die Götter des Altertums emporschwang, er selbst ist hier zugegen; er hat sich erhoben von der Bank des Zuschauers und ist hervorgetreten, damit die lachenden Athener sehen können, ob er und sein Zerrbild auf der Bühne sich gleichen; da steht er aufgerichtet vor ihnen, hoch über sie alle erhoben.
Du saftiger grüner, giftiger Schierling solltest hier Athens Wahrzeichen sein, nicht der Ölbaum.
Sieben Städte stritten um die Ehre, Homers Geburtsort zu sein, das heißt, nachdem er tot war! Seht ihn bei Lebzeiten! – Da geht er durch diese Städte und spricht seine Verse her, um zu leben; der Gedanke an den morgigen Tag macht sein Haar ergrauen! – Er, der mächtigste Seher, ist blind und einsam, der spitze Dorn reißt den Mantel des Dichterkönigs in Fetzen! – Seine Gesänge leben noch, und durch sie allein leben die Götter und Helden des Altertums.
Bild auf Bild taucht empor aus Morgenland und Abendland, so fern voneinander in Zeit und Raum und doch immer dieselbe Wegstrecke des Dornenpfades der Ehre, wo die Distel erst dann zur Blüte kommt, wenn das Grab geschmückt werden soll.
Unter Palmen ziehen die Kamele dahin, reich beladen mit Indigo und anderen kostbaren Schätzen; sie werden von dem Herrscher des Landes demjenigen gesandt, dessen Gesänge die Freude des Volkes, der Ruhm des Landes sind; er, den Lüge und Neid in die Verbannung schickten, er ist gefunden – die Karawane nähert sich der kleinen Stadt, in der er eine Freistatt fand, eine arme Leiche wird zum Tor hinausgetragen und gebietet der Karawane Halt. Der Tote ist eben der, den sie sucht: Firdusi – beendet ist der Dornenpfad der Ehre!

Der Afrikaner mit den plumpen Gesichtszügen, den dicken Lippen, dem schwarzen, wolligen Haar sitzt auf den Marmorstufen des Palastes in der Hauptstadt Portugals und bettelt – er ist der treuergebene Sklave des Camões; ohne ihn und ohne die Kupfermünzen, die ihm zugeworfen werden, würde sein Herr, der Sänger der Lusiaden, Hungers sterben:

Jetzt erhebt sich ein kostbares Denkmal auf dem Grab des Camões.

Ein neues Bild!

Hinter dem eisernen Gitter zeigt sich ein Mann, totenblaß, mit langem, wirrem Bart. „Ich habe eine Erfindung gemacht, die größte seit Jahrhunderten!" ruft er, „und man hat mich mehr als zwanzig Jahre hier eingesperrt gehalten!" – „Wer ist er?" – „Ein Wahnsinniger!" sagte der Wärter. „Auf was ein Mensch doch kommen kann! Er glaubt, man könne sich durch Dampf vorwärts bewegen!" Salomon de Caus, der Entdecker der Dampfkraft, dessen unklare Worte der Ahnung von einem Richelieu nicht verstanden wurden, stirbt in der Irrenanstalt.

Hier steht Columbus, den einst die Gassenjungen verfolgten und verspotteten, weil er eine neue Welt entdecken wollte – er hat sie entdeckt! Die Glocken des Jubels läuten ihm bei seiner erfolgreichen Heimkehr entgegen, aber die Glocken des Neides tönen bald lauter. Der Weltentdecker, der das amerikanische Goldland aus dem Meere hob und es seinem König gab, wird mit eisernen Ketten belohnt, die er mit in seinen Sarg zu nehmen wünscht, sie sollen von der Welt und von der Wertschätzung in seiner Zeit Zeugnis ablegen.

Bild reiht sich an Bild, reich ist der Dornenpfad der Ehre.

Hier sitzt in Nacht und Finsternis der, welcher die Höhe der Mondberge ausmaß, der in den Weltenraum zu Sternen und Planeten vordrang, der Mächtige, der den Geist der Natur sah und hörte, der empfand, daß die Erde sich unter ihm bewegte: Galilei. Blind und taub sitzt er, ein Greis, gespießt auf den Dorn des Leidens, in den Qualen der Verleugnung, kaum noch kräftig genug, den Fuß zu heben, mit dem er einst im Schmerz seiner Seele, als man die Worte der Wahrheit auslöschte, auf die Erde stampfte und ausrief: „Und sie bewegt sich doch!"

330

Hier steht ein Weib mit kindlichem Gemüt, Begeisterung und Glauben – dem kämpfenden Heer trägt sie das Banner voran und bringt ihrem Vaterland Sieg und Rettung. Jubel schallt – und der Scheiterhaufen flammt: Jeanne d'Arc, die Hexe, wird verbrannt. – Ja, das kommende Jahrhundert spuckt aus vor der weißen Lilie: Voltaire, der Satyr des Verstandes, singt von „La pucelle".

Auf dem Thing zu Viborg verbrennt der dänische Adel die Gesetze des Königs – sie leuchten in der Flamme, beleuchten Zeit und Gesetzgeber, werfen einen Glorienschein in den dunklen Gefangenenturm, wo er sitzt, ergraut, gebeugt, mit den Fingern Furchen in den Steintisch ritzend, er, einst Herrscher über drei Königreiche, der volkstümliche König, der Freund des Bürgers und des Bauern: Christian II., mit dem harten Sinn in einer harten Zeit. Feinde schrieben seine Geschichte nieder. – Seiner siebenundzwanzigjährigen Gefangenschaft wollen wir gedenken, wenn wir uns seiner Blutschuld erinnern.

Dort segelt ein Schiff von Dänemark ab; am hohen Mast steht ein Mann, er blickt zum letztenmal auf die Insel Hveen: Tycho Brahe, der den Namen Dänemarks zu den Sternen hob, und man belohnte ihn dafür mit Kränkung und Verdruß – er zieht nach einem fremden Land: „Der Himmel ist überall, was brauche ich mehr!" sind seine Worte; er segelt dahin, unser berühmtester Mann, geehrt und frei in einem fremden Land!

„Ach, frei, und wäre es nur von den unleidlichen Schmerzen des Leibes!" seufzt es durch die Zeiten zu uns. Welch ein Bild! – Griffenfeld, ein dänischer Prometheus, gefesselt an die Felseninsel Munkholm.

Wir sind in Amerika, an einem der großen Flüsse; eine Menschenmenge hat sich versammelt, ein Schiff soll gegen Wind und Wetter, den Elementen trotzend, segeln können; Robert Fulton heißt er, der das zu können glaubt. Das Schiff beginnt die Fahrt, plötzlich bleibt es stehen – der Haufe lacht, pfeift und zischt, sein eigener Vater pfeift: „Hochmut! Tollheit! Das ist verdienter Lohn! Hinter Schloß und Riegel mit dem wahnsinnigen Kopf!" Da bricht ein kleiner Nagel, der für Augenblicke die Maschine hemmte, die Räder drehen sich, die Schaufeln brechen den Widerstand des Wassers, das Schiff fährt! – Die Weberspule des

Dampfes verwandelt Stunden zu Minuten zwischen den Ländern der Welt!

Menschengeschlecht, begreifst du die Seligkeit in einer solchen Minute des Bewußtwerdens, dieses Durchdrungenseins des Geistes von seiner Mission, diesen Augenblick, in dem alle Wunden vom Dornenpfad der Ehre – selbst die durch eigene Schuld – sich in Heilung, Gesundheit, Kraft und Klarheit auflösen, die Disharmonie sich in Harmonie verwandelt, die Menschen die Offenbarung der Gnade Gottes sehen, dem einzelnen erwiesen und durch ihn allen dargebracht!

So zeigt sich der Dornenpfad der Ehre als ein Glorienschein, der die Erde umstrahlt; glückselig, hier zum Wanderer auserkoren zu sein und ohne Verdienst eingereiht zu werden unter die Baumeister der Brücke zwischen dem Menschengeschlecht und Gott.

Auf mächtigen Flügeln schwebt der Geist der Geschichte durch die Zeiten und zeigt – zur Ermutigung und zum Trost, zur Nachdenken erweckenden Milde – auf nachtschwarzem Grund in leuchtenden Bildern den Dornenpfad der Ehre, der nicht, wie im Märchen, in Glanz und Freude hier auf Erden endet, sondern über sie hinaus in Zeit und Ewigkeit weist!

Suppe aus einem Wurstspeiler

1
„Suppe aus einem Wurstspeiler"

„Das war gestern ein ausgezeichnetes Mittagessen!" sagte eine alte Mäusefrau zu einer, die nicht bei dem Schmaus gewesen war. „Ich saß einundzwanzig Plätze von dem alten Mäusekönig entfernt; das ist doch gar nicht schlecht! Wenn ich Ihnen nun etwas über die Gänge sagen soll, so waren sie sehr gut zusammengestellt! Schimmliges Brot, Speckschwarte, Talglicht und Wurst – und dann dasselbe wieder von vorn; das war so gut, als hätten wir zwei Mahlzeiten bekommen! Es war eine behagliche Stimmung und gemütlicher Unsinn wie in einem Familienkreis; nicht das allergeringste außer den Wurstspeilern blieb übrig; über die sprachen wir dann und auch davon, Suppe aus einem Wurstspeiler zu kochen; gehört davon hatte ja jeder, aber keiner hatte die Suppe gekostet, geschweige denn verstanden sie zu kochen. Es wurde ein allerliebster Toast auf den Erfinder ausgebracht, er verdiene Armenhausvorsteher zu sein! War das nicht witzig? Und der alte Mäusekönig erhob sich und gelobte, daß diejenige von den jungen Mäusen, welche die erwähnte Suppe am wohlschmeckendsten kochen könne, seine Königin sein solle, Jahr und Tag sollten sie Bedenkzeit haben."

„Das ist gar nicht so übel!" sagte die andere Maus, „aber wie kocht man die Suppe?"

„Ja, wie kocht man sie, das fragten auch die andern Mäusedamen, junge und alte. Alle wollten sie gern Königin sein, aber ungern wollten sie sich die Mühe machen, in die weite Welt hinauszugehen, um es zu lernen, und das würde wohl notwendig werden! Aber es ist auch nicht jedem gegeben, die Familie und die alten Winkel zu verlassen; nicht alle Tage kommt man draußen zu Käserinde und Speckschwartengeruch, nein, man muß manchmal Hunger leiden, ja, vielleicht wird man gar lebendig von einer Katze gefressen!"

Diese Gedanken waren es wohl auch, welche die meisten abschreckten, auf Erkundung auszuziehen. Es stellten sich nur vier Mäuse zur Abreise ein, jung und flink, aber arm; sie wollten jede an eins der vier Enden der Welt gehen, dann kam es darauf an, wem das Glück zur Seite stand. Jede von ihnen nahm einen Wurstspeiler mit, um sich zu erinnern, weshalb sie reise; er sollte ihr Wanderstab sein.

Anfang Mai zogen sie fort, und erst im Mai des folgenden Jahres kamen sie zurück, jedoch nur drei, die vierte meldete sich nicht, ließ gar nichts von sich hören, und nun war der Tag der Entscheidung da.

„Ja, dem besten Vergnügen hängt doch stets irgendein Kummer an", sagte der Mäusekönig, aber er gab Befehl, alle Mäuse im Umkreis vieler Meilen einzuladen; sie sollten sich in der Küche versammeln; die drei Reisemäuse standen in einer Reihe für sich; für die vierte, die fehlte, war ein Wurstspeiler mit schwarzem Trauerflor aufgestellt. Niemand wagte seine Meinung zu sagen, bevor die drei gesprochen hatten und der Mäusekönig bestimmt hatte, was weiter gesagt werden solle.

Nun werden wir hören!

2

Was die erste kleine Maus auf der Reise gesehen und gelernt hatte

„Als ich in die weite Welt hinauszog", sagte die kleine Maus, „glaubte ich wie so viele in meinem Alter, ich hätte schon alles Wissen der Welt verschlungen, aber das hat man nicht, es gehört Jahr und Tag dazu, ehe das geschieht. Ich ging sogleich zur See; ich fuhr mit einem Schiff, das gen Norden sollte; ich hatte gehört, daß der Schiffskoch sich auf dem Meer zu helfen wissen müsse, aber es ist leicht, sich zu helfen, wenn man Speckseiten, Tonnen voll Pökelfleisch und schimmliges Mehl hat; man lebt delikat, aber man lernt dabei nicht, wie man eine Suppe aus einem Wurstspeil kochen kann. Wir segelten viele Nächte und Tage, wir schlingerten und wurden tüchtig naß. Als wir dorthin kamen, wohin wir sollten, verließ ich das Fahrzeug; es war hoch oben im Norden.

Es ist wunderlich, aus seinem eigenen Winkel zu Hause herauszukommen, mit einem Schiff zu fahren, das auch eine Art Winkel ist, und dann plötzlich über hundert Meilen fort zu sein und in einem fremden Land zu stehen. Dort gab es unwegsame Wälder mit Tannen und Birken, die so stark dufteten! Ich habe das gar nicht gern! Die wilden Kräuter dufteten so würzig, ich nieste, ich dachte an Wurst. Dort waren große Waldseen, das Wasser sah in der Nähe ganz klar aus, aber aus der Ferne wie schwarze Tinte; weiße Schwäne schwammen dort, ich hielt sie für Schaum, so still lagen sie, aber ich sah sie fliegen, und ich sah sie gehen, da erkannte ich sie; sie gehören zum Geschlecht der Gänse, das sieht man schon am Gang, niemand kann seine Verwandtschaft verleugnen! Ich hielt mich an meine Art, ich schloß mich den Wald- und Feldmäusen an, die übrigens sehr wenig wissen, besonders was die Bewirtung angeht, und das war es ja gerade, weshalb ich ins Ausland reiste.

Der Gedanke, Suppe aus einem Wurstspeiler zu kochen, war ihnen ein so außerordentlicher Gedanke, daß er sofort durch den ganzen Wald ging, aber die Aufgabe zu lösen, das hielten sie für ein Ding der Unmöglichkeit. Damals dachte ich am wenigsten daran, daß ich dort, und noch in derselben Nacht, in die Zubereitung eingeweiht werden sollte. Es war Mittsommer, und darum duftete der Wald so stark, sagten sie, darum seien die Kräuter so würzig, die Seen so klar und doch so dunkel mit ihren weißen Schwänen. Am Saum des Waldes, zwischen drei, vier Häusern, war eine Stange errichtet, so hoch wie der Großmast eines Schiffes, und ganz oben hingen Kränze und Bänder, es war der Maibaum. Knechte und Mägde tanzten rundherum und sangen dazu mit der Fiedel des Spielmannes um die Wette. Es ging lustig her bei Sonnenuntergang und im Mondenschein, aber ich nahm nicht teil, was soll eine kleine Maus auf dem Waldball! Ich saß in dem weichen Moos und hielt meinen Wurstspeiler fest. Der Mond schien besonders auf einen Fleck, wo ein Baum mit einem so feinen Moos stand, ja, ich darf wohl sagen, so fein wie das Fell des Mäusekönigs, aber es war von grüner Farbe und eine Wohltat für die Augen. Da kamen auf einmal die lieblichsten kleinen Leute aufmarschiert, nicht größer, als daß sie mir bis ans Knie reichten, sie sahen aus wie Menschen, aber sie waren besser proportioniert, sie nannten sich Elfen und hatten feine Kleider aus Blütenblättern mit Fliegen- und Mückenflügelbesatz, gar nicht übel. Es war mir gleich, als ob sie etwas suchten, ich wußte nicht, was, aber dann kamen einige auf mich zu, der Vornehmste zeigte auf meinen Wurstspeiler und sagte: ‚Das ist gerade so einer, wie wir ihn brauchen! Der ist zugespitzt, der ist ausgezeichnet!' Und je länger er meinen Wanderstab betrachtete, desto entzückter wurde er.

‚Nur leihen, aber nicht behalten!' sagte ich.

‚Nicht behalten!' sagten sie alle, faßten den Wurstspeiler, den ich losließ, und tanzten mit ihm zu dem feinen Moosfleck, wo sie den Wurstspeiler mitten im Grünen aufrichteten. Sie wollten auch einen Maibaum haben, und der, den sie nun hatten, war denn auch, als sei er für sie zugeschnitten. Nun wurde er geschmückt – ja, da bekam er erst ein Aussehen!

Kleine Spinnen bespannen ihn mit Golddraht, behängten

ihn mit wehenden Schleiern und Fahnen, so fein gewebt, so
schneeweiß im Mondenschein gebleicht, daß es mir die
Augen blendete; sie nahmen Farben von den Flügeln des
Schmetterlings und streuten diese über das weiße Linnen,
und Blumen und Diamanten flimmerten darauf, ich erkannte meinen Wurstspeiler nicht wieder; ein solcher Maibaum fand gewiß nicht seinesgleichen auf der ganzen Welt.
Und nun erst kam die richtige große Elfengesellschaft, die
war ganz ohne Kleider, feiner konnte es nicht sein, und
mich lud man ein, das Fest mit anzusehen, aber aus einiger
Entfernung, denn ich war ihnen zu groß.

Nun begann dort ein Spiel! Es war, als klängen Tausende
von Glasglocken, so voll und stark, daß ich glaubte, es wären die Schwäne, die sangen, ja es schien mir, als könnte ich
auch den Kuckuck und die Drossel hören, es war zuletzt,
als klänge der ganze Wald, da waren Kinderstimmen, Glok-
kenklang und Vogelsang, die lieblichsten Melodien, und all
die Herrlichkeit klang aus dem Maibaum der Elfen, der war
ein ganzes Glockenspiel und war doch nur mein Wurstspeiler. Daß so viel aus ihm herauskommen könnte, hätte ich
nie geglaubt, aber es kommt wohl darauf an, in welche
Hände er gerät. Ich war wirklich sehr gerührt; ich weinte,
wie eine kleine Maus weinen kann, vor lauter Vergnügen.

Die Nacht war allzu kurz, aber sie ist nun einmal dort oben
um diese Zeit nicht länger. In der Morgendämmerung kam
ein Lüftchen, der Wasserspiegel des Waldsees kräuselte
sich, all die feinen schwebenden Schleier und Fahnen flogen in der Luft davon; die schaukelnden Lauben aus Spinn-
web, die Hängebrücken und Balustraden und wie sie nun
heißen, die von Blatt zu Blatt errichtet waren, flogen davon
wie nichts; sechs Elfen brachten mir meinen Wurstspeiler
wieder und fragten, ob ich irgendeinen Wunsch hätte, den
sie mir erfüllen könnten; da bat ich sie, mir zu sagen, wie
man Suppe aus einem Wurstspeiler kocht.

‚Wie wir es tun?‘ sagte der Vornehmste und lachte, ‚das hast
du ja doch soeben gesehen! Du kanntest ja kaum deinen
Wurstspeiler wieder!‘

‚So meinen Sie es!‘ sagte ich und erzählte geradeheraus,
warum ich auf Reisen sei und was man sich zu Hause davon
verspreche. ‚Welchen Nutzen‘, fragte ich, ‚haben der Mäusekönig und unser ganzes mächtiges Reich dadurch, daß ich

diese Herrlichkeit gesehen habe? Ich kann sie nicht aus dem Wurstspeiler schütteln und sagen: Seht, hier ist der Wurstspeiler, und nun kommt die Suppe! Das wäre höchstens eine Art Gericht – wenn man satt wäre!'

Da tauchte der Elf seinen kleinen Finger in den Kelch eines blauen Veilchens und sagte zu mir: ,Gib acht! Hier bestreiche ich deinen Wanderstab, und wenn du nach Hause zum Schloß des Mäusekönigs kommst, dann berühre mit dem Stab die warme Brust deines Königs, und es werden Veilchen sprießen, den ganzen Stab bedecken, selbst zur kältesten Winterzeit. Sieh, dann hast du doch etwas zu Hause und noch ein bißchen dazu!'" Aber bevor die kleine Maus sagte, was dieses bißchen sei, richtete sie ihren Stab auf die Brust des Königs, und wirklich, da sproß der herrlichste Blumenstrauß hervor, der so stark duftete, daß der Mäusekönig befahl, die Mäuse, welche dem Schornstein am nächsten standen, sollten sofort ihre Schwänze ins Feuer stekken, damit man einen brandigen Geruch verspüre, denn der Veilchenduft sei nicht auszuhalten, der sei nicht die Sorte, die man liebe.

„Aber was war das bißchen, von dem du sprachst?" fragte der Mäusekönig.

„Ja", sagte die kleine Maus, „das ist das, was man wohl den Effekt nennt!" Und darauf kehrte sie den Wurstspeiler um, und keine Blume war mehr da, sie hielt nur den nackten Speiler, und diesen hob sie wie einen Taktstock.

„Veilchen, sagte mir der Elf, sind für die Augen, für den Geruch und das Gefühl, aber es bleibt noch übrig, für das Gehör und den Geschmack zu sorgen!" Nun schlug sie den Takt; das war eine Musik, nicht wie sie im Walde beim Fest der Elfen erklang, nein, wie sie in der Küche zu hören ist. Na, das war ein Durcheinander! Es kam plötzlich, gerade als ob der Wind durch alle Essen brauste; Kessel und Töpfe kochten über, die Feuerschaufel donnerte gegen den Messingkessel, und dann wurde es auf einmal still; man hörte den gedämpften Gesang des Teekessels, so wunderlich, daß man gar nicht wußte, ob er aufhörte oder begann; der kleine Topf kochte, und der große Topf kochte, einer kümmerte sich nicht um den andern, es war, als sei keine Vernunft im Topf. Und die kleine Maus schwang ihren Taktstock immer wilder – die Töpfe schäumten, brodelten, kochten über, der Wind sauste, der Schornstein pfiff – huha! Es wurde so entsetzlich, daß die kleine Maus selbst den Stock verlor.

„Das war eine schwere Suppe!" sagte der Mäusekönig. „Kommt nun nicht bald die Mahlzeit?"

„Das war das Ganze!" sagte die kleine Maus und verneigte sich.

„Das Ganze! Ja, dann laßt uns hören, was die nächste zu berichten hat!" sagte der König.

3
Was die zweite kleine Maus zu erzählen wußte

„Ich bin in der Schloßbibliothek geboren", sagte die zweite Maus, „ich und mehrere aus meiner Familie haben nie das Glück gekannt, in das Speisezimmer, geschweige denn in die Speisekammer zu kommen; erst auf meiner Reise und heute hier sah ich eine Küche. Wir litten wirklich oft Hunger in der Bibliothek, aber wir erwarben viele Kenntnisse. Zu uns hinauf gelangte das Gerücht von dem königlichen Preis, der dafür ausgesetzt war, Suppe aus einem Wurstspeiler zu kochen, und da war es meine alte Großmutter, die ein Manuskript hervorsuchte, das sie zwar nicht lesen konnte, das sie aber hatte vorlesen hören, und darin stand: ‚Ist man ein Dichter, so kann man Suppe aus einem Wurstspeiler kochen.‘ Sie fragte mich, ob ich ein Dichter sei. Ich wußte mich frei davon, und sie sagte, dann müsse ich sehen, daß ich es würde; was dazu erforderlich sei, fragte ich, denn es war für mich ebenso schwierig, das herauszufinden wie die Suppe zu kochen; doch Großmutter war sehr belesen, sie sagte, es seien drei Hauptbestandteile notwendig: ‚Verstand, Phantasie und Gefühl, kannst du diese in dich hineinbekommen, so bist du ein Dichter, und dann kommst du wohl auch mit dem Wurstspeiler zurecht!‘

Und dann ging ich gen Westen in die weite Welt hinaus, um Dichter zu werden.

Verstand ist bei jedem Ding das wichtigste, das wußte ich, die beiden anderen Teile genießen nicht dieselbe Achtung! Ich suchte also zuerst den Verstand. Ja, wo wohnt der wohl?

Geh zur Ameise und werde weise! hat ein großer König im
Judenland gesagt, das wußte ich aus der Bibliothek, und ich
hielt nicht an, bevor ich zu dem ersten großen Ameisenhaufen kam, dort legte ich mich auf die Lauer, um weise zu
werden.

Die Ameisen sind ein sehr respektables Volk, sie sind lauter Verstand. Alles bei ihnen ist wie ein richtiges Rechen-
exempel, das aufgeht. Arbeiten und Eier legen, sagen sie,
heißt in der Zeit leben und für die Nachwelt sorgen, und
das tun sie denn. Sie teilen sich in die sauberen Ameisen
und die schmutzigen; der Rang besteht in einer Nummer,
die Ameisenkönigin ist Nummer eins, und ihre Ansicht ist
die einzig richtige, sie hat alle Weisheit geschluckt, und das
zu wissen war für mich von Wichtigkeit! Sie sagte so vieles,
und das war so klug, daß es mir dumm vorkam. Sie sagte,
ihr Ameisenhaufen sei das Höchste in der Welt, aber dicht
bei dem Haufen stand ein Baum, der höher, viel höher war,
das ließ sich nicht leugnen, und so sprach man nicht davon.
Eines Abends hatte sich eine Ameise dorthin verirrt, war
den Stamm hinaufgekrochen, nicht einmal bis zur Krone,
aber doch höher, als vorher irgendeine Ameise gekommen
war, und als sie umkehrte und wieder nach Hause kam, erzählte sie im Haufen von etwas viel Höherem draußen, aber
das fanden die Ameisen beleidigend für die ganze Gesellschaft, und die Ameise wurde deshalb zu Maulkorb und im-
merwährender Einsamkeit verurteilt. Aber kurze Zeit darauf kam eine andere Ameise zu dem Baum und machte dieselbe Reise und Entdeckung, die sprach davon vorsichtig
und undeutlich, wie man sagte, und da sie außerdem eine
geachtete Ameise und eine der sauberen war, so glaubte
man ihr, und als sie starb, setzten sie ihr eine Eierschale als
Denkmal, denn sie achteten die Wissenschaften. Ich sah",
sagte die kleine Maus, „daß die Ameisen unaufhörlich mit
ihren Eiern auf dem Rücken umherliefen; eine von ihnen
verlor das ihrige, sie gab sich große Mühe, es wieder aufzu-
heben, aber es wollte ihr nicht gelingen, da kamen zwei andere hinzu und halfen ihr aus Leibeskräften, so daß sie beinahe ihre eigenen Eier dabei verloren hätten, aber da ließen
sie es augenblicklich wieder sein, denn man ist sich selbst
am nächsten; und die Ameisenkönigin sagte darüber, hier
sei Herz und Verstand gezeigt worden. ‚Diese beiden stel-

len uns Ameisen auf die höchste Stufe unter den Vernunft-
wesen. Der Verstand soll und muß das Überwiegende sein,
und ich habe den größten!' Und dabei erhob sie sich auf die
hintersten Beine, so war sie zu erkennen – ich konnte nicht
fehlgehen – und ich verschlang sie. Geh zur Ameise und
werde weise! Nun hatte ich die Königin!

Ich ging nun näher an den erwähnten großen Baum heran,
es war eine Eiche, sie hatte einen hohen Stamm, eine mächtige Krone und war sehr alt; ich wußte, hier wohnt ein lebendiges Geschöpf, ein Weib, Dryade wird es genannt, es
wird mit dem Baum geboren und stirbt auch mit ihm; ich
hatte davon in der Bibliothek gehört; nun sah ich einen solchen Baum, sah ein solches Eichenmädchen; es stieß einen
entsetzlichen Schrei aus, als es mich so nahe erblickte; es
fürchtete sich wie alle Frauen sehr vor Mäusen, aber es
hatte doch auch mehr Grund dazu als die anderen, denn ich
hätte den Baum durchnagen können, und an ihm hing ja
sein Leben. Ich sprach es freundlich und herzlich an, flößte
ihm Mut ein, und es nahm mich in seine feine Hand, und
als es erfuhr, warum ich in die weite Welt gegangen sei, versprach es mir, ich solle vielleicht schon am selben Abend
einen der zwei Schätze erhalten, die ich noch suchte. Es erzählte mir, daß Phantasus sein sehr guter Freund sei, daß er
so schön wie der Liebesgott sei und daß er manche Stunde
hier unter den belaubten Zweigen des Baumes ruhe, die
dann noch kräftiger über den beiden rauschten. Er nenne
sie seine Dryade, sagte sie, den Baum seinen Baum, die
knorrige, mächtige schöne Eiche sei gerade nach seinem
Sinn, die Wurzel breitete sich tief und fest in der Erde aus,
der Stamm und die Krone erhoben sich hoch empor in die
frische Luft und kannten den fegenden Schnee, die scharfen Winde und den warmen Sonnenschein, wie man sie
kennen soll. Ja, so sprach sie: ‚Die Vögel singen dort oben
und erzählen von fremden Ländern! Und auf dem einzigen
dürren Zweig hat der Storch sein Nest gebaut, das putzt
schön, und man bekommt auch etwas aus dem Land der Pyramiden zu hören. Das alles kann Phantasus gut leiden, es
ist ihm noch nicht einmal genug, ich selbst muß ihm von
dem Leben im Wald erzählen, als ich noch klein war und
der Baum so zart, daß eine Brennessel ihn verdeckte, bis
jetzt, wo er so groß und mächtig geworden ist. Setz dich

nun dort unter den grünen Waldmeister und gib wohl acht, ich werde, wenn Phantasus kommt, schon Gelegenheit finden, ihn in den Flügel zu kneifen und eine kleine Feder auszurupfen, nimm sie, eine bessere hat kein Dichter bekommen – dann hast du genug!'

Und Phantasus kam, die Feder wurde ausgerupft, und ich nahm sie", sagte die kleine Maus, „ich hielt sie ins Wasser, damit sie weich würde. – Sie war noch sehr schwer verdaulich, aber ich habe sie doch aufgenagt! Es ist durchaus nicht leicht, sich zum Dichter zu nagen, es gibt so vieles, was man in sich aufnehmen muß. Nun hatte ich ja die zwei Dinge, Verstand und Phantasie, und durch diese wußte ich nun, daß das dritte Ding in der Bibliothek zu finden sei, denn ein großer Mann hat gesagt und geschrieben, daß es Romane gibt, die allein dazu da sind, die Menschen von den überflüssigen Tränen zu befreien, also eine Art Schwamm sind, um die Gefühle aufzusaugen. Ich erinnerte mich an einige dieser Bücher, die mir immer ganz appetitlich ausgesehen hatten, sie waren so zerlesen, so fettig, sie müssen eine unendliche Flut in sich aufgenommen haben.

Ich ging heim in die Bibliothek, fraß gleich so gut wie einen ganzen Roman, das heißt das Weiche, das Eigentliche, die Kruste dagegen, den Einband, ließ ich liegen. Als ich ihn verdaut hatte und noch einen dazu, vernahm ich schon, wie es sich in meinem Innern regte, ich fraß noch ein wenig von dem dritten, und dann war ich ein Dichter, das sagte ich mir selbst und sagte es auch den andern; ich hatte Kopfschmerzen und Leibschmerzen, ich weiß nicht, was ich alles für Schmerzen hatte; ich dachte nur darüber nach, welche Geschichten wohl in Beziehung zu einem Wurstspeiler gebracht werden könnten, und sehr viele Speiler und andere Hölzchen kamen mir in den Sinn, die Ameisenkönigin hat einen außergewöhnlichen Verstand gehabt; ich erinnerte mich des Mannes, der ein weißes Hölzchen in den Mund nahm, und dann war er mitsamt dem Hölzchen unsichtbar; ich dachte an ,vom Hölzchen aufs Stöckchen kommen', an ,den Stab über einen brechen' und andere Sprüche. Alle meine Gedanken gingen in Speilern und Hölzchen auf! Und davon müßte auch gedichtet werden können, wenn man ein Dichter ist, und der bin ich, ich habe mich geschunden, bis ich es endlich geworden bin. Ich werde Ihnen

somit an jedem Tag der Woche mit einem Speiler, einer Geschichte aufwarten können – ja, das ist meine Suppe!"
„Laßt uns nun die dritte hören!" sagte der Mäusekönig.
„Piep, piep!" sagte es in der Küchentür, und eine kleine Maus, es war die vierte von ihnen, diejenige, welche man tot wähnte, schoß herein wie ein Pfeil; sie rannte den Wurstspeiler mit dem Trauerflor um, sie war Tag und Nacht gelaufen, war auf der Eisenbahn mit dem Güterzug gefahren, wozu sie Gelegenheit gefunden hatte, und doch war sie fast zu spät gekommen; sie drängte sich hervor, sah zerzaust aus, hatte ihren Wurstspeiler verloren, aber nicht die Sprache, sie ergriff sofort das Wort, als wenn man nur auf sie gewartet hätte, nur sie anhören wollte, als wenn alles andere in der Welt die Welt nichts anginge; sie sprach sofort, sprach sich aus; sie kam so unerwartet, daß niemand Zeit gewann, sich über sie und über ihre Rede aufzuhalten, während sie sprach. Nun, wir wollen hören!

4

Was die vierte Maus, bevor die dritte gesprochen hatte,
zu erzählen wußte

„Ich ging sogleich in die größte Stadt", sagte sie, „der Name ist mir entfallen, ich habe ein schlechtes Namengedächtnis. Von der Eisenbahn kam ich mit konfiszierten Gütern aufs Rathaus, und dort lief ich zum Schließer; er sprach von seinen Gefangenen, besonders von einem, der unbesonnene Worte gesprochen hatte, und über diese war wieder gesprochen und gesprochen, gelesen und geschrieben worden. ‚Das Ganze ist Suppe aus einem Wurstspeiler!' sagte er, ‚aber die Suppe kann ihn den Kopf kosten!' Das flößte mir nun Interesse für den Gefangenen ein", sagte die kleine Maus, „ich benutzte die Gelegenheit und huschte zu ihm hinein; ein Mauseloch findet sich immer hinter verschlossenen Türen! Er sah blaß aus, hatte einen großen Bart und große funkelnde Augen. Die Lampe qualmte, und die Wände waren daran gewöhnt, sie wurden nicht schwärzer. Der Gefangene ritzte Bilder und Verse mit Weiß auf Schwarz, ich las sie nicht. Ich glaubte, er langweilte sich; ich war ein willkommener Gast. Er lockte

mich mit Brotkrümeln, mit Pfeifen und sanften Worten; er
freute sich so über mich, ich faßte Vertrauen zu ihm, und
so wurden wir Freunde. Er teilte Brot und Wasser mit mir,
gab mir Käse und Wurst; ich lebte flott; aber es war doch,
muß ich sagen, besonders der gute Umgang, der mich
hielt. Er ließ mich auf seiner Hand, auf seinen Arm, ganz
in den Ärmel hinauflaufen; er ließ mich in seinem Bart
umherkriechen, nannte mich seinen kleinen Freund; ich
gewann ihn ordentlich lieb – so etwas ist wohl gegenseitig! Ich vergaß meinen Auftrag in der weiten Welt, vergaß
meinen Wurstspeiler in einer Ritze im Fußboden, dort
liegt er noch. Ich wollte bleiben, wo ich war; ginge ich
fort, dann hätte ja der arme Gefangene gar niemanden,
und das ist zuwenig in dieser Welt! – Ich blieb, er blieb
nicht! Er sprach das letztemal recht traurig zu mir, gab mir
doppelt soviel Brot und Käserinde wie sonst und warf mir
dann Kußhände zu; er ging und kam nie wieder. Ich kenne
seine Geschichte nicht. ‚Suppe aus einem Wurstspeiler!‘
sagte der Schließer, und zu diesem ging ich nun, doch ihm
hätte ich nicht trauen sollen; er nahm mich zwar in seine
Hand, aber er steckte mich in einen Käfig, in eine Tret-
mühle; das ist entsetzlich! Man läuft und läuft und kommt
nicht weiter und ist nur zum Gelächter da!
Die Enkelin des Schließers war eine allerliebste Kleine, mit
goldgelbem Lockenhaar, fröhlichen Augen und lachendem
Mund. ‚Arme kleine Maus!‘ sagte sie, guckte in meinen häßlichen Käfig hinein, zog den Eisenstab heraus – und ich
sprang aufs Fensterbrett und in die Dachrinne hinaus. Frei!
Frei! Daran allein dachte ich und nicht an das Ziel der
Reise!
Es war dunkel, es war Nachtzeit, ich suchte Obdach in
einem alten Turm; dort wohnten ein Wächter und eine
Eule; ich traute keinem von beiden, am wenigsten der Eule;
sie gleicht einer Katze und hat den großen Fehler, daß sie
Mäuse frißt; aber man kann sich irren, und das tat ich; sie
war eine respektable, außerordentlich gebildete alte Eule,
sie wußte mehr als der Wächter und ebensoviel wie ich; die
Eulenjungen machten von jedem Ding ein Aufheben.
‚Kocht nur keine Suppe aus einem Wurstspeiler!‘ sagte sie,
das war das Allerhärteste, was sie sagen konnte, sie war so
herzlich zu ihrer eigenen Familie. Ich faßte ein solches Ver-

trauen zu ihr, daß ich ihr aus der Spalte, in der ich saß, ‚piep‘ zurief; dieses Zutrauen gefiel ihr sehr, und sie versicherte mir, daß ich unter ihrem Schutz stehen sollte; keinem Tier sollte es erlaubt sein, mir Böses anzutun, das wolle sie selbst zum Winter tun, wenn es schmale Kost gebe.

Sie war in allem klug; sie bewies mir, daß der Wächter ohne das Horn, das lose an seiner Seite hing, nicht tuten könnte. ‚Er bildet sich entsetzlich viel darauf ein, er glaubt, er sei eine Eule im Turm. Etwas Großes soll es sein, aber es ist wenig! Suppe aus einem Wurstspeiler!‘ Ich bat sie, mir das Rezept zu geben, und nun erklärte sie es mir: ‚Suppe aus einem Wurstspeiler ist nur eine menschliche Redensart und ist auf verschiedene Weise zu verstehen, und ein jeder hält seine Weise für die richtigste; aber das Ganze ist eigentlich nichts!‘

‚Nichts!‘ sagte ich. Das traf mich. Die Wahrheit ist nicht immer angenehm, aber die Wahrheit ist das Höchste! Das sagte auch die alte Eule. Ich dachte darüber nach und sah ein: wenn ich das Höchste brächte, dann brächte ich viel mehr als Suppe aus einem Wurstspeiler. Und dann eilte ich fort, damit ich noch zur rechten Zeit nach Hause käme und das Höchste und Beste brächte: die Wahrheit. Die Mäuse sind ein aufgeklärtes Volk, und der Mäusekönig steht über ihnen allen. Er ist imstande, mich um der Wahrheit willen zur Königin zu machen!“

„Deine Wahrheit ist Lüge!“ sagte die Maus, die noch nicht Erlaubnis zum Sprechen bekommen hatte. „Ich kann die Suppe kochen, und das werde ich auch tun!“

5

Wie sie gekocht wurde

„Ich bin nicht gereist“, sagte die dritte Maus, „ich bin im Land geblieben, das ist das Richtige! Man braucht nicht zu reisen, man kann hier alles ebensogut bekommen. Ich blieb! Ich habe das Meinige nicht von übernatürlichen Wesen gelernt, es mir nicht angefressen oder mit Eulen gesprochen. Ich habe das Meinige durch Selbstdenken erworben. Wollen Sie nun den Kessel aufsetzen, Wasser hineinfüllen!

344

Ganz voll! Feuer anmachen! Brennen lassen, bis das Wasser kocht – es muß sprudelnd kochen! Nun den Speiler hineinwerfen! – Wollen der Mäusekönig nun geruhen, seinen Schwanz in das sprudelnd Kochende hineinzustecken und umzurühren! Je länger Er umrührt, desto kräftiger wird die Suppe; es kostet nichts! Sie bedarf keiner Zutaten – nur umrühren!"

„Kann das nicht ein anderer tun?" fragte der König.

„Nein", sagte die Maus, „die Kraft ist nur im Schwanz des Mäusekönigs!"

Und das Wasser kochte und sprudelte, und der Mäusekönig stellte sich dicht daran, es war beinah gefährlich, und er streckte den Schwanz aus, so wie es die Mäuse in der Milchkammer tun, wenn sie den Rahm aus einem Napf abschöpfen und sich darauf den Schwanz ablecken, aber er bekam den seinigen nur bis in den heißen Dampf hinein, dann sprang er sofort herunter.

„Natürlich, du bist meine Königin!" sagte er. „Mit der Suppe wollen wir bis zu unserer goldenen Hochzeit warten, denn so haben die Armen meines Reiches etwas, worauf sie sich freuen können, und eine lange Freude!"

Und dann hielten sie Hochzeit; aber mehrere Mäuse sagten, als sie nach Hause kamen: „Das konnte man doch nicht Suppe aus einem Wurstspeiler nennen, das war eher Suppe aus einem Mäuseschwanz!" Dieses und jenes von dem, was erzählt worden war, fanden sie ganz gut; das Ganze aber hätte anders sein können! „Ich hätte es nun so und so erzählt –!"

Das war die Kritik, und die ist immer so klug – hinterdrein.

Und diese Geschichte ging um die Welt, die Meinungen über sie waren geteilt, aber die Historie selbst blieb ganz; und das ist das richtigste, im Großen wie im Kleinen und bei der Suppe aus einem Wurstspeiler; man muß nur keinen Dank dafür erwarten.

„Etwas"

„Ich will etwas sein!" sagte der Älteste von fünf Brüdern. „Ich will etwas nützen in der Welt; mag es eine noch so geringe Stellung sein, wenn nur das, was ich ausrichte, etwas Gutes ist, dann ist es doch etwas. Ich will Mauersteine machen, die sind nicht zu entbehren, und dann habe ich wirklich etwas gemacht!"

„Aber etwas allzu Geringes!" sagte der zweite Bruder. „Das, was du tust, ist so gut wie nichts, das ist Handlangerarbeit, die durch eine Maschine verrichtet werden kann. Nein, dann lieber Maurer sein, das ist doch etwas, das will ich sein. Das ist ein Stand! Damit wird man in die Innung aufgenommen, wird Bürger, bekommt seine eigene Fahne und sein eigenes Wirtshaus; ja, wenn alles gut geht, kann ich Gesellen halten, werde Meister genannt, und meine Frau wird Meisterin; das ist doch etwas!"

„Das ist gar nichts!" sagte der dritte. „Dann stehst du außerhalb der oberen Klassen, und es gibt viele Klassen in einer Stadt, die weit über dem Handwerksmeister stehen. Du kannst ein braver Mann sein, aber du bist als Meister doch nur das, was man ,simpel' nennt! Nein, da weiß ich etwas Besseres! Ich will Baumeister sein, will den Weg der Kunst, des Denkens gehen, will zu den Höherstehenden im Reich des Geistes aufsteigen; wohl muß ich von unten auf beginnen, ja, ich sage es geradeheraus: ich muß als Zimmerlehrling anfangen; muß mit der Mütze gehen, obwohl ich daran gewöhnt bin, einen seidenen Hut zu tragen, muß den gewöhnlichen Gesellen Schnaps und Bier holen, und sie werden du zu mir sagen, das ist beschwerlich; aber ich werde mir einbilden, daß das Ganze eine Maskerade ist, daß es Maskenfreiheit ist! Morgen – das heißt, wenn ich Geselle bin, gehe ich meinen Weg, die andern gehen mich nichts an! Ich gehe auf die Akademie, lerne zeichnen, heiße Architekt! – Das ist etwas! Das ist viel! Ich kann Wohlgeboren und Hochwohlgeboren werden, ja sogar vorn und hinten noch etwas dazubekommen, und ich baue und baue, wie die andern vor mir! Das ist immer etwas, worauf man sich verlassen kann! Das Ganze ist etwas!"

„Ich aber mache mir aus diesem Etwas gar nichts", sagte der vierte, „ich will nicht im Kielwasser schwimmen, will nicht

Kopie sein, ich will ein Genie sein, will tüchtiger sein als ihr alle zusammen! Ich schaffe einen neuen Stil, ich gebe die Idee zu einem Gebäude, das dem Klima und dem Material des Landes, dem Nationalgefühl des Landes, der Entwicklung des Zeitalters entspricht und daher noch ein Stockwerk mehr für mein eigenes Genie ist!"

„Wenn nun aber das Klima und das Material nichts taugen?" sagte der fünfte. „Das wäre schlimm, denn sie haben Einfluß! Das Nationalgefühl kann sich auch aufblähen, daß es affektiert wird, die Entwicklung des Zeitalters kann mit dir durchgehen, wie die Jugend oft durchgeht. Ich sehe schon, daß keiner von euch eigentlich etwas werden wird, wie sehr ihr es auch selbst glaubt! Aber tut, was ihr wollt, ich werde euch nicht gleichen, ich halte mich außerhalb, ich will darüber räsonieren, was ihr ausrichtet! An jedem Ding ist etwas Verkehrtes, das werde ich heraustüfteln und besprechen, das ist etwas!"

Und das tat er, und die Leute sagten von dem fünften: „An dem ist bestimmt etwas dran! Er ist ein guter Kopf! Aber er tut nichts!" – Doch gerade dadurch war er etwas.

Seht, das ist nur eine kleine Geschichte, und doch hat sie kein Ende, solange die Welt steht!

Aber wurde denn weiter nichts aus den fünf Brüdern? Das war ja noch nichts! Hört nur weiter, es ist ein ganzes Märchen!

Der älteste Bruder, der Mauersteine machte, merkte, daß von jedem fertigen Stein ein kleiner Schilling rollte, zwar nur aus Kupfer, doch viele kleine Kupferschillinge, aufeinandergelegt, werden zu einem blanken Taler, und wo man mit ihm anklopft, beim Bäcker, Schlächter, Schneider, ja bei allen, da fliegt die Tür auf, und man bekommt, was man braucht; seht, das werfen die Mauersteine ab; einige zerbröckelten zwar oder brachen mittendurch, aber auch solche konnte man gebrauchen.

Oben auf dem Deich wollte Mutter Margrethe, die arme Frau, sich so gern ein Häuschen bauen; sie bekam alle zerbröckelten Steine und auch ein paar ganze, denn ein gutes Herz hatte der älteste Bruder, wenn er es auch in der Tat nicht weiter brachte, als Mauersteine zu machen. Die arme Frau baute selbst ihr Häuschen; schmal war es, das eine Fenster saß schief, die Tür war zu niedrig, und das Strohdach hätte besser gelegt werden können, aber Schutz und Schirm gab es, und man konnte von dort weit über das Meer hinaussehen, dessen Gewalt sich an dem Deich brach, die salzigen Tropfen spritzten über das ganze Haus, das noch stand, als der, welcher die Mauersteine gemacht hatte, tot und begraben war.

Der zweite Bruder, ja, der verstand nun anders zu mauern, er hatte es ja auch gelernt. Als er sein Gesellenstück geliefert hatte, schnürte er seinen Ranzen und sang das Handwerkerlied.

> „Weil ich jung bin, will ich wandern,
> Draußen will ich Häuser baun,
> Ziehn von einem Ort zum andern;
> Mein junger Sinn gibt mir Vertraun.
>
> Und kehr ich heim ins Vaterland,
> Wo's Liebchen harret mein,
> Hurra, richt ich mit froher Hand
> Das eigne Haus mir ein!"

Und das tat er auch. Als er in die Stadt zurückgekommen und Meister geworden war, mauerte er Haus neben Haus, eine ganze Straße; als sie stand, gut aussah und der Stadt Ansehen gab, bauten die Häuser für ihn ein kleines Haus, das sein eigen sein sollte; doch wie können die Häuser bauen?

Ja, frag sie nur, und sie werden nicht antworten, aber die Leute antworten und sagen: „Ja, gewiß hat die Straße ihm sein Haus gebaut!" Klein war es und mit Lehmfußboden, aber als er mit seiner Braut darauf tanzte, wurde der Fußboden blank und gebohnert, und aus jedem Stein in der Wand sprang eine Blume hervor, das war ebenso gut wie eine kostbare Tapete. Es war ein hübsches Haus und ein glückliches Ehepaar. Die Innungsfahne wehte davor, und Gesellen und Lehrjungen riefen hurra. Ja, der war etwas! Und dann starb er, das war auch etwas!

Nun kam der Architekt, der dritte Bruder, der erst Zimmerlehrling gewesen und mit der Mütze gegangen war und den Laufburschen gespielt hatte, aber von der Akademie bis zum Baumeister emporgestiegen war, „Wohlgeboren und

Hochwohlgeboren". Ja, hatten die Häuser der Straße für den Bruder, der Maurermeister war, ein Haus gebaut, so erhielt nun die Straße seinen Namen, und das schönste Haus der Straße wurde sein eigenes, das war etwas, und er war etwas – und das mit einem langen Titel vorn und hinten. Seine Kinder nannte man vornehme Kinder, und als er starb, war seine Witwe von Stand – das ist etwas! Und sein Name blieb beständig an der Straßenecke stehen und lebte in aller Mund als Straßenname – ja, das ist etwas!

Dann kam das Genie, der vierte Bruder, der etwas Neues, etwas Apartes und noch ein Stockwerk darüber erfinden wollte, aber es brach unter ihm zusammen, und er fiel herunter und brach sich den Hals – aber er bekam ein schönes Begräbnis mit Innungsfahnen und Musik, Blumen in der Zeitung und auf dem Straßenpflaster, und man hielt ihm drei Leichenreden, die eine länger als die andere, und das würde ihn sehr erfreut haben, denn er hatte es sehr gern, wenn von ihm gesprochen wurde; auf seinem Grab wurde ein Denkmal errichtet, nur ein Stockwerk hoch, aber das ist immerhin etwas!

Er war nun gestorben wie die drei anderen Brüder, aber der letzte, der räsonierte, überlebte sie alle, und das war ja das Richtige, denn so hatte er das letzte Wort, und es war für ihn von großer Wichtigkeit, das letzte Wort zu behalten. Er war ja der gute Kopf! sagten die Leute. Nun schlug auch seine Stunde, er starb und kam an die Pforte des Himmelreiches. Hierhin kommen immer zwei und zwei! Da stand er nun mit einer anderen Seele, die auch gern hineinwollte, und das war gerade die alte Mutter Margrethe aus dem Deichhäuschen.

„Es geschieht wohl des Kontrastes wegen, daß ich und diese elende Seele zur gleichen Zeit hierherkommen müssen!" sagte der Räsoneur. „Na, wer ist Sie denn, Mütterchen? Will Sie hier auch hinein?" fragte er.

Die alte Frau verneigte sich, so gut sie konnte; sie glaubte, es sei Petrus selbst, der sprach. „Ich bin ein armes, einfältiges Weib, ohne alle Familie, die alte Margrethe aus dem Deichhäuschen."

„Nun, was hat Sie dort unten getan und ausgerichtet?"

„Ich habe eigentlich gar nichts in dieser Welt ausgerichtet! Nichts, was mir hier Eingang verschaffen könnte! Es wird eine wahre Gnade sein, wenn ich hier durch die Tür kommen darf!"

„Wie hat Sie diese Welt verlassen?" fragte er, nur um etwas zu sagen, da es ihn langweilte, dort zu stehen und zu warten.

„Ja, wie ich sie verließ, das weiß ich nicht! Krank und elend war ich während der letzten Jahre, und ich habe es wohl nicht vertragen können, aus dem Bett zu kriechen und in Frost und Kälte hinauszukommen. Es ist ja ein harter Winter, aber nun habe ich es doch überstanden. Es war ein paar Tage lang windstill, aber bitterlich kalt, wie Euer Ehrwürden wohl selbst wissen; die Eisdecke lag so weit über dem Meer, wie man nur sehen konnte; alle Leute aus der Stadt zogen auf das Eis hinaus, dort war, wie sie es nannten, Schlittschuhlaufen und Tanz, glaube ich, auch Musik und Bewirtung gab es draußen; ich konnte es in meiner ärmlichen Stube hören, in der ich lag. Da war es so gegen Abend, der Mond war schon aufgegangen, aber noch nicht zu Kräften gekommen, als ich von meinem Bett durch das Fenster weit über das Meer hinaussah, und dort, am Rande von Himmel und Meer, kam eine wunderliche, weiße Wolke herauf; ich lag und sah sie an, ich sah den schwarzen Punkt in ihrer Mitte, der größer und größer wurde; und nun wußte ich, was das zu bedeuten hatte – ich bin alt und erfahren –, obwohl man das Zeichen nicht oft sieht. Ich kannte es, und mich überkam ein Grauen. Zweimal vorher hatte ich in meinem Leben das Ding kommen sehen, und ich wußte, daß es einen entsetzlichen Sturm mit Springflut geben würde, die würde die armen Menschen draußen überfallen, die jetzt tranken und sprangen und jubilierten; jung und alt, die ganze Stadt war draußen; wer sollte sie warnen, wenn niemand dort sah und erkannte, was ich nun erkannte. Mir wurde angst, ich wurde so lebendig wie ewig nicht mehr! Ich kam aus dem Bett heraus und bis zum Fenster, weiter konnte ich mich nicht schleppen. Das Fenster bekam ich noch auf; ich sah die Menschen draußen auf dem Eis laufen und springen, sah die hübschen Flaggen, hörte, wie die Knaben hurra riefen und Knechte und Mägde sangen, es ging lustig her, höher und höher stieg die weiße Wolke mit dem schwarzen Punkt; ich rief, so laut ich konnte, aber niemand hörte mich, ich war zu weit entfernt.

Bald würde das Unwetter losbrechen, das Eis platzen, in Stücke gehen, und alle dort draußen würden ohne Rettung versinken. Mich hören konnten sie nicht, zu ihnen hinauszugelangen, vermochte ich nicht; könnte ich sie doch an Land bekommen! Da gab der liebe Gott mir den Gedanken ein, mein Bett in Brand zu stecken, lieber das Haus niederbrennen zu lassen, als daß die vielen so jämmerlich umkämen. Ich zündete das Feuer an, ich sah die rote Flamme – ja, ich kam noch zur Tür hinaus, aber dort blieb ich liegen, ich konnte nicht mehr; die Flamme schlug hinter mir hoch, zum Fenster hinaus, über das Dach empor; sie sahen es dort draußen, und alle liefen, was sie konnten, um mir Armen zu helfen, denn sie glaubten, ich müßte verbrennen; da war nicht einer, der woandershin lief; ich hörte sie kommen, aber ich vernahm auch, wie es mit einemmal in der Luft brauste, ich hörte es donnern wie schwere Kanonenschüsse, die Springflut hob das Eis und zerbrach es; aber sie erreichten den Deich, wo die Funken über mich hinflogen; ich bekam sie alle in Sicherheit; aber ich habe die Kälte und den Schreck nicht vertragen können, und so bin ich hierher an die Pforte des Himmels gekommen; sie sagen, es wird auch so einer Armen, wie ich bin, aufgetan. Und nun habe ich ja kein Haus mehr auf dem Deich – doch das verschafft mir hier wohl keinen Einlaß."

Da öffnete sich die Pforte des Himmelreiches, und der Engel führte die alte Frau hinein; sie verlor einen Strohhalm draußen, von dem Stroh, das in ihrem Bett gelegen und das sie angezündet hatte, um die vielen zu retten, und er hatte sich in reines Gold verwandelt, aber in Gold, das wuchs und sich in den schönsten Verzierungen emporrankte.

„Sieh, das brachte die arme Frau!" sagte der Engel. „Was bringst du? Ja, ich weiß es wohl, du hast nichts ausgerichtet, nicht einmal einen Mauerstein gemacht; könntest du nur wieder zurückgehen und wenigstens so viel bringen; wahrscheinlich würde er nichts taugen, wenn du ihn gemacht hättest, doch mit gutem Willen gemacht, wäre es doch immerhin etwas; aber du kannst nicht zurück, und ich kann nichts für dich tun!"

Da bat die arme Seele, die Frau aus dem Deichhäuschen, für ihn: „Sein Bruder hat mir alle Steine und Brocken geschenkt, aus denen ich mein armseliges Haus gebaut habe, das war sehr viel für mich Arme! Könnten nun nicht all die Brocken und Stücke als ein Mauerstein für ihn gelten? Es ist eine Gnade! Er hat sie nun so nötig, und hier ist doch das Heim der Gnade!"

„Dein Bruder, er, den du den Geringsten nanntest", sagte der Engel, „er, dessen Tun in aller Ehrlichkeit dir als das Niedrigste erschien, schenkt dir sein Himmelsscherflein. Du sollst nicht abgewiesen werden; es soll dir erlaubt sein, hier draußen zu stehen und nachzusinnen und deinem Leben dort unten aufzuhelfen, aber hinein gelangst du nicht, bevor du mit guter Tat etwas ausgerichtet hast!"

‚Das hätte ich besser sagen können!' dachte der Räsoneur, aber er sagte es nicht laut, und das war wohl schon etwas!

Die Schnelläufer

Es war ein Preis ausgesetzt, ja zwei waren ausgesetzt, ein kleiner und ein großer, für die größte Schnelligkeit, nicht bei einem Lauf, sondern für die Schnelligkeit das ganze Jahr hindurch.

„Ich habe den ersten Preis bekommen!" sagte der Hase. „Gerechtigkeit muß doch sein, wenn Verwandte und gute Freunde im Rat sitzen; daß aber die Schnecke den zweiten Preis bekam, finde ich fast beleidigend für mich!"

„Nein", versicherte der Zaunpfahl, der Zeuge bei der Preisverteilung gewesen war, „es muß auch Rücksicht auf Fleiß und guten Willen genommen werden, das sagten mehrere achtbare Leute, und das habe ich wohl verstanden. Die Schnecke hat freilich ein halbes Jahr gebraucht, um über die Türschwelle zu kommen, aber sie hat sich den Schenkel gebrochen bei der Eile, die es doch für sie war. Sie hat einzig und allein für ihren Lauf gelebt, und sie ist mit ihrem Haus gelaufen! Das alles ist achtenswert. Und deshalb bekam sie den zweiten Preis."

„Mich hätte man doch auch in Betracht ziehen können!" sagte die Schwalbe. „Schneller als ich hat sich, glaube ich, keiner in Flug und Schwung gezeigt, und wo bin ich nicht überall gewesen, weit, weit, weit!"

„Ja, das eben ist Ihr Unglück!" sagte der Zaunpfahl. „Sie

bummeln zuviel herum! Immer wollen Sie davon, vom Land fort, wenn es hier zu frieren beginnt; Sie haben keine Vaterlandsliebe! Sie können nicht in Betracht kommen!"

„Wenn ich nun aber den ganzen Winter im Moor läge", erwiderte die Schwalbe, „wenn ich die ganze Zeit verschliefe, käme ich dann in Betracht?"

„Beschaffen Sie sich ein Attest von der Moorfrau, daß Sie die Hälfte der Zeit im Vaterland verschlafen haben, dann sollen Sie in Betracht kommen."

„Ich hätte wohl den ersten Preis verdient und nicht den zweiten!" sagte die Schnecke. „Soviel weiß ich, daß der Hase nur aus Feigheit gelaufen ist, weil er jedesmal glaubte, es drohe Gefahr; ich dagegen habe mir das Laufen zur Lebensaufgabe gemacht und bin im Dienst zum Krüppel geworden! Sollte jemand den ersten Preis haben, so wäre ich es! – Aber ich mache kein Aufhebens davon, das verachte ich!"

Und dann spuckte sie.

„Ich kann mit Wort und Rede dafür einstehen, daß jeder Preis, wenigstens meine Stimme dafür, mit gerechter Überlegung gegeben wurde", sagte das alte Landvermessungszeichen im Walde, das Mitglied des beschließenden Richterkollegiums war. „Ich gehe stets mit gehöriger Ordnung, mit Überlegung und Berechnung vor. Siebenmal habe ich schon die Ehre gehabt, bei der Preisverteilung zugegen zu sein, aber erst heute habe ich meinen Willen durchgesetzt. Ich bin bei jeder Verteilung von etwas Bestimmtem ausgegangen. Beim ersten Preis habe ich die Buchstaben immer von vorn und beim zweiten von hinten gezählt. Und wollen Sie nun beachten, wenn man von vorn anfängt: der achte Buchstabe nach A ist H, da haben wir den Hasen, und so stimmte ich beim ersten Preis für den Hasen, und der achte Buchstabe von hinten ist S, deshalb stimmte ich beim zweiten Preis für die Schnecke. Das nächste Mal wird es I beim ersten und R beim zweiten sein! – Es muß bei allen Dingen immer eine Ordnung sein! Man muß etwas haben, woran man sich halten kann!"

„Ich hätte für mich selbst gestimmt, wenn ich nicht unter den Richtern gewesen wäre!" sagte der Maulesel, der auch Preisrichter war. „Man darf nicht nur berücksichtigen, wie schnell man vorwärts kommt, sondern auch andere Eigenschaften, zum Beispiel wieviel man ziehen kann; doch das wollte ich dieses Mal nicht hervorgehoben haben, auch nicht die Klugheit des Hasen auf der Flucht, seinen Scharfsinn, mit dem er plötzlich einen Sprung seitwärts macht, um die Leute auf falsche Fährte zu leiten; nein, es gibt noch eins, auf das viele Gewicht legen und das man nicht außer acht lassen darf, ich meine das, was man das Schöne nennt; darauf habe ich hier gesehen, ich sah auf die schönen, wohlgewachsenen Ohren des Hasen; es ist ein Vergnügen, zu sehen, wie lang die sind! Mir kam es vor, als sähe ich mich selbst, als ich noch klein war, und so stimmte ich für ihn!"

„Pst!" sagte die Fliege, „ja, ich will nicht sprechen, ich will nur etwas sagen, will nur sagen: ich habe mehr als einen Hasen eingeholt. Das weiß ich, neulich zerbrach ich einem der jüngsten die Hinterbeine; ich saß auf der Lokomotive vor dem Eisenbahnzug – das tue ich oft, man beobachtet so am besten seine eigene Schnelligkeit. Ein junger Hase lief weit voraus, er hatte keine Ahnung, daß ich da war; zuletzt mußte er zur Seite springen, aber da wurden ihm die Hinterbeine von der Lokomotive zerbrochen, weil ich darauf saß. Der Hase blieb liegen, ich fuhr weiter. Das heißt doch wohl ihn besiegen? Aber ich dränge mich nicht nach dem Preis!"

,Mir scheint nun‘, dachte die wilde Rose, aber sie sagte es nicht, denn es ist nicht ihre Natur, sich auszusprechen, obwohl es gut gewesen wäre, wenn sie es getan hätte, ,mir scheint nun, daß der Sonnenstrahl den ersten Ehrenpreis bekommen müßte und den zweiten dazu! Er fliegt in einem Nu den unermeßlichen Weg von der Sonne zu uns herab und kommt mit einer Kraft, daß die ganze Natur dabei erwacht; er hat eine Schönheit, daß wir Rosen alle dabei erröten und duften. Die hohe richterliche Obrigkeit scheint das gar nicht bemerkt zu haben! Wäre ich der Sonnenstrahl, ich gäbe jedem von ihnen einen Sonnenstich – aber der würde sie nur toll machen, und das können sie ohnehin werden. Ich sage nichts‘, dachte die wilde Rose. ,Frieden im Walde! Herrlich ist es, zu blühen, zu duften und zu erquicken, in Sage und Gesang zu leben! Der Sonnenstrahl überlebt uns doch alle!‘

„Was ist der erste Preis?" fragte der Regenwurm, der die Zeit verschlafen hatte und jetzt erst hinzukam.

„Der besteht in freiem Zutritt zu einem Kohlgarten", sagte

354

der Maulesel, „ich habe diesen Preis vorgeschlagen. Der Hase mußte und sollte ihn haben, und so nahm ich als denkendes und tätiges Mitglied vernünftige Rücksicht auf den Nutzen dessen, der ihn haben sollte; nun ist der Hase versorgt. Die Schnecke darf auf der Mauer sitzen und Moos und Sonnenschein lecken und ist außerdem nun als einer der ersten Preisrichter beim Schnellaufen angestellt. Es ist sehr gut, einen vom Fach mit in dem zu haben, was die Menschen ein Komitee nennen! Ich muß sagen, ich erwarte viel von der Zukunft, wir haben schon einen recht guten Anfang gemacht!"

Der böse Fürst

Eine Sage

Es war einmal ein böser und übermütiger Fürst, der nur danach trachtete, alle Länder der Welt zu gewinnen und durch seinen Namen Schrecken einzujagen; er ging vor mit Feuer und Schwert, seine Soldaten zertraten das Korn auf dem Feld und zündeten das Haus des Bauern an, daß die rote Flamme die Blätter von den Bäumen leckte und die Früchte gebraten an den schwarzen, versengten Zweigen hingen. Manche arme Mutter verbarg sich mit ihrem nackten Säugling hinter den rauchenden Mauern, aber die Soldaten suchten sie und fanden sie, sie und das Kind; dann begann ihre teuflische Freude; böse Geister konnten nicht ärger handeln, der Fürst aber meinte, es gehe geradeso, wie es solle. Tag für Tag wuchs seine Macht, sein Name war von allen gefürchtet, und das Glück begleitete ihn bei allen seinen Taten. Aus den eroberten Städten brachte er Gold und große Schätze heim; in seiner Königsstadt häufte sich ein Reichtum an, der an keinem andern Ort seinesgleichen fand. Nun ließ er prächtige Schlösser, Kirchen und Bogengänge bauen, und jeder, der diese Herrlichkeiten erblickte, sagte: „Welch großer Fürst!" Sie dachten nicht an die Not, die er über andere Länder gebracht hatte, sie hörten nicht die Seufzer und den Jammer, der aus den abgebrannten Städten ertönte.

Der Fürst sah auf sein Gold, sah auf seine prächtigen Bauten und dachte dabei wie die Menge: ‚Welch großer Fürst! Aber ich muß mehr haben, viel mehr! Keine Macht darf der meinigen gleich, geschweige denn größer genannt werden!' Und er bekriegte alle seine Nachbarn, und er besiegte sie alle. Die überwundenen Könige ließ er mit goldenen Ketten an seinen Wagen fesseln, wenn er durch die Straßen fuhr; und saß er zu Tisch, so mußten sie ihm und seinen Hofleuten zu Füßen liegen und die Brocken aufsammeln, die man ihnen zuwarf.

Nun ließ der Fürst seine Bildsäule auf den Märkten und in den königlichen Schlössern aufrichten, ja er wollte sie in den Kirchen vor dem Altar des Herrn aufstellen; aber die Priester sagten: „Fürst, du bist groß, aber Gott ist größer, wir wagen es nicht."

„Gut", sagte der böse Fürst, „so werde ich auch Gott überwinden!" Und in seines Herzens Übermut und Torheit ließ er ein kunstvolles Schiff bauen, mit dem er die Lüfte durchsegeln konnte; es war bunt wie der Pfauenschweif und schien mit Tausenden von Augen besetzt, aber jedes Auge war ein Büchsenlauf; der Fürst saß in der Mitte des Schiffes, er brauchte nur auf eine Feder zu drücken, dann flogen tausend Kugeln heraus, und die Büchsen waren wieder geladen wie zuvor. Hunderte von starken Adlern wurden vor das Schiff gespannt, und so flog er nun der Sonne entgegen. Die Erde lag tief unten; zuerst erschien sie mit ihren Bergen und Wäldern nur wie ein umgepflügter Acker, wo das Grün aus den umgewendeten Grasflecken hervorguckte, später glich sie einer flachen Landkarte, und bald war sie ganz in Nebel und Wolken gehüllt. Immer höher flogen die Adler; da sandte Gott einen einzigen seiner unzähligen Engel aus, und der böse Fürst ließ Tausende von Kugeln gegen ihn fliegen, aber die Kugeln prallten wie Hagel an den leuchtenden Schwingen des Engels ab; ein Blutstropfen, ein einziger nur, tropfte von einer der weißen Flügelfedern, und dieser Tropfen fiel auf das Schiff, in dem der Fürst saß; er brannte sich fest, er lastete wie tausend Zentner Blei und riß das Schiff in rasender Geschwindigkeit zur Erde nieder; die starken Flügel der Adler zerbrachen, der Wind umsauste den Kopf des Fürsten, und die Wolken ringsum, die aus dem Rauch der abgebrannten Städte entstanden waren, formten sich zu drohenden Gestalten, riesengroßen Krebsen, die ihre starken Scheren nach ihm ausstreckten, rollenden Felsstücken und feuerspeienden Drachen – halbtot lag er im Schiff ausgestreckt, das zuletzt zwischen den dichten Zweigen des Waldes hängenblieb.

„Ich will Gott besiegen", sagte er, „ich habe es geschworen, mein Wille soll geschehen!" Und er ließ sieben Jahre lang kunstvolle Schiffe bauen, um die Lüfte zu durchsegeln, er ließ Blitzstrahlen vom härtesten Stahl schmieden, denn er wollte die Befestigung des Himmels sprengen. Aus allen seinen Ländern sammelte er große Kriegsheere, die einen Umkreis von mehreren Meilen bedeckten, als sie Mann bei Mann aufgestellt waren. Sie bestiegen die kunstvollen Schiffe, der König selbst näherte sich dem seinen, da sandte Gott einen Mückenschwarm, einen einzigen kleinen Mückenschwarm, der den König umsurrte, sein Gesicht und seine Hände zerstach; zornentbrannt zog er sein Schwert, doch er schlug nur in die leere Luft, die Mücken konnte er nicht treffen. Da befahl er, kostbare Teppiche zu bringen, in diese mußte man ihn wickeln, damit keine Mücke mit ihrem Stachel hindurchdringen könne, und man tat, wie er befohlen; aber eine einzige Mücke hatte sich auf den innersten Teppich gesetzt, sie kroch in das Ohr des Königs und stach ihn; es brannte wie Feuer, das Gift drang in sein Gehirn, er riß sich los, schleuderte die Teppiche von sich, zerriß seine Kleider und tanzte nackend vor den rohen, wilden Soldaten umher, die nun den tollen Fürsten verspotteten, der Gott besiegen wollte und schon von einer einzigen kleinen Mücke überwunden war.

Eine Geschichte aus den Dünen

Das ist eine Geschichte aus den jütischen Dünen, aber sie beginnt nicht dort oben, nein, weit fort, im Süden, in Spanien; das Meer ist der Fahrweg zwischen den Ländern; denk dich dorthin, nach Spanien! Dort ist es warm, und dort ist es schön; dort wachsen die feuerroten Granatblüten zwischen den dunklen Lorbeerbäumen; von den Bergen weht ein frischer Wind über die Orangengärten und die prächtigen maurischen Hallen mit den goldenen Kuppeln und den farbigen Wänden; durch die Straßen ziehen Kinderprozessionen mit Lichtern und wehenden Fahnen, und über ihnen, so hoch und klar, erhebt sich der Himmel mit funkelnden Sternen; Lieder und Kastagnetten erklingen, Burschen und Mädchen schwingen sich im Tanz unter den blühenden Akazienbäumen, während der Bettler auf dem behauenen Marmorstein sitzt, sich an der saftigen Wassermelone erquickt und das Leben verträumt; das Ganze ist wie ein schöner Traum, und sich ihm hinzugeben – ja, das taten zwei junge neuvermählte Leute so ganz und gar, und ihnen waren auch alle Güter der Erde gegeben: Gesundheit, gute Laune, Reichtum und Ehren.

„Wir sind so glücklich, wie nur jemand sein kann!" sagten sie aus voller Überzeugung des Herzens; doch zu einer noch höheren Stufe des Glückes hätten sie sich erheben können, und das würde geschehen, wenn Gott ihnen ein Kind, einen Sohn, schenkte, der ihnen an Leib und Seele glich.

Das glückliche Kind würde, mit Jubel begrüßt, die höchste Sorgfalt und Liebe erfahren, all das Wohlbefinden, das Reichtum und vermögende Familie schaffen können.

Wie ein Fest glitten ihnen die Tage dahin.

„Das Leben ist ein Gnadengeschenk der Liebe, fast unermeßlich groß", sagte die Gattin, „und diese Fülle der Glückseligkeit soll sich im anderen Leben noch steigern und so fort in Ewigkeit! – Ich fasse diesen Gedanken nicht."

„Und es ist gewiß auch ein Übermut der Menschen", sagte der Mann, „es ist im Grunde ein entsetzlicher Stolz, zu glauben, man werde ewig leben – werde wie Gott! Das waren ja auch die Worte der Schlange, und sie war die Herrin der Lüge."

„Du zweifelst doch nicht an einem jenseitigen Leben?" fragte die junge Frau, und es war, als ginge zum erstenmal ein Schatten über ihr sonniges Gedankenreich.

„Der Glaube verheißt es, die Priester sagen es", sprach der junge Mann, „aber gerade in all meinem Glück fühle und erkenne ich, daß es ein Stolz, ein Übermutsgedanke ist, ein anderes Leben nach diesem, eine fortgesetzte Glückseligkeit zu verlangen – ist uns nicht hier in diesem Dasein schon so viel gegeben, daß wir zufrieden sein können und müssen?"

„Ja, uns wurde es gegeben", sagte die junge Frau, „aber wieviel Tausenden wurde nicht dieses Leben zu einer schweren Prüfung, wie viele sind nicht gleichsam zu Armut, Schande, Krankheit und Unglück in diese Welt hineingeworfen! Nein, gäbe es nicht ein Leben nach diesem, dann wäre alles auf dieser Erde zu ungleich verteilt; dann wäre Gott nicht der Gerechte."

„Der Bettler dort unten hat Freuden, für ihn ebenso groß, wie der König sie in seinem reichen Schloß hat", sagte der junge Mann, „und glaubst du nicht, daß das Lasttier, das geprügelt wird, hungert und sich zu Tode schleppt, ein Gefühl von der Schwere seiner Lebenstage hat? Es könnte doch auch ein anderes Leben verlangen, es ein Unrecht nennen, daß es nicht auf eine höhere Stufe der Schöpfung gestellt wurde."

„In meines Vaters Hause sind viele Wohnungen, hat Christus gesagt", antwortete die junge Frau, „das Himmelreich ist unendlich, wie Gottes Liebe es ist – auch das Tier ist ein Geschöpf, und kein Leben, glaube ich, wird verloren sein, sondern all die Glückseligkeit gewinnen, die es empfangen kann und wie es genug ist."

„Aber mir genügt jetzt diese Welt", sagte der Mann und schlang seine Arme um seine schöne, liebenswürdige Frau, rauchte seine Zigarette auf dem offenen Altan, wo die Luft vom Duft der Orangen und Nelken erfüllt war; Musik und Kastagnetten klangen von der Straße herauf, die Sterne blinkten von oben herab, und zwei Augen voller Liebe, die Augen seiner Gattin, sahen ihn mit dem ewigen Leben der Liebe an.

„Eine solche Minute", sagte er, „ist es wohl wert, dafür geboren zu werden, sie zu empfinden und – zu verschwinden!" Er lächelte, die Gattin erhob sanft verweisend die Hand – und der Schatten war wieder fort, sie waren allzu glücklich.

Und alles schien sich ihnen so zu fügen, daß sie an Ehre, Glück und Wohlbefinden gewannen; es trat ein Wechsel ein, aber nur des Ortes, nicht im Genießen und Gewinnen von Lebensfreude und Lust. Der junge Mann wurde von seinem König als Gesandter an den kaiserlichen Hof nach Rußland entsandt; es war ein Ehrenposten, zu dem ihn seine Geburt und seine Kenntnisse berechtigten; er besaß großes Vermögen, seine junge Frau hatte ihm ein nicht geringeres zugebracht, sie war die Tochter eines der reichsten, angesehensten Kaufleute. Eines seiner größten und besten Schiffe sollte in diesem Jahr gerade nach Stockholm gehen, das sollte die lieben Kinder, Tochter und Schwiegersohn, nach Petersburg bringen, und alles an Bord wurde königlich ausgestattet, weiße Fußteppiche, Seide und Herrlichkeiten ringsumher.

Es gibt ein altes Heldenlied, das wohl alle Dänen kennen. Es heißt: „Der Königssohn von England". Auch er segelte auf so kostbarem Schiff, dessen Anker mit rotem Gold eingelegt waren, und jedes Tau war mit Seide durchzogen; daran mußte man beim Anblick dieses Schiffes aus Spanien denken, hier war dieselbe Pracht, derselbe Abschiedsgedanke:

Gott geb, daß wir uns freudig wiederfinden!

Und der Wind blies hurtig von der spanischen Küste, der Abschied war nur kurz; in wenigen Wochen mußten sie ihr Reiseziel erreicht haben; aber als sie draußen waren, legte sich der Wind, das Meer wurde glatt und still, das Wasser glänzte, die Sterne des Himmels glänzten, es waren gleichsam Festabende in der reichen Kajüte.

Endlich wünschte man sich doch, daß ein Lüftchen käme, ein günstiger Wind wehen möge; erhob sich ein Wind, dann wehte er stets entgegen, so vergingen Wochen, ja ganze zwei Monate, erst da wurde der Wind günstig, er blies aus Südwest, sie waren in der Mitte zwischen Schottland und Jütland, und der Wind nahm zu, geradeso wie in dem alten Lied vom „Königssohn von England":

Es blies der Sturm. Die Wolken zogen dicht,
Sie wußten keinen Schutz, sahn weder Land noch
  Licht.
Da warfen sie den treuen Anker aus ins Meer,
Jedoch der Sturm trieb sie nach Dänmarks Küsten hin.

Es ist nun lange Zeit seitdem vergangen. König Christian VII. saß auf dem dänischen Thron und war noch ein junger Mann; vieles ist seit der Zeit geschehen, vieles hat sich gewandelt und verändert; See und Moor sind zu üppigen Wiesen, die Heide ist bebautes Land geworden, und im Schutz der westjütischen Häuser wachsen Apfelbäume und Rosen, aber sie müssen gesucht werden, denn sie verkriechen sich vor den scharfen Westwinden. Man kann sich dort oben gut in diese Zeiten zurückdenken, weiter zurück noch als in die Regierung Christians VII.; wie damals erstreckt sich in Jütland auch heute meilenweit die braune Heide mit ihren Hünengräbern, ihren Lufterscheinungen, ihren sich kreuzenden, holprigen und sandigen Wegen; nach Westen, wo große Flußläufe in die Fjorde münden, dehnen sich Wiesen und Moore aus, begrenzt von hohen Dünen, die sich wie eine Alpenkette mit sägeförmigen Gipfeln gegen das Meer erheben, sie werden nur von hohen Lehmabhängen unterbrochen, denen die See Jahr für Jahr einen Riesenmund voll abbeißt, so daß Abhänge und Höhen, wie durch ein Erdbeben erschüttert, einstürzen. So sieht es dort noch heute aus, so war es vor vielen Jahren, als die beiden Glücklichen dort draußen auf dem reichen Schiff segelten.

Es war Ende September, es war Sonntag und Sonnenscheinwetter, die Klänge der Kirchenglocken am Nissumfjord erreichen einander, die Kirchen stehen dort wie behauene Feldsteine, jede von ihnen ist ein Stück Felsen; die Nordsee könnte über sie hinrollen, und sie würden stehenbleiben; den meisten fehlt der Turm, die Glocken hängen frei draußen zwischen zwei Balken. Der Gottesdienst war zu Ende, die Gemeinde zog aus dem Gotteshaus auf den Kirchhof, wo es damals wie heute weder Baum noch Strauch gab, wo weder eine Blume gepflanzt noch ein Kranz auf das Grab gelegt war; bucklige Hügel zeigen an, wo die Toten begraben sind, ein scharfes Gras, vom Winde gepeitscht, wächst auf dem ganzen Kirchhof; ein einzelnes Grab hat vielleicht ein Denkmal, das heißt einen verwitterten Baumstamm, in Form eines Sarges behauen; das Holz stück ist aus dem Wald des Westens, dem wilden Meer, geholt; dort wachsen für die Bewohner der Küste die behauenen Balken, Planken und Hölzer, die die Brandung ans

Land wirft. Der Wind und der Seenebel verwittern bald das angetriebene Holzstück; ein solcher Stumpf lag hier auf einem Kindergrab, und dahin ging eine der Frauen, die aus der Kirche kamen; sie stand still, betrachtete das halbverwitterte Holzstück; ein wenig später trat ihr Mann dazu; sie sprachen kein Wort, er nahm sie bei der Hand, und sie gingen vom Grab auf die braune Heide hinaus, über das Moorland und auf die Dünen zu; lange gingen sie schweigend.

„Das war eine gute Predigt heute", sagte der Mann, „hätte man nicht den lieben Gott, dann hätte man gar nichts."

„Ja", antwortete die Frau, „er erfreut und betrübt! Er hat das Recht dazu! – Morgen wäre unser kleiner Junge fünf Jahre alt geworden, hätten wir ihn behalten dürfen."

„Es kommt nichts dabei heraus, daß du trauerst", sagte der Mann. „Er ist gut davongekommen. Er ist ja dort, wohin zu kommen wir beten müssen."

Und dann sprachen sie nicht mehr und gingen auf ihr Haus zwischen den Dünen zu; plötzlich erhob sich von einer der Dünen, wo der Strandhafer den Sand nicht mehr zusammenhielt, etwas wie ein starker Rauch, es war ein Windstoß, der sich in die Düne bohrte und die feinen Sandteilchen in die Höhe wirbelte; es kam noch ein Windstoß, so daß all die an Schnüren aufgehängten und ausgespannten Fische gegen die Mauer des Hauses schlugen, und alles war wieder still; die Sonne brannte heiß.

Mann und Frau gingen in das Haus und hatten bald die Sonntagskleider ausgezogen, dann eilten sie über die Dünen, die wie ungeheuere, plötzlich in ihrer Bewegung erstarrte Sandwogen dalagen; die blaugrünen scharfen Halme des Strandgrases und Strandhafers boten einen Farbenwechsel in dem weißen Sand. Ein paar Nachbarn kamen hinzu, sie halfen einander, die Boote höher in den Sand hinaufzuziehen, der Wind wurde stärker, er war beißend kalt, und als sie über die Dünen zurückgingen, fegten ihnen Sand und scharfe kleine Steinchen ins Gesicht; die Wellen erhoben sich mit weißen Schaumköpfen, und der Wind schnitt ihnen den obersten Kamm ab, so daß es spritzte.

Es wurde Abend, ein anschwellendes Brausen klang durch die Luft, heulend, klagend, wie eine Heerschar verzweifelter Geister, es übertönte das Rollen des Meeres, obwohl das Fischerhaus so dicht daran lag. Der Sand fegte gegen die

Scheiben, und mitunter kam ein Stoß, als sollte das Haus bis in den Grund erschüttert werden. Es war dunkel, doch gegen Mitternacht wollte der Mond aufgehen.

Der Himmel klärte sich auf, aber der Sturm fuhr mit aller Gewalt über das tiefe schwärzliche Meer. Die Fischersleute hatten sich schon lange zu Bett gelegt, aber es war nicht daran zu denken, bei diesem Unwetter ein Auge zu schließen; da klopfte es an das Fenster, man öffnete die Tür und sagte: „Ein großes Schiff ist an dem letzten Riff gestrandet!" Mit einem Sprung waren die Fischersleute aus dem Bett und in den Kleidern.

Der Mond war hervorgekommen; es war hell genug, um alles zu sehen, hätte man nur vor dem Flugsand die Augen offenhalten können; es war ein Wind, daß man sich gegen ihn anstemmen mußte, und nur mit großer Mühe, zwischen den Windstößen vorwärts kriechend, kam man über die Dünen, und hier flog wie Schwanendaunen in der Luft der salzige Gischt und Schaum vom Meer, das sich wie ein rollender, kochender Wasserfall gegen die Küste wälzte. Man mußte wahrlich ein geübtes Auge haben, um sogleich das Schiff dort draußen zu entdecken; ein prächtiger Zweimaster war es; es wurde jetzt gerade über das Riff gehoben, drei, vier Kabellängen vor dem gewöhnlichen Meeresufer, es trieb auf das Land zu, stieß auf das zweite Riff und saß fest. Es war unmöglich, Hilfe zu bringen, die See ging zu gewaltig, sie schlug gegen das Schiff und darüber hin. Man glaubte Notschreie, Rufe der Todesangst zu hören, man sah die geschäftige, nutzlose Tätigkeit. Nun kam eine Woge, die wie ein zermalmendes Felsenstück auf den Bugspriet stürzte, und er war fort, das Heck hob sich hoch über das Wasser. Zwei Menschen sprangen miteinander in die See, sie verschwanden – einen Augenblick –, und eine der größten Wogen, die gegen die Dünen anrollte, warf einen Körper an den Strand – eine Frau war es, eine Leiche, wie man meinte; ein paar von den Frauenzimmern machten sich um sie zu schaffen und glaubten noch Leben in ihr zu bemerken, sie wurde über die Dünen zum Fischerhaus gebracht. Sie war schön und fein, gewiß eine vornehme Dame.

Sie legten sie in das ärmliche Bett; kein Linnenzeug war darin, da war nur eine Wolldecke, um sich einzuhüllen, und die wärmt gut.

Sie kehrte ins Leben zurück, aber im Fieber, sie wußte durchaus nicht, was geschehen war oder wo sie sich befand, und das war ja auch gut, denn alles, was ihr lieb war, lag auf dem Meeresgrund, es ging ihnen dort draußen, wie das Heldenlied vom „Königssohn von England" gesungen hat:

> Mit Jammer es da anzuschauen war,
> Das Schiff zerbarst in Stücke ganz und gar.

Wrackstücke und Späne wurden an Land gespült, sie war die einzige Überlebende von allen. Noch fuhr der Wind heulend über die Küste, einige Augenblicke hatte sie Ruhe, aber bald kamen Schmerzen und Schreie, sie schlug ihre schönen Augen auf, sagte einige Worte, aber niemand hier konnte es verstehen.
Und da hielt sie nach allem, was sie gelitten und gestritten hatte, ein neugeborenes Kind in ihren Armen; es hatte auf einem Prachtbett mit Seidenvorhängen in dem reichen Hause ruhen sollen; es hatte mit Jubel begrüßt werden sollen, zu einem Leben, reich an allen irdischen Gütern, und nun hatte der liebe Gott es in dem ärmlichen Winkel zur Welt kommen lassen; nicht einmal einen Kuß bekam es von seiner Mutter.
Die Fischersfrau legte das Kind an die Brust der Mutter, und es lag an einem Herzen, das nicht mehr schlug, sie war tot. Das Kind, das in Reichtum und Glück hatte aufwachsen sollen, war in die Welt hineingeworfen, von der See in die Dünen geworfen, um das Los der Armen und schwere Tage zu erproben.
Und immer kommt uns hier das alte Lied in den Sinn:

> Die Tränen rannen herab dem Königssohn,
> Hilf Gott, nun bin ich in Bovbjerg schon!
> Wohin ich gelange, ergeht es mir schlecht.
> Ach, wär ich gekommen in Herrn Bugges Lehen,
> Hätten mich geraubt weder Ritter noch Knecht.

Etwas südlich vom Nissumfjord, an dem Strand, den Herr Bugge einmal sein eigen nannte, war das Schiff gestrandet; die harten, unmenschlichen Zeiten, da die Bewohner der

Westküste den Gestrandeten Böses antaten, wie man sagt, waren längst vorbei; Liebe und gute Gesinnung, Aufopferung für die Schiffbrüchigen gab es hier, die in unserer Zeit als die edelsten Züge hervorleuchteten; die sterbende Mutter und das arme Kind würden Sorgfalt und Pflege gefunden haben, wohin sie der Wind auch geblasen hätte, aber nirgends herzlicher als bei der armen Fischersfrau, die noch gestern mit schwerem Herzen an dem Grabe stand, das ihr Kind barg, das heute fünf Jahre alt geworden wäre, wenn Gott ihm ein längeres Leben vergönnt hätte.

Niemand wußte, wer die fremde tote Frau war oder woher sie kam. Die Splitter und Späne des Schiffes verrieten nichts davon.

In Spanien, in dem reichen Haus, trafen niemals Brief oder Botschaft von der Tochter oder dem Schwiegersohn ein; sie waren nicht an ihren Bestimmungsort gekommen, starke Stürme hatten in den letzten Wochen gerast; man wartete Monate. – „Völlig verloren, alle umgekommen!" Das wußte man.

Aber bei den Huusbydünen, im Fischerhaus, hatten sie nun einen kleinen Knaben.

Wo Gott Nahrung für zwei beschert, findet der dritte wohl auch ein wenig zu einer Mahlzeit; und dicht am Meer gibt es wohl ein Gericht Fische für einen hungrigen Mund. Jörgen wurde der Kleine genannt.

„Er ist gewiß ein Judenkind", sagte man, „er sieht so schwarz aus." – „Er kann auch ein Italiener oder Spanier sein!" sagte der Pfarrer. Alle drei Völkerschaften schienen nun der Fischersfrau das gleiche zu sein, und sie tröstete sich damit, daß das Kind christlich getauft war. Der Knabe gedieh, das adlige Blut hielt sich warm und kam zu Kräften bei der ärmlichen Kost, er wuchs in dem geringen Haus heran; die dänische Sprache, wie der Westjüte sie spricht, wurde seine Sprache. Der Granatkern aus Spaniens Erdreich wurde eine Strandhaferpflanze an Jütlands Westküste, dazu kann ein Mensch es bringen! An diese Heimat klammerte er sich mit allen Fasern seines Lebens. Hunger und Kälte, armer Leute Not und Drangsal sollte er erproben, aber auch armer Leute Freuden.

Die Kinderzeit hat für jeden ihre lichten Höhen, die später durch das ganze Leben strahlen. Und gab es nicht in Hülle und Fülle Lust und Spiel für ihn? Der ganze Strand, meilenweit, lag mit Spielzeug bedeckt: ein Mosaik von Kieselsteinen, rote wie Korallen, gelbe wie Bernstein und weiße runde, als wären es Vogeleier; alle Farben und alle geschliffen und geglättet vom Meer. Selbst das gebleichte Fischskelett, die im Wind getrockneten Wasserpflanzen, der Tang, leuchtend weiß, lang und schmal wie Bänder, zwischen den Steinen flatternd; alles war zu Spiel und Lust für das Auge und für die Gedanken da; und der Knabe war ein aufgewecktes Kind, viele und große Fähigkeiten lagen in ihm verborgen. Wie gut konnte er die Geschichten und Lieder behalten, die er zu hören bekam! Und fingerfertig war er, aus Steinen und Schalen setzte er ganze Schiffe zusammen und Bilder, mit denen man die Stube schmücken konnte; er könne wunderlich seine Gedanken in ein Stückchen Holz schnitzen, sagte seine Pflegemutter, und der Knabe sei doch noch klein; herrlich klang seine Stimme, die Melodien gingen ihm schnell über die Zunge. Es waren viele Saiten in seiner Brust gespannt, sie hätten in die Welt hinausklingen können, wäre er an einen anderen Platz gestellt worden als in das Fischerhaus an der Nordsee.

Eines Tages strandete hier ein Schiff, eine Kiste mit seltenen Blumenzwiebeln trieb an Land; einige nahm man und steckte sie in den Kochtopf, man glaubte, daß sie eßbar wären, andere lagen im Sand und verfaulten, sie gelangten nicht zu ihrer Bestimmung, die Farbenpracht, die Herrlichkeit zu entfalten, die in ihnen lag – würde es Jörgen besser ergehen? Mit den Blumenzwiebeln war es bald vorbei, er mußte noch viele Jahre aushalten.

Niemals fiel es ihm oder einem von den andern dort oben auf, wie einsam und einförmig die Tage vergingen, es gab genug zu tun, zu hören und zu sehen. Das Meer selbst war ein großes Lehrbuch, jeden Tag zeigte es ein neues Blatt, Windstille, Dünung, Brise und Sturm; Strandungen waren die Glanzpunkte; der Kirchgang galt als Festbesuch, doch unter den Besuchern war einer daheim im Fischerhaus besonders willkommen, der sich zweimal im Jahre wiederholte, es war der Besuch des Onkels, des Aalbauern aus Fjaltring oben bei Bovbjerg; er kam mit einem rotbemalten Wagen voller Aale, der Wagen war verschlossen wie eine Kiste und mit blauen und weißen Tulpen bemalt, er wurde von zwei falben Ochsen gezogen, und Jörgen durfte mit ihnen fahren.

Der Aalbauer war der gute Kopf, der muntere Gast, ein Tönnchen voll Branntwein brachte er mit, jeder bekam einen Schnaps daraus oder eine Kaffeetasse voll, wenn es an Gläsern fehlte, selbst Jörgen, so klein er war, bekam einen guten Fingerhut voll, es sei nur, um den fetten Aal vertragen zu können, sagte der Aalbauer und erzählte dann immer dieselbe Geschichte, und wenn man über sie lachte, erzählte er sie denselben Leuten gleich noch einmal; das tun alle redseligen Leute, und da Jörgen in seiner ganzen Jugend und im Mannesalter diese Geschichte anwandte und ihre Sprechweise übernahm, so müssen wir sie wohl hören.

„Draußen im Fluß wanderten die Aale, und Aalmutter sagte zu ihren Töchtern, als sie baten, allein ein Stückchen den Fluß hinaufgehen zu dürfen: ‚Geht nicht zu weit, sonst kommt der häßliche Aalstecher und fängt euch allesamt!‘ Aber sie gingen zu weit, und von den acht Töchtern kamen nur drei wieder zur Aalmutter heim, und sie jammerten: ‚Wir waren nur ein bißchen vor die Tür gegangen, da kam der häßliche Aalstecher und stach unsere fünf Schwestern tot!‘ – ‚Sie kommen schon wieder!‘ sagte Aalmutter. ‚Nein‘, sagten die Töchter, ‚denn er zog sie ab, schnitt sie in Stücke und briet sie.‘ – ‚Sie kommen schon wieder!‘ sagte Aalmutter. ‚Ja, aber er hat sie gegessen!‘ – ‚Sie kommen schon wieder!‘ sagte Aalmutter. ‚Dann hat er aber Branntwein darauf getrunken!‘ sagten die Töchter. ‚Au, au! Dann kommen sie niemals wieder!‘ heulte Aalmutter. ‚Branntwein begräbt den Aal!‘“

„Und deshalb soll man immer sein Gläschen Branntwein auf dieses Gericht trinken!“ sagte der Aalbauer.

Und diese Geschichte wurde der Flittergoldfaden, der Faden der guten Laune in Jörgens Leben. Auch er wollte gern vor die Tür, „ein wenig den Fluß hinauf“, das heißt mit einem Schiff in die Welt hinaus, und Mutter sagte wie Aalmutter: „Es gibt viele böse Menschen, Aalstecher!“ Aber ein wenig vor die Dünen hinaus, nur ein wenig in die Heide mußte er doch, und dazu sollte er auch Gelegenheit haben. Vier fröhliche Tage, die hellsten seiner ganzen Kindheit, brachen für ihn an; alle Schönheit Jütlands, alle

Freude und aller Sonnenschein der Heimat lagen darin; er sollte zum Schmaus – ein Leichenschmaus war es freilich.

Ein wohlhabender Verwandter der Fischerfamilie war gestorben; der Hof lag im Innern des Landes, „ostwärts, einen Strich gegen Norden", wie es hieß. Vater und Mutter sollten dorthin und Jörgen mit. Von den Dünen über Heide und Moorland kamen sie zu der grünen Wiese, wo sich der Skjärumfluß seinen Weg bahnt, der Fluß mit den vielen Aalen, wo Aalmutter mit ihren Töchtern wohnte, die die bösen Menschen stachen und in Stücke schnitten; doch die Menschen hatten oft nicht besser gegen ihre Mitmenschen gehandelt; auch der Ritter Bugge, der in dem alten Lied genannt wird, wurde von bösen Menschen ermordet, und wie sehr man ihn selbst auch rühmte, er wollte doch einmal den Baumeister erschlagen, der ihm ein Schloß mit Turm und dicken Mauern baute, gerade dort, wo Jörgen mit seinen Pflegeeltern stand, wo der Skjärumfluß in den Nissumfjord mündet. Der Wall war noch zu sehen und die roten Mauerbrocken ringsherum. Hier hatte Ritter Bugge, als der Baumeister abgereist war, zu seinem Knecht gesagt: „Geh ihm nach und sage: Meister, der Turm fällt ein! Wendet er sich um, dann schlägst du ihn tot und nimmst ihm das Geld ab, das er von mir bekam, aber wendet er sich nicht um, dann laß ihn in Frieden ziehen!" Und der Knecht gehorchte, und der Baumeister antwortete: „Der Turm fällt nicht ein, aber einmal wird von Westen ein Mann in blauem Mantel kommen, der wird ihn zu Fall bringen!" Und das geschah hundert Jahre später, als die Nordsee einbrach und der Turm einfiel, aber der Besitzer des Schlosses, Predbjörn Gyldenstjerne, baute sich höher hinauf, wo die Wiese aufhört, ein neues Schloß, und das steht noch, und es ist Nörre-Vosborg.

Dort mußte Jörgen mit seinen Pflegeeltern vorüber, von jeder Stelle hier hatte man ihm an den langen Winterabenden erzählt, nun sah er das Schloß mit seinen doppelten Gräben, den Bäumen und Büschen, der Wall, von Farnkräutern bewachsen, erhob sich zwischen ihnen; aber am herrlichsten waren die hohen Lindenbäume, die gerade bis zum Dachfirst reichten und die Luft mit dem süßesten Duft erfüllten. Nach Nordwesten zu, in einer Ecke des Gartens, stand ein großer Busch mit Blüten, als wäre es Winterschnee im Sommergrün; es war ein Fliederbusch, der erste, den Jörgen so hatte blühen sehen; der Busch und die Lindenbäume blieben ihm durch alle Jahre in Erinnerung, Dänemarks Luft und Schönheit, die die Kinderseele für die alten Tage bewahrte.

Die Reise ging sogleich weiter und wurde bequemer, denn gerade vor Nörre-Vosborg, wo der Flieder in Blüte stand, fand sich Fahrgelegenheit, sie trafen andere Gäste, die auch zu dem Begräbnisfest wollten, und diese nahmen sie auf dem Wagen mit, freilich mußten sie alle drei hinten sitzen, auf einer kleinen Holzkiste mit Eisenbeschlag, aber es sei doch besser als gehen, meinten sie. Die Fahrt ging über die holprige Heide; die Ochsen, die zogen, blieben mitunter stehen, wenn sie an einen frischen Grasfleck zwischen dem Heidekraut kamen, die Sonne schien warm, und wunderlich war es, weit draußen Rauch zu sehen, der hin und her wogte, und doch war er klarer als die Luft, man sah durch ihn hindurch, es war, als ob die Lichtstrahlen über die Heide rollten und tanzten.

„Das ist der Lokemann, der seine Schafherde treibt", hieß es, und das sagte Jörgen genug, er meinte gerade in das Märchenland zu fahren, und doch war er in der Wirklichkeit. Wie still es hier war!

Weit und groß dehnte sich die Heide, wie ein kostbarer Teppich; das Heidekraut stand in Blüte, zypressengrüne Wacholderbüsche und frische Eichentriebe kamen wie Sträuße aus dem Heidekraut hervor; hier war es so einladend zum Tummeln, wenn nur nicht die giftigen Kreuzottern gewesen wären! Von ihnen sprach man und von den vielen Wölfen, die hier gehaust hatten, weshalb man diesen Bezirk auch Wolfsburg nannte. Der Alte, der fuhr, erzählte aus seines Vaters Zeit, wie die Pferde hier draußen oft einen harten Kampf mit den nun ausgerotteten wilden Tieren bestehen mußten und daß eines Morgens, als er herausgekommen war, eines von den Pferden dagestanden und auf einen Wolf getreten hatte, den es getötet, aber das Fleisch am Bein des Pferdes war ganz abgerissen gewesen.

Allzuschnell ging der Weg über die holprige Heide und durch den tiefen Sand. Sie hielten beim Trauerhaus, das von Fremden überfüllt war, innen und außen; ein Wagen stand neben dem andern, Pferde und Ochsen gingen auf die magere Weide; große Sanddünen wie daheim an der Nordsee erhoben sich hinter dem Hof, erstreckten sich weit und breit. Wie waren sie hier hinaufgekommen, drei Meilen tief ins Land und ebenso hoch und mächtig wie am Strand? Der Wind hatte sie erhoben und fortgeführt, sie hatten auch ihre Geschichte.

Choräle wurden gesungen, geweint wurde dort auch von ein paar Alten, sonst war alles so vergnüglich, schien es Jörgen, hier gab es Essen und Trinken in Hülle und Fülle; die herrlichsten fetten Aale, und auf die muß man Branntwein trinken; „dann setzt sich der Aal!" hatte der Aalbauer gesagt, und das Wort wurde hier freilich zur Tat.

Jörgen war drinnen, und Jörgen war draußen; am dritten Tage fühlte er sich daheim wie wie im Fischerhaus und auf den Dünen, wo er all seine früheren Tage verlebt hatte. Hier auf der Heide war es freilich auf andere Art reich, es wimmelte von Heidekrautblüten und von Krähenbeeren und Blaubeeren, die so groß und so süß hervorquollen, man konnte nicht anders als sie mit dem Fuß zerdrücken, so daß das Heidekraut vom roten Saft troff.

Hier lag ein Hünengrab, dort ein zweites; Rauchsäulen erhoben sich in der stillen Luft, es sei Heidebrand, sagte man, der so herrlich am Abend leuchte.

Nun kam der vierte Tag, und dann war der Leichenschmaus zu Ende – sie sollten wieder von den Landdünen zu den Stranddünen.

„Unsere sind doch die richtigen", sagte Vater, „diese haben keine Macht."

Und man sprach davon, wie sie hierhergekommen wären, und es war alles ganz verständlich. Am Strand war eine Leiche gefunden worden, die Bauern hatten sie auf dem Kirchhof begraben, da begann der Flug des Sandes, das Meer brach gewaltsam ein, ein kluger Mann im Kirchspiel riet, das Grab zu öffnen und nachzusehen, ob der Beerdigte wohl daliege und an seinem Daumen sauge, denn dann sei es ein Meermann, den sie begraben hätten, und das Meer werde aufbrechen, um ihn zu holen; das Grab wurde geöffnet, er lag da und saugte am Daumen, und dann legten sie ihn sogleich auf einen Karren, und zwei Ochsen wurden vorgespannt, und wie von Bremsen gestochen fuhren sie mit ihm über Heide und Moor ins Meer hinaus; da hörte der Flug des Sandes auf, aber die Dünen stehen noch da. All dieses hörte und behielt Jörgen aus den glücklichsten Tagen seiner Kinderzeit: den Tagen des Leichenschmauses.

Herrlich war es, hinauszukommen, neue Gegenden und neue Menschen zu sehen, und er sollte noch viel weiter hinauskommen. Er war noch nicht vierzehn Jahre, ein Kind noch, da ging er auf ein Schiff und fuhr hinaus, um kennenzulernen, was die Welt zu bieten hat; er erlebte böses Wetter, harte See, bösen Sinn und harte Menschen; er wurde Kajütenjunge! Schmale Kost, kalte Nächte, Tampen und Faustschläge setzte es, da wallte etwas auf in seinem hochadligen spanischen Blut, so daß zornige Worte aus seinem Munde schäumten, aber es war wohl das klügste, sie bei sich zu behalten, und das war für ihn ein Gefühl wie für den Aal, wenn er abgezogen, zerschnitten in die Pfanne gelegt wird.

‚Ich komme wieder!' sagte es in ihm. Die spanische Küste, das Vaterland seiner Eltern, die Stadt selbst, wo sie in Wohlstand und Glück gelebt hatten, sah er, aber er wußte nichts von Heimat und Verwandtschaft, die Familie wußte noch weniger von ihm.

Der schmutzige Schiffsjunge bekam auch keine Erlaubnis, an Land zu gehen – doch am letzten Tag, an dem das Schiff hier lag, kam er an Land; es sollten Einkäufe gemacht werden, und er mußte sie an Bord schleppen.

Da stand Jörgen in seinen erbärmlichen Kleidern, die aussahen, als wären sie im Graben gewaschen und im Schornstein getrocknet; zum erstenmal sah er, der Dünenbewohner, eine große Stadt. Wie waren doch die Häuser hoch, die Gassen eng, wimmelnd von Menschen! Einige drängten hierhin, andere dorthin, es war ein richtiger Strudel von Städtern und Bauern, Mönchen und Soldaten; es war ein Lärmen, ein Schreien, ein Klingeln von Glöckchen an Eseln und Maultieren, die Kirchenglocken läuteten mit, es ertönten Sang und Klang, Hämmern und Klopfen, denn jedes Gewerbe hatte seine Werkstatt in der Tür oder auf dem Bürgersteig, und dann brannte die Sonne so heiß, die Luft war so schwer, es war gleichsam, als wäre man in einen Backofen voll Mistkäfer, Maikäfer, Bienen und Fliegen gekommen, so summte und surrte es; Jörgen wußte weder, wo er ging noch stand. Da sah er gerade vor sich das mächtige

Portal der Domkirche, die Lichter strahlten aus den halbdunklen Wölbungen, und es kam ihm ein Duft von Weihrauch entgegen. Selbst der ärmlichste Bettler in Lumpen wagte sich die Treppe hinauf und hinein. Der Matrose, der Jörgen begleitete, ging mitten durch die Kirche, und Jörgen stand in dem Heiligtum. Bunte Bilder strahlten auf goldenem Grund. Die Mutter Gottes mit dem Jesuskind stand auf dem Altar zwischen Blumen und Lichtern; Priester in feierlichem Ornat sangen, und hübsche geschmückte Chorknaben schwangen silberne Weihrauchfässer; es war eine Herrlichkeit und eine Pracht, es durchströmte Jörgens Seele, es überwältigte ihn; die Kirche und der Glaube seiner Eltern umschlossen ihn und schlugen einen Akkord in seiner Seele an, so daß ihm Tränen in die Augen traten.

Von der Kirche ging es zum Markt, er bekam verschiedene Küchen- und Eßwaren zu schleppen; der Weg war nicht kurz, er wurde müde, und so ruhte er vor einem großen, prächtigen Haus mit Marmorpfeilern, Statuen und breiten Treppen aus; er lehnte seine Bürde dort gegen die Mauer; da kam ein betreßter Türhüter, erhob seinen silberbeschlagenen Stock gegen ihn und jagte ihn fort, ihn – den Enkel des Hauses, aber das wußte dort niemand; er am allerwenigsten.

Und dann kam er an Bord, erhielt Püffe und harte Worte, wenig Schlaf und viel Arbeit – dann hatte er es erprobt! Und es soll gut sein, in der Jugend Übles zu erdulden, sagt man – ja, wenn das Alter dann gut wird.

Seine Heuerzeit war vorüber, das Schiff lag wieder im Ringkjöbingfjord, er kam an Land und heim zu den Huusbydünen, aber die Mutter war gestorben, während er auf der Reise gewesen war.

Nun folgte ein strenger Winter, Schneestürme fegten über Meer und Land, man konnte kaum vorwärts kommen. Wie verschieden ist es doch in der Welt verteilt! Hier so eisige Kälte und stiebender Schnee, während in Spanien brennende Sonnenhitze war, ja allzu heiß, und doch, wenn es hier zu Hause einen Tag richtig frostklar war und Jörgen die Schwäne in großen Scharen vom Meer auffliegen sah, über den Nissumfjord nach Nörre-Vosborg, schien es ihm, daß man hier doch am besten atmen könne, und Sommerherrlichkeit gab es hier auch; in Gedanken sah er dann die

Heide blühen und von reifen saftigen Beeren wimmeln; die Lindenbäume und der Fliederbusch bei Nörre-Vosborg standen in Blüte – dorthin mußte er doch noch einmal.

Es ging auf den Frühling zu, die Fischerei begann, Jörgen half, er war im letzten Jahr gewachsen und flink bei der Arbeit; Leben war in ihm, er konnte schwimmen, wassertreten, sich im Wasser drehen und tummeln, oft wurde er gewarnt, sich vor den Makrelenschwärmen zu hüten; sie ziehen den besten Schwimmer unter Wasser, fressen ihn, und dann ist er weg, aber das war nun nicht Jörgens Los.

Bei den Nachbarn in den Dünen war ein Knabe, Morten, mit ihm kam Jörgen gut aus, und sie nahmen beide Heuer auf einem Schiff nach Norwegen, fuhren auch nach Holland, und die beiden hatten untereinander niemals etwas auszufechten, aber das kann ja leicht kommen, und ist man etwas heftig von Natur, dann macht man leicht etwas zu starke Gebärden, das tat Jörgen einmal, als sie sich um ein Nichts zankten; sie saßen gerade hinter der Kajüte und aßen aus einer irdenen Schüssel, die sie zwischen sich hatten, Jörgen hielt sein Taschenmesser in der Hand und erhob es gegen Morten, wurde zugleich kreideweiß, und seine Augen blickten tückisch. Und Morten sagte nur: „So, du bist von der Art, die das Messer braucht!"

Kaum war es gesagt, als Jörgens Hand wieder unten war, er sprach kein Wort, aß seine Mahlzeit und ging an seine Arbeit; als sie von der Arbeit kamen, ging er zu Morten und sagte: „Schlag mich nur gerade ins Gesicht! Ich habe es verdient! Ich habe so etwas wie einen Topf in mir, der überkocht."

„Laß es nur gut sein!" sagte Morten, und darauf waren sie fast doppelt so gute Freunde; ja, als sie später heimkamen in das jütische Land zu den Dünen und erzählten, was da so geschehen war, wurde auch das genannt; Jörgen könnte überkochen, aber er sei trotzdem ein ehrlicher Topf. „Jüte ist er ja nicht! Einen Jüten kann man ihn nicht nennen!"* Und das war nun witzig gesagt von Morten.

Jung und gesund waren sie alle beide, gut gewachsen und mit starken Gliedern, aber Jörgen war der Geschmeidigere.

---

* Wortspiel: Die Jüten sind ein Volksstamm; „trockene Jüten" werden im Dänischen auch getrocknete Fische, vor allem windgetrocknete Flundern genannt.

Oben in Norwegen ziehen die Bauern zu den Almen und treiben das Vieh auf die Weide hoch oben, an Jütlands Westküste hat man in den Dünen Hütten errichtet, aus Wrackstücken gezimmert und mit Heidetorf und einer Schicht Heidekraut gedeckt, ringsum in der Stube sind Schlafstätten, und hier schlafen, wohnen und hausen im zeitigen Frühjahr die Fischersleute; jeder hat sein Bootsmädchen, wie es genannt wird, und dessen Aufgabe ist es, Köder auf die Haken zu stecken, die Fischer beim Anlegen mit Warmbier zu empfangen und ihnen das Essen zu bereiten, wenn sie müde nach Hause kommen. Die Bootsmädchen schleppen die Fische aus den Booten, schneiden sie auf und haben vielerlei zu tun.

Jörgen, sein Vater, ein paar andere Fischer und ihre Bootsmädchen hatten einen Raum zusammen; Morten wohnte in dem nächsten.

Nun war da eines von den Mädchen, Else, das Jörgen von klein auf gekannt hatte, die beiden verstanden sich sehr gut, in vielen Dingen waren sie eines Sinnes, aber im Aussehen waren sie gerade entgegengesetzt; er war braun von Haut und sie weiß mit flachsgelbem Haar; ihre Augen waren so blau wie das Meerwasser im Sonnenschein.

Eines Tages, als sie zusammen gingen und Jörgen sie bei der Hand hielt, recht innig und fest, sagte sie zu ihm: „Jörgen, ich habe etwas auf dem Herzen! Laß mich bei dir Bootsmädchen sein, denn du bist mir wie ein Bruder, aber Morten, bei dem ich Dienst tue, und ich sind Liebesleute — aber es ist nicht wert, daß man darüber zu den andern spricht!"

Und es war für Jörgen, als ob der Dünensand sich unter ihm bewegte, er sagte kein Wort, aber er nickte, und das bedeutete dasselbe wie ja; mehr war auch nicht nötig; aber er fühlte auf einmal in seinem Herzen, daß er Morten nicht ausstehen konnte, und je länger er darüber nachdachte — so hatte er niemals zuvor an Else gedacht —, desto klarer wurde es ihm, daß Morten ihm das einzige, was er liebte, gestohlen hatte, und das war freilich Else, nun war es ihm aufgegangen.

Wenn die Fischer bei einigermaßen bewegter See mit ihren Booten heimkehren, dann muß man sehen, wie sie über die Riffe hinwegsetzen; einer der Leute steht vorn, die andern geben auf ihn acht, sitzen an den Rudern, die sie vor dem Riff nach außen kehren, bis er ihnen das Zeichen gibt, daß nun die große Woge kommt, die das Boot hinüberhebt, und es wird so hoch gehoben, daß man vom Lande seinen Kiel sieht, im nächsten Augenblick ist das ganze Fahrzeug von der Brandung verdeckt, nicht Boot, nicht Mann noch Mast sind zu erblicken, man sollte glauben, das Meer habe sie verschlungen, einen Augenblick später kommt es hervor, als sei es ein mächtiges Seetier, das die Woge hochkrabbelt, die Ruderstangen rühren sich wie lebendige Beine; beim zweiten und dritten Riff geht es wie beim ersten, und nun springen die Fischer ins Wasser, tragen das Boot an Land, jeder Wellenschlag hilft ihnen und gibt einen guten Ruck, bis sie es am Ufer haben.

Ein falscher Befehl vor dem Riff, ein Zaudern, und sie leiden Schiffbruch.

‚Dann wäre es mit mir vorbei und mit Morten auch!' Dieser Gedanke kam Jörgen draußen auf See. Sein Pflegevater war gerade ernstlich erkrankt, das Fieber schüttelte ihn; es war kurz vor dem äußersten Riff, als Jörgen vorsprang.

„Vater, laß mich!" sagte er, und sein Blick glitt über Morten und über die Wellen, aber während jedes Ruder sich unter dem starken Griff bewegte und die größte Woge kam, sah er in seines Vaters bleiches Antlitz und – vermochte seiner bösen Eingebung nicht zu folgen. Das Boot kam wohlbehalten über die Riffe und an Land, aber der böse Gedanke lag ihm im Blut, es kochte jede kleine bittere Faser, die es in seiner Erinnerung aus der Kameradenzeit gab, aber er konnte ihm keinen Strick daraus drehen, und so ließ er es sein. Morten hatte ihn zugrunde gerichtet, das fühlte er, und das war genug, um ihn zu hassen. Ein paar von den Fischern merkten es, aber Morten nicht, er war immer noch genau wie früher, hilfreich und redselig, das letztere ein wenig zuviel.

Jörgens Pflegevater mußte sich zu Bett legen, es wurde sein Sterbelager, er starb die Woche darauf – und so erbte Jörgen das Haus hinter den Dünen, ein geringes Haus nur, aber es war immerhin etwas, so viel hatte Morten nicht.

„Nun nimmst du wohl keine Heuer mehr, Jörgen, sondern bleibst immer bei uns!" sagte einer von den alten Fischern. Diesen Gedanken hatte Jörgen nicht, er dachte gerade daran, sich wieder ein bißchen in der Welt umzusehen. Der Aalbauer aus Fjaltring hatte einen Onkel in Gammel-Skagen, er war Fischer, aber zugleich ein wohlhabender Kaufmann, der ein Schiff besaß; er sollte ein freundlicher alter Mann sein und war es wohl wert, daß man bei ihm in Dienst stand. Gammel-Skagen liegt an der nördlichsten Spitze Jütlands, so weit von den Huusbydünen entfernt, wie man hierzulande kommen kann, und das war es wohl, was Jörgen am meisten gefiel, er wollte nicht einmal bis zu Elses und Mortens Hochzeit bleiben, die in ein paar Wochen gehalten werden sollte.

Es sei eine unkluge Handlung, fortzugehen, meinte der alte Fischer, nun hätte Jörgen ein Haus, und Else würde dann wohl doch lieber ihn nehmen.

Jörgen antwortete so kurz darauf, daß man aus seiner Rede nicht leicht klug werden konnte, aber der Alte führte Else zu ihm; sie sagte nicht viel, aber immerhin sagte sie: „Du hast ein Haus! Das muß man bedenken."

Und Jörgen bedachte vieles.

Das Meer hatte schwere Wellen, das Menschenherz hat schwerere, es gingen viele Gedanken, starke und schwache, durch Jörgens Kopf und Sinn, und er fragte Else: „Wenn nun Morten ein Haus hätte so gut wie ich, wen von uns nähmest du dann am liebsten?"

„Aber Morten hat keins und bekommt keins."

„Aber denken wir uns, daß er eins bekäme!"

„Ja, dann nähme ich wohl Morten, denn so steht es nun mit mir! Aber davon kann man nicht leben."

Und Jörgen dachte die ganze Nacht darüber nach. Es war etwas in ihm, worüber er sich selbst keine Rechenschaft ablegen konnte, aber er hatte einen Gedanken, der stärker war als seine Liebe zu Else – und dann ging er zu Morten, und was er dort sagte und tat, hatte er wohl bedacht, er überließ ihm zu den günstigsten Bedingungen das Haus, er selbst wollte Heuer nehmen, dazu hatte er Lust. Und Else küßte ihn mitten auf den Mund, als sie es hörte, denn sie hatte ja Morten am liebsten.

Am frühen Morgen wollte Jörgen fort. Am Abend vorher, es war schon spät, hatte er Lust, Morten noch einmal zu besuchen; er ging, und zwischen den Dünen traf er den alten Fischer, dem die Abreise nicht gefiel, Morten müsse wohl einen eingenähten Entenschnabel in den Hosen haben, sagte er, daß die Mädchen so heftig verliebt in ihn wären. Jörgen schlug die Rede in den Wind, sagte Lebewohl und ging zu dem Haus, wo Morten wohnte; er hörte lautes Sprechen drinnen, Morten war nicht allein. Jörgen zauderte, mit Else wollte er am wenigsten zusammentreffen, und wenn er es recht bedachte, wollte er auch nicht, daß Morten ihm noch einmal Dank sagte, und so kehrte er wieder um.

Am nächsten Morgen, vor Tage, schnürte er sein Bündel, nahm seinen Eßkorb und ging die Dünen hinunter zum Ufer; dort war leichter vorwärts zu kommen als auf dem schweren sandigen Weg, außerdem war der Weg kürzer, denn er wollte zuerst nach Fajltring bei Bovbjerg, wo der Aalbauer wohnte, dem er einen Besuch versprochen hatte.

Das Meer war blank und blau, Muscheln und Schalen lagen dort, sein Kinderspielzeug knirschte unter seinen Füßen. – Während er so dahinging, begann seine Nase zu bluten, das war nur eine Kleinigkeit, aber sie kann auch von Bedeutung sein; ein paar große Blutstropfen fielen auf seinen Ärmel; er wusch sie ab, stillte das Blut, und es schien ihm ordentlich, als hätte der Blutverlust ihm Kopf und Sinn leichter gemacht. Dort blühte im Sand ein wenig Meerkohl, er brach einen Zweig ab und steckte ihn an den Hut; frisch und froh wollte er sein, es ging hinaus in die weite Welt, „vor die Tür, ein wenig den Fluß hinauf!", wie die Aalkinder es wollten. „Nehmt euch vor den bösen Menschen in acht, die euch stechen, abziehen, in Stücke schneiden und in die Pfanne legen!" wiederholte er für sich und lachte dabei, er würde wohl mit heiler Haut durch die Welt kommen; guter Mut ist gute Wehr.

Die Sonne stand schon hoch, als er sich der schmalen Einfahrt der Nordsee zum Nissumfjord näherte; er sah zurück und erblickte in einiger Entfernung zwei zu Pferde, andere folgten; sie beeilten sich, aber ihn ging das ja nichts an.

Das Fährboot lag auf der anderen Seite der Einfahrt; Jörgen rief, bis es kam, stieg dann an Bord, aber ehe er mit dem Fährmann auf halbem Wege war, kamen die Männer, die sich so sehr beeilt hatten, sie riefen, sie drohten, sie sprachen im Namen der Obrigkeit. Jörgen verstand nicht, was es zu bedeuten hatte, meinte aber, daß es das beste wäre, umzukehren, er ergriff selbst das eine Ruder und ruderte zurück; im selben Augenblick sprangen die Leute ins Boot, und ehe er sich's versah, banden sie ihm mit einem Strick die Hände.

„Deine böse Tat wird dich das Leben kosten", sagten sie, „gut, daß wir dich gefaßt haben."

Es war nicht mehr und nicht weniger als ein Mord, den er begangen haben sollte. Morten war mit einem Messer im Hals erstochen aufgefunden worden; einer von den Fischern hatte gestern abend spät Jörgen getroffen, der zu Morten ging; es war nicht das erste Mal, daß Jörgen das Messer gegen ihn erhoben hatte, das wußte man; er mußte der Mörder sein, nun galt es, ihn in sicheren Gewahrsam zu bringen; Ringkjöbing war der rechte Ort, aber der Weg war lang, der Wind genau West, keine halbe Stunde brauchten sie, um über den Fjord zum Skjärumfluß zu setzen, und von dort hatten sie nur eine Viertelmeile bis nach Nörre-Vosborg, das ein starkes Schloß mit Wall und Graben war. Im Boot war ein Bruder des Großknechtes von dort oben, er meinte, daß sie wohl Erlaubnis bekämen, Jörgen bis auf weiteres dort in das Loch zu stecken, wo die Zigeunerin Langemargrethe vor ihrer Hinrichtung gesessen hatte.

Jörgens Verteidigung wurde nicht gehört, ein paar Blutstropfen auf seinem Hemd sprachen sicherer gegen ihn; seiner Unschuld war er sich bewußt, und da er sich hier nicht rechtfertigen konnte, ergab er sich in sein Schicksal.

Sie stiegen gerade bei dem alten Wall an Land, wo Ritter Bugges Schloß gestanden hatte, hier, wo Jörgen mit seinen Pflegeeltern zum Schmaus, zum Leichenschmaus, gewandert war, die vier seligen, lichtesten Kindheitstage. Er wurde denselben Weg über die Wiesen nach Nörre-Vosborg geführt, und dort stand in voller Blüte der Fliederbaum, die hohe Linde duftete, es schien ihm, als sei er erst gestern hier gewesen.

In dem westlichen Flügel des Schlosses ist ein Eingang unter der hohen Treppe, hier kommt man in einen niedrigen, gewölbten Keller, und von dort war Langemargrethe zur Richtstätte geführt worden; sie hatte fünf Kinderherzen gegessen und geglaubt, daß sie, wenn sie noch zwei dazu bekäme, fliegen und sich unsichtbar machen könnte. Dort in der Mauer war ein kleines, enges Luftloch; die duftende Linde draußen vermochte nicht, ein wenig Erquickung hinabzusenden, alles war naßkalt und modrig, nur eine Pritsche stand hier, aber ein gutes Gewissen ist ein sanftes Ruhekissen, und so konnte Jörgen ja weich liegen.

Die dicke Bohlentür war verschlossen, eine Eisenstange davorgeschoben, aber der Alp des Aberglaubens kriecht durch ein Schlüsselloch, auf dem Herrenhof und im Fischerhaus, erst recht hier drinnen, wo Jörgen nun saß und an Langemargrethe und ihre Untaten dachte; ihre letzten Gedanken hatten diesen Raum erfüllt, die Nacht vor der Hinrichtung; er erinnerte sich all der Zauberei, die hier in alten Zeiten, als der Gutsherr Svanwedel hier wohnte, geübt wurde, und es war ja wohlbekannt, wie der Kettenhund, der auf der Brücke stand, noch jenen Morgen, an seiner Kette über dem Gitter hängend, aufgefunden wurde. Alles erfüllte und durchschauerte Jörgen, doch ein Sonnenstrahl von draußen leuchtete zu ihm herein, und das war die Erinnerung an den blühenden Flieder und die Lindenbäume.

Lange saß er hier nicht, er wurde nach Ringkjöbing geführt, wo das Gefängnis ebenso streng war.

Es waren andere Zeiten damals; der arme Mann hatte ein hartes Los; es war noch nicht verwunden, daß aus Bauernhöfen und Bauerndörfern neue Herrenhöfe geworden waren, und unter diesem Regiment wurden Kutscher und Diener Amtsrichter, die für ein geringes Versehen den Armen zum Verlust der Habe und zum Stäupen verurteilen konnten; noch gab es hier den einen oder anderen von ihnen, und im jütischen Land, weit von Kopenhagen und den aufgeklärten, wohlgesinnten Regenten, wurde das Gesetz oft noch willkürlich gehandhabt, und es war das wenigste, daß die Zeit für Jörgen nur langsam verstrich.

Bitter kalt war es, wo er saß, wann würde es ein Ende nehmen! Unverschuldet war er in Leid und Elend geraten, das war sein Los! Er hatte nun Zeit, darüber nachzudenken, was ihm in der Welt beschert worden war – warum befand er sich in einer solchen Lage? Ja, das würde sich in dem anderen Leben klären, in dem, das uns gewiß erwartet! Dieser Glaube war in ihm gewachsen in dem ärmlichen Haus; was in Spaniens Fülle und Sonnenschein nicht in die Gedanken seines Vaters leuchtete, ward ihm in Kälte und Dunkel ein Licht des Trostes, ein Gnadengeschenk Gottes, und das ist niemals eine Täuschung.

Nun ließen sich die Frühlingsstürme vernehmen. Das Rollen der Nordsee hört man meilenweit ins Land hinein, aber erst wenn der Sturm sich gelegt hat; es klingt, als führen schwere Wagen zu Hunderten über einen harten, unterhöhlten Weg; Jörgen hörte es bis in sein Gefängnis hinein, und das war eine Abwechslung; keine alte Melodie kann tiefer zu Herzen gehen als diese Töne: das rollende Meer, das freie Meer, wo man durch die Welt getragen wurde, mit den Winden dahinflog; und wohin man auch kam, hatte man sein eigenes Haus bei sich wie die Schnecke das ihrige; man stand immer auf dem eigenen, immer auf dem Boden der Heimat, selbst im fremden Land.

Wie lauschte er dem tiefen Rollen, wie rollten die Gedanken, die Erinnerungen auf! „Frei, frei! Glückselig, frei zu sein, selbst ohne Sohlen an den Schuhen und mit geflicktem Werghemd!" Hin und wieder flammte es in ihm auf dabei, und er schlug mit geballter Faust gegen die Mauer.

Wochen, Monate, ein ganzes Jahr war vergangen, da ergriff man einen Gauner, Niels Dieb, „der Roßtäuscher" wurde er auch genannt, und da – kamen die besseren Zeiten, es wurde offenbar, was für ein Unrecht Jörgen erlitten hatte.

Nördlich des Ringkjöbingfjordes, bei einem Häusler, der eine Schankwirtschaft hatte, waren am Nachmittag vor Jörgens Abreise aus der Heimat und bevor der Mord geschah, Niels Dieb und Morten zusammengetroffen, es wurden ein paar Gläser getrunken, die zwar keinem Mann zu Kopf steigen konnten, aber doch Mortens Mundwerk etwas zu sehr in Gang setzten; er hatte das große Wort, erzählte, daß er sich ein Haus erstanden habe und sich verheiraten wolle, und als Niels nach dem Geld dafür fragte, schlug Morten hochmütig auf seine Tasche.

„Es ist dort, wo es sein soll", antwortete er.

Diese Prahlerei kostete ihn das Leben; als er ging, folgte ihm Niels und stach ihm ein Messer in den Hals, um ihm das Geld abzunehmen, das nicht da war.

Alles wurde weitläufig auseinandergesetzt, uns ist es genug, zu wissen, daß Jörgen auf freien Fuß kam, aber wie wurde ihm ersetzt, was er seit Jahr und Tag gelitten hatte in Gefängnis und Kälte, von den Menschen ausgestoßen? Ja, man sagte ihm, es sei ein Glück, daß er unschuldig sei, nun könne er gehen. Der Bürgermeister gab ihm zehn Mark Reisegeld, und mehrere Bürger der Stadt gaben ihm Bier und gutes Essen, dort waren auch gute Menschen! Nicht alle „stechen, ziehen die Haut ab und legen in die Pfanne"! Aber das Beste vom Ganzen war, daß Kaufmann Brönne aus Skagen, bei dem Jörgen vor einem ganzen Jahr hatte Heuer nehmen wollen, gerade in diesen Tagen in Geschäften in Ringkjöbing war; er hörte von der ganzen Sache, er hatte ein Herz, verstand und fühlte, was Jörgen gelitten hatte, nun wollte er ihm etwas Gutes und Besseres antun und ihn spüren lassen, daß es auch gute Menschen gibt.

Vom Gefängnis zur Freiheit, zum Himmelreich, zur Liebe und Herzlichkeit ging es nun, ja, das sollte er auch erfahren, kein Lebensbecher enthält nur Wermut, kein guter Mensch vermag einen solchen Becher einem andern Menschen einzuschenken, sollte da Gott, der Alliebende, es tun können?

„Laß nun alles begraben und vergessen sein", sagte Kaufmann Brönne, „einen richtig dicken Strich setzen wir unter das letzte Jahr. Den Kalender verbrennen wir, und in zwei Tagen reisen wir nach dem freundlichen, gesegneten und lustigen Skagen; es ist ein abgelegener Winkel des Landes, wie man sagt, ein gesegneter Ofenwinkel ist es, mit offenen Fenstern in die weite Welt."

Das war eine Reise! Da konnte man wieder Atem schöpfen, aus der kalten Gefängnisluft in den warmen Sonnenschein kommen! Die Heide stand mit blühendem Heidekraut, ein wimmelnder Flor, und der Hirtenknabe saß auf dem Hünengrab und blies auf seiner Flöte, die er aus einem Schafsknochen geschnitzt hatte. Fata Morgana, die herrliche Lufterscheinung der Wüste, mit hängenden Gärten und schwimmenden Wäldern, zeigte sich und die wunderliche leichte Luftwelle, „Lokemann, der seine Herde treibt" genannt.

Hinauf zum Limfjord ging die Reise, über das Land der Vendelboer, hinauf nach Skagen, von wo die Männer mit den langen Bärten, die Langobarden, ausgewandert waren, als in der Hungerszeit unter König Snio alle Kinder und Greise totgeschlagen werden sollten; aber die edle Frau Gambaruk, die hier oben Landgüter besaß, schlug vor, daß lieber die Jungen außer Landes ziehen sollten. Davon wußte Jörgen, so gelehrt war er, und wenn er auch nicht das Land der Langobarden hinter den hohen Alpen kannte, so wußte

er doch, wie es dort aussehen mußte, er war ja selbst als
Knabe im Süden, im Lande Spanien gewesen; er erinnerte
sich der dort aufgehäuften Früchte, der roten Granatblüten,
des Summens, Brummens und Glockenklanges im großen
Bienenkorb der Stadt, aber am schönsten war es doch im
Heimatland, und Jörgens Heimat war Dänemark.

Endlich erreichten sie „Vendilskaga", wie Skagen in alten
norwegischen und isländischen Schriften genannt wird.
Meilenweit, hin und wieder mit Dünen und Ackerland, erstreckt und erstreckte sich schon damals Gammel-Skagen,
Vester- und Österby bis zum Leuchtturm bei „Grenen";
Häuser und Höfe lagen wie jetzt verstreut zwischen aufge-
wehten, veränderlichen Sandhügeln, ein Wüstenland, wo
der Wind sich im losen Sand tummelt und wo Möwen, See-
schwalben und wilde Schwäne sich hören lassen, so daß es
ins Trommelfell schneidet. Im Südwesten, eine Meile von
„Grenen", liegt der Hügel oder Gammel-Skagen, hier
wohnte Kaufmann Brönne, hier sollte Jörgen nun leben.
Das Haus war geteert, die kleinen Nebengebäude hatten jedes ein umgekehrtes Boot als Dach, Wrackstücke waren
zum Schweinekoben zusammengeschlagen, ein Zaun war
nicht da, es gab ja auch nichts zu umzäunen, aber an Schnüren in langen Reihen, die eine über der andern, hingen auf-
geschnittene Fische zum Trocknen im Wind. Der ganze
Strand war bedeckt mit verfaulten Heringen; kaum kam das
Netz ins Wasser, so wurde der Hering fuderweise an Land
gezogen, es gab zu viele davon, man warf sie wieder ins
Meer oder ließ sie liegen und verfaulen.

Frau und Tochter des Kaufmanns, ja alle Leute des Hauses
kamen jubelnd herbei, als der Vater heimkehrte, es war ein
Händedrücken, ein Rufen und Reden, und was hatte die
Tochter für ein liebes Gesicht und zwei schöne Augen!

Drinnen im Haus war es gemütlich und geräumig; Schüs-
seln mit Fisch wurden auf den Tisch gesetzt, Goldbutte, die
ein König ein Prachtgericht nennen konnte, Wein aus Skagens Weinbergen, dem großen Meer, die Trauben rollen ge-
keltert an Land, in Fässern wie in Flaschen.

Als Mutter und Tochter später erfuhren, wer Jörgen war
und wie unschuldig und hart er gelitten hatte, leuchteten
ihre Augen ihm noch sanfter entgegen, und am sanftesten
leuchteten die der Tochter, der lieblichen Jungfer Klara. Er

fand ein liebevolles Heim in Gammel-Skagen, das tat dem Herzen gut, und Jörgens Herz hatte ja vieles erfahren, auch der Liebe bittere See, die hart oder weich macht; Jörgens Herz war noch so weich, es war so jung, es war ein freier Platz darin; deshalb traf es sich gewiß sehr glücklich, daß gerade in drei Wochen Jungfer Klara mit dem Schiff nach Christianssand in Norwegen fahren sollte, um eine Tante zu besuchen und den ganzen Winter über dort zu bleiben.

Am Sonntag vor der Abreise waren alle in der Kirche zum Abendmahl; groß und prächtig war die Kirche, Schotten und Holländer hatten sie vor vielen Jahrhunderten gebaut, ein Stück entfernt von der heutigen Stadt; etwas baufällig war sie geworden, und der Weg hinauf und hinab durch den tiefen Sand war sehr beschwerlich, doch das ertrug man gern, um in Gottes Haus zu kommen, Choräle zu singen und eine Predigt zu hören. Der Sand lag schon bis über die Ringmauer des Kirchhofes, aber die Gräber dort drinnen hielt man noch frei von dem Flugsand.

Es war die größte Kirche auf der Nordseite des Limfjordes. Die Jungfrau Maria mit der Goldkrone auf dem Kopf und dem Jesuskind auf dem Arm stand wie leibhaftig auf dem Altar; im Chor waren die heiligen Apostel ausgehauen, und ganz oben an der Mauer sah man die Bilder der alten Bürgermeister und Ratsherren von Skagen mit ihren Hausmarken; die Kanzel war geschnitzt. Die Sonne schien belebend in die Kirche hinein auf die blanke Messingkrone und auf das kleine Schiff, das von der Decke herabhing.

Jörgen war überwältigt von einem heiligen, kindlich-reinen Gefühl, wie damals, da er als Knabe in Spaniens reicher Kirche stand, aber hier hatte er das Bewußtsein, daß er mit zur Gemeinde gehörte.

Nach der Predigt war die Feier des Abendmahles, er genoß mit den andern das Brot und den Wein, und es traf sich, daß er gerade an der Seite der Jungfer Klara niederkniete; doch seine Gedanken waren so auf Gott und die heilige Handlung gerichtet, daß er erst, als sie sich erhoben, bemerkte, wer sein Nachbar gewesen war; er sah schwere Tränen über ihre Wangen rollen.

Zwei Tage später reiste sie nach Norwegen, und Jörgen machte sich im Hause nützlich, war auf Fischfang, und es gab Fische zu fangen, damals mehr als heutigentags. Makrelenschwärme leuchteten in den dunklen Nächten und zeigten, wohin sie zogen, der Knurrhahn knurrte, und der Tintenfisch gab ein klagendes Heulen von sich, wenn er gejagt wurde, die Fische sind nicht so stumm, wie man sagt, Jörgen war viel verschwiegener mit dem, was er verbarg, aber es würde wohl auch einmal hervorkommen.

Jeden Sonntag, wenn er in der Kirche saß und seine Augen auf das Bild der Mutter Maria auf dem Altar heftete, ruhten sie auch eine Weile auf der Stelle, wo Jungfer Klara an seiner Seite gekniet hatte, und er dachte an sie, wie herzensgut sie zu ihm gewesen war.

Der Herbst kam mit Regen und Schnee, das Wasser stand in Skagens Straßen und weichte sie auf, der Sand konnte nicht all das Wasser schlucken, man mußte waten, wenn nicht mit Booten fahren; die Stürme warfen Schiff auf Schiff gegen die todbringenden Riffe, es gab Schneestürme und Sandstürme, der Sand fegte um die Häuser, so daß die Leute aus dem Schornstein herauskriechen mußten, aber das war hier oben nichts Besonderes; warm und gut war es in der Stube, Heidetorf und Wrackstücke knisterten und knackten, und Kaufmann Brönne las aus einer alten Chronik vor, las vom Prinzen Hamlet von Dänemark, der von England hier bei Bovbjerg an Land kam und eine Schlacht lieferte; bei Ramme war sein Grab, nur ein paar Meilen von dort entfernt, wo der Aalbauer wohnte; Hünengräber erhoben sich zu Hunderten auf der Heide, ein großer Kirchhof, Kaufmann Brönne war selbst dort an Hamlets Grab gewesen; man erzählte von alten Zeiten, von den Nachbarn, Engländern und Schotten, und Jörgen sang dann das Lied vom „Königssohn von England" und von dem prächtigen Schiff, wie es ausgestattet war:

> Es war vergoldet von Bord zu Bord,
> Drauf stand geschrieben des Herren Wort.
> Geschrieben stand es vorn am Bug,
> Der Königssohn die Jungfrau im Arme trug.

Besonders diesen Vers sang Jörgen so innig, seine Augen leuchteten dabei, sie waren ja freilich auch von Geburt an so schwarz und glänzend.

Da wurde gesungen und vorgelesen, da war Wohlstand im

Hause, ein Familienleben sogar bis zu den Haustieren, und alles wohlgehalten; das Bord glänzte mit gescheuerten Zinntellern, und unter der Decke hingen Würste und Schinken, Wintervorrat in Hülle und Fülle; ja, wir können so etwas heute noch dort oben in vielen reichen Bauernhöfen der Westküste sehen, reichliche Vorräte, geputzte Stuben, Klugheit und gute Laune, und in unserer Zeit sind sie zu Kräften gekommen; Gastfreiheit herrscht dort wie im Zelt des Arabers.

Jörgen hatte niemals zuvor eine so fröhliche Zeit verlebt, seit er als Kind die vier Tage beim Leichenschmaus war, und doch war Jungfer Klara fern, aber nicht in Gedanken und Gesprächen.

Im April sollte ein Schiff nach Norwegen gehen, und Jörgen sollte mit. Seine gute Laune war nun freilich wiedergekommen, und gut im Futter war er auch, wie Mutter Brönne sagte, es sei ein Vergnügen, ihn anzusehen.

„Und dich auch", sagte der alte Kaufmann, „Jörgen hat Leben in die Winterabende gebracht, und in unsere Mutter auch; du bist jünger geworden in diesem Jahr, du siehst gut und hübsch aus! Du warst damals auch das schönste Mädchen in Viborg, und das will viel heißen, denn dort habe ich immer die Mädchen am schönsten gefunden."

Jörgen sagte nichts dazu, es schickte sich nicht, aber er dachte an eine aus Skagen, und zu ihr fuhr er, das Schiff legte in Christianssand an, er kam mit günstigem Wind in einem halben Tag hin.

Eines Morgens ging Kaufmann Brönne zum Leuchtturm hinaus, der weit von Gammel-Skagen bei „Grenen" liegt; die Kohlen auf der Drehscheibe dort oben waren lange erloschen, die Sonne stand schon hoch, als er auf den Turm kam; eine ganze Meile von der äußersten Landspitze aus erstreckten sich Sandriffe unter dem Wasser; vor ihnen zeigten sich heute viele Schiffe, und unter diesen glaubte er mit dem Fernrohr „Karen Brönne", wie das Schiff hieß, zu erkennen, und ganz richtig, es segelte heran; Klara und Jörgen waren an Bord. Skagens Leucht- und Kirchturm zeigten sich ihnen wie ein Reiher und ein Schwan auf dem blauen Wasser. Klara saß an der Reling und sah nach und nach die Dünen auftauchen; ja, würde der Wind sich halten, könnten sie innerhalb einer Stunde die Heimat erreichen; so nahe waren sie ihr und der Freude – so nahe waren sie dem Tod und seiner Angst.

Da brach eine Planke im Schiff, das Wasser drang herein, es wurde gedichtet und gepumpt, alle Segel gesetzt, die Notflagge gehißt; sie waren noch eine ganze Meile entfernt, Fischerboote waren zu sehen, aber weit weg, der Wind wehte zum Land, die Wellen halfen auch, aber nicht genug, das Schiff sank. Jörgen schlang seinen rechten Arm fest um Klara.

Mit welchem Blick sah sie ihm in die Augen, als er sich im Namen Gottes mit ihr ins Meer stürzte; sie stieß einen Schrei aus, aber dessen konnte sie sicher sein, daß er sie nicht loslassen würde.

Was das alte Lied sang:

> Geschrieben stand es vorn am Bug,
> Der Königssohn die Jungfrau im Arme trug,

so handelte Jörgen in der Stunde der Angst und Gefahr; nun kam es ihm zustatten, daß er ein tüchtiger Schwimmer war, er arbeitete sich mit den Füßen und einer Hand vorwärts, die andere hielt das junge Mädchen fest umschlungen, er ruhte auf dem Wasser aus, trat es mit den Füßen, wandte all die Bewegungen an, die er kannte und wußte, um genug Kräfte zu haben, das Land zu erreichen. Er hörte, daß sie einen Seufzer ausstieß, er fühlte, wie sie ein krampfhaftes Zucken durchfuhr, und fester hielt er sie; eine Welle schlug über sie, eine Strömung erhob sie, das Wasser war so tief, so klar, einen Augenblick meinte er die blinkenden Makrelenschwärme dort unten zu sehen, oder war es Leviathan selbst, der sie verschlingen wollte; die Wolken warfen Schatten über das Wasser, und wieder kamen blinkende Sonnenstrahlen; schreiende Vögel flogen in großen Schwärmen über ihm, und die Wildenten, die sich schwer und schläfrig vom Wasser treiben ließen, flogen erschreckt vor dem Schwimmer auf; aber seine Kräfte nahmen ab, das fühlte er – das Land war noch ein paar Kabellängen entfernt, doch es kam Hilfe, ein Boot näherte sich – aber unter Wasser stand, er sah es deutlich, eine weiße, ihn anstarrende Gestalt – eine Welle erhob ihn, die Gestalt näherte sich, er spürte einen Stoß, es wurde Nacht, alles verschwand vor ihm.

Auf der Sandbank stand ein Schiffswrack, die See bedeckte es, und die weiße Galionsfigur stützte sich auf einen Anker, dessen scharfes Eisen gerade bis zum Wasserspiegel emporragte; Jörgen war dagegen gestoßen, die Strömung hatte ihn mit vermehrter Kraft vorwärts getrieben; besinnungslos sank er mit seiner Bürde hinab, aber die nächste Woge hob ihn und das junge Mädchen wieder empor.

Die Fischer bekamen sie zu fassen und zogen sie ins Boot, das Blut strömte über Jörgens Gesicht, er war wie tot, aber das Mädchen hielt er so fest umklammert, daß es seinem Arm und seiner Hand entwunden werden mußte; totenbleich und leblos lag sie ausgestreckt im Boot, das auf Skagens Spitze zusteuerte.

Alle Mittel wurden angewandt, um Klara zum Leben zurückzubringen; sie war tot. Lange schon war er draußen mit einer Leiche geschwommen, hatte sich angestrengt und gemüht für eine Tote.

Jörgen atmete noch; sie trugen ihn zum nächsten Haus in den Dünen; eine Art Feldscher, der zur Stelle war, im übrigen auch Schmied und Kleinhändler, verband Jörgen, bis am nächsten Tage der Arzt aus Hjörring geholt wurde.

Des Kranken Gehirn war angegriffen, er tobte, stieß wilde Schreie aus, aber am dritten Tag sank er in Bewußtlosigkeit, das Leben schien nur an einem Faden zu hängen, und daß er reiße, sagte der Arzt, sei das Beste, was man Jörgen wünschen könne.

„Laßt uns den lieben Gott bitten, daß er erlöst wird, er wird niemals wieder ein Mensch."

Aber das Leben verließ ihn nicht, der Faden wollte nicht reißen, nur die Erinnerungen rissen ab, alle Fäden des Geistes waren durchschnitten, das war schauerlich, ein lebendiger Körper blieb zurück, ein Körper, der seine Gesundheit wiedergewinnen sollte.

Jörgen blieb in Kaufmann Brönnes Haus.

„Er hat sich seine unheilbare Krankheit geholt, weil er unser Kind rettete", sagte der alte Mann, „er ist nun unser Sohn."

Blödsinnig nannte man Jörgen, aber das war nicht der rechte Ausdruck; er war wie ein Instrument, dessen Saiten gelöst sind und nicht mehr klingen können – nur für Augenblicke, für wenige Minuten, bekamen sie Spannkraft, und dann ertönten sie – alte Melodien klangen, einzelne Takte; Bilder rollten auf und verschwammen – er saß wieder vor sich hin starrend, gedankenlos da; wir dürfen glauben, daß er nicht litt; die dunklen Augen verloren dann ihren Glanz, sie glichen schwarzem, angehauchtem Glas. „Armer blöder Jörgen!" sagte man.

Das war er, der unter dem Herzen seiner Mutter einem Erdenleben entgegengetragen wurde, so reich und glücklich, daß es „ein Übermut, ein entsetzlicher Stolz" war, sich ein Leben nach diesem zu wünschen, geschweige denn daran zu glauben. All die großen Fähigkeiten der Seele sind also verloren? Nur harte Tage, Schmerz und Enttäuschung waren ihm beschieden; eine Prachtzwiebel war er, aus reichem Erdboden gerissen und in den Sand geworfen, um zu verrotten! Hatte das in Gott geschaffene Bild keinen größeren Wert? War und ist das Ganze nur ein Spiel des Zufalls? Nein! Der Gott der Alliebe mußte und würde ihm Ersatz in einem anderen Leben geben für das, was er hier litt und entbehrte. „Der Herr ist barmherzig, und seine Güte währet ewiglich!" Diese Worte aus Davids Psalm sprach die fromme alte Frau des Kaufmanns, und ihres Herzens Bitte war, daß der liebe Gott Jörgen bald erlösen möge, damit er eingehen könne zu „Gottes Gnadengeschenk", dem ewigen Leben.

Auf dem Kirchhof, wo der Sand über die Mauer fegte, lag Klara begraben; es schien, als ob Jörgen dafür keinen Sinn hatte, es gehörte nicht zu seinem Gedankenkreis, der nur aus Wrackstücken der Vergangenheit bestand. Jeden Sonntag begleitete er die Familie zur Kirche und saß dort still mit gedankenlosem Blick; eines Tages, während des Choralgesanges, stieß er einen Seufzer aus, seine Augen leuchteten, sie waren zum Altar gewendet, zu der Stelle, wo er vor mehr als Jahr und Tag neben seiner toten Freundin gekniet hatte, er nannte ihren Namen und wurde weiß wie ein Laken, Tränen rollten ihm über die Wangen.

Man führte ihn zur Kirche hinaus, und er sagte ihnen, daß er sich wohl fühle, es schien ihm nicht, daß ihm etwas gefehlt habe; er hatte keine Erinnerung daran, der von Gott Geprüfte, Hingestreckte.

Und Gott, unser Schöpfer, ist weise und allgütig, wer kann daran zweifeln? Unser Herz und unser Verstand erkennen das, die Bibel bekräftigt es: „Seine Güte währet ewiglich."

In Spanien, wo zwischen Orangen und Lorbeer die maurischen goldenen Kuppeln von warmen Lüften umwogt werden, wo Gesang und Kastagnetten erklingen, saß in dem prachtvollen Haus ein kinderloser Greis, der reichste Kaufmann; durch die Straßen zogen Kinder in einer Prozession mit Lichtern und Fahnen. Wieviel würde er nicht von seinem Reichtum gegeben haben, um noch seine Kinder zu besitzen, seine Tochter oder ihr Kind, das vielleicht niemals das Licht dieser Welt erblickt hatte – geschweige das der Ewigkeit, des Paradieses? „Armes Kind!"

Ja, armes Kind! Ein Kind wieder und doch schon über dreißig Jahre alt – so alt war Jörgen in Gammel-Skagen geworden.

Der Flugsand hatte sich über die Gräber des Kirchhofes gelegt, an der Kirchenmauer getürmt, aber hier, bei den Vorangegangenen, bei Verwandten und Lieben wollten und sollten die Toten beerdigt werden. Kaufmann Brönne und seine Frau ruhten hier bei ihrem Kind unter dem weißen Sand.

Es war früh im Jahr, die Zeit der Stürme; die Dünen rauchten, das Meer warf hohe Wellen, die Vögel, in großen Scharen wie Wolken im Sturm, fuhren schreiend über die Dünen; Schiffbruch auf Schiffbruch folgte an den Riffen von Skagens Spitze bis zu den Huusbydünen.

Eines Nachmittags, Jörgen saß allein in der Stube, wurde es licht in seinen Gedanken, ein Gefühl der Unruhe trieb ihn wie oft in seinen jüngeren Jahren in die Dünen und auf die Heide hinaus.

„Heim! Heim!" sagte er; niemand hörte ihn; er ging aus dem Haus, in die Dünen hinein, Sand und kleine Steinchen fegten ihm ins Gesicht, erhoben sich in Wirbeln um ihn. Er ging auf die Kirche zu; der Sand lag hoch an der Mauer und bedeckte die Fenster halb, aber am Eingang war der Sand fortgeschaufelt, die Kirchentür war nicht verschlossen und leicht zu öffnen; Jörgen ging hinein.

Der Wind fuhr heulend über Skagen; es war ein Orkan wie seit Menschengedenken nicht, ein entsetzliches Unwetter, aber Jörgen war in Gottes Haus, und während es draußen schwarze Nacht wurde, wurde es in ihm hell, es war das Licht der Seele, das niemals erlischt; er fühlte, wie der schwere Stein, der in seinem Kopf lag, mit einem Knall zersprang. Es war ihm, als spiele die Orgel, aber das waren der Sturm und das rollende Meer; er setzte sich in den Kirchenstuhl, und die Lichter wurden angezündet, Licht neben Licht, ein solcher Reichtum, wie er ihn nur im Lande Spanien gesehen hatte, und alle Bilder der alten Ratsherren und Bürgermeister wurden lebendig, sie traten aus der Wand heraus, wo sie seit Jahren gestanden hatten, sie setzten sich in den Chor; die Pforten und Türen der Kirche öffneten sich, und all die Toten traten herein, festlich gekleidet wie in ihrer Zeit, sie kamen mit schöner Musik und setzten sich in die Stühle; da ertönte Choralgesang wie das rollende Meer, und seine alten Pflegeeltern aus den Huusbydünen waren da und der alte Kaufmann Brönne und seine Frau, und an ihrer Seite, dicht neben Jörgen, saß ihre sanfte liebevolle Tochter; sie reichte Jörgen die Hand, und sie gingen hinauf zum Altar, wo sie früher gekniet hatten, und der Pfarrer legte ihre Hände zusammen und weihte sie einem Leben in Liebe. – Da erbrausten die Töne der Posaunen, wunderbar wie eine Kinderstimme voll Sehnsucht und Lust, sie schwollen an zu Orgelklängen, zu einem Orkan voll erhabener Töne, selig zu hören und doch mächtig genug, die Steine der Gräber zu sprengen.

Und das Schiff, das im Chor hing, senkte sich vor den beiden nieder, es wurde so groß, so prachtvoll, mit seidenen Segeln und vergoldeten Rahen, die Anker waren aus rotem Gold und jedes Tau aus Seide gewirkt, wie es in dem alten Lied stand. Und das Brautpaar stieg an Bord, und die ganze Gemeinde der Kirche folgte, und es war Raum und Herrlichkeit für sie alle. Und die Wände und Bogen der Kirche blühten wie Flieder, und sie dufteten wie Lindenbäume, sanft fächelten Zweige und Blätter; sie neigten und teilten sich, und das Schiff erhob sich und fuhr mit ihnen durch das Meer, durch die Luft, jedes Kirchenlicht war ein kleiner Stern, und der Wind stimmte Choräle an, und alle sangen mit.

„In Liebe, zur Herrlichkeit!" – „Kein Leben soll verlorengehen!" – „Glückselig froh! Halleluja!"

Und diese Worte waren auch seine letzten in dieser Welt, das Band, das die unsterbliche Seele hielt, riß – es lag nur ein toter Körper in der dunklen Kirche, die der Sturm umsauste und mit Flugsand umwirbelte.

Am nächsten Morgen war Sonntag, die Gemeinde und der Pfarrer kamen zum Gottesdienst. Der Weg war beschwerlich gewesen, fast konnte man über den Sand nicht vorwärts kommen, und nun, als sie da waren, lag ein großer Sandhügel vor der Kirchentür aufgetürmt. Der Pfarrer sprach ein kurzes Gebet und sagte, Gott habe die Tür zu diesem seinem Haus verschlossen, sie müßten nun gehen und ihm an anderer Stätte ein neues errichten.

Dann sangen sie ein Lied und wanderten heim zu ihren Häusern.

Jörgen war weder in Skagen noch zwischen den Dünen zu finden, wo sie ihn suchten; die bis auf den Sand rollenden Wogen hätten ihn mitgenommen, hieß es.

Sein Körper lag in dem größten Sarkophag, in der Kirche selbst, beerdigt; Gott hatte im Sturm Erde auf den Sarg geworfen, die schwere Sandschicht lag dort und liegt dort noch.

Der Flugsand hat die mächtigen Wölbungen bedeckt. Sanddorn und wilde Rosen wachsen über die Kirche hin, wo der Wanderer nun zu ihrem Turm schreitet, der aus dem Sand aufragt, ein mächtiger Leichenstein auf dem Grabe, meilenweit zu sehen; kein König bekam einen prächtigeren! Niemand stört des Toten Ruhe, niemand wußte oder weiß es bis jetzt – nur der Sturm sang es mir zu zwischen den Dünen.

Der Marionettenspieler

An Bord des Dampfschiffes befand sich ein ältlicher Mann mit einem so vergnügten Gesicht, daß, wenn es nicht Lügen sprach, er der glücklichste Mensch von der Welt sein mußte. Das sei er auch, sagte er, und ich hörte es aus seinem eigenen Munde; er war Däne, war mein Landsmann und reisender Theaterdirektor. Das ganze Personal hatte er mit, es lag in einem großen Kasten; er war Marionettenspieler. Seine angeborene gute Laune, sagte er, sei von einem polytechnischen Kandidaten geläutert worden, und bei diesem Experiment sei er vollkommen glücklich geworden. Ich verstand ihn nicht gleich, aber dann setzte er mir die ganze Geschichte klar auseinander, und hier ist sie:

„Es war in Slagelse", sagte er, „ich gab eine Vorstellung im Gasthof Zur Post und hatte ein brillantes Haus und brillantes Publikum, ganz und gar unkonfirmiert, bis auf ein paar alte Madams. Auf einmal kommt da eine schwarzgekleidete Person von studentenhaftem Aussehen, setzt sich, lacht laut durchaus an den richtigen Stellen und klatscht ganz und gar richtig, es war ein ungewöhnlicher Zuschauer! Ich mußte wissen, wer er war, und ich hörte, er sei ein Kandidat der polytechnischen Lehranstalt, der ausgesandt wäre, um die Leute in den Provinzen zu belehren. Um acht Uhr war meine Vorstellung aus, Kinder müssen ja zeitig ins Bett, und man muß an die Bequemlichkeit des Publikums denken. Um neun Uhr begann der Kandidat seine Vorlesungen und Experimente, und nun war ich sein Zuhörer. Das war merkwürdig zu hören und zu sehen. Das meiste ging über meinen Horizont, wie man sagt, aber soviel dachte ich mir doch dabei: können wir Menschen so etwas herausfinden, so müssen wir auch länger aushalten können, bevor man uns in die Erde steckt. Es waren nur kleine Mirakel, die er machte, und doch ging alles wie geschmiert, ganz natürlich! Zur Zeit von Moses und den Propheten wäre ein solcher polytechnischer Kandidat einer der Weisen des Landes geworden, und im Mittelalter hätte man ihn verbrannt. Ich schlief die ganze Nacht nicht, und als ich am nächsten Abend Vorstellung gab und der Kandidat sich wiederum einfand, kam ich ordentlich in Stimmung. Ich habe von einem Schauspieler gehört, daß er in Liebhaberrollen nur an eine einzige der Zuschauerinnen dachte, für sie spielte er und vergaß das ganze übrige Haus. Der polytechnische Kandidat war meine ‚sie‘, mein einziger Zuschauer, für den ich spielte. Als die Vorstellung aus war, wurden alle Marionetten hervorgerufen, und ich wurde von dem polytechnischen Kandidaten auf ein Glas Wein eingeladen. Er sprach von meiner Komödie und ich von seiner Wissenschaft, und ich glaube, wir hatten gleich großes Vergnügen an beiden, aber ich behielt doch das Wort, denn bei ihm gab es so vieles, worüber er selbst keine Rechenschaft ablegen konnte, wie zum Beispiel darüber, daß ein Stück Eisen, das durch eine Spirale fällt, magnetisch wird. Ja, was ist das? Der Geist kommt über das Eisen, aber woher kommt er? Es ist gerade wie mit den Menschen dieser Welt, denke ich, der liebe Gott läßt sie durch die Spirale der Zeit purzeln, und der Geist kommt über sie, und so steht da ein Napoleon, ein Luther oder eine ähnliche Person! ,Die ganze Welt ist eine Reihe von Wunderwerken', sagte der Kandidat, ,aber wir sind so an sie gewöhnt, daß wir sie Alltagsdinge nennen.' Und er sprach und erklärte, es war mir zuletzt, als hebe er mir gleichsam die Hirnschale ab, und ich gestand ehrlich, wenn ich nicht schon so ein alter Kerl wäre, so würde ich sofort in die polytechnische Anstalt gehen und lernen, die Welt so recht in den Nähten nachzusehen, obwohl ich einer der glücklichsten Menschen bin. ,Einer der glücklichsten', sagte er, und es war, als kostete er es aus. ,Sind Sie glücklich?' fragte er. ,Ja!' sagte ich, ,glücklich bin ich, und willkommen bin ich in allen Städten, wohin ich mit meiner Gesellschaft komme! Es gibt freilich einen Wunsch, der mich manchmal wie ein Kobold überfällt, ein Alp, der meine gute Laune drückt, ich möchte Theaterdirektor einer lebendigen Truppe, einer richtigen Menschengesellschaft werden.' – ,Sie wünschen Ihre Marionetten lebendig, Sie wünschen, daß sie wirkliche Schauspieler und Sie selbst Direktor würden?' sagte er, ,dann würden Sie vollkommen glücklich sein, glauben Sie?' Er glaubte es nicht, aber ich glaubte es. Und wir sprachen hin und her und blieben gleich weit auseinander, doch mit den Gläsern stießen wir zusammen, und der Wein war sehr gut, aber es war Zauberei darin, denn sonst liefe die ganze Geschichte darauf hinaus, daß ich einen Rausch bekommen hätte. Doch das war es nicht, meine Augen waren klar. Es war wie Sonnenschein in der Stube, der aus den Augen des polytechnischen Kandidaten leuchtete, und ich mußte an die alten Götter und ihre ewige Jugend denken, als sie noch auf Erden wandelten. Das sagte ich ihm, und dann lächelte er, und ich hätte darauf schwören mögen, daß er ein verkleideter Gott oder einer aus ihrer Familie sei – und er war es. Mein höchster Wunsch sollte in Erfüllung gehen, die Marionetten lebendig und ich Direktor einer Menschentruppe werden. Wir stießen darauf an und leerten die Gläser. Er packte alle meine Puppen in den Holzkasten, band ihn mir auf den Rücken, und dann ließ er mich durch eine Spirale purzeln.

Ich höre noch, wie ich purzelte, ich lag auf dem Fußboden, das ist gewiß, und die ganze Gesellschaft sprang aus dem Kasten. Der Geist war über sie alle gekommen, alle Marionetten waren ausgezeichnete Künstler geworden, das sagten sie selbst, und ich war Direktor! Alles war zur ersten Vorstellung bereit, die ganze Gesellschaft wollte mit mir sprechen, und das Publikum auch. Die Tänzerin sagte, wenn sie nicht auf einem Bein stehe, dann falle das Haus zusammen, sie sei die Meisterin des Ganzen und wolle danach behandelt werden. Diejenige, welche die Kaiserin spielte, wollte auch außerhalb der Bühne als Kaiserin behandelt werden, sie käme sonst aus der Übung. Der, welcher nur dazu gebraucht wurde, einen Brief hereinzutragen, machte sich ebenso wichtig wie der erste Liebhaber, denn die Kleinen seien wie die Großen, von gleicher Wichtigkeit in einem künstlerischen Ganzen, sagte er. Dann verlangte der Held, seine Rolle sollte aus lauter Abgangsrepliken bestehen, denn dabei würde geklatscht. Die Primadonna wollte nur in rotem Licht spielen, denn das stände ihr, blaues wollte sie nicht. Es war wie eine Flasche mit Fliegen, und ich war mitten in der Flasche, ich war Direktor. Ich bekam keine Luft, ich verlor den Kopf, ich war so elend, wie ein Mensch nur sein kann. Es war ein neues Menschengeschlecht, unter das ich geraten war, ich wünschte, daß ich sie alle wieder im Kasten hätte und daß ich niemals Direktor geworden wäre. Ich sagte ihnen rundheraus, daß sie im Grunde doch alle Marionetten seien; und dann schlugen sie mich tot. Ich lag auf dem Bett in meiner Kammer. Wie ich dorthin und überhaupt vom polytechnischen Kandidaten weggekommen bin, das muß er wissen, ich weiß es nicht. Der Mond schien auf den Fußboden, wo der Puppenkasten umgestürzt und alle Puppen bunt durcheinander lagen, groß und klein, die ganze Bescherung; aber ich war nicht faul, ich fuhr aus dem Bett, und allesamt kamen sie in den Kasten, einige auf den Kopf, andere auf die Beine. Ich schlug den Deckel zu und setzte mich selbst oben darauf; es war zum Malen! Können Sie sich das Bild vorstellen? Ich kann es. ‚Nun sollt ihr drinnen bleiben‘, sagte ich, ‚und nie wieder wünsche ich, daß ihr aus Fleisch und Blut sein sollt!‘ Mir war so leicht zumute, ich war der glücklichste Mensch. Der polytechnische Kandidat hatte mich geläutert; ich saß

in lauter Glückseligkeit auf dem Kasten und schlief ein. Am nächsten Morgen – eigentlich war es Mittag, aber ich schlief diesen Morgen wunderbar lange – saß ich noch immer da, glücklich, weil ich gelernt hatte, daß mein früherer einziger Wunsch dumm gewesen war; ich fragte nach dem polytechnischen Kandidaten, aber er war fort, ebenso wie die griechischen und römischen Götter. Und von der Zeit an bin ich der glücklichste Mensch gewesen. Ich bin ein glücklicher Direktor, mein Personal räsoniert nicht, das Publikum auch nicht, es vergnügt sich aus Herzensgrund. Meine Stücke kann ich zusammenbasteln, wie ich will; ich nehme aus allen Komödien das Beste heraus, wie es mir gefällt, und niemand ärgert sich darüber. Stücke, die jetzt an den großen Theatern verachtet sind, denen aber das Publikum vor dreißig Jahren nachlief und über die es weinte, deren nehme ich mich jetzt an. Jetzt setze ich sie den Kleinen vor, und die Kleinen, die weinen ebenso, wie Vater und Mutter einst weinten; ich gebe ‚Johanna Montfaucon‘ und ‚Dyveke‘, aber gekürzt, denn die Kleinen mögen das lange Liebesgewäsch nicht, sie wollen: unglücklich, aber rasch. Nun habe ich Dänemark kreuz und quer bereist, kenne alle Menschen und werde von ihnen gekannt. Dann bin ich nach Schweden gegangen, und mache ich hier mein Glück und verdiene gutes Geld, dann werde ich Skandinavier, sonst nicht, das sage ich Ihnen als meinem Landsmann.“
Und ich als Landsmann erzähle es natürlich gleich weiter, bloß um zu erzählen.

Zwölf mit der Post

Es war schneidende Kälte, sternenklarer Himmel, kein Lüftchen regte sich.

„Bums!“, da wurde ein alter Topf an die Haustür des Nachbarn geworfen. „Piff, paff!“ knallte es da, man begrüßte das neue Jahr, es war Neujahrsnacht; nun schlug die Uhr zwölf.

„Taterata!“, da kam die Post. Die große Postkutsche hielt vor dem Stadttor, sie brachte zwölf Personen mit, mehr konnte sie nicht bergen, alle Plätze waren besetzt.

„Hurra! Hurra!“ rief man da in den Häusern, wo die Leute

Silvester feierten und sich gerade mit dem gefüllten Glas erhoben hatten, um auf ein glückliches neues Jahr zu trinken.

„Prosit Neujahr!" sagten sie, „Glück und Gesundheit, eine liebe kleine Frau! Viel Geld! Schluß mit dem Ärger!"

Ja, das wünschte man sich gegenseitig, und darauf stieß man an, und – die Post hielt vor dem Stadttor mit den fremden Gästen, den zwölf Reisenden.

Was waren das für Leute? Sie hatten Paß und Gepäck bei sich, ja sie brachten sogar Geschenke mit für dich und mich und alle Menschen in der Stadt. Wer waren diese Fremden? Was wollten sie, und was brachten sie?

„Guten Morgen!" sagten sie zur Schildwache am Tor.

„Guten Morgen!" sagte die Schildwache, denn die Uhr hatte ja zwölf geschlagen.

„Ihr Name? Ihr Stand?" fragte die Schildwache den, der zuerst aus dem Wagen stieg.

„Sehen Sie im Paß nach!" sagte der Mann. „Ich bin ich!" Es war auch ein ganzer Kerl, angetan mit Bärenpelz und Fellstiefeln. „Ich bin der Mann, in den sehr viele ihre Hoffnung setzen. Komm morgen, dann sollst du ein Neujahrsgeschenk haben! Ich werfe mit Schillingen und Talern umher, mache Geschenke, ja, ich gebe auch Bälle, ganze einunddreißig Bälle, mehr Nächte habe ich nicht zu vergeben. Meine Schiffe sind eingefroren, aber in meinem Kontor ist es warm und gemütlich. Ich bin Großkaufmann und heiße Januar. Ich habe nur Rechnungen bei mir."

Dann kam der nächste; es war ein Spaßmacher, er war Theaterdirektor, Arrangeur aller Maskenbälle und aller Vergnügungen, die man sich nur denken kann. Sein Gepäck bestand aus einer großen Tonne.

„Aus der Tonne wollen wir zur Fastnachtszeit mehr als einen Kater springen lassen", sagte er. „Ich will andern und mir Vergnügen bereiten, denn ich habe die kürzeste Lebenszeit von der ganzen Familie; ich werde nur achtundzwanzig! Ja, vielleicht gibt man noch einen Tag dazu, aber das ist das gleiche. Hurra!"

„Sie dürfen nicht so laut schreien!" sagte die Schildwache.

„Aber freilich darf ich das", sagte der Mann, „ich bin Prinz Karneval und reise unter dem Namen Februarius."

Nun kam der dritte; er sah wie das leibhaftige Fasten aus, aber er trug die Nase hoch, denn er war verwandt mit den

„vierzig Rittern" und war Wetterprophet; aber das ist keine fette Pfründe, deshalb pries er die Fastenzeit. Sein Schmuck war ein Strauß Veilchen im Knopfloch, aber sie waren sehr klein.

„März, marsch!" rief der vierte und gab dem dritten einen Stoß. „März, marsch hinein in die Wache, da ist Punsch! Ich kann es riechen!" Aber es war nicht wahr, er wollte ihn nur in den April schicken, damit fing der vierte Bursche an. Er sah sehr flott aus, er tat nicht viel, feierte aber desto mehr. „Rauf und runter geht die Laune", sagte er, „Regen und Sonnenschein, Ausziehen und Einziehen! Ich bin auch Ziehtagskommissar, und ich bin Leichenbitter, ich kann lachen und weinen. Ich habe Sommerkleider im Koffer, aber es würde sehr töricht sein, sie anzuziehen. Ja, das bin ich! Als Putz trage ich Seidenstrümpfe und Muff."

Nun kam eine Dame aus dem Wagen.

„Fräulein Mai!" sagte sie. Sie trug Sommerkleider und Galoschen; sie hatte ein buchenblattgrünes Seidenkleid an, Anemonen im Haar, und dazu duftete sie so nach Waldmeister, daß die Schildwache niesen mußte.

„Gesundheit!" sagte sie, das war ihr Gruß. Sie war lieblich! Und eine Sängerin war sie, nicht Theatersängerin, auch nicht Bänkelsängerin, nein, Sängerin des Waldes. Im frischen grünen Wald ging sie umher und sang zu ihrem eigenen Vergnügen; sie hatte in ihrem Nahbeutel Christian Winthers „Holzschnitte", denn die sind wie der Buchenwald selbst, und „Kleine Gedichte von Richardt", die sind gerade wie Waldmeister.

„Nun kommt die junge Frau!" riefen sie im Wagen, und dann kam die Frau, jung und fein, stolz und lieblich. Sie war als „Siebenschläfer" geboren, das konnte man gleich sehen. Am längsten Tag des Jahres gab sie große Gesellschaft, damit die Gäste Zeit haben möchten, die vielen Gerichte zu verzehren. Sie konnte es sich leisten, im eigenen Wagen zu fahren, aber sie kam doch mit der Post wie die andern, weil sie damit zeigen wollte, daß sie nicht hochmütig war; sie reiste auch nicht allein, ihr jüngerer Bruder Julius begleitete sie.

Er war ein wohlgenährter Bursche, sommerlich gekleidet und mit Panamahut. Er führte nur wenig Gepäck mit sich, das war so beschwerlich bei der Wärme. Er hatte nur Bademütze und Schwimmhose mitgenommen, und das ist nicht viel.

Nun kam die Mutter, Madam August, Obsthändlerin en gros, Besitzerin vieler Fischküsten, Bäuerin in großer Krinoline. Sie war dick und verschwitzt, faßte selbst überall an, trug eigenhändig den Arbeitern Bier auf das Feld. „Im Schweiße seines Angesichts soll man sein Brot essen", sagte sie, „das steht in der Bibel; hinterher kann man Waldfest und Ernteschmaus halten!" Sie war die Mutter.

Dann kam wieder ein Mann, Maler von Profession, der Farbenmeister September. Das bekam der Wald zu spüren; die Blätter mußten ihre Farben wechseln, wenn er es wollte; bald sah der Wald rot, gelb und braun aus. Der Meister pfiff wie der schwarze Star, war ein flinker Arbeiter und wand die braungrüne Hopfenranke um seinen Bierkrug, das schmückte, und für Schmuck hatte er Sinn. Da stand er nun mit seinem Farbentopf, der sein ganzes Gepäck war.

Nun folgte der Großbauer, der an den Saatmonat, an das Pflügen und Bestellen des Feldes, ja auch ein wenig an das Jagdvergnügen dachte. Herr Oktober hatte Hund und Büchse bei sich und hatte Nüsse in seiner Tasche: knick, knack! Furchtbar viel Gepäck führte er mit und einen englischen Pflug. Er sprach von der Landwirtschaft, aber man konnte nicht viel hören, vor lauter Husten und Prusten – es war der November, der da kam.

Er hatte Schnupfen, gewaltigen Schnupfen, so daß er ein Laken an Stelle eines Taschentuches benutzte, und doch solle er die Mädchen in den neuen Dienst begleiten, sagte er, die Erkältung werde schon vorübergehen, wenn er beim Holzhacken sei, und das wolle er, denn er sei Sägemeister seines Zeichens. Die Abende verbrachte er damit, Schlittschuhe zu machen, denn er wußte, daß man in wenigen Wochen Bedarf für dieses vergnügliche Schuhzeug haben würde.

Endlich kam die letzte, das alte Mütterchen mit dem Feuertopf. Sie fror, aber ihre Augen strahlten wie zwei klare Sterne. Sie trug einen Blumentopf mit einem kleinen Tannenbaum. „Den will ich hegen und pflegen, damit er bis zum Weihnachtsabend groß wird, vom Fußboden bis an die Decke reicht und brennende Lichter, goldene Äpfel und ausgeschnittene Figuren trägt. Der Feuertopf wärmt wie ein

Ofen; ich hole das Märchenbuch aus der Tasche und lese vor, so daß alle Kinder im Zimmer still, aber die Figuren an dem Baum lebendig werden und der kleine Engel aus Wachs an der Spitze des Baumes die Flittergoldflügel ausbreitet, von der grünen Spitze herabfliegt und klein und groß im Zimmer küßt, ja, auch die armen Kinder, die draußen stehen und das Weihnachtslied vom Stern über Bethlehem singen."

„So, jetzt kann die Kutsche wieder abfahren", sagte die Schildwache, „nun haben wir das Dutzend voll. Laßt einen neuen Reisewagen vorfahren!"

„Laßt doch erst die zwölf zu mir hereinkommen", sagte der wachhabende Hauptmann, „einen nach dem andern! Die Pässe behalte ich; sie gelten für jeden einen Monat; wenn der um ist, werde ich hineinschreiben, wie jeder sich aufgeführt hat. Bitte, Herr Januar, treten Sie gefälligst näher!"

Und dann ging der Januar hinein.

Wenn ein Jahr verstrichen ist, werde ich dir sagen, was die zwölf dir, mir und uns allen gebracht haben. Noch weiß ich es nicht, und sie wissen es wohl selbst auch nicht – denn es ist eine wunderliche Zeit, in der wir leben.

Der Mistkäfer

Des Kaisers Roß bekam goldene Hufeisen, ein goldenes Hufeisen unter jeden Fuß.

Warum bekam es goldene Hufeisen?

Es war ein wunderschönes Tier, hatte feine Beine, kluge Augen und eine Mähne, die ihm wie ein seidener Schleier über den Hals hing. Es hatte seinen Herrn durch Pulverdampf und Kugelregen getragen, hatte die Kugeln singen und pfeifen hören; es hatte um sich gebissen, um sich geschlagen und mitgekämpft. Als die Feinde angriffen, war es mit seinem Kaiser in einem Sprung über das gestürzte Pferd des Feindes gesetzt und hatte seinem Kaiser das Leben gerettet. Das war mehr wert als das rote Gold, und deshalb bekam des Kaisers Roß goldene Hufeisen, ein goldenes Hufeisen unter jeden Fuß.

Und der Mistkäfer kroch hervor.

„Erst die Großen, dann die Kleinen", sagte er, „aber die Größe allein macht es nicht." Und dabei streckte er seine dünnen Beine aus.

„Was willst du denn?" fragte der Schmied.

„Goldene Hufeisen", antwortete der Mistkäfer.

„Du bist wohl nicht ganz klar im Kopf!" sagte der Schmied. „Du willst auch goldene Hufeisen haben?"

„Goldene Hufeisen, jawohl!" sagte der Mistkäfer. „Bin ich denn nicht ebenso gut wie das große Tier da, das gepflegt, geschniegelt und gestriegelt wird und Futter und Trank hat? Gehöre ich nicht auch zum Stall des Kaisers?"

„Aber warum bekommt das Pferd goldene Hufeisen?" fragte der Schmied, „begreifst du das nicht?"

„Begreifen? – Ich begreife, daß es eine Geringschätzung meiner Person ist", sagte der Mistkäfer, „es ist eine Kränkung – und deshalb gehe ich nun in die weite Welt hinaus!"

„Hau ab!" sagte der Schmied.

„Grober Kerl!" sagte der Mistkäfer, und dann ging er hinaus, flog ein Stückchen und war bald darauf in einem niedlichen kleinen Blumengarten, wo es nach Rosen und Lavendel duftete.

„Ist es hier nicht herrlich?" fragte eins der kleinen Marienkäferchen, die mit ihren schwarzen Punkten auf den roten schildstarken Flügeln umherflogen. „Wie süß es hier duftet, wie schön es hier ist!"

„Ich bin Besseres gewöhnt", sagte der Mistkäfer, „nennt ihr das schön? Hier ist ja nicht einmal ein Misthaufen!"

Und dann ging er weiter in den Schatten einer großen Levkoje; da kroch eine Kohlraupe.

„Wie schön ist doch die Welt!" sagte die Kohlraupe, „die Sonne ist so warm! Alles ist so vergnügt! Und wenn ich einmal einschlafe und sterbe, wie sie es nennen, dann wache ich auf und bin ein Schmetterling."

„Bilde dir nur nichts ein!" sagte der Mistkäfer. „Du und als Schmetterling fliegen! Ich komme aus dem Stall des Kaisers, aber niemand dort, nicht einmal des Kaisers Leibroß, das doch meine abgelegten goldenen Schuhe trägt, bildet sich so etwas ein. Flügel kriegen! Fliegen! Ja, nun fliegen wir!" Und dann flog der Mistkäfer davon. „Ich will mich nicht ärgern, aber ich ärgere mich doch!"

Dann plumpste er auf einen großen Rasenplatz; hier lag er eine Weile und schlief dann ein.

Bewahre, was für ein Platzregen stürzte herunter! Der Mistkäfer erwachte bei dem Geplätscher und wollte sich schnell in die Erde verkriechen, aber er konnte es nicht. Er wälzte sich herum, schwamm auf dem Bauch und auf dem Rücken, an Fliegen war nicht zu denken, er kam gewiß niemals lebendig von diesem Fleck; er lag, wo er lag, und blieb liegen.

Als das Unwetter ein wenig nachließ und der Mistkäfer das Wasser aus seinen Augen weggeblinzelt hatte, sah er etwas Weißes schimmern, es war Leinwand auf der Bleiche. Er gelangte dorthin und kroch in eine Falte des nassen Leinenzeuges. Da lag es sich freilich anders als in dem warmen Haufen im Stall; aber hier gab es nun nichts Besseres, und so blieb er einen ganzen Tag und eine ganze Nacht da, und auch das Regenwasser blieb. Gegen Morgen kroch er hervor, er war sehr verärgert über das Klima.

Da saßen auf der Leinwand zwei Frösche, ihre hellen Augen leuchteten vor lauter Vergnügen. „Das ist ein herrliches Wetter", sagte der eine, „wie das erfrischt! Und das Leinenzeug hält das Wasser so schön zusammen; es krabbelt mir in den Hinterbeinen, als ob ich schwimmen sollte."

„Ich möchte wohl wissen", sagte der andere, „ob die Schwalbe, die so weit umherfliegt, auf ihren vielen Reisen im Ausland ein besseres Klima als das unsrige gefunden hat; solch ein Guß und solch eine Nässe! Es ist gerade, als läge man in einem nassen Graben! Wenn man sich darüber nicht freut, liebt man wahrlich sein Vaterland nicht!"

„Ihr seid wohl niemals im Stall des Kaisers gewesen?" fragte der Mistkäfer. „Dort ist die Nässe warm und würzig; das ist mein Klima, aber das kann man nicht mit auf Reisen nehmen. Ist hier im Garten kein Mistbeet, wo Standespersonen wie ich einziehen und sich heimisch fühlen können?"

Aber die Frösche verstanden ihn nicht oder wollten ihn nicht verstehen.

„Ich frage nie zum zweiten Male!" sagte der Mistkäfer, als er dreimal gefragt hatte, ohne Antwort zu bekommen.

Darauf ging er eine Strecke weiter und stieß auf eine Topfscherbe; die sollte dort zwar nicht liegen, aber so, wie sie dalag, gewährte sie Schutz. Hier wohnten mehrere Ohrwurmfamilien; sie verlangten nicht viel Raum, sondern nur

Geselligkeit. Die Weibchen sind besonders mit der zärtlichsten Mutterliebe begabt, deshalb hielt auch jede Mutter ihr Junges für das schönste und klügste.

„Unser Sohn hat sich verlobt!" sagte eine Mutter. „Die süße Unschuld! Sein höchstes Ziel ist, einmal in das Ohr eines Pfarrers kriechen zu können. Er ist so allerliebst kindlich, und die Verlobung bewahrt ihn vor Ausschweifungen. Das ist so erfreulich für eine Mutter!"

„Unser Sohn", sagte eine andere Mutter, „war gerade aus dem Ei gekrochen und trieb schon sein Spiel. Er ist ganz Feuer und Flamme, er läuft sich die Hörner ab. Das ist eine ungeheure Freude für eine Mutter! Nicht wahr, Herr Mistkäfer?" Sie erkannten den Fremden an seinem Äußeren.

„Sie haben beide recht!" sagte der Mistkäfer, und nun bat man ihn, in das Zimmer einzutreten, soweit er nämlich unter die Topfscherbe kommen konnte.

„Nun sollen Sie auch mein kleines Ohrwürmchen sehen", sagten eine dritte und eine vierte Mutter, „es sind die lieblichsten Kinder, und so lustig! Sie sind niemals unartig, außer wenn sie Bauchschmerzen haben, aber das bekommt man gar zu leicht in ihrem Alter."

Und so sprach jede Mutter von ihren Jungen, und die Jungen sprachen mit und gebrauchten die kleine Schere, die sie am Schwanz hatten, um den Mistkäfer am Schnurrbart zu zupfen.

„Sie haben nun auch immer Einfälle, die kleinen Schelme!" sagten die Mütter und dampften vor Mutterliebe, aber das langweilte den Mistkäfer, und darum fragte er, ob es von hier noch weit bis zum Mistbeet sei.

„Das ist weit draußen in der Welt, jenseits des Grabens", sagte ein Ohrwurm, „so weit wird hoffentlich keines meiner Kinder kommen, denn das wäre mein Tod!"

„Ich werde doch versuchen, so weit zu kommen", sagte der Mistkäfer und ging ohne Abschied davon; das ist am galantesten.

Am Graben traf er mehrere aus seiner Verwandtschaft, alles Mistkäfer.

„Hier wohnen wir!" sagten sie. „Wir haben es ganz gemütlich! Dürfen wir Sie wohl in den fetten Schlamm hinunterbitten? Die Reise hat Sie gewiß ermüdet!"

„Allerdings!" sagte der Mistkäfer. „Ich habe auf Leinwand

im Regen gelegen, und Reinlichkeit nimmt mich besonders mit. Ich habe auch Reißen in ein Flügelgelenk bekommen, weil ich im Zug unter einer Topfscherbe gestanden habe. Es ist eine wahre Erquickung, einmal wieder unter seinesgleichen zu sein."

„Sie kommen vielleicht aus dem Mistbeet?" fragte der Älteste.

„Noch höher!" sagte der Mistkäfer. „Ich komme aus dem Stall des Kaisers, wo ich mit goldenen Hufeisen geboren wurde. Ich reise in geheimem Auftrag, über den Sie mich nicht ausfragen dürfen, denn ich sage es doch nicht."

Darauf stieg der Mistkäfer in den fetten Schlamm hinab. Dort saßen drei junge Mistkäferfräulein, die kicherten, weil sie nicht wußten, was sie sagen sollten.

„Sie sind noch unverlobt", sagte die Mutter, und dann kicherten sie wieder, diesmal aus Verlegenheit.

„Ich habe selbst im Stall des Kaisers keine schöneren gesehen", sagte der reisende Mistkäfer.

„Verderben Sie mir meine Mädchen nicht! Und sprechen Sie nicht mit ihnen, wenn Sie keine reellen Absichten haben – aber die haben Sie ja, und ich gebe Ihnen meinen Segen dazu!"

„Hurra!" riefen all die andern, und dann war der Mistkäfer verlobt. Erst Verlobung, dann Hochzeit, es gab ja nichts, worauf sie warten mußten.

Der nächste Tag verging sehr gut, am zweiten ließ es schon nach, aber am dritten Tag mußte man doch an Nahrung für Frau und vielleicht auch für Kinder denken.

„Ich habe mich überraschen lassen", sagte er, „dann muß ich sie wohl auch überraschen!"

Und das tat er. Weg war er. Er war den ganzen Tag weg, die ganze Nacht weg – und die Frau saß da als Witwe. Die andern Mistkäfer sagten, daß es ein richtiger Landstreicher sei, den sie da in die Familie aufgenommen hätten; die Frau falle ihnen nun zur Last!

„Dann kann sie wieder als Jungfer leben", sagte die Mutter, „und als mein Kind hierbleiben. Pfui über den häßlichen Bösewicht, der sie verließ!"

Der Mistkäfer war unterdessen immer weiter gereist, auf einem Kohlblatt war er über den Graben gesegelt. Gegen Morgen kamen zwei Menschen daher, sie sahen den Mistkäfer, hoben ihn auf, drehten ihn hin und her, und sie waren alle beide sehr gelehrt, besonders der eine von ihnen – ein Knabe. „Allah sieht den schwarzen Mistkäfer in dem schwarzen Stein, in dem schwarzen Felsen! Steht es nicht so im Koran?" fragte er und übersetzte den Namen des Mistkäfers ins Lateinische und beschrieb sein Geschlecht und seine Natur. Der ältere Gelehrte war dagegen, ihn mit nach Hause zu nehmen, sie hätten dort ebenso gute Exemplare, sagte er, und das war nicht höflich gesprochen, meinte der Mistkäfer, deshalb flog er ihm von der Hand, flog ein gutes Stück, denn seine Flügel waren nun trocken geworden, und dann erreichte er ein Treibhaus, wo das eine Fenster hochgeschoben war und er ganz bequem hineinschlüpfen und sich in dem frischen Mist eingraben konnte. „Hier ist es lecker!" sagte er.

Bald darauf schlief er ein und träumte, daß des Kaisers Roß gestürzt sei und Herr Mistkäfer seine goldenen Hufeisen und das Versprechen erhalten habe, noch zwei dazuzubekommen. Das war sehr angenehm, und als der Mistkäfer erwachte, kroch er hervor und sah sich um. Welche Pracht war hier im Treibhaus! Große Fächerpalmen ragten in die Höhe, die Sonne machte sie durchsichtig, und unter ihnen quoll eine Fülle von Grün hervor, und Blumen leuchteten dort, rot wie Feuer, gelb wie Bernstein und weiß wie frischgefallener Schnee!

„Das ist eine unvergleichliche Pflanzenpracht! Wie wird die schmecken, wenn sie verfault ist!" sagte der Mistkäfer. „Das ist eine gute Speisekammer! Hier wohnt gewiß jemand von der Familie; ich will doch nachspüren, ob ich jemand finde, mit dem ich Umgang pflegen kann. Stolz bin ich, das ist mein Stolz!" Und dann ging er und dachte an seinen Traum von dem toten Pferd und den ererbten goldenen Hufeisen.

Da griff plötzlich eine Hand nach dem Mistkäfer, er wurde zusammengepreßt, gedreht und gewendet.

Der kleine Sohn des Gärtners und ein Freund waren im Treibhaus, hatten den Mistkäfer gesehen und wollten nun ihren Spaß mit ihm treiben. In ein Weinblatt gewickelt, kam er in eine warme Hosentasche, er kribbelte und krabbelte, wurde dann aber von der Hand des Knaben gedrückt, der schnell mit ihm zu dem großen See am Ende des Gartens lief. Hier wurde der Mistkäfer in einen alten zerbrochenen

Holzschuh gesetzt, von dem der Spann abgegangen war; ein Stäbchen wurde als Mast angebracht, und an ihm wurde der Mistkäfer mit einem wollenen Faden festgebunden; nun war er Schiffer und sollte hinaussegeln.

Es war ein sehr großer See, dem Mistkäfer schien es, als sei es ein Weltmeer, und er war so verblüfft, daß er auf den Rücken fiel und mit den Beinen zappelte.

Der Holzschuh segelte los, denn das Wasser hatte Strömung. Fuhr das Schiff aber zu weit nach draußen, streifte der eine Knabe schnell seine Hosen auf, watete ins Wasser und holte es zurück. Als es wieder in Fahrt war, wurden die Knaben gerufen, und sie eilten fort und ließen Holzschuh Holzschuh sein. Dieser trieb nun immer mehr und mehr vom Ufer ab, immer weiter hinaus. Es war entsetzlich für den Mistkäfer, fliegen konnte er nicht, er war am Mast festgebunden.

Da bekam er Besuch von einer Fliege.

„Herrliches Wetter haben wir!" sagte die Fliege. „Hier kann ich ausruhen, hier kann ich mich sonnen. Sie haben es sehr angenehm hier."

„Sie schwatzen, wie Sie es verstehen! Sehen Sie denn nicht, daß ich angebunden bin?"

„Ich bin nicht angebunden", sagte die Fliege, und dann flog sie davon.

„Nun kenne ich die Welt!" sagte der Mistkäfer. „Es ist eine niederträchtige Welt! Ich bin der einzige Anständige darin! Erst verweigert man mir goldene Hufeisen, dann muß ich auf nasser Leinwand liegen und im Zug stehen, und zu guter Letzt hängen sie mir noch eine Frau an. Mache ich dann einen raschen Schritt in die Welt hinaus und sehe, wie man es haben kann und wie ich es haben sollte, so kommt ein Menschenbalg und setzt mich festgebunden dem wilden Meer aus. Und unterdessen stolziert des Kaisers Roß mit goldenen Hufeisen herum! Das ärgert mich am meisten. Aber auf Teilnahme darf man in dieser Welt nicht rechnen! Mein Lebenslauf ist sehr interessant, doch was nützt es, wenn ihn niemand kennt! Die Welt verdient es nicht, ihn kennenzulernen, sonst hätte sie mir goldene Hufeisen im Stall des Kaisers gegeben, als das Leibroß die Beine hinstreckte und beschlagen wurde. Hätte ich goldene Hufeisen bekommen, wäre ich eine Zierde des Stalles geworden, nun hat mich der Stall verloren und die Welt hat mich verloren, alles ist aus!"

Aber es war noch nicht alles aus. Ein Boot mit einigen jungen Mädchen kam herangerudert. „Da segelt ein Holzschuh", sagte das eine Mädchen.

„Ein kleines Tier ist darin festgebunden!" sagte das andere. Da waren sie beim Holzschuh angelangt, nahmen ihn hoch, und eins der Mädchen zog eine kleine Schere aus der Tasche, schnitt den Wollfaden durch, ohne dem Mistkäfer Schaden zu tun, und als sie an Land kamen, setzte es ihn ins Gras.

„Krieche, krieche! Fliege, fliege, wenn du kannst!" sagte es. „Freiheit ist ein herrlich Ding."

Und der Mistkäfer flog gerade durch ein offenes Fenster eines großen Gebäudes, und dort sank er müde in die feine, weiche, lange Mähne des kaiserlichen Leibrosses, das im Stall stand, wo das Pferd und auch der Mistkäfer zu Hause waren. Der Mistkäfer klammerte sich an der Mähne fest, saß eine Weile ganz still und sammelte sich. „Hier sitze ich auf des Kaisers Leibroß, sitze als Reiter auf ihm! Was sage ich da! Ja, nun wird es mir klar! Das ist ein guter Gedanke und ein sehr richtiger. Warum bekam das Pferd goldene Hufeisen? Danach fragte mich auch der Schmied. Nun erkenne ich es! Meinetwegen bekam das Pferd die goldenen Hufeisen!"

Und nun war der Mistkäfer guter Laune. „Man kriegt einen klaren Kopf auf Reisen!" sagte er.

Die Sonne schien auf ihn herab, sie schien sehr schön. „Die Welt ist doch nicht so übel", sagte der Mistkäfer, „man muß sie nur zu nehmen wissen!" Die Welt war schön, denn des Kaisers Leibroß hatte goldene Hufeisen bekommen, weil der Mistkäfer sein Reiter sein sollte.

„Nun will ich zu den anderen Käfern hinabsteigen und ihnen erzählen, wieviel man für mich getan hat. Ich will ihnen von all den Annehmlichkeiten erzählen, die ich auf meiner Auslandsreise genossen habe, und ich will ihnen sagen, daß ich jetzt so lange zu Hause bleiben werde, bis das Pferd seine goldenen Hufeisen abgetreten hat."

Was Vater tut,
ist immer recht

Nun will ich dir eine Geschichte erzählen, die ich hörte, als ich noch klein war, und jedesmal, wenn ich später daran dachte, schien sie mir immer schöner zu werden, denn es geht mit Geschichten ebenso wie mit vielen Menschen, sie werden mit zunehmendem Alter schöner und schöner, und das ist so erfreulich!

Du bist doch wohl draußen auf dem Lande gewesen und hast ein richtiges altes Bauernhaus mit Strohdach gesehen? Moos und Kräuter wachsen dort von selber; ein Storchennest ist auf dem Dachfirst, denn ein Storch darf nicht fehlen. Die Wände sind schief, die Fenster niedrig, ja, nur ein einziges läßt sich öffnen; der Backofen ragt wie ein kleiner dicker Bauch hervor, und der Fliederbusch hängt über den Zaun, wo gerade unter dem verkrüppelten Weidenbaum eine kleine Wasserpfütze mit einer Ente und ihren Jungen ist. Ja, und dann ist da ein Kettenhund, der alle und jeden anbellt.

Gerade so ein Bauernhaus war draußen auf dem Lande, und darin wohnten ein paar alte Leute, ein Bauer und seine Frau. Wie wenig sie auch hatten, so konnten sie doch noch etwas davon entbehren, das war ein Pferd, das am Graben der Landstraße graste. Der alte Bauer ritt zur Stadt auf diesem Pferd, oft liehen es auch seine Nachbarn von ihm und erwiesen den alten Leuten manchen andern Dienst dafür. Aber es war wohl vorteilhafter für sie, das Pferd zu verkaufen oder es gegen irgend etwas anderes einzutauschen, das ihnen mehr Nutzen brächte. Aber was sollte das sein?

„Das weißt du am besten, Vater!" sagte die Frau. „Jetzt ist Markt in der Stadt, reite hin, laß dir Geld für das Pferd geben oder mach einen guten Tausch! Was du tust, ist immer recht. Reite zum Markt!"

Und dann band sie ihm sein Halstuch um, denn das verstand sie besser als er; sie band es mit einer doppelten Schleife, das sah so flott aus, und dann strich sie seinen Hut mit der flachen Hand glatt und küßte ihn auf seinen warmen Mund, und dann ritt er auf dem Pferd, das verkauft oder vertauscht werden sollte, von dannen. Ja, der Alte verstand es!

Die Sonne brannte, keine Wolke war am Himmel zu sehen. Auf dem Wege staubte es, denn es waren viele Marktleute unterwegs, zu Wagen, zu Pferde und auf ihren eigenen Beinen. Es war eine Sonnenglut, und es gab keinen Schatten auf dem Weg.

Da ging einer und trieb eine Kuh vor sich her, die war so hübsch, wie eine Kuh nur sein kann. ‚Die gibt gewiß auch schöne Milch!‘ dachte der Bauer. ‚Das wäre ein ganz guter Tausch.‘

„Weißt du was, du mit der Kuh“, sagte er, „wollen wir beide nicht ein bißchen zusammen sprechen? Ein Pferd, sollte ich meinen, kostet mehr als eine Kuh, aber das ist mir einerlei, ich habe mehr Nutzen von der Kuh. Wollen wir nicht tauschen?“

„Jawohl!“ sagte der Mann mit der Kuh, und dann tauschten sie.

Nun war es abgemacht, und da hätte der Bauer wieder umkehren können, er hatte ja erreicht, was er wollte, aber da er sich nun einmal vorgenommen hatte, auf den Markt zu gehen, so wollte er auch hin, nur um ihn sich anzusehen, und so ging er mit seiner Kuh weiter. Er schritt rasch zu, und auch die Kuh schritt rasch zu, und nach kurzer Zeit hatten sie einen Mann eingeholt, der ein Schaf führte. Es war ein gutes Schaf, in gutem Futterzustand und mit guter Wolle.

‚Das möchte ich wohl haben!‘ dachte der Bauer. „Es würde ihm an unserm Grabenrand nicht an Gras fehlen, und im Winter könnte man es zu sich in die Stube nehmen. Eigentlich wäre es richtiger für uns, ein Schaf zu halten statt einer Kuh. Wollen wir tauschen?“

Ja, das wollte der Mann wohl, der das Schaf hatte, und dann wurde der Tausch gemacht, und der Bauer ging mit seinem Schaf auf der Landstraße weiter. Dort an der Wegkreuzung sah er einen Mann, der eine große Gans unter dem Arm trug.

„Das ist ein schweres Ding, das du da hast“, sagte der Bauer, „es hat Federn und Fett! Es würde sich bei unserer Wasserpfütze gut machen! Da hätte Mutter doch etwas, wofür sie Abfälle sammeln könnte. Sie hat oft gesagt, wenn wir doch

eine Gans hätten! Nun könnte sie eine haben – und sie soll
sie haben! Willst du tauschen? Ich gebe dir das Schaf für die
Gans und schönen Dank dazu."

Ja, das wollte der andere gern, und so tauschten sie; der
Bauer bekam die Gans.

Jetzt war er nahe an der Stadt, das Gedränge auf der Landstraße nahm zu, da war ein Gewimmel von Volk und Vieh.
Sie gingen auf dem Wege und am Graben entlang, gerade
bis in den Kartoffelacker des Schlagbaumwärters hinein, wo
sein Huhn angebunden war, um nicht vor Schreck irre zu
werden und zu verschwinden. Es war ein stumpfschwänzi-
ges Huhn, blinzelte mit einem Auge und sah gut aus.
„Gluck, gluck!" sagte es; was es sich dabei dachte, kann ich
nicht sagen, aber als der Bauer es sah, dachte er: ‚Das ist das
schönste Huhn, das ich je gesehen habe, es ist sogar schöner als des Pfarrers Bruthenne, das möchte ich wohl haben!
Ein Huhn findet immer ein Körnchen, es kann fast selbst
für sich sorgen. Ich glaube, es wäre ein guter Tausch, wenn
ich es für die Gans bekäme.' „Wollen wir tauschen?" fragte
er. „Tauschen?" sagte der andere, „ja, das wäre gar nicht
übel!" Und dann tauschten sie. Der Schlagbaumwärter bekam die Gans, der Bauer kriegte das Huhn.

Es war eine ganze Menge, was er auf der Reise zur Stadt erreicht hatte, und es war heiß, und er war müde. Ein
Schnaps und ein Bissen Brot taten ihm not. Nun war er an
der Schenke, und dort wollte er hinein, aber der Haus-
knecht wollte hinaus, er traf ihn gerade in der Tür mit
einem bis oben hin vollgestopften Sack.

„Was hast du da?" fragte der Bauer.

„Faule Äpfel", antwortete der Knecht, „einen ganzen Sack
voll für die Schweine."

„Das ist ja eine gefährliche Menge. Den Anblick gönnte ich
Mutter. Wir hatten im vorigen Jahr nur einen einzigen Apfel an dem alten Baum beim Torfstall. Der Apfel mußte auf-
gehoben werden, und er blieb auf der Kommode liegen, bis
er ganz verdarb. Das ist doch immerhin Wohlstand, sagte
unsere Mutter, hier könnte sie aber erst Wohlstand sehen!
Ja, das würde ich ihr gönnen!"

„Ja, was wollt Ihr mir dafür geben?" fragte der Knecht.

„Was ich geben will? Ich gebe mein Huhn zum Tausch",
und dann gab er ihm das Huhn, bekam die Äpfel und ging

in die Schenke hinein. Seinen Sack mit den Äpfeln stellte er an den Ofen, der eingeheizt war, aber das bedachte er nicht. Es waren viele Gäste hier: Pferdehändler, Ochsenhändler und zwei Engländer, und die waren so reich, daß ihre Taschen von Goldstücken strotzten. Sie machten Wetten, das sollst du nun hören.

„Susss! Susss!" Was war das für ein Geräusch am Ofen? Die Äpfel begannen zu braten.

„Was ist denn das?"

Ja, das bekamen sie bald zu hören! Und nun erzählte er die ganze Geschichte von dem Pferd, das für die Kuh vertauscht war, bis zu den faulen Äpfeln.

„Na, du kriegst Knüffe von Mutter, wenn du nach Hause kommst", sagten die Engländer, „dann gibt es Krach!"

„Ich kriege Küsse und keine Knüffe!" sagte der Bauer. „Unsere Mutter wird sagen: Was Vater tut, ist immer recht."

„Wollen wir wetten?" sagten sie. „Goldstücke tonnenweise! Hundert Pfund sind ein Schiffspfund!"

„Ein Scheffel voll ist schon genug", sagte der Bauer, „ich kann nur den Scheffel mit Äpfeln dagegensetzen, und mich selbst und Mutter auch, aber das ist dann mehr als ein gestrichenes Maß, das ist ein gehäuftes Maß!"

„Topp! Topp!" sagten sie, und so war die Wette abgeschlossen.

Der Wagen des Wirts fuhr vor, die Engländer stiegen auf, der Bauer stieg auf, die faulen Äpfel kamen mit, und dann fuhren sie zum Haus des Bauern.

„Guten Abend, Mutter!"

„Guten Abend, Vater!"

„Der Tausch wäre gemacht!"

„Ja, du verstehst deine Sache!" sagte die Frau, faßte ihn um den Hals und beachtete weder den Sack noch die Fremden.

„Ich habe das Pferd für eine Kuh eingetauscht."

„Gott sei Dank, die schöne Milch!" sagte die Frau. „Nun können wir Milchsuppe, Butter und Käse auf dem Tisch haben! Das war ein herrlicher Tausch!"

„Ja, aber die Kuh habe ich wieder gegen ein Schaf vertauscht."

„Das ist bestimmt besser!" sagte die Frau. „Du denkst immer an alles. Für ein Schaf haben wir gerade Weide genug; nun können wir Schafmilch und Schafkäse und wollene

410

Strümpfe, ja, auch wollene Nachtjacken bekommen! Das gibt die Kuh nicht, sie verliert ja die Haare! Du bist ein sehr bedachtsamer Mann!"

„Aber das Schaf habe ich gegen eine Gans vertauscht!"

„Wollen wir in diesem Jahr eine Martinsgans haben, Väterchen? Du denkst immer daran, mir eine Freude zu machen. Die Gans kann angetüdert werden und wird noch fetter werden bis zum Martinstag!"

„Aber die Gans habe ich gegen ein Huhn vertauscht!" sagte der Mann.

„Ein Huhn! Das war ein guter Tausch!" sagte die Frau. „Das Huhn legt Eier, die brütet es aus, wir bekommen Kücken, wir bekommen einen ganzen Hühnerhof! Das habe ich mir gerade so sehr gewünscht!"

„Ja, aber das Huhn habe ich für einen Sack fauler Äpfel vertauscht!"

„Nun muß ich dich erst recht küssen!" sagte die Frau. „Dank, du lieber Mann! Nun muß ich etwas erzählen. Als du fort warst, dachte ich daran, wie ich dir eine richtige Mahlzeit machen könnte: Eierkuchen mit Schnittlauch. Die Eier hatte ich, der Schnittlauch fehlte mir. So ging ich hinüber zu Schulmeisters, die haben Schnittlauch, das weiß ich, aber die Frau ist geizig, das alte Biest. Ich bat sie, mir etwas Schnittlauch zu leihen. ‚Leihen?' sagte sie. ‚Nichts wächst in unserem Garten, nicht einmal ein fauler Apfel! Nicht einmal den kann ich Ihnen leihen!' Nun kann ich ihr zehn, ja einen ganzen Sack voll leihen. Das ist ein Spaß, Vater!" Und dann küßte sie ihn mitten auf den Mund.

„Das gefällt uns!" sagten die Engländer. „Immer bergab und immer lustig. Das ist schon das Geld wert!"

Und nun zahlten sie ein Schiffspfund Goldstücke an den Bauer, der Küsse und keine Knüffe bekam.

Ja, es lohnt sich immer, wenn die Frau einsieht und erklärt, daß der Mann der Klügste ist und das, was er tut, stets das Rechte ist.

Seht, das ist nun eine Geschichte! Ich habe sie schon als Kind gehört, und nun hast du sie auch gehört und weißt: was Vater tut, ist immer recht.

Der Schneemann

„Es knackt tüchtig in mir, so herrlich kalt ist es!" sagte der Schneemann. „Der Wind kann einem freilich Leben einblasen. Und wie die Glühende dort glotzt!" Er meinte die Sonne, die eben untergehen wollte. „Sie soll mich nicht zum Blinzeln bringen, ich kann die Brocken schon noch festhalten."

Er hatte nämlich statt der Augen zwei große dreieckige Dachziegelbrocken, der Mund war ein Stück von einer alten Harke, deshalb hatte er auch Zähne.

Er war unter den Jubelrufen der Knaben geboren, begrüßt von Schellengeläut und Peitschenknall der Schlitten.

Die Sonne ging unter, der Vollmond ging auf, rund und groß, klar und schön in der blauen Luft.

„Da haben wir sie wieder von einer andern Seite!" sagte der Schneemann. Er glaubte, es sei die Sonne, die sich wieder zeigte. „Ich habe ihr das Glotzen abgewöhnt! Nun kann sie dort hängen und leuchten, damit ich mich selbst sehen kann. Wüßte ich nur, wie man es anstellt, von der Stelle zu kommen! Ich möchte mich gar zu gern bewegen! Wenn ich es könnte, dann würde ich dort unten auf dem Eis gleiten, wie ich es die Knaben tun sah; aber ich verstehe nichts vom Laufen."

„Weg! Weg!" bellte der alte Kettenhund; er war etwas heiser, das war er geworden, als er Stubenhund war und unter dem Ofen lag. „Die Sonne wird dich schon laufen lehren! Das habe ich bei deinem Vorgänger im vorigen Jahr und bei dessen Vorgänger auch gesehen. Weg, weg und weg sind sie alle!"

„Ich verstehe dich nicht, Kamerad", sagte der Schneemann, „soll die dort oben mich laufen lehren?" Er meinte den Mond. „Ja, sie lief freilich vorhin, als ich sie fest ansah, nun schleicht sie von einer anderen Seite heran."

„Du weißt auch gar nichts!" sagte der Kettenhund, „aber du bist ja auch eben erst zusammengeklatscht worden. Was du nun siehst, heißt Mond, das, was fortging, war die Sonne, sie kommt morgen wieder, sie wird dich schon lehren, in den Wallgraben hinabzulaufen. Wir bekommen bald anderes Wetter, das spüre ich in meinem linken Hinterbein, es reißt darin. Das Wetter schlägt um!"

„Ich verstehe ihn nicht", sagte der Schneemann, „aber ich habe das Gefühl, daß es etwas Unangenehmes ist, was er sagt. Sie, die so glotzte und sich dann davonmachte, die Sonne, wie er sie nennt, sie ist auch nicht meine Freundin, das habe ich im Gefühl!"

„Weg! Weg!" bellte der Kettenhund, ging dreimal um sich selbst herum und legte sich dann in seine Hütte, um zu schlafen.

Das Wetter änderte sich wirklich. Dicker, feuchter Nebel lag gegen Morgen über der ganzen Gegend; als es Tag wurde, begann es zu wehen; der Wind war so eisig, der Frost packte ordentlich zu, aber was war das für ein Anblick, als die Sonne aufging! Alle Bäume und Büsche waren mit Rauhreif bedeckt; es sah aus wie ein Wald von weißen Korallen, es war, als ob alle Zweige mit strahlend weißen Blüten übersät wären. Die unendlich vielen und feinen Verästelungen, die man im Sommer unter all den Blättern nicht sieht, kamen nun alle einzeln hervor; es war ein Spitzengewebe und so leuchtend weiß, als ströme ein weißer Glanz aus jedem Zweig. Die Hängebirke bewegte sich im Winde, es war Leben in ihr wie in allen Bäumen zur Sommerszeit; es war eine unvergleichliche Pracht! Und als dann die Sonne schien, nein, wie funkelte da das Ganze, als ob es mit Diamantenstaub überpudert wäre, und auf der Schneedecke des Erdbodens glitzerten die großen Diamanten, oder man konnte auch glauben, daß dort unzählige kleine Lichter brannten, weißer als der weiße Schnee.

„Das ist unvergleichlich schön!" sagte ein junges Mädchen, das mit einem jungen Mann in den Garten trat und gerade beim Schneemann stehenblieb, wo sie die flimmernden Bäume betrachteten. „Einen schöneren Anblick hat man selbst im Sommer nicht!" sagte sie, und ihre Augen strahlten.

„Und so einen Kerl wie diesen hier hat man im Sommer erst recht nicht", sagte der junge Mann und zeigte auf den Schneemann. „Er ist ausgezeichnet!"

Das junge Mädchen lachte, nickte dem Schneemann zu und tanzte mit ihrem Freund über den Schnee, der unter ihnen knirschte, als gingen sie auf Stärkemehl.

„Wer waren die beiden?" fragte der Schneemann den Kettenhund. „Du bist länger auf dem Hof als ich, kennst du sie?"

„Versteht sich!" sagte der Kettenhund. „Sie hat mich ja gestreichelt, und er hat mir einen Knochen gegeben; die beiße ich nicht!"

„Aber was stellen sie hier vor?" fragte der Schneemann.

„Brrr-rautleute!" sagte der Kettenhund. „Sie werden in eine Hütte ziehen und zusammen am Knochen nagen. Weg! Weg!"

„Haben die beiden ebensoviel zu bedeuten wie du und ich?" fragte der Schneemann.

„Sie gehören ja zur Herrschaft!" sagte der Kettenhund. „Man weiß wirklich ungemein wenig, wenn man gestern erst geboren ist; das merke ich an dir! Ich habe Alter und Kenntnisse, ich kenne alle hier im Hause! Und ich habe eine Zeit gekannt, wo ich nicht hier in der Kälte und an der Kette lag. Weg! Weg!"

„Die Kälte ist herrlich", sagte der Schneemann. „Erzähle, erzähle! Aber du darfst nicht so mit der Kette rasseln, denn dabei knackt es in mir."

„Weg! Weg!" bellte der Kettenhund. „Ein Hündchen bin ich gewesen, klein und niedlich, sagten sie; damals lag ich in einem Samtstuhl drinnen im Hause, lag auf dem Schoß der obersten Herrschaft; sie küßten mich auf die Schnauze und wischten mir die Pfoten mit einem gestickten Taschentuch ab; ich hieß ‚Schönster', ‚Pusselpusselbeinchen', aber dann wurde ich ihnen zu groß; sie schenkten mich der Haushälterin; ich kam in die Kellerwohnung! Du kannst hineinsehen von dort aus, wo du stehst; du kannst in die Kammer sehen, wo ich Herrschaft gewesen bin, denn das war ich bei der Haushälterin. Es war zwar ein geringerer Ort als oben, aber hier war es gemütlicher, ich wurde nicht von den Kindern gedrückt und herumgeschleppt wie oben. Ich bekam ebenso gutes Futter wie früher und viel mehr! Ich hatte mein eigenes Kissen, und dann war da ein Ofen, der um diese Zeit das Schönste von der Welt ist! Ich kroch ganz darunter, so daß ich verschwunden war. Ach, von dem Ofen träume ich noch. Weg! Weg!"

„Sieht denn ein Ofen so schön aus?" fragte der Schneemann. „Hat er Ähnlichkeit mit mir?"

„Er ist gerade das Gegenteil von dir! Kohlschwarz ist er, hat einen langen Hals mit Messingtrommel. Er frißt Brennholz, daß ihm das Feuer aus dem Mund sprüht. Man muß sich an

seiner Seite halten, ganz nahe oder unter ihm, das ist
äußerst angenehm. Du mußt ihn durch das Fenster sehen
können, von dort aus, wo du stehst."

Und der Schneemann guckte, und wirklich sah er einen
schwarzen, blankpolierten Gegenstand mit Messingtrommel; das Feuer leuchtete unten heraus. Dem Schneemann
wurde ganz wunderlich zumute; er hatte ein Gefühl, über
das er sich selbst keine Rechenschaft ablegen konnte;
es kam etwas über ihn, was er nicht kannte, was aber
alle Menschen kennen, wenn sie nicht Schneemänner
sind.

„Und warum hast du sie verlassen?" fragte der Schneemann. Er hatte die Empfindung, daß es ein weibliches
Wesen sein mußte. „Wie konntest du nur einen solchen
Ort verlassen?"

„Ich bin dazu gezwungen worden!" sagte der Kettenhund.
„Sie warfen mich hinaus und legten mich hier an die Kette.
Ich hatte den jüngsten Junker ins Bein gebissen, weil er mir
den Knochen wegstieß, an dem ich nagte; Knochen um
Knochen, denke ich! Aber das nahmen sie übel, und von
der Zeit an habe ich an der Kette gelegen und habe meine
klare Stimme verloren, hör nur, wie heiser ich bin: Weg!
Weg! Das war das Ende vom Lied!"

Der Schneemann hörte nicht mehr zu; er sah immerfort in
die Kellerwohnung der Haushälterin, in ihre Stube, wo der
Ofen auf seinen vier eisernen Beinen stand und ebenso
groß war wie der Schneemann.

„Es knackt so seltsam in mir!" sagte er. „Soll ich niemals
dort hineinkommen? Es ist doch ein unschuldiger
Wunsch, und unsere unschuldigen Wünsche werden gewiß in Erfüllung gehen. Es ist mein höchster Wunsch,
mein einziger Wunsch, und es wäre fast ungerecht, wenn
er nicht erfüllt würde. Ich muß dort hinein, ich muß mich
an sie lehnen, und wenn ich auch das Fenster zerschlagen
sollte!"

„Dort kommst du niemals hinein", sagte der Kettenhund,
„und kommst du an den Ofen, dann bist du weg, weg!"

„Ich bin schon so gut wie weg!" sagte der Schneemann. „Ich
breche zusammen, glaube ich."

Den ganzen Tag stand der Schneemann da und guckte
zum Fenster hinein; in der Dämmerstunde wurde die

Stube noch einladender; vom Ofen her leuchtete es so mild, nicht wie der Mond und auch nicht wie die Sonne, nein, wie nur der Ofen leuchten kann, wenn er etwas in sich hat. Ging die Tür auf, so schlug die Flamme heraus, das war so ihre Gewohnheit; es glühte ordentlich rot auf in dem weißen Gesicht des Schneemanns, es leuchtete rot über seine Brust.

„Ich halte es nicht mehr aus!" sagte er. „Wie schön es sie kleidet, die Zunge herauszustrecken!"

Die Nacht war sehr lang, aber nicht für den Schneemann, er stand da, in seine eigenen schönen Gedanken vertieft, und die froren, daß es knackte.

Am Morgen waren die Kellerfenster zugefroren, sie trugen die schönsten Eisblumen, die nur ein Schneemann verlangen konnte, aber sie verbargen den Ofen. Die Scheiben wollten nicht auftauen; er konnte „sie" nicht sehen. Es knackte, es knirschte, es war gerade so ein Frostwetter, an dem ein Schneemann seine Freude haben muß, aber er freute sich nicht; er hätte sich so glücklich fühlen können und müssen, aber er war nicht glücklich, er hatte Ofensehnsucht.

„Das ist eine schlimme Krankheit für einen Schneemann", sagte der Kettenhund, „ich habe auch an der Krankheit gelitten, aber ich habe sie überstanden. Weg! Weg! – Nun bekommen wir anderes Wetter!"

Und es kam anderes Wetter, es gab Tauwetter.

Das Tauwetter nahm zu, der Schneemann nahm ab. Er sagte nichts, er klagte nicht, und das ist das richtige Zeichen.

Eines Morgens brach er zusammen. Es ragte etwas wie ein Besenstiel in die Luft, dort, wo er gestanden hatte, um den Stiel herum hatten die Knaben ihn aufgebaut.

„Nun kann ich das mit seiner Sehnsucht verstehen", sagte der Kettenhund, „der Schneemann hat einen Feuerhaken im Leibe gehabt! Das ist es, was sich in ihm geregt hat, nun ist es überstanden. Weg! Weg!"

Und bald war auch der Winter überstanden.

„Weg! Weg!" bellte der Kettenhund; aber die Mädchen auf dem Hof sangen:

„Waldmeister grün! Hervor aus dem Haus!
Weide, die wollenen Handschuhe aus!
Lerche und Kuckuck, singt fröhlich drein! –
Frühling im Februar wird es sein!
Ich singe mit: Kuckuck! Quivit!
Komm, liebe Sonne, komm oft – quivit!"

Und dann denkt niemand mehr an den Schneemann.

Die Schnecke
und der Rosenstock

Rings um den Garten zog sich eine Hecke von Hasel-
nußbüschen, und draußen war Feld und Wiese mit Kühen
und Schafen, aber mitten in dem Garten stand ein blühender Rosenstock; unter ihm saß eine Schnecke, die vieles in
sich hatte, sie hatte sich selbst.
„Warte nur, bis meine Zeit kommt", sagte sie, „ich werde
mehr ausrichten als Rosen ansetzen, Nüsse tragen oder
Milch geben wie die Kühe und Schafe!"
„Ich erwarte sehr viel von Ihnen!" sagte der Rosenstock.
„Darf ich fragen, wann es kommen wird?"
„Ich lasse mir Zeit!" sagte die Schnecke. „Sie haben es im-
mer so eilig! Das macht die Erwartung nicht spannender."
Im nächsten Jahr lag die Schnecke ungefähr auf derselben
Stelle im Sonnenschein unter dem Rosenstock, der wieder
Knospen trieb, Rosen entfaltete, immer frische, immer
neue. Und die Schnecke kroch halb aus ihrem Haus heraus,
streckte die Fühlhörner aus und zog sie wieder ein.
„Alles sieht aus wie im vorigen Jahr! Gar kein Fortschritt ist
da. Der Rosenstock bleibt bei den Rosen, weiter kommt er
nicht!"
Der Sommer verging, der Herbst verging; der Rosenstock
trug stets Blüten und Knospen, bis der Schnee fiel und das
Wetter rauh und naß wurde; dann beugte sich der Rosenstock zur Erde nieder, die Schnecke kroch in die Erde hinein.
Nun begann ein neues Jahr, und die Rosen kamen hervor
und die Schnecke auch.

417

„Nun sind Sie ein alter Rosenstock!" sagte die Schnecke. „Sie müssen bald zusehen, daß Sie eingehen. Sie haben der Welt alles gegeben, was Sie in sich gehabt haben, ob es von Belang war, das ist eine Frage, über die nachzudenken ich keine Zeit habe. Es ist aber klar, daß Sie nicht das geringste für Ihre innere Entwicklung getan haben, sonst wäre wohl etwas anderes aus Ihnen hervorgegangen. Können Sie das verantworten? Sie werden jetzt bald nur noch ein Holzstock sein! Können Sie verstehen, was ich sage?"

„Sie erschrecken mich!" sagte der Rosenstock. „Darüber habe ich noch niemals nachgedacht."

„Nein, Sie haben sich wohl niemals mit Denken abgegeben! Haben Sie sich jemals Rechenschaft darüber abgelegt, weshalb Sie blühen und wie es beim Blühen zuging? Warum so und nicht anders?"

„Nein", sagte der Rosenstock. „Ich habe vor Freude geblüht, weil ich nicht anders konnte. Die Sonne schien so warm, die Luft war so erfrischend, ich trank den klaren Tau und den kräftigen Regen. Ich atmete, ich lebte! Aus der Erde stieg eine Kraft in mir auf, von oben kam eine Kraft, ich empfand ein Glück, ein immer neues, wachsendes Glück, und deshalb mußte ich immer blühen; das war mein Leben, ich konnte nicht anders!"

„Sie haben ein sehr gemächliches Leben geführt!" sagte die Schnecke.

„Gewiß! Alles wurde mir gegeben", sagte der Rosenstock, „doch Ihnen wurde noch mehr gegeben! Sie sind eine dieser denkenden, tiefsinnigen Naturen, einer dieser Hochbegabten, welche die Welt in Erstaunen setzen werden!"

„Das beabsichtige ich durchaus nicht!" sagte die Schnecke. „Die Welt geht mich nichts an! Was habe ich mit der Welt zu schaffen? Ich habe genug mit mir selbst zu tun und habe genug in mir selbst!"

„Aber müssen wir nicht alle hier auf Erden unser Bestes den anderen geben, ihnen darbringen, was wir vermögen? — Ja, ich habe nur Rosen gegeben! — Aber Sie, die Sie so reich begabt sind, was haben Sie der Welt geschenkt? Was werden Sie ihr geben?"

„Was ich ihr geschenkt habe? Was ich ihr geben werde? — Ich spucke sie an! Sie taugt nichts, sie geht mich nichts an! Setzen Sie Rosen an, Sie können es doch nicht weiter bringen! Mag der Haselbusch Nüsse tragen, mögen die Kühe und Schafe Milch geben, jeder hat sein Publikum, ich habe das meine in mir selbst! Ich gehe in mich selbst hinein, und dort bleibe ich. Die Welt geht mich nichts an!"

Und dann kroch die Schnecke in ihr Haus und kittete es zu.

„Das ist sehr traurig!" sagte der Rosenstock. „Ich kann mit dem besten Willen nicht in mich hineinkriechen, ich muß mich immer nach außen entfalten, immer Rosen treiben. Die Blätter fallen ab, sie verwehen im Wind! Doch ich sah, wie eine Rose in das Gesangbuch der Hausfrau gelegt wurde, eine meiner Rosen bekam ein Plätzchen an der Brust eines schönen jungen Mädchens, und eine wurde von einem Kindermund in glückseliger Freude geküßt. Das tat mir so wohl, das war ein wahrer Segen. Das ist meine Erinnerung, mein Leben!"

Und der Rosenstock blühte in Unschuld, und die Schnecke lag träge in ihrem Haus. Die Welt ging sie nichts an.

Und Jahre vergingen.

Die Schnecke war Erde in der Erde, der Rosenstock war Erde in der Erde; auch die Erinnerungsrose in dem Gesangbuch war verwelkt – aber im Garten blühten neue Rosenstöcke, im Garten wuchsen neue Schnecken; sie krochen in ihre Häuser hinein, spuckten aus – die Welt ging sie nichts an.

Wollen wir die Geschichte wieder von vorn anfangen? – Sie wird doch nicht anders.

Die Irrlichter
sind in der Stadt,
sagte die Moorfrau

Es gab einen Mann, der einmal viele neue Märchen wußte, aber nun waren sie ihm entschlüpft, wie er sagte. Das Märchen, das ganz von selbst Besuch machte, kam nicht mehr und klopfte an seine Tür. Und warum kam es nicht? Ja, es ist wahr, der Mann hatte seit Jahr und Tag nicht daran gedacht, nicht erwartet, daß es kommen und anklopfen würde, und es war auch gewiß nicht dagewesen, denn draußen war Krieg, und drinnen war Kummer und Not, die der Krieg mit sich führt.

Storch und Schwalbe kehrten von ihrer langen Reise zurück, sie dachten an keine Gefahr, und als sie ankamen, war das Nest verbrannt, die Häuser der Menschen waren verbrannt, die Pforte in Unordnung, ja ganz verschwunden. Die Rosse des Feindes stampften über die alten Gräber. Das waren harte, dunkle Zeiten, aber auch sie nahmen ein Ende.

Und nun hatten sie ein Ende, sagte man, aber noch immer klopfte das Märchen nicht an oder ließ etwas von sich hören.

„Es wird wohl tot sein oder weit fort wie viele andere!" sagte der Mann. Aber das Märchen stirbt niemals!

Und es verging über ein ganzes Jahr, und er sehnte sich so sehr nach ihm.

„Ob das Märchen nicht doch wiederkommen und anklopfen sollte?" Und er erinnerte sich seiner so lebhaft, in all den vielen Gestalten, in denen es zu ihm gekommen war; bald jung und schön wie der Frühling selbst, ein liebliches kleines Mädchen, mit einem Waldmeisterkranz im Haar und einem Buchenzweig in der Hand; seine Augen leuchteten wie tiefe Waldseen im klaren Sonnenschein. Bald war es auch als Hausierer gekommen, hatte den Kramkasten geöffnet und Silberband herausflattern lassen, mit Versen und Inschriften zum Angedenken; aber am allerschönsten war es doch, wenn es als altes Mütterchen kam, mit silberweißen Haaren und mit so großen und so klugen Augen; dann wußte es so recht von den allerältesten Zeiten zu erzählen, noch lange bevor die Prinzessinnen mit der Goldspindel spannen und Drachen und Lindwürmer draußen lagen und aufpaßten. Da erzählte es so lebendig, daß es jedem beim Zuhören schwarz vor Augen wurde und der Fußboden schwarz von Menschenblut zu sein schien; greulich zu sehen und zu hören und doch so vergnüglich, denn es war vor so langer Zeit geschehen.

„Ob es nicht mehr anklopfen sollte?" sagte der Mann und starrte zur Tür, daß ihm schwarze Flecke vor den Augen und schwarze Flecke auf dem Fußboden erschienen; er wußte nicht, ob es Blut oder Trauerflor von den schweren, dunklen Tagen war.

Und als er so saß, kam ihm der Gedanke, ob sich das Märchen nicht versteckt hätte, wie die Prinzessin in den richtigen alten Märchen, und sich nun suchen lassen wollte; würde es gefunden, dann strahlte es in neuer Herrlichkeit, schöner als je zuvor.

„Wer weiß, es hat sich vielleicht in dem weggeworfenen Strohhalm versteckt, der auf dem Brunnenrand wippt. Vorsichtig! Vorsichtig! Vielleicht hält es sich in einer welken Blume verborgen, die in einem der großen Bücher auf dem Bord liegt."

Und der Mann ging hin und öffnete eines von den allerneuesten Büchern, um sich Klarheit darüber zu verschaffen; aber da lag keine Blume, da stand von Holger Danske zu lesen. Und der Mann las, daß die ganze Geschichte erfunden und von einem Mönch in Frankreich zusammengestellt worden sei, daß es ein Roman und „in die dänische Sprache übersetzt und gedruckt" worden sei, daß Holger Danske gar nicht gelebt habe und also auch gar nicht wiederkommen könne, wie wir doch gesungen und so gern geglaubt hatten. Es war mit Holger Danske wie mit Wilhelm Tell, alles nur leere Worte, nichts, worauf man sich verlassen konnte, und das war in dem Buch mit großer Gelehrsamkeit zusammengeschrieben.

„Ja, ich glaube nun, was ich glaube", sagte der Mann, „es wächst kein Wegerich, wohin kein Fuß getreten ist!"

Und er schloß das Buch, stellte es wieder auf das Bord und ging zu den frischen Blumen auf dem Fensterbrett; da hatte sich das Märchen vielleicht in der roten Tulpe mit den goldgelben Kanten versteckt oder in der frischen Rose oder in der leuchtenden Kamelie. Der Sonnenschein lag zwischen den Blättern, aber kein Märchen.

„Die Blumen, die hier in der Zeit der Trauer standen, waren alle viel schöner; aber sie wurden abgeschnitten, jede einzelne, in Kränze gebunden, in den Sarg gelegt, und darüber wurde die Fahne gebreitet. Vielleicht ist mit den Blumen auch das Märchen begraben! Aber die Blumen müßten davon gewußt haben, und der Sarg hätte es vernommen, die Erde hätte es vernommen, jeder kleine Grashalm, der hervorwuchs, würde es erzählt haben. Das Märchen stirbt niemals!

Vielleicht ist es auch hier gewesen und hat angeklopft, aber

wer hatte damals Ohren und Gedanken dafür! Man sah dü-
ster, schwermütig, fast zornig auf den Sonnenschein des
Frühlings, auf sein Vogelgezwitscher und all das erfreuliche
Grün; ja, die Zunge konnte die alten Volkslieder nicht er-
tragen, sie wurden eingesargt, wie so vieles, was unserem
Herzen lieb war. Das Märchen kann wohl angeklopft haben,
aber man hat es nicht gehört, man hat nicht ‚Willkommen‘
gesagt, und so ist es fortgeblieben.
Ich will gehen und es aufsuchen. Draußen auf dem Lande!
Draußen im Walde, am offenen Strand!"

Draußen auf dem Lande liegt ein alter Herrenhof mit roten
Mauern, zackigem Giebel und wehender Fahne auf dem
Turm. Die Nachtigall singt unter den feingefransten Bu-
chenblättern, während sie die blühenden Apfelbäume des
Gartens anschaut und glaubt, daß sie Rosen tragen. Hier
sind die Bienen in der Sommersonne sehr emsig und um-
schwärmen mit summendem Gesang ihre Königin. Der
Herbststurm weiß von der wilden Jagd zu erzählen, von
Menschengeschlechtern und dem Laub des Waldes, die alle
dahinfahren. Um die Weihnachtszeit singen die wilden
Schwäne draußen auf dem offenen Wasser, während man
sich drinnen in dem alten Hof am Kaminfeuer in der Stimmung fühlt, Lieder und Sagen anzuhören.
In dem alten Teil des Gartens, wo die große Allee von wilden Kastanien mit ihrem Halbdunkel lockt, ging der Mann,
der das Märchen suchte; hier hatte der Wind ihm einmal etwas vorgesummt, von Waldemar Daae und seinen Töchtern. Die Dryade im Baum, die Märchenmutter selbst, hatte
ihm hier den letzten Traum der alten Eiche erzählt. In
Großmutters Zeit standen hier beschnittene Hecken, jetzt
wuchsen hier nur Farnkraut und Brennessel. Sie breiteten
sich über verstreute Reste alter Steinfiguren aus; es wuchs
ihnen Moos in den Augen, aber sie konnten ebenso gut sehen wie vorher, das konnte der Mann, der das Märchen
suchte, nicht, er sah das Märchen nicht. Wo war es?
Über ihn und die alten Bäume flogen die Krähen zu Hunderten hinweg und schrien: „Krah! da! Krah! da!"
Und er ging von dem Garten über den Wallgraben des Hofes in den Erlenhain. Da stand ein kleines sechseckiges
Haus mit Hühnerhof und Entenhof. Mitten in der Stube

saß die alte Frau, die das Ganze leitete und genau Bescheid wußte über jedes Ei, das gelegt wurde, über jedes Küchlein, das aus dem Ei herauskam; aber sie war nicht das Märchen, das der Mann suchte, das konnte sie durch ihren christlichen Taufschein und ihren Impfschein beweisen, die beide in der Kommode lagen.

Draußen, nicht weit vom Hause, ist ein Hügel mit Rotdorn und Goldregen. Dort liegt ein alter Grabstein, der vor vielen Jahren von dem Kirchhof der Marktstadt hierhergekommen war, eine Erinnerung an einen der ehrenwerten Ratsherren der Stadt; seine Frau und seine fünf Töchter, alle mit gefalteten Händen und Halskrausen, stehen in Stein gehauen um ihn herum. Man konnte ihn so lange betrachten, daß er gleichsam auf die Gedanken wirkte und diese wiederum auf den Stein, und der erzählte von alten Zeiten; wenigstens war es dem Mann so ergangen, der das Märchen suchte. Als er nun hierherkam, sah er einen lebendigen Schmetterling auf der Stirn von des Ratsherrn steinernem Bilde sitzen. Er schlug mit den Flügeln, flog ein Stückchen weiter und setzte sich ermüdet wieder auf den Grabstein, als ob er zeigen wollte, was da wuchs. Da wuchs vierblättriger Klee, da wuchsen ganze sieben nebeneinander. Kommt das Glück; kommt es vollauf! Der Mann pflückte den Klee und steckte ihn in die Tasche. Das Glück ist ebenso gut wie bares Geld, aber ein neues, schönes Märchen wäre noch besser, dachte der Mann, aber er fand es hier nicht.

Die Sonne ging unter, rot und groß; die Wiese dampfte, die Moorfrau braute.

Es war spät am Abend; er stand allein in seiner Stube, sah über den Garten, über Wiese, Moor und Strand; der Mond schien hell, es dampfte über der Wiese, als wäre sie ein großer See, und der war hier auch einmal gewesen, wie die Sage ging, und Mondschein schärft den Blick für Sagen.

Da dachte der alte Mann an das, was er in der Stadt gelesen hatte, daß Wilhelm Tell und Holger Danske nicht gelebt hätten, aber im Volksglauben blieben sie doch, wie der See da draußen, lebendige Bilder der Sage. Ja, Holger Danske kommt wieder!

Als er so stand und dachte, schlug etwas ganz stark ans Fenster. War das ein Vogel, eine Fledermaus oder eine Eule?

Ja, die läßt man nicht herein, wenn sie auch klopfen. Das Fenster sprang von selbst auf, eine alte Frau guckte zu dem Mann herein.

„Was ist gefällig?" sagte er. „Wer seid Ihr? Gleich in die erste Etage seht Ihr hinein? Steht Ihr auf der Leiter?"

„Ihr habt ein vierblättriges Kleeblatt in der Tasche", sagte sie, „ja, Ihr habt sogar sieben, von denen das eine ein sechsblättriges ist!"

„Wer seid Ihr?" fragte der Mann.

„Die Moorfrau!" sagte sie. „Die Moorfrau, die braut; ich war gerade dabei. Der Zapfen saß schon in der Tonne, aber einer von den kleinen Moorjungen riß in seinem Mutwillen den Zapfen heraus und warf ihn in den Hof, wo er gegen das Fenster schlug; nun läuft das Bier aus der Tonne, und damit ist keinem gedient."

„Erzählt mir doch mehr!" sagte der Mann.

„Ja, wartet ein wenig", sagte die Moorfrau, „jetzt habe ich noch etwas anderes zu tun!"

Und dann war sie fort.

Der Mann wollte gerade das Fenster schließen, als die Frau schon wieder dastand.

„Nun ist es getan!" sagte sie, „aber das halbe Bier kann ich morgen wieder umbrauen, wenn das Wetter danach wird. Na, was habt Ihr mich zu fragen? Ich bin wiedergekommen, denn ich halte immer mein Wort, und Ihr habt sieben vierblättrige Kleeblätter in der Tasche, von denen das eine ein sechsblättriges ist; das gibt Respekt, das ist ein Ordenszeichen, das an dem Landwege wächst, aber nicht jedermann findet. Was habt Ihr denn zu fragen? Steht nur nicht da wie ein Einfaltspinsel, ich muß gleich fort zu meinem Zapfen und meiner Tonne!"

Und der Mann fragte nach dem Märchen, fragte, ob die Moorfrau es auf ihrem Wege gesehen habe.

„I, du großes Gebräu!" sagte die Frau, „habt Ihr noch nicht Märchen genug? Ich glaube wirklich, daß die meisten genug haben. Hier gibt es anderes zu tun, auf anderes zu achten. Selbst die Kinder sind schon darüber hinaus. Geben Sie den kleinen Knaben eine Zigarre und den kleinen Mädchen eine neue Krinoline, das gefällt ihnen besser! Märchen anhören! Nein, hier gibt es wahrhaftig anderes zu tun, wichtigere Dinge auszuführen!"

„Was meint Ihr damit?" sagte der Mann, „und was wißt Ihr
von der Welt? Ihr seht ja nur Frösche und Irrlichter!"
„Ja, nehmt Euch nur vor den Irrlichtern in acht", sagte die
Frau, „sie sind heraus! Sie sind losgelassen! Von ihnen sollten wir sprechen! Kommt zu mir ins Moor, wo meine Gegenwart nötig ist, da will ich Euch das Ganze sagen, aber
beeilt Euch ein wenig, solange Eure sieben vierblättrigen
Kleeblätter mit dem einen Sechsblatt noch frisch sind und
der Mond noch oben steht!"
Weg war die Moorfrau.

Es schlug zwölf vom Turm, und ehe noch der letzte Schlag
verklungen, war der Mann draußen im Hof, zum Garten
hinaus und stand auf der Wiese. Der Nebel hatte sich gelegt, die Moorfrau hörte auf zu brauen.
„Es dauerte lange, bis Ihr kamt!" sagte die Moorfrau. „Hexenzeug kommt schneller vorwärts als Menschen, und ich
bin froh, daß ich als Hexenzeug geboren bin!"
„Was habt Ihr mir nun zu sagen?" fragte der Mann. „Ist es
ein Wort über das Märchen?"
„Könnt Ihr denn immer nur danach fragen?" sagte die Frau.
„Könnt Ihr denn vielleicht über die Zukunftspoesie sprechen?" fragte der Mann.
„Werdet nur nicht hochtrabend!" sagte die Frau, „dann
werde ich Euch schon antworten! Ihr denkt nur an Dichterei, fragt nur nach dem Märchen, gerade als ob es die Herrin vom Ganzen wäre! Es ist wohl nur das Älteste, wird
aber immer als das Jüngste angesehen. Ich kenne es wohl!
Ich bin auch einmal jung gewesen, und das ist keine Kin-
derkrankheit. Ich bin einmal ein ganz niedliches Elfenmädchen gewesen und habe mit den anderen im Mondschein getanzt, habe auf die Nachtigall gehört, bin in den
Wald gegangen und dem Märchenfräulein begegnet, das
sich immer draußen umhertrieb. Bald schlug es sein
Nachtlager in einer halb aufgesprungenen Tulpe oder in
einer Wiesenblume auf, bald schlüpfte es in die Kirche
und hüllte sich in den Trauerflor, der von den Altarlich-
tern hing!"
„Ihr wißt prächtig Bescheid!" sagte der Mann.
„Ich sollte doch wohl ebensoviel wissen wie Ihr selbst!"
sagte die Moorfrau. „Märchen und Poesie, ja – das sind

zwei Ellen von einem Stück: sie könnten sich hinlegen, wo sie wollen. Ihr ganzes Werk und all ihr Gerede kann man nachbrauen und es besser und billiger haben. Ihr sollt es von mir umsonst bekommen. Ich habe einen ganzen Schrank voll Poesie in Flaschen. Es ist die Essenz, das Feine davon, Kräuter, süße und bittere. Ich habe alles auf Flaschen, was die Menschen an Poesie brauchen, um an Festtagen ein wenig aufs Schnupftuch zu nehmen und daran zu riechen!"

„Das sind ganz wunderliche Dinge, die Ihr da erzählt", sagte der Mann, „Ihr habt Poesie auf Flaschen?"

„Mehr als Ihr vertragen könnt", sagte die Frau. „Ihr kennt wohl die Geschichte von dem Mädchen, das auf das Brot trat, um seine neuen Schuhe nicht zu beschmutzen? Sie ist geschrieben und gedruckt."

„Die habe ich selbst erzählt", sagte der Mann.

„Ja, dann kennt Ihr sie auch und wißt, daß das Mädchen gleich in die Erde zur Moorfrau hinabsank, gerade als des Teufels Großmutter sie besuchte, um sich die Brauerei anzusehen. Sie sah das Mädchen und erbat es sich als Postament, zur Erinnerung an den Besuch, und sie bekam es; und ich bekam ein Geschenk, wovon ich keinen Nutzen habe, eine Reiseapotheke, einen ganzen Schrank voll Poesie auf Flaschen. Die Großmutter sagte, wo der Schrank stehen solle, und da steht er noch. Seht einmal! Ihr habt ja Eure sieben vierblättrigen Kleeblätter in der Tasche, von denen das eine ein Sechsblatt ist, dann werdet Ihr es wohl sehen können!"

Und wirklich, mitten im Moor lag so etwas wie ein großer Erlenknorren, und das war Großmutters Schrank. Der stehe der Moorfrau und jedem in allen Ländern und zu allen Zeiten offen, sagte sie, wenn sie nur wüßten, wo er steht. Er war von vorn und hinten, an allen Seiten und Kanten zu öffnen, ein wahres Kunstwerk, und sah doch nur aus wie ein alter Erlenknorren. Die Poeten aller Länder, besonders unseres eigenen Landes, waren hier nachgemacht; ihr Geist war ausspekuliert, rezensiert, renoviert, konzentriert und auf Flaschen gezogen. Mit großem Instinkt, wie man das nennt, wenn man nicht Genie sagen will, hatte die Großmutter das aus der Natur genommen, was gleichsam nach diesem oder jenem Poeten schmeckte, ein wenig Teufelei hinzugetan, und so hatte sie die Poesie in Flaschen für die ganze Zukunft.

„Laßt mich einmal sehen!" sagte der Mann.

„Ja, aber da sind wichtigere Dinge anzuhören!" sagte die Moorfrau.

„Aber nun sind wir bei dem Schrank!" sagte der Mann und sah hinein. „Hier sind Flaschen von allen Größen. Was ist in dieser? Und was in der?"

„Hier ist das, was sie Maiduft nennen", sagte die Frau, „ich habe das nicht geprüft, aber ich weiß, wenn man davon nur eine kleine Neige auf den Boden gießt, dann steht da sofort ein schöner Waldsee mit Wasserrosen, Wasserliesch und wilden Krauseminzen. Man gießt nur zwei Tropfen auf ein altes Aufsatzheft, selbst von der niedrigsten Sorte, und dann wird das Heft eine ganze Duftkomödie, die man sehr gut aufführen und auch darüber einschlafen kann – so stark duftet sie. Es soll wohl eine Höflichkeit gegen mich sein, daß auf der Flasche geschrieben steht: ‚Gebräu der Moorfrau'.

Hier steht die Skandalflasche. Es sieht aus, als wäre nur schmutziges Wasser darin, und es ist auch schmutziges Wasser, aber mit Brausepulver aus Stadtklatsch; drei Lot Lügen und zwei Gran Wahrheit, mit einem Birkenzweig umgerührt, nicht aus einer Spießrute, die in Salzlake gelegt und aus dem blutigen Körper des Sünders geschnitten ist, oder ein Stück von der Rute des Schulmeisters, nein, gerade aus dem Besen genommen, der den Rinnstein fegte!

Hier steht die Flasche mit der frommen Poesie im Psalmenton. Jeder Tropfen hat einen Klang wie das Kreischen der Höllenpforte und ist aus Blut und Schweiß der Züchtigung bereitet. Manche sagen, es sei nur Taubengalle; aber die Tauben sind die frömmsten Tiere, sie haben keine Galle, wie die Leute sagen, die keine Naturgeschichte kennen."

Hier stand die Flasche aller Flaschen, sie nahm den halben Schrank ein, die Flasche mit den Alltagsgeschichten. Sie war mit Schweinsleder und Schweinsblase zugebunden, denn sie konnte es nicht vertragen, etwas von ihrer Kraft zu verlieren. Jede Nation konnte hier ihre eigene Suppe bekommen, je nachdem, wie man die Flaschen drehte und wendete. Hier war alte deutsche Blutsuppe mit Räuberklößen, auch dünne Hausmannssuppe mit Wirklichen Hofräten, die wie Wurzeln darin lagen, und obenauf schwammen philosophische Fettaugen. Da war englische Gouvernantensuppe und französische Potage à la Kock, aus Hühnerknochen und Sperlingseiern zubereitet, auf dänisch Cancansuppe genannt; aber die beste Suppe war die Kopenhagensche. Das sagte die Familie.

Hier stand die Tragödie in der Champagnerflasche, die konnte knallen, und das soll sie. Das Lustspiel sah wie feiner Sand aus, den Leuten in die Augen zu streuen, das heißt das feinere Lustspiel. Das gröbere war auch in einer Flasche, bestand aber nur aus Zukunftsplakaten, wobei der Name des Stückes das kräftigste war. Da waren ausgezeichnete Komödientitel wie: „Darfst du das Werk bespeien?", „Eins hinter die Ohren!", „Das süße Biest" und „Sie ist sternhagelvoll".

Der Mann wurde dabei ganz nachdenklich, aber die Moorfrau dachte noch weiter, sie wollte zum Schluß damit kommen.

„Nun habt Ihr wohl genug in die Kramkiste gesehen", sagte sie. „Nun wißt Ihr, was da ist, aber das Wichtigere, was Ihr wissen solltet, das wißt Ihr noch nicht. Die Irrlichter sind in der Stadt! Das hat mehr zu bedeuten als Poesie und Märchen. Ich sollte jetzt den Mund halten, aber es muß eine Fügung sein, Schicksal, etwas, was mit mir durchgeht, es sitzt mir in der Kehle, es muß heraus. Die Irrlichter sind in der Stadt! Sie sind losgelassen! Nehmt euch in acht, ihr Menschen!"

„Davon verstehe ich kein einziges Wort", sagte der Mann.

„Seid so gut und setzt Euch auf den Schrank", sagte sie, „aber fallt nicht hinein und schlagt mir nicht die Flaschen entzwei; Ihr wißt, was darin ist. Ich werde die große Begebenheit erzählen, sie ist erst gestern und sie ist schon früher geschehen. Sie hat noch dreihundertundvierundsechzig Tage herumzulaufen. Ihr wißt wohl, wieviel Tage das Jahr hat?"

Und die Moorfrau erzählte: „Hier draußen im Sumpf war gestern etwas Großes los! Hier war Kindtaufe! Hier wurde ein kleiner Irrwisch geboren, ja, hier wurden zwölf geboren von der Art, denen es gegeben ist, daß sie als Menschen auftreten, wenn sie wollen, und unter diesen agieren und kommandieren können, als wären sie geborene Menschen. Das ist ein großes Ereignis im Moor, und darum tanzten alle Irrlichtmännchen und Irrlichtweibchen wie kleine Lichter über Moor und Wiese; es gibt nämlich auch Weibchen, aber man spricht nicht davon. Ich saß auf dem Schrank und hatte alle zwölf kleinen neugeborenen Irrwische auf meinem Schoß. Sie leuchteten wie Johanniswürmchen; sie fingen schon an zu hüpfen und nahmen jede Minute an Größe zu, und noch ehe eine Viertelstunde um war, sah ein jedes von ihnen ebenso groß aus wie ihr Vater oder ihr Onkel. Nun ist es ein altes angeborenes Recht und eine Vergünstigung, wenn der Mond geradeso steht, wie er gestern stand, und der Wind geradeso bläst, wie er gestern blies, daß es dann allen Irrlichtern, die in dieser Stunde und in dieser Minute geboren werden, gegeben und vergönnt ist, Menschen zu werden, und jedes von ihnen darf ein ganzes Jahr ringsum seine Macht ausüben. Das Irrlicht kann durch das Land und auch durch die Welt laufen, wenn es nur keine Angst hat, in den See zu fallen oder von einem schweren Sturm ausgeblasen zu werden. Es kann geradewegs in einen Menschen hineinfahren, für ihn sprechen und alle Bewegungen machen, die es will. Der Irrwisch kann jede Gestalt annehmen, Mann oder Frau werden, kann in ihrem Geist nach seiner Art handeln, so daß nur geschieht, was er will; aber er muß in einem Jahr dreihundertundfünfundsechzig Menschen auf Abwege bringen können, sie vom Wahren und Richtigen fortführen, und das in großem Stil, dann erreicht er das Höchste, wozu es ein Irrwisch bringen kann, nämlich Läufer vor des Teufels Staatskutsche zu werden, glühende brandgelbe Kleider zu tragen und Flammen aus dem Hals zu speien. Danach kann sich ein einfacher Irrwisch den Mund lecken. Aber es sind auch für einen ehrgeizigen Irrwisch, der eine Rolle zu spielen gedenkt, Gefahren und große Beschwerden dabei. Gehen dem Menschen die Augen auf, wer er ist, und kann er ihn dann wegblasen, so ist es aus mit ihm, und er muß in den Sumpf zurück, und wenn der Irrwisch, noch ehe das Jahr um ist, von Sehnsucht ergriffen wird, zu seiner Familie zu kommen, und sich selbst aufgibt, ist es auch aus, er kann nicht länger klar brennen, geht bald aus und kann nicht wieder angezündet werden. Und ist das Jahr zu Ende und hat er noch nicht dreihundertundfünfundsechzig Menschen von der Wahrheit und allem, was gut und herrlich ist, abgebracht, so ist er verurteilt, in faulem Holz zu liegen und zu leuchten, ohne sich rühren zu können, und das ist die fürchterlichste Strafe für einen lebhaften Irrwisch. Das alles wußte ich, und das alles sagte ich den zwölf kleinen Irrlichtern, die ich auf meinem Schoß hatte und die vor Freude ganz außer sich waren. Ich sagte ihnen, daß es das Sicherste und Bequemste sei, auf die Ehre zu verzichten und gar nichts zu tun; das wollten aber die jungen Flammen nicht und sahen sich schon in glühenden brandgelben Gewändern mit Feuer aus dem Hals. ‚Bleibt bei uns‘, sagten einige der Alten. ‚Treibt euer Spiel mit den Menschen!‘ sagten die andern. ‚Die Menschen trocknen unsere Wiesen aus, sie drainieren sie! Was soll aus unseren Nachkommen werden?‘

‚Wir wollen flammen, flammen!‘ sagten die neugeborenen Irrlichter, und so war es abgemacht.

Jetzt war sofort Minutenball, kürzer konnte er nicht sein! Die Elfenmädchen schwangen sich dreimal mit allen andern herum, um nicht hochmütig zu erscheinen; sie tanzen sonst am liebsten mit sich selbst. Nun wurden Gevattergaben ausgeteilt, ‚Butterbrote geworfen‘, wie es heißt. Die Geschenke flogen wie Kieselsteine über das Moorwasser. Jedes der Elfenmädchen gab einen Zipfel ihres Schleiers. ‚Nimm ihn‘, sagten sie, ‚dann kannst du gleich den höheren Tanz, die schwierigsten Wendungen und Drehungen ausführen, wenn es nötig ist. Du bekommst die rechte Haltung und kannst dich in den steifsten Gesellschaften zeigen.‘

Der Nachtrabe lehrte jedes der jungen Irrlichter, ‚Bra, bra, brav!‘ zu sagen, an der rechten Stelle zu sagen, und das ist eine große Gabe, die sich selbst belohnt.

Die Eule und der Storch ließen auch etwas fallen, aber es sei nicht wert, davon zu sprechen, sagten sie, und so sprechen wir auch nicht weiter davon. König Valdemars wilde Jagd fuhr gerade über das Moor dahin, und als die Herrschaften von dem Fest hörten, sandten sie ein paar feine Hunde zum Geschenk, solche, die schnell wie der Wind jagen und ein oder auch drei Irrlichter tragen können. Zwei alte Nachtmahre, die sich durch Reiten ernähren, waren auch bei dem Festschmaus. Von ihnen lernten sie sogleich

die Kunst, durch ein Schlüsselloch zu schlüpfen, das ist
dann so, als ob ihnen alle Türen offenstünden. Sie erboten
sich, die jungen Irrlichter zur Stadt zu führen, wo sie gut
Bescheid wußten. Sie reiten gewöhnlich auf ihrem eigenen
langen Nackenhaar durch die Luft, das sie in einen Knoten
zusammengebunden haben, um hart zu sitzen, aber nun
setzten sie sich rittlings auf die wilden Jagdhunde, nahmen
die jungen Irrlichter, welche die Menschen verleiten und
verwirren sollten, auf den Schoß – husch, waren sie fort!
Das war alles gestern nacht. Nun sind die Irrlichter in der
Stadt, nun sind sie am Werke, aber wie und wo, ja, sagt mir
das! Mir läuft ein Wetterfaden durch den großen Zeh, der
sagt mir immer etwas!"
„Das ist ein ganzes Märchen!" sagte der Mann.
„Ja, aber es ist nur der Anfang davon", sagte die Frau.
„Könnt Ihr mir erzählen, wie sich die Irrlichter nun tummeln und wie sie sich benehmen, in welchen Gestalten sie
aufgetreten sind, um die Menschen auf Abwege zu füh-
ren?"
„Ich glaube wohl", sagte der Mann, „daß man einen ganzen
Roman von den Irrlichtern erzählen könnte, ganze zwölf
Teile, von jedem Irrlicht einen, oder vielleicht noch besser,
eine ganze Volkskomödie."
„Die solltet Ihr schreiben", sagte die Frau, „oder es lieber
sein lassen!"
„Ja, das ist bequemer und angenehmer", sagte der Mann,
„dann wird man auch nicht in den Zeitungen angeprangert,
was ebenso unbequem ist wie für einen Irrwisch, in faulem
Holz zu liegen, zu leuchten und keinen Mucks sagen zu
dürfen."
„Mir ist das einerlei!" sagte die Frau, „aber laßt lieber die
andern schreiben, die, welche es können, und die, welche
es nicht können. Ich gebe Euch von meiner Tonne einen alten Zapfen, der öffnet den Schrank mit der Poesie auf Flaschen, und daraus könnt Ihr bekommen, was Euch noch
fehlt. Aber Ihr, mein lieber Mann, scheint mir Eure Finger
nun genug mit Tinte bekleckst zu haben und müßtet in das
gesetzte Alter gekommen sein, in dem man nicht jedes Jahr
nach Märchen herumläuft, zumal hier jetzt weit wichtigere
Dinge zu tun sind. Ihr habt doch wohl verstanden, was los
ist?"

„Die Irrlichter sind in der Stadt", sagte der Mann, „ich habe es gehört, ich habe es verstanden! Aber was meint Ihr, was ich tun soll? Ich würde ja durchgeprügelt werden, wenn ich eins sehen und den Leuten sagen würde: Seht einmal, da geht ein Irrwisch in ehrbarem Rock!"

„Sie gehen auch in Hemden", sagte die Frau. „Der Irrwisch kann alle Gestalten annehmen und an jedem Ort auftreten. Er geht in die Kirche, aber nicht um des lieben Gottes willen, er ist vielleicht in den Pfarrer gefahren. Er redet am Wahltag, nicht um des Landes und des Reiches willen, sondern nur seinetwegen; er ist Künstler sowohl im Farbentopf als im Theatertopf, aber wenn er die Macht ganz und gar bekommt, dann ist der Topf leer! Ich schwatze und schwatze, doch es muß heraus, was mir in der Kehle sitzt, zum Schaden meiner eigenen Familie; aber ich muß jetzt die Retterin der Menschen sein! Es geschieht wahrhaftig nicht aus gutem Willen oder einer Medaille wegen. Ich tue das Verrückteste, was ich tun kann, ich sage es einem Poeten, und so bekommt es bald die ganze Stadt zu wissen!"

„Die Stadt nimmt sich das nicht zu Herzen", sagte der Mann. „Das wird keinen einzigen Menschen anfechten, denn sie glauben alle, daß ich ein Märchen erzähle, während ich ihnen mit dem tiefsten Ernst sage: ,Die Irrlichter sind in der Stadt, sagte die Moorfrau, nehmt euch in acht!'"

Der Silberschilling

Es war einmal ein Schilling, er kam blank aus der Münze, sprang und klang: „Hurra! Jetzt geht es in die weite Welt hinaus!" Und das sollte er.

Das Kind hielt ihn mit warmen Händen fest, der Geizige mit kalten, feuchten Händen; der Ältere drehte und wendete ihn viele Male, während die Jugend ihn gleich weiterrollen ließ. Der Schilling war aus Silber, hatte sehr wenig Kupfer in sich und war schon ein ganzes Jahr draußen in der Welt, das heißt in dem Land, in dem er gemünzt war. Eines Tages ging er aber auf eine Reise ins Ausland. Er war die letzte Landesmünze in dem Geldbeutel, den sein reisender Herr bei sich führte, und er wußte selbst gar nicht, daß er den Schilling noch hatte, bis er ihm unter die Finger geriet.

„Hier habe ich ja noch einen Schilling von daheim", sagte er, „der kann die Reise mitmachen!" Und der Schilling klang und sprang vor Freude, als er ihn wieder in den Beutel steckte. Hier lag er nun bei fremden Kameraden, die kamen und gingen, einer machte dem andern Platz, aber der Schilling von daheim blieb immer im Beutel; das war eine Auszeichnung.

Nun waren schon mehrere Wochen vergangen, und der Schilling war weit draußen in der Welt, ohne recht zu wissen, wo er sich befand. Er hörte von den andern Münzen, daß sie französisch und italienisch seien. Eine sagte, sie seien nun in dieser Stadt, die andere sagte, sie seien in jener, aber der Schilling konnte sich keine Vorstellung davon machen. Man sieht nichts von der Welt, wenn man immer im Beutel steckt, und das tat er. Doch als er eines Tages so dalag, bemerkte er, daß der Geldbeutel nicht geschlossen war, und da schlich er sich bis an die Öffnung, um ein wenig hinauszugucken. Das hätte er nun nicht tun sollen, aber er war neugierig, und das rächt sich; er glitt hinaus in die Hosentasche, und als abends der Geldbeutel herausgenommen wurde, lag der Schilling noch da, wo er hingerutscht war, und kam mit den Kleidern auf den Flur hinaus; dort fiel er gleich auf den Fußboden; niemand hörte es, niemand sah es.

Am nächsten Morgen wurden die Kleider wieder in das Zimmer getragen, der Herr zog sie an, reiste fort, und der Schilling blieb zurück. Er wurde gefunden, sollte wieder Dienst tun und ging mit drei anderen Münzen aus.

‚Es ist doch schön, sich in der Welt umzusehen‘, dachte der Schilling, ‚andere Menschen, andere Sitten kennenzulernen.‘

„Was ist das für ein Schilling!" hieß es im selben Augenblick. „Das ist keine Landesmünze! Der ist falsch, er taugt nichts!"

Ja, nun beginnt die Geschichte des Schillings, wie er sie später erzählte.

„Falsch! Taugt nichts! Das ging mir durch und durch", sagte der Schilling. „Ich wußte, daß ich aus gutem Silber war, einen guten Klang und echtes Gepräge hatte. Die Leute mußten sich gewiß irren, mich konnten sie nicht meinen, aber sie meinten mich doch, ich war es, den sie falsch nannten, ich taugte nichts! ‚Den muß ich im Dunkeln ausgeben!‘ sagte der Mann, der mich gefunden hatte, und ich wurde im Dunkeln ausgegeben und bei Tageslicht wieder ausgeschimpft – ‚falsch, taugt nichts! Wir müssen sehen, daß wir ihn loswerden!‘ "

Und der Schilling zitterte jedesmal zwischen den Fingern, wenn er heimlich fortgeschmuggelt werden und für Landesmünze gelten sollte.

„Ich elender Schilling! Was hilft mir mein Silber, mein Wert, mein Gepräge, wenn es nichts zu bedeuten hat. Man ist für die Welt nur das, was die Welt von einem glaubt! Es muß doch entsetzlich sein, ein schlechtes Gewissen zu haben, auf krummen Wegen umherzuschleichen, wenn mir, der ich doch ganz unschuldig bin, schon so zumute ist, weil ich nur den Schein gegen mich habe! Jedesmal, wenn ich herausgeholt wurde, graute es mir vor den Augen, die mich ansehen würden. Ich wußte, daß ich zurückgestoßen und auf den Tisch geworfen würde, als wäre ich Lug und Trug.

Einmal kam ich zu einer alten, armen Frau, sie erhielt mich als Tagelohn für ihre harte Arbeit, aber sie konnte mich nun gar nicht wieder loswerden; niemand wollte mich annehmen, ich war ein wahres Unglück für die Frau. ‚Ich bin wahrhaftig gezwungen, jemand damit anzuführen‘, sagte sie, ‚ich kann es mir nicht leisten, einen falschen Silberschilling aufzubewahren; der reiche Bäcker soll ihn haben, er kann es am besten verschmerzen, aber ein Unrecht ist es doch, was ich tue!‘

‚Nun soll ich auch noch das Gewissen der Frau belasten!‘ seufzte es in dem Schilling. ‚Habe ich mich denn auf meine alten Tage wirklich so verändert?‘

Und die Frau ging zu dem reichen Bäcker, aber der kannte die gangbaren Schillinge allzu gut, ich durfte dort nicht liegenbleiben, er warf mich der Frau ins Gesicht, sie bekam kein Brot für mich, und ich war von Herzen betrübt, daß ich anderen zum Verdruß gemünzt war, ich, der ich in meinen jungen Tagen so zuversichtlich und meines Wertes und echten Gepräges so sicher und bewußt gewesen war! Ich wurde so melancholisch, wie ein armer Schilling es nur werden kann, wenn ihn niemand haben will. Aber die Frau nahm mich wieder mit nach Hause und sah mich recht innig, sanft und freundlich an. ‚Nein, ich will niemand mit dir anführen!' sagte sie. ‚Ich will ein Loch in dich schlagen, damit jedermann sehen kann, daß du ein falsches Ding bist; und doch – das fällt mir jetzt so ein –, du bist vielleicht ein Glücksschilling, der Gedanke kommt mir ganz von selbst, ja, das will ich glauben! Ich schlage ein Loch in den Schilling, ziehe eine Schnur hindurch und werde dem kleinen Kind der Nachbarsfrau den Schilling als Glücksschilling um den Hals hängen.'

Und sie schlug ein Loch in mich; es ist niemals angenehm, wenn man durchlöchert wird, aber wenn es in guter Absicht geschieht, kann man vieles ertragen! Ich bekam eine Schnur hindurch und wurde eine Art Medaillon zum Tragen. Man hängte mich um den Hals des kleinen Kindes, und das Kind lächelte mich an, küßte mich, und ich ruhte eine ganze Nacht an der warmen, unschuldigen Brust des Kindes.

Am Morgen nahm die Mutter mich zwischen ihre Finger, sah mich an und hatte so ihre eigenen Gedanken dabei, das fühlte ich bald heraus. Sie nahm eine Schere und schnitt die Schnur durch.

‚Glücksschilling!' sagte sie. ‚Ja, das werden wir bald sehen!' Und sie legte mich in Essig, so daß ich ganz grün wurde. Dann kittete sie das Loch zu, rieb mich ein wenig und ging in der Dämmerung zum Lotterieeinnehmer, um sich ein Los zu kaufen, das Glück bringen sollte.

Wie übel war mir zumute! Ich fühlte mich so bedrückt, als ob ich zerbrechen sollte, ich wußte, daß ich falsch genannt und hingeworfen werden würde, und zwar gerade vor den vielen Schillingen und Münzen, die mit Inschrift und Gesicht dalagen, auf die sie stolz sein konnten. Aber die Schande blieb mir erspart; es waren so viele Menschen beim Einnehmer, er hatte so viel zu tun, daß ich klingend in den Kasten unter die anderen Münzen sprang. Ob später das Los gewann, weiß ich nicht, das aber weiß ich, daß ich schon am nächsten Tag als ein falscher Schilling erkannt, beiseite gelegt und ausgesandt wurde, um zu betrügen und immer zu betrügen. Es ist nicht auszuhalten, wenn man einen reellen Charakter hat, und den kann ich mir selbst nicht absprechen.

Jahr und Tag ging ich so von Hand zu Hand, von Haus zu

Haus, immer ausgeschimpft, immer ungern gesehen. Niemand traute mir, und ich traute mir selbst, traute der Welt nicht mehr, das war eine schwere Zeit!

Da kam eines Tages ein Reisender, dem wurde ich untergeschoben, und er war gutgläubig genug, mich für gangbare Münze zu nehmen; aber nun wollte er mich ausgeben, und ich hörte wieder die Ausrufe: ‚Taugt nichts! Falsch!'

‚Ich habe ihn für echt bekommen', sagte der Mann und betrachtete mich nun ganz genau. Plötzlich lächelte sein ganzes Gesicht, das pflegte sonst kein Gesicht zu tun, das mich genau besah. ‚Nein, was ist denn das!' sagte er. ‚Das ist ja eine unserer eigenen Landesmünzen, ein guter, ehrlicher Schilling von daheim, in den man ein Loch geschlagen hat und den man nun falsch nennt. Das ist ja lustig! Dich werde ich aufbewahren und mit nach Hause nehmen!'

Die Freude durchzuckte mich, man nannte mich einen guten, ehrlichen Schilling, und ich sollte wieder in die Heimat zurück, wo alle mich kennen und wissen würden, daß ich aus gutem Silber und von echter Prägung war. Ich hätte vor Freude Funken sprühen mögen, aber Funkensprühen liegt nun einmal nicht in meiner Natur, das kann der Stahl, aber nicht das Silber.

Ich wurde in feines weißes Papier eingewickelt, um nicht mit den andern Münzen verwechselt zu werden und abhanden zu kommen; und nur bei festlichen Gelegenheiten, wenn Landsleute sich begegneten, wurde ich vorgezeigt, und es wurde überaus gut von mir gesprochen. Sie sagten, ich sei interessant, es ist komisch genug, daß man interessant sein kann, ohne auch nur ein einziges Wort zu sagen.

Und dann kam ich wieder in die Heimat! Alle meine Not hatte ein Ende, meine Freude begann, ich war ja aus gutem Silber, ich hatte die echte Prägung, und es gereichte mir keineswegs zum Nachteil, daß man ein Loch in mich geschlagen hatte, um mich als falsch zu bezeichnen; das tut nichts, wenn man es nicht ist! Man muß ausharren, alles kommt mit der Zeit zu seinem Recht! Das ist nun mein Glaube!" sagte der Schilling.

Die Teekanne

Es war einmal eine stolze Teekanne, stolz auf ihr Porzellan, stolz auf ihre lange Tülle, stolz auf ihren breiten Henkel; sie hatte vorn etwas und hinten etwas, die Tülle vorn, den Henkel hinten, und davon sprach sie gern; von ihrem Deckel aber sprach sie nicht, er war zerbrochen, er war geleimt, er hatte Mängel, und von seinen Mängeln spricht man nicht gern, das tun die andern schon genug. Tassen, Sahnetopf und Zuckerschale, das ganze Teegeschirr würde wohl mehr an die Gebrechlichkeit des Deckels denken und davon sprechen als von dem guten Henkel und der ausgezeichneten Tülle; das wußte die Teekanne.

„Ich kenne sie", sprach sie bei sich selbst, „ich kenne auch meine Mängel und erkenne sie, und darin liegt meine Demut, meine Bescheidenheit; Mängel haben wir alle, aber man hat doch auch seine Begabung. Die Tassen bekamen einen Henkel, die Zuckerschale einen Deckel, ich bekam beides und vorn noch etwas dazu, was sie niemals bekommen, ich bekam eine Tülle, die mich zur Königin auf dem Teetisch macht. Der Zuckerschale und dem Sahnetopf wurde es vergönnt, Diener des Wohlgeschmacks zu sein, ich aber bin die Gebende, die Herrschende, ich spende Segen der durstenden Menschheit; in meinem Innern werden die chinesischen Blätter in dem kochenden, geschmacklosen Wasser verarbeitet."

All dies sagte die Teekanne in ihrer unbekümmerten Jugendzeit. Sie stand auf dem gedeckten Tisch, sie wurde von der feinsten Hand erhoben; aber die feinste Hand war ungeschickt, die Teekanne fiel, die Tülle brach ab, der Henkel brach ab, der Deckel war nicht der Rede wert, von ihm ist schon genug geredet worden. Die Teekanne lag ohnmächtig auf dem Fußboden, das kochende Wasser lief heraus. Es war ein schwerer Schlag, den sie erlitten hatte, und das schlimmste war, daß alle lachten, über sie lachten und nicht über die ungeschickte Hand.

„Von dieser Erinnerung werde ich niemals loskommen!" sagte die Teekanne, wenn sie sich später selbst ihren Lebenslauf erzählte. „Ich wurde Invalide genannt, in einen Winkel gesetzt und am nächsten Tage einer Frau geschenkt, die um etwas Bratfett bettelte; ich stieg zur Armut herab, war innerlich und äußerlich verstummt, aber dort, wo ich stand, begann mein besseres Leben; man ist etwas und wird doch etwas ganz anderes. Man legte Erde in mich hinein; das ist für eine Teekanne, als würde sie begraben, aber in die Erde legte man eine Blumenzwiebel; wer sie hineinlegte, wer sie mir gab, weiß ich nicht, aber geschenkt wurde sie mir, ein Ersatz für die chinesischen Blätter und das kochende Wasser, ein Ersatz für den abgebrochenen Henkel und die Tülle. Und die Zwiebel lag in der Erde, die Zwiebel lag in mir, sie wurde mein Herz, mein lebendiges Herz, ein solches hatte ich nie zuvor gehabt. Nun war Leben in mir, Kraft und Kräfte; der Puls schlug, die Zwiebel keimte, sie wurde von Gedanken und Gefühlen gesprengt; sie brachen in einer Blume hervor; ich sah sie, ich trug sie, ich vergaß mich selbst in ihrer Schönheit; gesegnet der, der sich selbst in anderen vergißt! Sie sagte mir keinen Dank, sie dachte nicht an mich – sie wurde bewundert und gepriesen. Ich war so froh darüber, wie hätte sie es erst sein müssen! Eines Tages hörte ich, wie man sagte, daß sie einen besseren Topf verdiene. Man schlug mich mittendurch, das tat entsetzlich weh; aber die Blume kam in einen besseren Topf – und ich wurde in den Hof geworfen, liege dort als alter Scherben –, aber ich habe die Erinnerung, die kann mir niemand nehmen!"

Die kleinen Grünen

Im Fenster stand ein Rosenstock; vor kurzem war er noch jugendfrisch, nun sah er krank aus, er litt an irgend etwas.

Er hatte Einquartierung bekommen, die ihn auffraß; übrigens sehr ehrenhafte Einquartierung in grüner Uniform.

Ich sprach mit einem der Einquartierten, er war erst drei Tage alt und schon Urgroßvater. Weißt du, was er sagte? Wahr ist es, was er sagte; er sprach von sich und der ganzen Einquartierung.

„Wir sind das merkwürdigste Regiment unter den Geschöpfen der Erde. In der warmen Zeit gebären wir lebendige

438

Junge, das Wetter ist dann ja gut; wir verloben uns gleich und halten Hochzeit. In der kalten Zeit legen wir Eier; die Kleinen liegen warm. Das weiseste Tier, die Ameise, vor der wir große Achtung haben, studiert uns, schätzt uns. Sie frißt uns nicht gleich auf, sondern nimmt unsere Eier, legt sie in ihren und ihrer Familie gemeinschaftlichen Haufen, in das unterste Stockwerk, legt uns mit gründlichen Kenntnissen nach Nummern geordnet Seite an Seite, Schicht auf Schicht, so daß jeden Tag ein neues aus dem Ei springen kann; dann setzen sie uns in den Stall, klemmen uns die Hinterbeine fest und melken uns, daß wir sterben, das ist ein sehr angenehmes Gefühl! Von ihnen haben wir den wunderschönsten Namen: ‚Süße kleine Milchkuh!‘ Alle Tiere mit Ameisenverstand nennen uns so, nur die Menschen nicht, und das ist eine Kränkung für uns, über die man seine Süßigkeit verlieren könnte – können Sie nicht etwas dagegen schreiben, können Sie sie nicht zurechtweisen, diese Menschen?

Sie sehen uns so dumm an, mit so giftigen Augen, weil wir ein Rosenblatt verspeisen, während sie selbst alle lebendigen Geschöpfe, alles, was grünt und blüht, auffressen. Sie geben uns den verächtlichsten Namen, den widerlichsten Namen; ich nenne ihn nicht, puh! Es dreht sich alles in mir um! Ich kann ihn nicht sagen, zumindest nicht in Uniform, und ich bin immer in Uniform.

Ich bin auf dem Blatt des Rosenstockes geboren, ich und das ganze Regiment leben vom Rosenstock; aber durch uns lebt wieder das, was zur höher gearteten Schöpfung gehört. Die Menschen dulden uns nicht, sie kommen und töten uns mit Seifenwasser; das ist ein abscheulicher Trank! Mir scheint, ich rieche ihn schon. Es ist entsetzlich, gewaschen zu werden, wenn man dazu geboren ist, nicht gewaschen zu werden!

Mensch! Du, der du mich mit den strengen Seifenwasseraugen ansiehst, bedenke unseren Platz in der Natur, unsere kunstvolle Einrichtung, Eier zu legen, Junge zu liefern! Uns wurde der Segen zuteil, ‚die Welt zu erfüllen und uns zu mehren‘! In Rosen werden wir geboren, in Rosen sterben wir; unser ganzes Leben ist Poesie. Behafte uns nicht mit dem Namen, den du am widerlichsten und garstigsten findest, mit dem Namen – nein, ich sage ihn nicht, ich nenne ihn nicht! Nenne uns Milchkuh der Ameisen, Regiment des Rosenstockes, die kleinen Grünen!"

Und ich, der Mensch, stand da und sah den Rosenstock und die kleinen Grünen an, deren Namen ich nicht nennen will, um einen Rosenbürger, eine große Familie mit Eiern und lebendigen Jungen, nicht zu kränken. Das Seifenwasser, mit dem ich sie waschen wollte – denn ich war mit Seifenwasser und bösen Absichten gekommen –, will ich nun zu Schaum schlagen, Seifenblasen daraus machen und die Pracht anschauen, vielleicht liegt in jeder ein Märchen.

Und die Blase wurde so groß und schillerte in allen Farben, und auf ihrem Grund schien eine Silberperle zu liegen. Die Blase schwankte, schwebte, flog gegen die Tür und zerplatzte, aber die Tür sprang auf, und da stand das Märchenmütterchen selbst.

„Ja, nun kann sie erzählen, und besser als ich, von – ich sage den Namen nicht! – den kleinen Grünen."

„Den Blattläusen!" sagte das Märchenmütterchen. „Man soll jedes Ding beim rechten Namen nennen, und wenn man es im allgemeinen auch nicht darf, so muß man es doch im Märchen können."

Was man erfinden kann

Es war einmal ein junger Mann, der darauf studierte, Dichter zu werden; er wollte es zu Ostern sein, sich verheiraten und von der Dichterei leben, und die, das wußte er, besteht nur darin, etwas zu erfinden, aber er konnte nichts erfinden. Er war zu spät geboren, alles war aufgegriffen, bevor er zur Welt kam, von allem war gedichtet und geschrieben worden.

„Die glücklichen Menschen, die vor tausend Jahren geboren wurden!" sagte er. „Die hatten es leicht, unsterblich zu werden! Glücklich selbst derjenige, der vor hundert Jahren geboren wurde, damals war doch noch etwas da, worüber gedichtet werden konnte; nun ist die Welt ausgedichtet, was soll ich hineindichten können?"

Darauf studierte er, daß er krank und elend wurde, der arme Mensch; kein Doktor konnte ihm helfen, aber vielleicht die kluge Frau. Sie wohnte in dem kleinen Haus am Feldgatter, das sie Wagen und Reitern aufschloß; sie konnte freilich mehr als das Gatter aufschließen, sie war klüger als der Doktor, der im eigenen Wagen fährt und Rangsteuer zahlt.

„Ich muß zu ihr hinaus!" sagte der junge Mann.

Das Haus, in dem sie wohnte, war klein und fein, aber langweilig anzusehen; hier war nicht ein Baum, nicht eine Blume; vor der Tür stand ein Bienenkorb, sehr nützlich, da war ein kleiner Kartoffelacker, sehr nützlich, und ein Graben mit Schlehdorn, der abgeblüht war und Beeren angesetzt hatte, die den Mund zusammenziehen, wenn man sie kostet, bevor sie Frost bekommen haben.

‚Das ist leibhaftig unsere poesielose Zeit, die ich hier sehe!' dachte der junge Mann, und das war immerhin ein Gedanke, ein Goldkorn, das er an der Tür der klugen Frau fand.

„Schreib das nieder!" sagte sie; „Krumen sind auch Brot! Weshalb du hierherkommst, weiß ich; du kannst nichts erfinden, und doch willst du zu Ostern Dichter sein!"

„Alles ist niedergeschrieben!" sagte er. „Unsere Zeit ist nicht die alte Zeit!"

„Nein!" sagte die Frau; „in der alten Zeit wurden die klugen Frauen verbrannt, und die Poeten hatten einen leeren Magen und ein Loch am Ellenbogen. Die Zeit ist gerade gut, sie ist die allerbeste! Aber du hast nicht den rechten Blick für die Dinge, du hast kein geschärftes Gehör und betest wohl am Abend niemals dein Vaterunser. Hier gibt es in Hülle und Fülle zu dichten und zu erzählen, wenn man erzählen kann. Du kannst es aus den Gewächsen der Erde herauslösen, aus dem fließenden und dem stillstehenden Wasser schöpfen, aber du mußt es verstehen, mußt verstehen, einen Sonnenstrahl aufzufangen. Versuch nun einmal meine Brille, setz mein Hörrohr ans Ohr, bete dann zu Gott und laß ab, an dich selbst zu denken!"

Das letztere war nun sehr schwierig und mehr, als eine kluge Frau verlangen kann.

Er bekam die Brille und das Hörrohr und wurde mitten in das Kartoffelfeld gestellt; sie gab ihm eine große Kartoffel in die Hand; es klang darin, es kam ein Lied mit Worten heraus, die Geschichte der Kartoffeln, interessant –

eine Alltagsgeschichte in zehn Teilen, zehn Zeilen genügten.

Und was sang die Kartoffel?

Sie sang von sich und ihrer Familie, von der Ankunft der Kartoffeln in Europa, von der Mißachtung, die sie erfahren und erlitten hatten, bevor sie, wie heute, als ein größerer Segen denn ein Goldklumpen anerkannt waren.

„Wir wurden auf königliches Geheiß vom Rathaus in allen Städten verteilt, es wurden Bekanntmachungen von unserer großen Bedeutung erlassen, aber man glaubte ihnen nicht, verstand es nicht einmal, uns zu pflanzen. Einer grub ein Loch und warf seinen ganzen Scheffel Kartoffeln hinein; ein anderer steckte eine Kartoffel hier, eine dort in die Erde und erwartete nun, daß sie wie ein ganzer Baum emporschießen sollte, von dem man Kartoffeln schütteln könnte. Es kamen auch Pflanzen, Blüten, wäßrige Früchte hervor, aber das Ganze verwelkte. Niemand dachte an das, was im Boden lag, an den Segen, an die Kartoffeln. Ja, wir haben ausgehalten und gelitten, das heißt unsere Vorväter, sie und wir, das bleibt sich nun gleich. Welche Geschichten!"

„Ja, das mag nun genug sein!" sagte die Frau. „Betrachte nun den Schlehdorn!"

„Wir haben auch nahe Verwandtschaft im Heimatland der Kartoffeln, nur höher im Norden als sie", sagten die Schlehen. „Es kamen Norweger aus Norwegen, die westwärts durch Nebel und Sturm nach einem unbekannten Land steuerten, wo sie hinter Eis und Schnee Kräuter und grüne Wiesen, Büsche mit schwarzblauen Weinbeeren fanden: Schlehdorn; die Trauben froren reif, das tun wir auch. Und das Land bekam den Namen Weinland, das ist Grönland, das ist Schlehenland!"

„Das ist eine ganz romantische Erzählung!" sagte der junge Mann.

„Ja freilich, komm nun aber mit!" sagte die kluge Frau und führte ihn zum Bienenkorb. Er schaute in ihn hinein. Welch Leben und Treiben! Da standen Bienen in allen Gängen und fächelten mit den Flügeln, damit gesunde Luft durch die ganze große Fabrik zöge, das war ihre Beschäftigung; nun kamen Bienen von draußen herein, sie waren mit Körbchen an den Füßen geboren und brachten Blütenstaub, der ausgeschüttet, gesondert und zu Honig und Wachs verarbeitet wurde; sie flogen ein und aus; die Bienenkönigin wollte auch ausfliegen, aber dann hätten alle Bienen mitfliegen müssen! Es war noch nicht an der Zeit; ausfliegen wollte sie aber doch; da bissen sie Ihrer Majestät die Flügel ab, und nun mußte sie dableiben.

„Steig nun auf den Grabenrand!" sagte die kluge Frau. „Komm und schau über die Landstraße hinaus, wo die Leute zu sehen sind."

„Das ist ein Gewimmel!" sagte der junge Mann. „Eine Geschichte nach der andern! Das schwirrt und surrt! Es wird mir ganz bunt vor den Augen, ich falle hintenüber!"

„Nein, geh geradeaus", sagte die Frau, „geh gerade in das Menschengewimmel hinein, habe den richtigen Blick dafür, ein Ohr dafür und auch ein Herz, dann wirst du bald etwas erfinden! Aber ehe du fortgehst, muß ich meine Brille und mein Hörrohr wiederhaben!" Und dann nahm sie ihm beides ab.

„Nun sehe ich nicht das geringste!" sagte der junge Mann, „nun höre ich nichts mehr."

„Ja, dann kannst du zu Ostern auch kein Dichter werden!" sagte die kluge Frau.

„Aber wann denn?" fragte er.

„Weder zu Ostern noch zu Pfingsten! Du lernst es nicht, etwas zu erfinden."

„Was muß ich denn tun, um mein Brot durch die Poesie zu verdienen?"

„Das kannst du schon zur Fastnacht verdienen! Mach Jagd auf die Poeten! Schlage ihre Schriften, so triffst du sie selbst. Laß dich nur nicht verblüffen! Schlage frisch drauflos, dann bekommst du Fastnachtswecken, mit denen du dich selbst und auch deine Frau ernähren kannst!"

„Was man erfinden kann!" sagte der junge Mann, und dann schlug er drauflos, auf jeden zweiten Poeten, weil er selbst kein Poet werden konnte.

Wir haben es von der klugen Frau, sie weiß, was man erfinden kann.

Die große Seeschlange

Es war einmal ein kleiner Seefisch aus guter Familie, den Namen habe ich nicht behalten, den mögen die Gelehrten dir sagen. Der kleine Fisch hatte achtzehnhundert Geschwister, alle gleich alt; sie kannten weder ihren Vater noch ihre Mutter, sie mußten sogleich für sich selbst sorgen und herumschwimmen, aber das war ein großes Vergnügen. Wasser zum Trinken hatten sie genug, das ganze Weltmeer, an das Futter dachten sie nicht, das würde wohl noch kommen; jeder würde seinem Vergnügen nachgehen, jeder würde seine eigene Geschichte haben, ja, daran dachte auch keiner von ihnen.

Die Sonne schien ins Wasser, es leuchtete um sie herum, es war so klar, es war eine Welt mit den wunderlichsten Geschöpfen, und einige waren so greulich groß mit gewaltigen Mäulern, die konnten die achtzehnhundert Geschwister verschlucken, aber daran dachten sie auch nicht, denn keiner von ihnen war bisher verschluckt worden.

Die Kleinen schwammen zusammen, dicht beieinander, wie die Heringe und Makrelen schwimmen; aber als sie gerade am allerschönsten im Wasser schwammen und an nichts dachten, sank mit entsetzlichem Laut von oben mitten durch ihren Schwarm ein langes, schweres Ding, das gar kein Ende nehmen wollte; länger und länger dehnte es sich aus, und jeder der kleinen Fische, den es rammte, wurde zermalmt oder bekam einen Knacks, den er nicht verwinden konnte. Alle kleinen Fische, die großen auch, vom Meeresspiegel bis zum Meeresgrund, fuhren vor Entsetzen zur Seite; das schwere, gewaltige Ding senkte sich tiefer, es wurde länger und länger, meilenlang, durch das ganze Meer.

Fische und Schnecken, alles, was schwimmt, alles, was kriecht oder von der Strömung getrieben wird, spürte dieses entsetzliche Ding, diesen ungeheuren, unbekannten Meeraal, der plötzlich von oben gekommen war.

Was war das nur für ein Ding? Ja, wir wissen es! Es war das große, meilenlange Telegraphenkabel, das die Menschen zwischen Europa und Amerika versenkten.

Das gab einen Schrecken, das gab einen Aufruhr unter den rechtmäßigen Bewohnern des Meeres, wo das Kabel versenkt wurde. Die fliegenden Fische flogen über den Meeresspiegel in die Luft, so hoch sie nur konnten, ja, der Knurrhahn flog wie ein Büchsenschuß übers Wasser, denn das konnte er; andere Fische suchten den Meeresboden auf, sie eilten mit solcher Hast davon, daß sie dort ankamen, lange bevor das Telegraphenkabel dort unten zu sehen war; sie erschreckten den Kabeljau und die Scholle, die friedlich in des Meeres Tiefe umherwanderten und ihre Mitgeschöpfe fraßen.

Ein paar Seegurken erschraken so sehr, daß sie ihren Magen ausspuckten und trotzdem noch lebten, denn das konnten sie. Viele Hummer und Taschenkrebse krabbelten aus ihrem guten Harnisch heraus und mußten ihre Beine zurücklassen.

Durch all den Schreck und die Verwirrung kamen die achtzehnhundert Geschwister auseinander und trafen sich nicht mehr wieder oder erkannten einander nicht mehr; nur ein halbes Dutzend blieb auf demselben Fleck, und als sie sich ein paar Stunden still verhalten hatten, verwanden sie den ersten Schreck und begannen neugierig zu werden.

Sie sahen sich um; sie sahen hinauf und sie sahen hinunter, und dort in der Tiefe glaubten sie das entsetzliche Ding zu erblicken, das sie erschreckt, Große und Kleine erschreckt hatte.

Das Ding lag auf dem Meeresboden, so weit sie blicken konnten; sehr dünn war es, aber sie wußten ja nicht, wie dick es sich machen konnte oder wie stark es war. Es lag ganz still, aber das, dachten sie, könnte Hinterlist sein.

„Laßt es liegen, wo es liegt! Es soll uns nicht kümmern!" sagten die vorsichtigsten der kleinen Fische, aber der allerkleinste wollte doch darüber Kenntnis erhalten, was für ein Ding das sein könnte; von oben war es gekommen, von oben müßte man sich am besten Bescheid holen können, und so schwammen sie nach oben zum Meeresspiegel; es war windstilles Wetter.

Dort trafen sie einen Delphin; das ist so ein Springinsfeld, ein Meerstreicher, der über der Meeresfläche Kobolz schlagen kann; er hatte Augen zum Sehen, und er müßte es gesehen haben und Bescheid wissen; ihn fragten sie, aber er hatte nur an sich selbst und sein Kobolzschlagen gedacht, hatte nichts gesehen, wußte nichts zu antworten, schwieg und sah stolz aus.

Darauf wandten sie sich an den Seehund, der gerade untertauchte; er war höflicher, obwohl er kleine Fische frißt; aber heute war er satt. Er wußte ein wenig mehr als der Springfisch.

„Ich habe manche Nacht auf einem nassen Stein gelegen und meilenweit ins Land gesehen; dort gibt es hinterlistige Geschöpfe, die in ihrer Sprache Menschen genannt werden, sie verfolgen uns, aber meistens entwischen wir ihnen doch; das habe ich verstanden und das hat nun auch der Meeraal, nach dem ihr fragt. Er ist in ihrer Macht gewesen, oben auf dem festen Lande, gewiß seit undenklichen Zeiten; von dort haben sie ihn auf ein Schiff gelegt, um ihn über das Meer in ein anderes fernes Land zu bringen. Ich sah, welche Mühe sie hatten, aber sie konnten ihn bewältigen, er war ja auf dem festen Land ermattet. Sie legten ihn in Kränze und Kreise, ich hörte, wie sie klapperten und klingelten, als sie ihn hinlegten, aber er entschlüpfte ihnen doch, schlüpfte heraus. Sie hielten ihn mit allen Kräften, viele Hände hielten fest; er entwischte doch und erreichte den Grund; dort liegt er, denke ich, bis auf weiteres!"

„Er ist etwas dünn!" sagten die kleinen Fische.

„Sie haben ihn hungern lassen!" sagte der Seehund; „aber er kommt bald wieder zu sich, bekommt seine alte Dicke und Größe wieder. Ich nehme an, daß er die große Seeschlange ist, vor der die Menschen sich fürchten und von der sie soviel sprechen; ich habe sie noch nie gesehen und niemals an sie geglaubt; nun glaube ich, daß sie es ist!" Und dann tauchte der Seehund unter.

„Wieviel er wußte! Wieviel er sprach!" sagten die kleinen Fische. „Wir sind nie zuvor so klug gewesen! — Wenn es nur keine Lüge ist!"

„Wir können ja hinabschwimmen und es untersuchen", sagte der Kleinste; „auf dem Weg hören wir uns die Meinung der anderen an!"

„Wir tun nicht einen Schlag mit unseren Flossen, um etwas zu erfahren!" sagten die anderen und drehten ab.

„Aber ich tue es!" sagte der Kleinste und steuerte fort, in das tiefe Wasser hinunter; aber er war weit entfernt von dem Ort, wo „das große versenkte Ding" lag. Der kleine Fisch sah und suchte nach allen Seiten in der Tiefe.

Niemals zuvor hatte er die Welt als so groß empfunden. Die Heringe wanderten in großen Schwärmen, leuchteten wie ein silbernes Riesenboot, ihnen folgten die Makrelen und sahen noch prächtiger aus. Da kamen Fische in allen Gestalten und mit Zeichnungen in allen Farben; Medusen wie halbdurchsichtige Blumen ließen sich tragen und von der Strömung führen. Große Pflanzen wuchsen auf dem Meeresgrund, armhohe Gräser und palmenförmige Bäume, jedes Blatt mit leuchtenden Schaltieren besetzt.

Endlich erblickte der kleine Seefisch dort unten einen langen dunklen Streifen und steuerte auf ihn zu, aber es war weder Fisch noch Kabel, es war die Reling eines großen gesunkenen Schiffes, dessen oberes und unteres Deck durch den Druck des Meeres entzweigebrochen war. Der kleine Fisch schwamm in den Raum hinein, wo die vielen Menschen, beim Untergang des Schiffes umgekommen, nun fortgespült waren, bis auf zwei: eine junge Frau lag dort ausgestreckt mit einem kleinen Kind in den Armen. Das Wasser hob und schaukelte sie gleichsam, sie schienen zu schlafen. Der kleine Fisch erschrak sehr, er wußte ja nicht, daß sie nicht mehr erwachen konnten. Die Wasserpflanzen hingen wie Laubwerk über die Reling, über die beiden schönen Leichen von Mutter und Kind. Es war so still, es war so einsam. Der kleine Fisch eilte, so schnell er konnte, fort, dorthin, wo das Wasser heller beleuchtet war und wo Fische zu sehen waren. Er war nicht weit gekommen, als er einen jungen Wal traf, so entsetzlich groß.

„Verschluck mich nicht!" sagte der kleine Fisch. „Ich bin nicht einmal ein Bissen, so klein bin ich, und ich finde es sehr angenehm zu leben!"

„Was willst du so tief hier unten, wohin deine Art nicht kommt?" fragte der Wal. Und dann erzählte der kleine Fisch von dem langen wunderlichen Aal, oder was für ein Ding es nun war, das sich von oben hinabgesenkt und selbst die allermutigsten Meeresgeschöpfe erschreckt hatte.

„Ho, ho!" sagte der Wal und zog so gewaltig Wasser ein, daß er einen mächtigen Wasserstrahl ausspritzen mußte, wenn er nach oben kommen und Luft holen wollte. „Ho, ho!" sagte er, „also das war das Ding, das mich am Rücken kitzelte, als ich mich umwandte! Ich glaubte, es sei ein Schiffsmast, den ich als Rückenkratzer gebrauchen könnte! Aber an dieser Stelle war es nicht, nein, viel weiter draußen liegt das Ding. Ich will es doch untersuchen, ich habe ja nichts anderes zu tun!"

Und dann schwamm er voraus und der kleine Fisch hinterher, nicht zu nahe, denn es war dort so etwas wie ein reißender Strom, wo der große Wal durch das Wasser schoß.

Sie trafen einen Hai und einen alten Sägefisch; die beiden hatten auch von dem seltsamen Meeraal gehört, so lang und so dünn; gesehen hatten sie ihn nicht, aber das wollten sie.

Nun kam eine Meerkatze.

„Ich gehe mit!" sagte sie; sie hatte dasselbe Ziel.

„Ist die große Seeschlange nicht dicker als ein Ankertau, so werde ich sie mit einem Biß durchbeißen!" Und sie öffnete ihr Maul und zeigte sechs Reihen Zähne. „Ich kann Zeichen in einen Schiffsanker beißen, dann kann ich erst recht den Stiel durchbeißen!"

„Dort ist sie", sagte der große Wal, „ich sehe sie!" Er glaubte, er sähe besser als die anderen. „Seht, wie sie sich hebt, seht, wie sie sich schwingt, biegt und krümmt!"

Sie war es aber doch nicht, sondern ein ungeheuer großer Meeraal, viele Ellen lang, der sich näherte.

„Den habe ich schon früher gesehen", sagte der Sägefisch, „er hat niemals großes Getöse im Meer gemacht oder irgendeinen großen Fisch erschreckt!"

Und dann erzählten sie ihm von dem neuen Aal und fragten, ob er mit auf Entdeckung wollte.

„Ist der Aal länger als ich", sagte der Meeraal, „dann wird ein Unglück geschehen!"

„Das schadet nichts!" sagten die andern. „Wir sind genug, um es nicht zu dulden!" Und dann eilten sie vorwärts.

Aber da kam ihnen etwas gerade in den Weg, ein wunderliches Ungeheuer, größer als sie allesamt.

Es sah aus wie eine schwimmende Insel, die sich nicht oben halten konnte.

Es war ein uralter Wal. Sein Kopf war mit Meerpflanzen überwachsen, sein Rücken mit Kriechtieren und so unendlich vielen Austern und Muscheln besetzt, daß seine schwarze Haut ganz weiß gesprenkelt war.

„Komm mit, Alter!" sagten sie. „Hier ist ein neuer Fisch gekommen, der nicht geduldet werden kann."

„Ich will lieber liegen, wo ich liege!" sagte der alte Wal.
„Laßt mich in Ruhe! Laßt mich liegen! Ach ja, ja, ja! Ich
leide an einer schweren Krankheit! Ich spüre nur Linde-
rung, wenn ich zum Meeresspiegel aufsteige und den Rükken obendrüber habe! Dann kommen die großen schönen
Seevögel und pflücken mich ab, das tut so gut, wenn sie nur
nicht den Schnabel zu tief hineinschlagen, das geht oft gerade bis in meinen Speck. Seht nur einmal! Das ganze Gerippe eines Vogels sitzt mir noch im Rücken; der Vogel
schlug die Klauen zu tief hinein und konnte nicht loskommen, als ich tauchte. Nun haben die kleinen Fische ihn zer-
pflückt. Seht, wie er aussieht und wie ich aussehe! Ich bin
krank!"

„Das ist lauter Einbildung!" sagte der Wal. „Ich bin niemals
krank. Kein Fisch ist krank!"

„Entschuldigung!" sagte der alte Wal; „der Aal hat eine
Hautkrankheit, der Karpfen soll Blattern haben, und alle haben wir Eingeweidewürmer!"

„Unsinn!" sagte der Hai, er wollte nicht mehr hören, die andern auch nicht, sie hatten etwas anderes zu tun.

Endlich kamen sie an die Stelle, wo das Telegraphenkabel
lag. Es liegt lang auf dem Meeresgrund, von Europa bis
Amerika, über Sandbänke und Meeresschlamm, Klippen-
grund und Pflanzenwildnis, ja über ganze Wälder von Korallen, und dann wechselte die Strömung dort unten, Was-
serwirbel drehten sich, Fische wimmelten hervor, mehr
Schwärme als die zahllosen Vogelscharen, die die Menschen in der Zugvogelzeit sehen. Da ist ein Rühren, ein
Planschen, ein Summen, ein Sausen: das Sausen spukt noch
ein wenig in den großen leeren Meermuscheln, wenn wir
sie an unser Ohr halten.

Nun kamen sie an die Stelle.

„Dort liegt das Tier!" sagten die großen Fische, und der
kleine sagte es auch. Sie sahen das Kabel, dessen Anfang
und Ende ihrem Gesichtskreis entschwand.

Schwämme, Polypen und Gorgonen erhoben sich vom
Grund, senkten sich und beugten sich darüber, so daß es
bald versteckt, bald zu sehen war. Seeigel, Schnecken und
Würmer rührten sich dort; riesige Spinnen, die eine ganze

Besatzung von Kriechtieren auf sich trugen, stolzierten zum Kabel. Dunkelblaue Seegurken, oder wie das Gewürm heißt, das mit dem ganzen Körper frißt, lagen und rochen an dem neuen Tier, das sich auf den Meeresboden gesenkt hatte. Scholle und Kabeljau drehten sich im Wasser, um nach allen Seiten zu lauschen. Der Sternfisch, der sich immer in den Schlamm bohrt und nur die beiden langen Stiele mit den Augen blicken läßt, lag und glotzte, um zu sehen, was bei dem Trubel herauskam.

Das Telegraphenkabel lag ohne Bewegung da. Aber Leben und Gedanken waren in ihm, Menschengedanken gingen hindurch.

„Das Ding ist tückisch!" sagte der Wal. „Es ist imstande, mich auf den Magen zu schlagen, und der ist nun einmal mein wunder Punkt!"

„Wir wollen uns vorfühlen!" sagte der Polyp. „Ich habe lange Arme, ich habe geschmeidige Finger; ich habe es schon berührt, ich will nun ein wenig fester zufassen."

Und er streckte seine längsten geschmeidigen Arme zum Kabel aus und rundherum.

„Es hat keine Schuppen", sagte der Polyp, „es hat keine Haut! Ich glaube, es gebiert niemals lebendige Junge!"

Der Meeraal legte sich der Länge nach neben das Telegraphenkabel und streckte sich so lang aus, wie er konnte.

„Das Ding ist länger als ich!" sagte er. „Aber es geht hier nicht um die Länge, man muß Haut, Leib und Geschmeidigkeit haben."

Der Wal, der junge, starke Wal, neigte sich ganz hinab, tiefer, als er jemals gewesen war.

„Bist du Fisch oder Pflanze?" fragte er. „Oder bist du nur ein Werk von oben, das hier unten bei uns nicht gedeihen kann?"

Aber das Telegraphenkabel antwortete nicht; das tut es nicht zu dieser Seite. Gedanken gingen hindurch; sie wurden in einer Sekunde viele hundert Meilen von Land zu Land getragen.

„Willst du antworten, oder willst du zerbissen werden?" fragte der grimmige Hai, und alle andern großen Fische fragten dasselbe: „Willst du antworten, oder willst du zerbissen werden?"

Das Kabel rührte sich nicht, es hatte seine besonderen Gedanken, und die kann es haben, denn es ist mit Gedanken angefüllt.

,Mögen sie mich ruhig zerbeißen, dann werde ich hinaufgeholt und wieder instand gesetzt, das ist schon mit anderen meiner Art geschehen, in kleineren Gewässern!'

Es antwortete darum nicht, es hatte anderes zu tun, es telegraphierte, lag in Ausübung seines Amtes auf dem Meeresgrund.

Oben ging nun die Sonne unter, wie die Menschen es nennen, sie wurde wie das röteste Feuer, und alle Wolken des Himmels leuchteten wie Feuer, die eine immer prächtiger als die andere.

„Jetzt bekommen wir die rote Beleuchtung!" sagten die Polypen. „So sehen wir das Ding vielleicht besser, wenn es nötig ist."

„Auf ihn! Auf ihn!" rief die Meerkatze und zeigte alle ihre Zähne.

„Auf ihn! Auf ihn!" sagten der Schwertfisch und der Wal und der Meeraal.

Sie stürzten vor, die Meerkatze voran; aber als sie gerade in das Kabel beißen wollte, jagte der Sägefisch vor lauter Eifer seine Säge in das Hinterteil der Meerkatze; das war ein großer Irrtum, und die Katze hatte keine Kräfte mehr zum Beißen.

Das gab einen Lärm dort unten in dem Schlamm: große Fische und kleine Fische, Seegurken und Schnecken liefen gegeneinander an, fraßen einander, zerdrückten und zerquetschten sich. Das Kabel lag still und tat seinen Dienst, und das soll man auch.

Obendrüber lag die dunkle Nacht, aber die Milliarden und Milliarden lebendiger Kleintiere des Meeres leuchteten. Der Krebs, nicht einmal so groß wie ein Stecknadelkopf, leuchtete. Es ist ganz wunderlich, aber so ist es nun einmal.

Die Tiere des Meeres sahen auf das Telegraphenkabel.

„Was ist das nur für ein Ding, oder was ist es nicht?"

Ja, das war die Frage.

Da kam eine alte Meerkuh. Die Menschen nennen diese Art Meerfrau oder Meermann. Ein Weibchen war sie, hatte einen Schwanz und zwei kurze Arme, um damit zu planschen, einen Hängebusen und Tang und Schmarotzer auf dem Kopf, und darauf war sie stolz.

„Wollt ihr Wissen und Kenntnis erlangen", sagte sie, „so bin ich wohl die einzige, die euch das geben kann; aber ich verlange dafür gefahrloses Weiden auf dem Meeresgrund für mich und die Meinen. Ich bin ein Fisch wie ihr, und ich bin auch ein Kriechtier durch Übung. Ich bin die Klügste im Meer; ich weiß von allem, was sich hier unten regt, und von allem, was da oben ist. Dieses Ding hier, an dem ihr herumrätselt, stammt von oben, und was von oben herunterfällt, ist tot oder wird tot und machtlos; laßt es liegen als das, was es ist. Es ist nur eine Menschenerfindung!"

„Ich glaube nun, daß es etwas mehr ist!" sagte der kleine Seefisch.

„Halt den Mund, Makrele!" sagte die große Meerkuh.

„Stichling!" sagten die andern, und das war noch beleidigender gesagt.

Und die Meerkuh erklärte ihnen, daß das ganze Alarmtier, das übrigens nicht einmal einen Mucks sagte, nur eine Erfindung vom trockenen Lande sei. Und sie hielt einen kleinen Vortrag über die Arglist der Menschen.

„Sie wollen uns fassen", sagte sie, „das ist das einzige, wofür sie leben; sie legen Netze aus, kommen mit einem Köder auf dem Haken, um uns zu locken. Dies da ist eine Art große Schnur, von der sie glauben, wir würden hineinbeißen, sie sind so dumm! Das sind wir nicht! Rührt nur das Machwerk nicht an, es zerfasert, wird zu Staub und Schlamm, das Ganze. Was von oben kommt, ist Bruch, taugt nicht!"

„Taugt nicht!" sagten alle Meeresgeschöpfe und hielten sich an die Meinung der Meerkuh, um eine Meinung zu haben.

Der kleine Seefisch behielt seine eigenen Gedanken. „Diese ungeheuer lange dünne Schlange ist vielleicht der wunderbarste Fisch im Meer. Ich habe so ein Gefühl."

„Das Wunderbarste!" sagen auch wir Menschen und sagen es mit Wissen und Überzeugung.

Es ist die große Seeschlange, lange schon in Lied und Sage genannt.

Sie ist getragen und geboren, der menschlichen Klugheit entsprungen und auf den Meeresgrund gelegt, vom Land des Ostens zum Land des Westens sich erstreckend, die Botschaft tragend, so schnell, wie die Strahlen des Sonnenlichtes bis zu unserer Erde gelangen. Sie wächst, wächst an

Macht und an Ausdehnung, wächst Jahr für Jahr, durch alle Meere, um die Erde herum, unter den stürmenden Wassern und den glasklaren Wassern, wo der Schiffer hinabsieht, als führe er durch die durchsichtige Luft, wimmelnde Fische sieht, ein ganzes Farbenfeuerwerk.

Ganz tief unten erstreckt sich die Schlange, eine segensreiche Midgardschlange, die sich in den Schwanz beißt, indem sie die Erde umschließt. Fisch und Kriechtier laufen mit dem Kopf dagegen, sie verstehen doch nicht das Ding von oben: der Menschheit gedankenerfüllte, in allen Sprachen redende und doch lautlose Schlange des Wissens um Gut und Böse, das wunderbarste der Meerwunder unserer Zeit, die große Seeschlange.

Der Gärtner
und die Herrschaft

Eine Meile von der Hauptstadt entfernt stand ein alter Herrenhof mit dicken Mauern, Türmen und gezacktem Giebel.

Hier wohnte, aber nur in der Sommerszeit, eine reiche, hochadlige Herrschaft; dieser Hof war der beste und schönste von all den Höfen, die sie besaß, er war von außen wie neugegossen, und innen waren Behaglichkeit und Bequemlichkeit. Das Wappen des Geschlechts war über der Tür in Stein gehauen, herrliche Rosen wanden sich um Wappen und Erker, ein ganzer Rasenteppich breitete sich vor dem Hof aus; dort standen Rotdorn und Weißdorn, es gab seltene Blumen, selbst außerhalb des Treibhauses.

Die Herrschaft hatte aber auch einen tüchtigen Gärtner; es war eine Lust, den Blumengarten, Obst- und Gemüsegarten zu sehen. Daneben war noch ein Rest von dem ursprünglichen alten Garten des Hofes mit einigen Buchsbaumhekken, so beschnitten, daß sie Kronen und Pyramiden bildeten. Dahinter standen zwei mächtige alte Bäume; die waren fast immer kahl, und man konnte leicht glauben, daß ein Sturmwind oder eine Windhose sie mit großen Mistklumpen überstreut hätte, aber jeder Klumpen war ein Vogelnest.

Hier wohnte seit undenklichen Zeiten ein Gewimmel krächzender Raben und Krähen, es war ein ganzes Vogeldorf, und die Vögel waren die Herrschaft, Grundbesitzer, das älteste Geschlecht des Herrensitzes, die eigentliche Herrschaft des Hofes. Keiner der Menschen dort unten ging sie etwas an, aber sie duldeten diese niedriggehenden Geschöpfe, obwohl sie zuweilen mit Büchsen knallten, daß es den Vögeln im Rückgrat kitzelte und jeder Vogel dabei vor Schreck aufflog und „Rab! Rab!" schrie.

Der Gärtner sprach oft zu seiner Herrschaft davon, die alten Bäume fällen zu lassen, sie sähen nicht gut aus, und wenn sie fortkämen, würde man vermutlich von den schreienden Vögeln befreit, die sich woanders umtun müßten. Aber die Herrschaft wollte weder die Bäume noch das Vogelgewimmel los sein, es war etwas aus der alten Zeit, und das sollte man nicht ganz und gar auslöschen.

„Die Bäume sind nun einmal das Erbgut der Vögel, sie sollen es behalten, mein guter Larsen!"

Der Gärtner hieß Larsen, aber das hat hier weiter nichts zu bedeuten.

„Haben Sie nicht Wirkungsfeld genug, lieber Larsen? Den ganzen Blumengarten, die Treibhäuser, den Obst- und Gemüsegarten?"

Die hatte er, die pflegte und wartete er, züchtete mit Eifer und Tüchtigkeit, und das wurde von der Herrschaft anerkannt, aber sie verschwieg ihm nicht, daß sie oft bei Fremden Früchte äße und Blumen sähe, die das, was sie in ihrem Garten hätte, überträfen, und das betrübte den Gärtner, denn er wollte das Beste und tat das Beste. Er war gut im Herzen und gut in seinem Amt.

Eines Tages ließ die Herrschaft ihn rufen und sagte in aller Güte und Herrschaftlichkeit, daß sie am Tage vorher bei vornehmen Freunden eine Sorte Äpfel und Birnen bekommen hätte, so saftig, so wohlschmeckend, daß sie und alle Gäste ihre Bewunderung ausgesprochen hätten. Die Früchte wären gewiß keine inländischen, aber sie müßten eingeführt und hier heimisch werden, wenn das Klima es zuließe. Man wußte, daß sie in der Stadt beim ersten Obsthändler gekauft waren, der Gärtner sollte hinreiten und herausbekommen, woher diese Äpfel und Birnen gekommen waren, und sich Pfropfreiser verschreiben lassen.

Der Gärtner kannte den Obsthändler gut, an ihn verkaufte er für die Herrschaft den Überfluß an Obst, der in ihrem Garten wuchs.

Und der Gärtner zog zur Stadt und fragte den Oberhändler, woher er diese hochgepriesenen Äpfel und Birnen habe.

„Die sind aus Ihrem eigenen Garten!" sagte der Oberhändler und zeigte ihm Äpfel und Birnen, und er erkannte sie wieder.

Ja, wie froh wurde da der Gärtner; er eilte zur Herrschaft und erzählte, daß die Äpfel und Birnen aus ihrem eigenen Garten seien.

Das konnte die Herrschaft gar nicht glauben. „Das ist nicht möglich, Larsen! Können Sie eine schriftliche Bestätigung des Obsthändlers beschaffen?"

Und das konnte er, er brachte ein schriftliches Attest.

„Das ist doch merkwürdig!" sagte die Herrschaft.

Nun kamen jeden Tag große Schalen mit diesen prächtigen Äpfeln und Birnen aus ihrem eigenen Garten auf den Herrschaftstisch; scheffel- und tonnenweise wurden diese Früchte an Freunde innerhalb und außerhalb der Stadt, ja selbst ins Ausland versandt. Es war ein reines Vergnügen! Doch mußten sie hinzufügen, daß es ja auch zwei besonders gute Sommer für Baumfrüchte gewesen seien, überall im Lande seien sie gut geraten.

Einige Zeit verging. Die Herrschaft speiste eines Mittags bei Hofe. Am Tag darauf wurde der Gärtner zu seiner Herrschaft gerufen. Sie hatte bei der Tafel Melonen aus dem Treibhaus der Majestäten bekommen, so saftig und wohlschmeckend.

„Sie müssen zum Hofgärtner gehen, guter Larsen, und uns einige Kerne von diesen köstlichen Melonen beschaffen!"

„Aber der Hofgärtner hat die Kerne von uns bekommen!" sagte der Gärtner ganz vergnügt.

„So hat der Mann die Früchte zu einer höheren Entwicklung zu bringen gewußt!" antwortete die Herrschaft. „Jede Melone war ausgezeichnet!"

„Ja, dann kann ich stolz sein!" sagte der Gärtner. „Ich muß der gnädigen Herrschaft sagen, daß der Schloßgärtner in diesem Jahr kein Glück mit seinen Melonen gehabt hat, und als er sah, wie prächtig unsere standen, und sie kostete, da bestellte er drei von diesen aufs Schloß!"

„Larsen! Bilden Sie sich doch nicht ein, daß das Melonen aus unserem Garten waren!"

„Ich glaube es!" sagte der Gärtner, ging zum Schloßgärtner und bekam von ihm einen schriftlichen Beweis, daß die Melonen auf der königlichen Tafel vom Herrenhof gekommen waren.

Das war wirklich eine Überraschung für die Herrschaft, und sie verschwieg die Geschichte nicht, sie zeigte das Attest vor, ja, es wurden Melonenkerne weit herumgesandt, ebenso wie früher die Pfropfreiser.

Von denen bekam man Nachricht, daß sie anschlugen, ganz ausgezeichnet Früchte ansetzten und daß sie nach dem Gutshof der Herrschaft benannt wurden, so daß der Name nun auf englisch, deutsch und französisch zu lesen war.

Das hätte man nie zuvor gedacht!

„Wenn nur der Gärtner keine zu große Meinung von sich selbst bekommt!" sagte die Herrschaft.

Er nahm es anders auf: er wollte nun gerade danach streben, seinen Namen als einen der besten Gärtner des Landes zu behaupten, zu versuchen, jedes Jahr etwas Vorzügliches bei allen Gartengewächsen hervorzubringen, und das tat er auch; aber oft bekam er doch zu hören, daß die allerersten Früchte, die er gebracht hatte, die Äpfel und Birnen, eigentlich die besten gewesen seien, alle späteren Arten stünden weit darunter. Die Melonen seien freilich sehr gut gewesen, aber das war ja etwas ganz anderes. Die Erdbeeren könnten vortrefflich genannt werden, aber doch nicht besser als die, die andere Herrschaften hatten, und als die Rettiche in einem Jahr nicht gediehen, da wurde nur von den mißlungenen Rettichen gesprochen und nicht von dem anderen Guten, das gebracht wurde.

Es war fast, als fühle sich die Herrschaft erleichtert, wenn sie sagen konnte: „Dieses Jahr glückte es nicht, lieber Larsen!" Sie war sogar ganz froh, wenn sie sagen konnte: „Dieses Jahr glückte es nicht!"

Ein paarmal in der Woche brachte der Gärtner frische Blumen ins Zimmer, immer sehr geschmackvoll angeordnet; die Farben kamen durch die Zusammenstellung gleichsam in ein stärkeres Licht.

„Sie haben Geschmack, Larsen", sagte die Herrschaft, „das

ist eine Gabe, die Ihnen von Gott gegeben ist und die Sie nicht aus sich selbst haben!"

Eines Tages kam der Gärtner mit einer großen Kristallschale, in der ein Seerosenblatt lag; darauf war, mit dem langen, dicken Stiel im Wasser, eine strahlende blaue Blume gelegt, groß wie eine Sonnenblume.

„Der Lotos von Hindostan!" rief die Herrschaft aus.

Eine solche Blüte hatten sie niemals gesehen; und sie wurde am Tage in den Sonnenschein und am Abend ins Lampenlicht gestellt. Jeder, der sie sah, fand sie besonders schön und selten, ja, das sagte selbst die Vornehmste unter den jungen Damen des Landes, und sie war eine Prinzessin; klug und herzensgut war sie.

Die Herrschaft sah es als eine Ehre an, ihr die Blüte zu überreichen, und sie kam mit der Prinzessin aufs Schloß.

Nun ging die Herrschaft in den Garten, um selbst eine Blume von dieser Art zu pflücken, wenn eine solche noch zu finden wäre, aber sie war nicht zu finden. So rief sie den Gärtner und fragte, woher er die blaue Lotosblüte habe.

„Wir haben sie vergeblich gesucht!" sagte sie. „Wir sind in den Treibhäusern und überall im Blumengarten gewesen!"

„Nein, dort ist sie freilich nicht!" sagte der Gärtner. „Sie ist eine geringe Blume aus dem Gemüsegarten! Aber nicht wahr, wie ist sie hübsch! Sie sieht aus, als wäre sie ein blauer Kaktus, und ist doch nur die Blüte einer Artischocke!"

„Das hätten Sie uns gleich sagen sollen!" sagte die Herrschaft. „Wir mußten glauben, daß es eine fremde, seltene Blume sei. Sie haben uns vor der jungen Prinzessin bloßgestellt! Sie sah die Blume bei uns, fand sie so schön, kannte sie nicht, und sie ist doch ganz bewandert in der Botanik, aber diese Wissenschaft hat mit Küchenkräutern nichts zu tun! Wie konnte es Ihnen einfallen, guter Larsen, eine solche Blume ins Zimmer zu stellen? Das macht uns ja lächerlich!"

Und die schöne blaue Prachtblume, die aus dem Gemüsegarten geholt worden war, wurde aus dem Herrschaftszimmer, in das sie nicht gehörte, hinausgeworfen, ja, die Herrschaft entschuldigte sich bei der Prinzessin und erzählte, daß die Blume nur ein Küchenkraut sei, das der Gärtner hingestellt habe, aber er habe dafür eine ernste Zurechtweisung erhalten.

„Das ist schade und unrecht!" sagte die Prinzessin. „Er hat ja unsere Augen für eine Prachtblume geöffnet, der wir gar keine Beachtung schenkten, er hat uns die Schönheit gezeigt, wo wir sie nie gesucht hätten. Der Schloßgärtner soll mir jeden Tag, solange die Artischocken Blüten tragen, eine in mein Zimmer bringen!"

Und das geschah.

Die Herrschaft ließ dem Gärtner sagen, daß er ihr wieder eine frische Artischockenblüte bringen könne.

„Sie ist im Grunde genommen hübsch", sagten sie, „höchst merkwürdig!" Und der Gärtner bekam ein Lob.

„Das hat Larsen gern!" sagte die Herrschaft. „Er ist ein verwöhntes Kind!"

Im Herbst wütete ein entsetzlicher Sturm; er nahm in der Nacht noch zu, so gewaltig, daß viele große Bäume am Rand des Waldes mit der Wurzel ausgerissen wurden, und zum großen Kummer der Herrschaft – Kummer nannte sie es –, aber zur Freude des Gärtners, wurden die beiden großen Bäume mit all den Vogelnestern umgeblasen. Man hörte durch den Sturm das Schreien der Raben und Krähen; sie schlugen mit den Flügeln an die Scheiben, sagten die Leute auf dem Hof.

„Nun sind Sie wohl froh, Larsen!" sagte die Herrschaft; „der Sturm hat die Bäume gefällt, und die Vögel haben den Wald aufgesucht. Hier gibt es nichts mehr aus der alten Zeit zu sehen; jede Spur und jede Andeutung ist fort! Uns hat das betrübt!"

Der Gärtner sagte nichts, aber er dachte nun an das, woran er schon lange gedacht hatte; den prächtigen Sonnenplatz, über den er vorher nicht verfügte, so recht auszunutzen; er sollte ein Schmuck des Gartens und eine Freude der Herrschaft werden.

Die großen umgeblasenen Bäume hatten die uralten Buchsbaumhecken mit all ihren Figuren zerdrückt und zerschlagen. Er pflanzte hier ein Dickicht von Gewächsen an, heimische Pflanzen aus Feld und Wald.

Woran kein anderer Gärtner gedacht hätte, das pflanzte er hier in reicher Fülle in den Herrschaftsgarten, und zwar so, wie jede Pflanze es brauchte, und in Schatten und Sonnenschein, wie jede Art es verlangte. Er pflegte es mit Liebe, und es wuchs prächtig.

Der Wacholderbusch aus der jütischen Heimat erhob sich in Form und Farbe wie Italiens Zypresse, der blanke, stachlige Christdorn, immer grün, in Winterkälte und Sommersonne, stand dort herrlich anzusehen. Davor wuchsen Farnkräuter, viele verschiedene Arten, einige sahen aus, als wären sie Kinder der Palme, und andere, als wären sie die Eltern der feinen, schönen Pflanze, die wir Venushaar nennen. Hier stand die geringgeachtete Klette, die in ihrer Frische so hübsch war, daß sie in einen Strauß gepaßt hätte. Die Klette stand auf trockenem Boden, aber tiefer, auf feuchterem Grund, wuchs der Ampfer, auch eine verachtete Pflanze und doch so malerisch und hübsch in seiner Höhe und mit seinen mächtigen Blättern. Armhoch, Blüte an Blüte, wie ein mächtiger, vielarmiger Kandelaber, erhob sich die Königskerze, vom Feld hierher verpflanzt. Hier standen Waldmeister, Kuhblumen und Waldmaiglöckchen, die wilde Kalla und der dreiblättrige feine Sauerklee. Es war herrlich anzusehen.

Davor wuchsen, durch Drahtgitter gestützt, in Reihen ganz kleine Birnbäume aus französischer Erde; sie bekamen Sonne und gute Pflege und trugen bald große, saftige Früchte wie in dem Land, aus dem sie kamen.

An Stelle der beiden alten blattlosen Bäume wurde eine hohe Fahnenstange errichtet, an welcher der Danebrog wehte, und dicht dabei noch eine Stange, an welcher sich zur Sommers- und Herbstzeit Hopfenranken mit ihren duftenden Blütenkugeln emporwanden, wo aber im Winter nach altem Brauch eine Hafergarbe aufgehängt wurde, damit die Vögel des Himmels in der frohen Weihnachtszeit ihre Mahlzeit halten konnten.

„Der gute Larsen wird in seinen alten Tagen sentimental!" sagte die Herrschaft. „Aber er ist uns treu und ergeben!"

Zu Neujahr erschien in einem der illustrierten Blätter der Hauptstadt ein Bild des alten Hofes; man sah die Fahnenstange und die Hafergarbe für die Vögel des Himmels zur frohen Weihnachtszeit, und es wurde besprochen und als ein hübscher Gedanke hervorgehoben, daß hier ein alter Brauch zu Recht und Ehre gebracht worden sei.

„Für alles, was dieser Larsen tut, schlägt man die Trommel. Das ist ein glücklicher Mann! Wir müssen ja beinah stolz sein, daß wir ihn haben!" sagte die Herrschaft.

Aber sie waren gar nicht stolz darauf! Sie fühlten sich nur als die Herrschaft, die Larsen kündigen konnte, aber das taten sie nicht; es waren gute Menschen, und von ihrer Art gibt es so viele gute Menschen, und das ist erfreulich für jeden Larsen.

Ja, das ist die Geschichte von „dem Gärtner und der Herrschaft".

Nun kannst du darüber nachdenken!

Inhaltsverzeichnis

ENT
Edition Neue Texte

Neuerscheinungen 1988

Benedikt Dyrlich: Hexenbrunnen. Gedichte und
Miniaturen

Harald Gerlach: Abschied von Arkadien

Rulo Melchert: Auf dem stierhörnigen Mondkahn.
Gedichte über Madagaskar

Anatoli Kudrawez: Auf dem Weg nach Hause.
Erzählungen

Anatoli Kurtschatkin: Ein Weiberhaus

Franz Hodjak: Siebenbürgische Sprechübung

Ntozake Shange: Schwarze Schwestern

Claude Simon: Anschauungsunterricht

Tahar Djaout: Die Suche nach den Gebeinen

Manuel Rui: Das Meer und die Erinnerung. Prosa
und Lyrik

Nachauflagen 1988

Helga Königsdorf: Respektloser Umgang

Erwin Strittmatter: Grüner Juni

Eva Strittmatter: Mondschnee liegt auf den Wiesen

Aufbau-Verlag Berlin und Weimar

Taschenbibliothek der Weltliteratur

Eine Taschenbuchreihe mit eigenem Profil

Veröffentlichung von Werken deutscher und internationaler Schriftsteller aus Vergangenheit und Gegenwart

Preiswerte Ausgaben in moderner Paperbackausstattung

1988 erscheinen

Hermann Hesse · Kinderseele

Stefan Zweig · Leporella (Nachauflage)

Hans Fallada · Wer einmal aus dem Blechnapf frißt (Nachauflage)

Tschingis Aitmatow · Dshamila · Abschied von Gülsary · Der weiße Dampfer

Miroslav Krleža · Die Rückkehr des Filip Latinovicz

Hans Christian Andersen · Die Galoschen des Glücks

John Steinbeck · Geld bringt Geld

Tennessee Williams · Glasporträt eines Mädchens

50 Novellen der italienischen Renaissance

Lukian · Der Lügenfreund. Satirische Gespräche und Geschichten

Aufbau-Verlag Berlin und Weimar